Alessandro Lima

ZBrush para Iniciantes

ZBrush para Iniciantes

Copyright© Editora Ciência Moderna Ltda., 2010
Todos os direitos para a língua portuguesa reservados pela EDITORA CIÊNCIA MODERNA LTDA.
De acordo com a Lei 9.610 de 19/2/1998, nenhuma parte deste livro poderá ser reproduzida, transmitida e gravada, por qualquer meio eletrônico, mecânico, por fotocópia e outros, sem a prévia autorização, por escrito, da Editora.

Editor: Paulo André P. Marques
Supervisão Editorial: Camila Cabete Machado
Copidesque: Luiz Carlos Josephson
Diagramação: André Oliva
Capa: Carlos Arthur Candal
Produção Editorial: Aline Vieira Marques
Imagem da capa: Diego Maia

Várias Marcas Registradas aparecem no decorrer deste livro. Mais do que simplesmente listar esses nomes e informar quem possui seus direitos de exploração, ou ainda imprimir os logotipos das mesmas, o editor declara estar utilizando tais nomes apenas para fins editoriais, em benefício exclusivo do dono da Marca Registrada, sem intenção de infringir as regras de sua utilização. Qualquer semelhança em nomes próprios e acontecimentos será mera coincidência.

FICHA CATALOGRÁFICA

LIMA, Alessandro Peixoto de.
ZBrush para Iniciantes
Rio de Janeiro: Editora Ciência Moderna Ltda., 2010

1. Computação Gráfica
I — Título

ISBN: 978-85-7393-895-1   CDD 006.6

Editora Ciência Moderna Ltda.
R. Alice Figueiredo, 46 – Riachuelo
Rio de Janeiro, RJ – Brasil   CEP: 20.950-150
Tel: (21) 2201-6662 / Fax: (21) 2201-6896
lcm@lcm.com.br
www.lcm.com.br

DEDICATÓRIA

Dedico este livro a meus pais, Lauri Souza de Lima e Eneida Peixoto de Lima, pelo apoio dado a meu trabalho, sem eles eu não estaria aqui conversando com o leitor.

A Deus, que sempre coloca alternativas em meu caminho, iluminando meus pensamentos para decidir qual o melhor a seguir.

Por fim, dedico este trabalho a minha noiva, Andressa Kologeski, que sempre me apoiou e me apoia nos momentos mais difíceis. Com ela sei que conseguirei chegar aonde meus sonhos me levam e, com seu amor e carinho, encontro chão para caminhar com firmeza e segurança.

AGRADECIMENTOS

Para a efetivação deste livro, muitas pessoas contribuíram de forma direta ou indireta. De forma alguma eu poderia citar uns e deixar de lado outros, mas, em contrapartida, citar todos, a lista seria imensa. Portanto deixo meus agradecimentos para algumas pessoas que mais intimamente me ajudaram nesta obra.

Primeiramente obrigado aos leitores que acreditaram em meu primeiro livro, tornando-o um material bem aceito por aqueles que procuram conhecer mais sobre desenvolvimento de personagens digitais, tornando possível este segundo livro. Agradeço igualmente ao meu editor, Paulo André P. Marques, que, novamente, acreditou e apostou neste material, tornando-o uma publicação efetiva, assim como Camila Cabete e Aline Marques que me auxiliaram no processo de editoração deste novo trabalho.

Agradeço também a Pixologic, em especial a Jaime Labelle, que apoiou e incentivou esta obra, fornecendo apoio e material sobre ZBrush. Sem este apoio, certamente este livro não existiria. Agradeço a Richard da 3d.sk, que apoiou esta obra e forneceu algumas amostras do seu banco de imagens para incluir neste trabalho, bem como a Paula Viviane Ramos que forneceu algumas imagens para tornar mais rico o conteúdo teórico deste livro. Agradeço também a Doroty Ballarini e Gerson Klein, que me ajudaram nas questões técnicas.

Aos demais artistas que forneceram alguns de seus trabalhos para enriquecer este material, agradeço. São eles: Rafael Grassetti e Diego Maia.

Agradeço a meus pais, Lauri Souza de Lima e Eneida Peixoto de Lima, pelo apoio neste novo trabalho, assim como a meu irmão Rodrigo Lima e a sua esposa Lilian Lopes.

Em especial, gostaria de agradecer a minha noiva Andressa Kologeski que, incondicionalmente, me apoia e dá força para seguir em frente, sempre com as mãos estendidas para que eu levante e continue a caminhar nas coisas em que acredito valer a pena.

PREFÁCIO

Há aproximadamente dois anos, publiquei meu primeiro livro sobre personagens digitais, chamado Desenvolvendo Personagens em 3D com 3Ds Max pela editora Ciência Moderna. O texto abordava assuntos relacionados à construção de modelos virtuais, bem como ferramentas digitais para este trabalho, com foco na sua perfeita integração. Este livro ensinou também conceitos tradicionais de desenho.

Agora, com o propósito de evoluir o trabalho de novos artistas e consolidar o conhecimento dos já conceituados, lanço este material sobre a nova ferramenta digital que está proporcionado resultados nunca antes sonhados para o desenvolvimento de modelos digitais: ZBrush. Ele definitivamente estabeleceu um novo conceito sobre a forma de trabalhar modelos, agilizando processos e melhorando resultados.

Este livro procura fechar uma lacuna para quem procura entender como o software ZBrush funciona, pois é um material que procura elucidar seu funcionamento. Focado em sua grande parte em conceitos técnicos sobre a utilização dos recursos desta ferramenta, ainda assim o livro abrange questões mais amplas sobre como é a base de funcionamento e sua forma de trabalhar.

Voltado para o público de artistas e designers iniciantes em computação gráfica que buscam aprender mais sobre esta ferramenta, bem como estudantes e professores que procuram alguma base teórica em língua portuguesa sobre o assunto, este material procura fornecer informações sobre o funcionamento dos recursos do ZBrush, assim bem como usar a integração com outras ferramentas como 3ds max e Photoshop, por exemplo.

ORGANIZAÇÃO DO LIVRO

Este livro possui seu conteúdo distribuído em 12 capítulos, a saber, divididos por etapas que se seguem ao realizar algum trabalho com ZBrush. Eventualmente, algumas destas etapas poderiam ser desenvolvidas juntas, mas, por uma questão mais didática e organizacional para a elaboração deste livro e perfeito entendimento do leitor, foi preciso dividir distintamente cada uma destas etapas. São disponibilizados ainda, em certos capítulos, alguns arquivos em formatos de videoaulas, indicados quando disponíveis, além de arquivos que podem ser usados dentro do próprio ZBrush.

Capítulo 1: Arte tradicional e digital

Neste capítulo são apresentados alguns conceitos básicos sobre como é o trabalho de arte tradicional, que até os dias de hoje são interpretados para o meio digital.

Capítulo 2: Introdução ao ZBrush

Neste capítulo, são explicados alguns conceitos sobre como é o funcionamento do ZBrush, como alguns de seus recursos básicos funcionam, assim como uma introdução à sua interface e forma de navegação e interação com ela.

Capítulo 3: Interface do ZBrush

Neste capítulo efetivamente é mostrado a interface do ZBrush, como ela é constituída, forma de navegação entre seus recursos, assim como a maneira como esses recursos devem ser usados na execução de tarefas. Cada ferramenta principal tem seus controles comentados de forma a explicar sua função e objetivo de uso. São analisadas as Tools, Menus, Brushes, Alphas, Strokes, Materiais, Textures, Plugins e principais ferramentas.

Capítulo 4: Trabalho em 2.5D (pintura)

Nesta seção é constituída uma cena básica para uma ilustração 2D, com base em ferramentas 2.5D. O conteúdo está organizado de forma didática: por isto o conteúdo sobre "material, luz e render" está disposto em um capítulo exclusivo. Como recursos são trabalhos pincéis, perspectiva e camadas.

Capítulo 5: Trabalho em 3D (escultura digital básica)

Neste capítulo são abordados os aspectos mais técnicos de uso de recursos para desenvolver esculturas digitais 3D, logo, são explicados e demonstrados os principais meios de se criar esculturas digitais. Para tanto, esta seção destina-se ao conhecimento e entendimento de como as ferramentas usadas para este fim se comportam e funcionam, sendo mostradas as ferramentas de movimentação e ajustes, além de conceitos de Blocagens no modelo.

Capítulo 6: Trabalho em 3D (escultura digital avançada)

Nesta seção são aplicados, na prática, os conhecimentos adquiridos no capítulo anterior sobre como os recursos funcionam para criar esculturas digitais. São abordados assuntos como o uso de Brushes, Alphas e Strokes diferenciados para a definição de detalhes, assim como ferramentas de movimentação e ajustes no modelo.

Capítulo 7: Pintura e texturização

Neste capítulo são abordados assuntos sobre pintura digital de texturas com a técnica de PolyPainting, assim como a confecção de texturas complexas com o uso de fotografias com o auxílio do Plugin ZAppLink. São mostradas formas de extração de mapas do tipo Difuso, além de Normal e Cavidade com o auxílio do Plugin ZMapper rev-E. O mapa de Deslocamento é trabalhado com o Plugin Mult Displacement Exporter 3.

Capítulo 8: Materiais, luzes e render

Nesta seção são abordados assuntos sobre o que são materiais, luzes e render, assim como maneiras de se editar, criar ou salvar para uso posterior em cenas complexas. Luzes e renders são abordados sob a forma de aplicação para escultura digital e finalização de imagens para ilustrações.

Capítulo 9: Integração com outras ferramentas

Neste capítulo são abordados conceitos de como integrar o ZBrush a outras ferramentas, como o 3ds max por exemplo, constituindo as Piplelines, amplamente utilizadas por empresas conceituadas, pois, desta forma, assegura-se o uso máximo que cada ferramenta oferece.

Capítulo 10: Conclusão

Apresenta-se aqui a conclusão do trabalho, seus efeitos e resultados na vida no artista.

Capítulo 11: Galeria de artistas

Uma breve galeria com algumas imagens de artistas conhecidos como forma de ilustrar o que se pode fazer com trabalho, pesquisa e arte.

Capítulo 12: Bibliografia

Uma lista completa de livros que foram usados como referência na confecção deste material, assim como sites que também foram pesquisados.

Com este trabalho espera-se dar luz às dúvidas mais frequentes de leitores iniciantes ou daqueles que já conhecem a ferramenta, mas que ainda sentem necessidade de algum recurso didático para completar seu pleno entendimento. O software em si não é complicado para se aprender, mas sua forma de trabalho não é muito comum comparada com os demais concorrentes no mercado. Estudo, prática e persistência serão as palavras-chave para se aprender ZBrush. Ao dominá-lo, o leitor verá que, de fato, não é uma ferramenta de aprendizado difícil, como pareceu ser no inicio de seus estudos. Em pouco tempo já estará apto a produzir arte com ele, de acordo com o conhecimento obtido.

ZBRUSH – O QUE É?

O software ZBrush é a nova maneira de trabalhar com modelos digitais que, definitivamente, está tomando conta do mercado, devido as suas facilidades de uso e produção.

Esqueça da edição poligonal através dos vértices, cortes precisos nas malhas, ou longos períodos de trabalho para obter bons modelos de alta contagem poligonal. Com esta ferramenta, em poucos minutos, após alguma prática, modelos muito complexos são desenvolvidos, acelerando a produção de trabalho e melhorando sua estética.

Hoje em dia, artistas de todo o mundo tem-se voltado para esta ferramenta e descoberto o que ela pode proporcionar ao seu trabalho. Evidentemente, a indústria não está cega para este fato e tem observado estes artistas, dando oportunidades para aqueles que, de algum modo, dominam o ZBrush.

Público-alvo

Este livro procura atender a um público que busca informações sobre o ZBrush em língua portuguesa impressa. Este material procura atender a:

Artistas e designers iniciantes – com uma linguagem técnica e, ao mesmo tempo, simples, este material procura explicar e ilustrar o funcionamento dos principais recursos do ZBrush de uma maneira que pessoas iniciantes possam aprender de fato seu funcionamento.

Artistas e designers experientes – com uma linguagem técnica e, ao mesmo tempo, simples, este material procura atender também a um público que já tem conhecimento dos recursos do ZBrush, mas que ainda sente necessidade de mais explicações acerca deles, além de maneiras de integrar o ZBrush a outros softwares do mercado de maneira eficiente.

Estudantes e professores – procura-se, com este material, atender à demanda de alunos e professores que precisam de informações impressas sobre este software, amplamente utilizado no mercado de cinema e jogos. Não muito raro, um material como o apresentado ao leitor pode ser usado como referência em aulas ou pesquisas de campo, visto a pouca oferta deste tipo de material no mercado editorial brasileiro.

Indicações de hardware e software

Este livro espera auxiliar aqueles que desejam conhecer ou se aprimorar no uso de ZBrush. Para tanto, como esta é uma ferramenta de tecnologia de ponta (High End), faz-se necessário algum investimento de hardware para que se possa obter o máximo resultado com ele. Evidentemente, com um hardware moderado pode-se ainda trabalhar adequadamente com o ZBrush, mas tenha sempre em mente que, quanto melhor o hardware, melhores resultados são possíveis, devido a não limitação física de recursos. Ainda assim, não há garantias de que os resultados serão os melhores artisticamente falando, mas, sim, tecnicamente poderão ser obtidas melhores velocidades de navegação de modelos, subdivisões ou apresentações.

São indicados, portanto, os seguintes itens de hardwares e software para que se possa trabalhar de forma confortável com o ZBrush

Mesa digitalizadora – são aconselhadas as mesas do fabricante Wacom ou Genius, evidentemente a marca Wacom oferece um material melhor, porém a custo mais elevado. A marca Genius oferece bons modelos a preços mais acessíveis.

Processadores – para se trabalhar com o ZBrush, é importante um bom processador, qualquer um com no mínimo 2.0 já é um bom começo. Evidentemente pode-se trabalhar com modelos abaixo de 2.0, mas com limitações de uso da ferramenta.

Memória RAM – aconselha-se aqui o uso máximo que o hardware permitir, pois o ZBrush usa muita memória RAM. O valor de 2Gb é um bom valor de memória, evidentemente pode-se ter menos que isto, mas o software passa a limitar algumas coisas. Por exemplo, os níveis de subdivisões com modelos são menores com um tamanho de memória RAM menor e, consequentemente, com mais memória RAM, as subdivisões são mais fluídas.

Placa de vídeo – como toda a aplicação 3D, uma boa placa de vídeo se faz necessária para uma correta exibição dos modelos no Canvas do ZBrush. Não se faz nenhuma menção a modelos aqui, pois, geralmente, com os baixos custos de hardware praticados no mercado, boas placas de vídeo são disponibilizadas com os novos computadores vendidos atualmente no mercado.

Sistema operacional – aconselha-se aqui utilizar o sistema operacional de 32 Bits recomendado pelo fabricante do ZBrush, a Pixologic (Windows ou, agora com a nova versão de ZBrush, o MacOS). O uso de sistemas de 64 Bits permite o uso maior de memória RAM, da qual, o ZBrush se beneficia amplamente.

De posse do material listado, deste livro e do material disponibilizado com ele na forma de arquivos e videoaulas, espera-se que o leitor possa usufruir o máximo possível do aprendizado desta nova ferramenta digital que é o ZBrush.

Como usar o material que acompanha o livro

O material que acompanha este livro conta com arquivos para serem usados dentro do próprio ZBrush, assim como alguns vídeos em formato de videoaulas. O material que deve nortear o leitor deve ser sempre o impresso, deixando o material de vídeo como um recurso adicional e de apoio, quando o texto e a imagem não forem o suficiente para o bom entendimento.

O material que acompanha este livro está incluso em um DVD e dividido com capítulos idênticos aos que são encontrados dentro do livro. Logo, o conteúdo de determinado capítulo impresso deve ser localizado dentro do DVD pelo mesmo nome.

Dentro do DVD encontra-se o arquivo de instalação de Quicktime adequado para executar os vídeos deste material, ou para se atualizar o player e o Codec, acesse o site http://www.apple.com ou no link direto http://www.apple.com/quicktime/download/. O Codec utilizado na compressão dos arquivos de vídeos foi o H.264, a qual pode ser localizado através do site www.free-codecs.com. Os vídeos não possuem som nativamente.

SUMÁRIO

Capítulo 1: Arte tradicional e digital

1.1	Arte tradicional	3
1.2	Desenho e pintura tradicional	3
1.3	Escultura	5
1.4	Arte digital	6
1.5	Desenho e pintura digital	7
1.6	Escultura digital	7
1.7	Design aplicado	8

Capítulo 2: Introdução ao ZBrush

2.1	Introdução ao ZBrush	13
2.2	Histórico do software	14
2.3	Espaços digitais 2D e 3D	14
2.3.1	Visão geral	14
2.3.2	Espaço digital 2D	15
2.3.3	Espaço digital 2.5D	15
2.3.4	Espaço digital 3D	16
2.4	Como trabalhar com resolução de imagens e espaços tridimensionais	16
2.5	Definição de pixel	19
2.6	Definição de pixol	19
2.7	Definição de polígono	21
2.8	Definição de Polygroups	23
2.9	Processos de trabalho do ZBrush	23

Capítulo 3: Interface do ZBrush

3.1	Como analisar a interface do ZBrush	29
3.2	Barra de títulos	33
3.3	Trays, Dividers e Palettes	34
3.4	Menus	35
	Alpha Palette	36
	Brush Palette	37
	Color Palette	40
	Document Palette	40
	Draw Palette	42

	Edit Palette	45
	Layer Palette	45
	Light Palette	46
	Macro Palette	46
	Marker Palette	48
	Material Palette	48
	Movie Palette	49
	Picker Palette	49
	Preferences Palette	50
	Render Palette	58
	Stencil Palette	59
	Stroke Palette	60
	Texture Palette	61
	Tool Palette	61
	Transform Palette	74
	Zoom Palette	75
	Zplugin Palette	75
	Zscript Palette	76
3.5	Shelfs	76
3.5.1	Top Shelf (barra de ferramentas)	77
3.5.2	Left Shelf (Inventory Lists)	78
	Startup 3D Sculpting Brushes	79
	3D and 2.5D Sculpting And PolyPaint Strokes e 2.5D Painting And Texturing Strokes	80
	Startup Alphas	81
	User Textures e Startup Textures	82
	Startup MatCpa Materials e Startup Standart Materials	83
	SwitchColor	83
3.5.3	Right Shelf (barra de navegação)	84
3.6	Inventory Lists	86
3.6.1	Drawing Tools	87
3.7	Primitivas 3D	91
3.8	ZSpheres	92
3.8.1	Conceito	92
3.8.2	Controles básicos	92
3.8.3	Modelo de exemplo	97
3.9	Customização de interface e atalhos do sistema	110
	Configuração de atalhos por ferramentas	111
	Como salvar os atalhos	112

	Como carregar os atalhos	112
3.10	Plugins	112
3.10.1	ZMapper rev-E	112
	Coluna ZMapper	113
	Coluna Transform	113
	Coluna Mesh	114
	Coluna Morph Modes	114
	Coluna Wires	115
	Coluna Screen	115
	Coluna Display	115
	Aba Normal & Cavity Map	117
	Aba Projection	118
	Aba Expert Pass 1 e Expert Pass 1	119
	Aba Misc	120
3.10.2	Projection Master	120
3.10.3	ZAppLink	123
3.10.4	Multi Displacement Exporter 3 (DE3)	124
	Configurações do Mult Displacement Exporter 3 (DE3)	127
3.10.5	Transpose Master v1.2E	128
3.10.6	SubTool Master 1.2G	130
3.10.7	Image Plane	132
3.10.8	ZScripts	133
3.11	Como utilizar as novas ferramentas do ZBrush 3.1	134
3.11.1	Transpose	134
	Action Line	135
	Posicionando o modelo	136
	Movendo o modelo	137
	Redimensionando o modelo	138
	Rotacionando o modelo	139
	Como borrar máscaras de seleção e ajustar juntas de rotação	139
	Transpose como Bones	140
3.11.2	MatCap	141
3.11.3	ZProject Brush	141
3.11.4	PolyPainting	142
3.11.5	HD Geometry	143
3.11.6	Wrap Mode	144
3.11.7	Topology	144
3.11.8	3D Layers	146

3.11.9	SubTool	147
3.12	Procedimentos de movimentação dentro do ZBrush	149

Capítulo 4: Trabalho em 2.5D (pintura)

4.1	Escolha do tema para um cenário	153
4.2	Como criar as partes	154
4.2.1	Árvore	154
4.2.2	Pedras	158
4.2.3	Terreno	160
4.3	Como definir a cena	162

Capítulo 5: Trabalho em 3D (escultura digital básica)

5.1	Introdução	171
5.2	Conceito de subdivisão	172
5.3	Conceito de escultura digital	176
5.4	Escultura utilizando Brushes, Strokes e Alphas	178
5.4.1	Brushes	179
	Tipo Standard, Smooth e Move	179
	Tipos Inflate, Magnify, Blob e Flatten	184
	Tipos Clay, ClayTubes, SnakeHook e Rake	186
	Tipos Pinch, Nudge e Layer	190
5.4.2	Alpha	192
5.4.3	Stroke	194
	Efeitos para a escultura	194
	Efeitos para a Modelagem, Pintura e Texturização	197
5.4.4	Stencil	200
5.4.5	Brushes, Alphas, Strokes e Stencils	204
5.5	Como definir o modelo básico	206
5.5.1	Modelo no 3ds Max	206
5.5.2	Ajuste de Model Sheet	207
5.5.3	Como definir os volumes	207
5.5.4	Como definir o mapeamento	208
5.5.5	Como exportar o modelo básico	208
5.6	ZBrush: importar o modelo básico	210
5.7	Definir e criar SubTools	217
5.8	Como blocar as formas básicas	221

5.9	Como blocar os volumes	227
5.9.1	Como blocar os volumes (Parte1)	227
5.9.2	Como blocar os volumes (Parte2)	238
5.9.3	Como blocar os volumes (Parte3)	244

Capítulo 6: Trabalho em 3D (escultura digital Avançada)

6.1	Introdução	251
6.2	Escultura digital avançada	251
6.2.1	Como ajustar os pincéis	251
6.2.2	Como ocultar a geometria	254
6.2.3	Como ajustar as máscaras de seleção	261
6.2.4	Definição de rugas	264
6.2.5	Como ajustar luzes interativas	269
6.2.6	Ajustes finais no corpo	272
6.2.7	Ajustes nos chifres com pincel tipo Pinch	274
6.2.8	Ajustes com LazyMouse	278
6.2.9	Ajustes finais com eixo tipo Local	280
6.2.10	Como importar arquivos de textura Alpha	284
6.2.11	Como criar Layers (3D Layers)	287
6.2.12	Detalhamento com Alphas (refinando o modelo 1 e 2)	288
6.2.13	Ativar e desativar a simetria	296
6.2.14	Ajuste dos olhos	302
6.2.15	Aplicação de Alphas aos chifres	305
6.2.16	Últimos ajustes	309
6.3	Bump, Displacement e Normal Mapping	312
6.3.1	Bump Map	312
6.3.2	Displacement Map	324
	Mapa de Displacement pela paleta Tool	325
	Mapa de Displacement pelo plugin MULT DISPLACEMENT 3	327
6.3.3	Normal Mapping	331
	Conceitos básicos	331
	Extração de Normal Mapping do modelo de exemplo	336
6.3.4	Cavity Map	345
	Conceitos básicos	345
	Extração de Cavity Mapping do modelo de exemplo	346

Capítulo 7: Pintura e texturização

7.1	Conceitos de pintura	355
7.2	Cor	355
7.3	Textura	357
7.4	Temperatura	357
7.5	Saturação	358
7.6	Matiz	358
7.7	Luz	358
7.8	Mistura ótica	358
7.2	PolyPainting	359
7.2.1	O que é PolyPainting	359
7.2.2	Técnicas de pintura	360
	Zonas de temperaturas	362
7.2.3	PolyPainting na prática	363
7.2.3.1	Conceitos básicos	363
7.2.3.2	Como ajustar o pincel Airbrush	367
7.2.3.3	Como ajustar a interface para pintura	370
7.2.3.4	Imagens de referência	374
7.2.3.5	Definição de cores básicas	376
7.2.3.6	Como blocar a cor vermelha	380
7.2.3.7	Como blocar a cor azul	383
7.2.3.8	Como blocar a cor amarela	385
7.2.3.9	Retoques e ajustes de luz	386
7.2.3.10	Como definir veias	389
7.2.3.11	Como definir veias com Alphas	391
7.2.3.12	Como equilibrar os tons no ZBrush	393
7.2.3.13	Como equilibrar os tons no Photoshop	395
7.2.3.14	Ajuste de temperatura no personagem	397
7.2.3.15	Como pintar os chifres	401
7.2.3.16	Cavity Mask	404
7.3	Projection Master	407
7.3.1	Conceitos básicos	408
7.3.1.1	Para modelar superfícies	408
7.3.1.2	Para texturizar superfícies	415
7.3.1.3	Para criar materiais	417
7.3.2	Projection Master na prática	418
7.4	ZAppLink	423
7.4.1	Conceitos básicos Com projeção	424

	Sem Projeção	432
7.4.2	Conceitos avançados	436
7.4.3	ZAppLink na prática	446
7.5	Como finalizar a textura	450
7.5.1	Como finalizar a textura do modelo	451
7.5.2	Como aplicar a textura ao modelo	452

Capítulo 8: Materiais, luzes e render

8.1	Materiais	459
8.1.2	Tipos de materiais	459
	Flat Color Material	459
	FastShader Material	460
	BasicMaterial	460
	Fiber Material	463
	MatCap Materials	464
8.1.3	Como aplicar materiais	464
8.1.4	Como modificar e salvar materiais	465
8.1.5	SubTool Master 1.2G	471
8.1.6	Mat Cap Material	477
8.1.6.1	Como modificar Materiais MatCap	477
8.1.6.2	Como criar um material MatCap	478
8.1.7	Materiais do personagem de exemplo	483
8.2	Luzes	485
8.2.1	Luzes e materiais	485
8.2.2	Tipos de luzes	486
	Luz tipo Sun	486
	Luz tipo Spot	486
	Luz tipo Point	487
	Luz tipo Glow	487
	Luz tipo Radial	488
8.2.3	A paleta Light	488
8.2.4	Como salvar e carregar luzes	493
8.2.5	Iluminação básica para uma cena	494
8.3	Render	494
8.3.1	A paleta Render	495
	Render Mode	495
	Effects	495
	Antialiasing	496

	Depth Cue	496
	Fog	497
	Fast Render	497
	Preview Shadows	497
	Environment	498
	Adjustments	498
8.3.2	Modos de render	499
8.3.3	Ajuste de render com o personagem de exemplo	500

Capítulo 9: ZBrush e sua integração com outros softwares

9.1	ZBrush e outros softwares	509
	Fluxo de trabalho básico com ZBrush para imagens	509
	Pipeline básica com ZBrush e software 3D	511
	Fluxo de trabalho básico com ZBrush para vídeos	513
9.2	Softwares 2D	514
9.3	Softwares 3D	516
9.3.1	Para Real Time	516
9.3.2	Para apresentação de imagem ou vídeo	522
9.4	Softwares de vídeo	527

Capítulo 10: Conclusão — 531

Capítulo 11: Galeria de artistas — 537

Bibliografia — 547

CAPÍTULO 1: ARTE TRADICIONAL E DIGITAL

Imagem de Alessandro Lima

CAPÍTULO 1

Arte tradicional e digital

1.1 Arte tradicional

A arte tradicional é hoje empregada em larga escala pela indústria cinematográfica, cinema e até publicidade. Pode-se dividir em três grandes grupos distintos: desenho, pintura e escultura.

Durante a antiguidade, o desenho e a pintura imagética foram a motivação para os artistas continuarem em seu oficio. Com o passar dos tempos e da evolução tecnológica, chegou-se a um invento que iria esvaziar os negócios destes artistas que, por séculos, tiveram seus instintos treinados e aperfeiçoados para a arte da retratação: a fotografia fora inventada por volta de 1900. Uma legião de artistas tomou um novo rumo para prosseguir com sua arte. Veio, então, após alguns anos passados da invenção da fotografia, uma nova fase da arte: a Arte Moderna. Esta arte não tinha intenção de retratar uma cena bíblica ou retrato de algum senhor importante da época, tal como foi no começo dos tempos, mas, sim, capturar sentimentos e expor em uma imagem. O Modernismo, Impressionismo e Expressionismo captaram muito bem o novo princípio, dentre tantas outras tendências que desta relação surgiram.

Ao mesmo tempo, a escultura também evoluíra com a ascensão da Arte Moderna e, hoje, ela se encontra em nível digital.

Atualmente ainda se tem esta busca: mostrar através da arte uma intenção, um conceito ou uma ideologia, que, com uma imagem do tipo imagético, não seria possível tão facilmente. Com os meios digitais pulsando na rede Web, a uma velocidade turbilhante, é praticamente impossível perceber tudo, mas o pouco que pudermos captar poderá nos servir de inspiração.

1.2 Desenho e pintura tradicional

As técnicas de desenho e pintura aplicadas nos dias de hoje são parecidas com as usadas antigamente, com a diferença de que envolvem mais pesquisa, mais observação, e o artista tem material técnico a seu dispor como nunca antes tivera.

Sobre as técnicas de desenho são usadas a tradicional folha de sulfite em gramatura adequada e macia, assim bem como lápis e borracha. Há também artistas que preferem desenhar diretamente no Computador, em programas específicos de pintura digital como o Painter, Photoshop ou Gimp. O mesmo vale para a pintura as quais existem artistas que usam desde o tradicional pincel e tela, a aqueles que pintam com aerógrafo ou ainda os que preferem os meios digitais.

Independente da ferramenta a ser escolhida para o trabalho (tanto o lápis, pincel ou computador, nesse contexto, se tornam ferramentas que viabilizam ao artista, produzir sua arte), seu trabalho é elaborado a partir de pesquisas concisas e relevantes, juntamente com sua bagagem de conhecimento e traduzidas para algum fim usando as ferramentas adequadas (lápis, pincel ou computador).

Na figura a seguir, um exemplo de desenho feito com grafite e papel sulfite, um estudo básico sobre personagem (desenho feito por Alessandro Lima).

Figura 1.2.1

1.3 Escultura

A escultura sempre esteve presente na humanidade e sempre foi venerada. Extraída muitas vezes de sólidas rochas, indestrutíveis contra a maior das forças, nas mãos de artistas, parecia se render ao seu toque quase como um "encantamento" e, em pouco tempo, as mais belas formas surgiam entre suas hábeis mãos.

Muitos materiais foram experimentados desde o granito, mármore, bronze, madeira ou pedra-sabão, ou ainda uma infinidade de materiais experimentais. Em todas as situações, o resultado da escultura sempre nos parece "intrigar" sobre sua existência.

De maneira homóloga ao desenho e à pintura, a escultura também teve sua evolução digital que hoje se encontra muito difundida, sendo usada em ampla escala, tanto no cinema, como em jogos de entretenimento, durante o período de produção destes. Um ramo específico tem encontrado um modo de prosperar com aqueles que têm o conhecimento adequado de produção de esculturas: os Toy Arts, que são aquelas miniaturas de personagens dos mais variados fins, geralmente de filmes ou jogos, procuradas, inclusive, por colecionadores.

Também na indústria de jogos e cinema, artistas escultores têm encontrado um nicho de mercado para sua mão-de-obra qualificada.

A seguir, um exemplo de escultura tradicional (imagem cedida por Paula Ramos).

Figura 1.3.1

1.4 Arte digital

Assim como tudo evolui, para melhor ou para pior, a arte evoluiu e, hoje, se encontra ramificada nos meios digitais.

Evidentemente, a arte, que é vista em museus e que participa do circuito internacional de artes e exposições, não abrange a arte digital, mas não se está falando aqui em competições ou exposições e, sim, apenas arte.

Toda forma de arte precisa de um motivo para existir, do contrário sua existência é nula e desnecessária. Uma peça gráfica precisa de um motivo para ser realizada e este deve ser um bom motivo para chamar a atenção de quem a admira. Caso contrário, quem pararia para ver algo que não significa e não diz nada? O contexto se torna a principal arma nestes casos.

Todo o conhecimento adquirido da arte tradicional pode ser aproveitado para a arte digital, pois os inúmeros fabricantes de softwares que simulam ferramentas tradicionais, como pintura ou escultura, têm tido a preocupação de aproximar seus programas das formas como artistas renomados trabalhavam quando existiam apenas o lápis, pincel e as ferramentas de escultura, como o martelo. Isto tem favorecido a aparição cada vez maior de pessoas que se adaptam bem a esta nova forma de fazer arte. Quem já domina alguma ferramenta (entenda-se aqui que o termo "ferramenta" representa todo aparato técnico que possibilita ao artista concretizar sua idéia, seja um recurso tradicional como o pincel ou o lápis, ou digital, como o computador e programas visuais digitais) tradicional certamente não terá problemas em se adaptar ao novo meio, uma vez que haja interesse e perseverança.

Não se tem o reconhecimento do circuito tradicional da arte, que dita qual é o norte que se deve tomar de tempos em tempos, mas existem outros meios de se ganhar mérito e ter o trabalho publicado e reconhecido pelo público e pela crítica.

A empresa que produz os livros Exposé, a Ballistic, se encarrega de reunir anualmente em sua coleção os melhores trabalhos digitais vistos pelo mundo em fóruns especializados, competições, filmes, games e publicidade. Ter um trabalho publicado em um de seus livros coloca o artista em evidência no mercado e põe seu nome na boca de quem trabalha o dia todo com arte digital de bom gosto. Mas como não há espaço para todos, é feita uma seleta escolha de trabalhos a serem publicados neste anuário. Portanto, treino, perseverança, estudo e prática devem fazer parte da rotina diária de quem quer ter, um dia, seu trabalho em uma revista deste calibre.

Existem outras formas alternativas do artista se apresentar ao grande público de forma a obter um bom reconhecimento pelo seu trabalho: participando de fóruns especializados, concursos digitais (Contests), possuindo um portfólio online ou blog, assim como uma boa rede de relacionamentos profissionais (Networking), pois a Web tal como conhecemos e nos acostumamos a trabalhar atua em ritmo frenético na divulgação um trabalho quando bem feito.

1.5 Desenho e pintura digital

O desenho e a pintura evoluíram muito, mas, mesmo assim, ainda fazem vasto uso de técnicas tradicionais. Do ponto de vista digital, um desenho pode muito bem ser desenvolvido dentro de algum software de edição de imagens como o Photoshop ou algum software de pintura específico, como o Painter e tantos outros que o mercado oferece.

Ainda assim, desenhar ou pintar com estas ferramentas digitais nos obriga a resolver questões que transcendem qualquer ferramenta: o entendimento do que é e como deve ser feito. Para se desenhar um rosto humano, deve-se lançar mão de estudos sobre proporção humana anatômica, porém projetar uma massa repousada sobre um prato oval de prata requer outro estudo, também e igualmente complexo, mas sobre perspectiva.

Sem estes conceitos muito bem esclarecidos, muito pouco conhecimento um artista tem para que possa desenvolver suas habilidades, pois um período em que se recolhem e armazenam informações é necessário para que possa desenvolver seu próprio material.

A indústria de cinema e jogos tem usado em larga escala uma mão-de-obra qualificada para produzir artes conceito e pintura de cenas que ilustram determinadas idéias, as quais durante sua produção efetiva se tornam mais eficazes e precisas, pois a "idéia já foi demonstrada".

1.6 Escultura digital

Do mesmo modo, a escultura digital tem cada vez mais ocupado seu espaço neste mercado de computação gráfica. Com os atuais recursos, muitos modelos digitais são feitos em substituição de atores em cenas de perigo, ou simplesmente modelos digitais são feitos de personagens fílmicos, para que "atuem" também em jogos.

Cada vez mais estão sendo utilizadas as maquetes digitais de modelos (Digital Maquette), como forma de baratear custos de produção, usando para isto softwares como o ZBrush, objeto de estudo deste livro, na produção de filmes e jogos.

Espera-se que um dia, embora os custos hoje sejam altos para pessoas que são apenas artistas ou entusiastas, os modelos 3D digitais sejam impressos fisicamente de forma adequada ao orçamento de cada pessoa ou entidade interessada no serviço. Em alguns anos, isto poderá ser feito com muita facilidade, infelizmente, hoje, esta realidade é possível somente para empresas com ótimo capital para fazer este investimento em cada projeto.

A seguir, um exemplo de modelo digital, cedido por Rafael Grassetti.

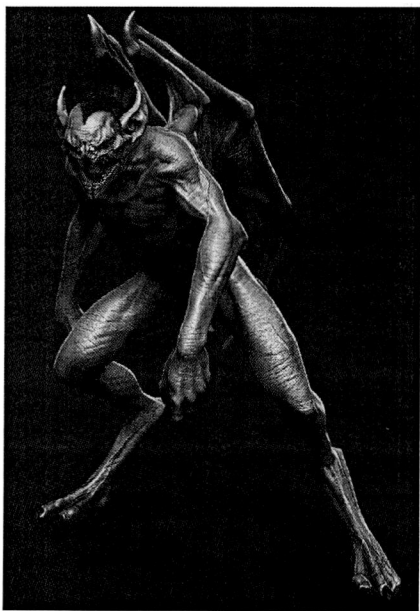

Figura 1.6.1

1.7 Design aplicado

Trabalhar com a arte digital, assim como com a arte tradicional, requer disciplina e conhecimento. O simples fato de saber manusear determinada ferramenta não significa que seja um especialista ou artista nato. Na verdade isto apenas viria a mostrar a falta de base para se trabalhar na indústria profissional. Não se prega aqui que o conhecimento tradicional seja obrigatório sempre, muito pelo contrário, o conhecimento digital pode ser capaz de suprir muitas ausências de conteúdo tradicional. O que se tenta afirmar aqui é que ter humildade e capacidade de aprendizado com conceitos e técnicas antigos ou atuais é capaz de fazer um profissional se tornar reconhecido e recomendado.

A produção empírica nada diz neste nicho de mercado, um lugar onde a pesquisa é constante, os métodos são sempre atualizados e novas técnicas surgem, o profissional de computação gráfica deve estar atento a isto.

A produção atual de filmes e jogos não se compara a de anos atrás. Muitos métodos e técnicas foram desenvolvidos desde então e são seguidos pelo sucesso que proporcionam às empresas. Imagine produzir um filme sem saber como será a história, ou, ainda, imagine desenvolver um jogo sem saber que tecnologias poderão ser usadas na confecção dele. O caos estaria instalado em pouco tempo e a ruína deste nicho de mercado seria iminente. Felizmente, existem vários métodos de desenvolvimento de filme e de jogos, possibilitando que cada empresa encontre o seu método e o adapte à sua realidade, podendo, inclusive, muitas vezes, criar um modelo híbrido.

Neste livro não serão abordados métodos específicos no trato com ZBrush na questão de produção de objetos digitais, em função da natureza deste material ser o de ilustrar como a ferramenta pode ser usada. Em outra oportunidade, este assunto será dissertado.

Os métodos de projeto em design favorecem a compreensão de como podem ser estruturados meios ou mecanismos para o desenvolvimento de projetos grandes como os que a indústria cinematográfica está acostumada a realizar, assim como a indústria de games. Evidentemente, está-se falando aqui em "métodos projetuais" que são seguidos por empresas para garantir o andamento e o bom funcionamento de seus projetos. As ferramentas escolhidas para executar tais projetos são "submissas" a eles, de forma hierárquica.

CAPÍTULO 2: INTRODUÇÃO AO ZBRUSH

Capítulo 2

Introdução ao ZBrush

2.1 Introdução ao ZBrush

ZBrush está se tornando uma das ferramentas mais populares em termos de construção de modelos digitais fidedignos à realidade, fatalmente usados em impressos físicos tridimensionais ou ainda na indústrias de jogos e filmes. Através de sua capacidade de processamento aliada ao hardware instalado, é possível ter na tela a exibição de modelos muito complexos beirando quantias de "milhões" de polígonos, o que, outrora, dificilmente se conseguiria.

Dificilmente se pensa hoje em termos de produção de modelos complexos, alguma "Pipeline" (interação entre ferramentas – veja mais detalhes sobre "Pipeline" no "Capítulo 9 ZBrush e sua integração entre outros softwares") que não necessite do uso de softwares com características das quais o ZBrush nos contempla: possibilidade de manipulação de modelos complexos em tempo real, pintura digital 3D intuitiva, produção de renders (apresentações) e texturas para uso em outros softwares, tudo aliado à diminuição de tempo de trabalho e ao aumento na qualidade final do trabalho.

Com esta fantástica ferramenta, em poucos minutos (talvez em algumas horas, dependendo da intenção do artista), é possível reduzir o tempo de trabalho em modelos que antes levariam dias para serem concluídos.

Estão se tornando cada vez mais raros os trabalhos nos quais não se implemente o ZBrush na conclusão de modelos, seja em etapas de modelagem, seja na criação de texturas ou apresentações. Evidentemente que muito do que se vê por aí pode ter sido desenvolvido sem o auxílio desta ferramenta. Tal fato não pode nos cegar, pois com a proliferação do conhecimento que a Internet e o mundo globalizado geram, aliado a hardwares cada vez mais poderosos, usar uma ferramenta como o ZBrush, com todo seu potencial, está se tornado algo corriqueiro, não se podendo ficar alheio a isto e muito menos de fora desta "onda". É verdade que todo designer ou artista da área para a qual o ZBrush oferece suporte não pode se deixar levar pela "onda do momento", mas, do mesmo modo, não pode ficar de fora dos recursos tecnológicos disponíveis para que seu trabalho possa ser executado da melhor forma possível.

O software ZBrush é uma ferramenta de escultura digital que oferece um conjunto de recursos adequados para a produção de personagens e objetos orgânicos, além dos inorgânicos.

Sua interface obedece a um padrão de circularidade, de modo que seus itens de menu são projetados para trabalhar conjuntamente e de forma não linear, dando total liberdade ao artista para navegar entre as funcionalidades. Evidentemente que a ferramenta precisa de um módulo regulador das atividades do usuário. Este "módulo" regulador é definido pelo Edit Mode, que pode optar por atuar em Paint Mode e 3D Edit Mode, podendo cada um ser ainda subdividido em outros submódulos. Utiliza uma tecnologia denominada Pixol, que atribui ao seu Canvas as informações de deformidade, material, luz e sombra de objetos (o conceito de Pixol será visto mais adiante).

ZBrush trabalha com superfícies do tipo 2D para imagens, 2.5D para o seu Canvas e 3D para os modelos tridimensionais, sendo uma ótima ferramenta para escultura, pintura e design digital. Seus recursos servem à indústria de jogos na construção de modelos com alta resolução de malha para a extração de mapas do tipo Normal Mapping para uso em modelo "In Game", além de modelos hiper-realistas para a indústria de cinema e televisão.

2.2 Histórico do software

ZBrush iniciou suas atividades em 1999 com sua versão .86 demo. Teve várias atualizações e, a cada nova versão, novas funcionalidades foram agregadas. Plugins de terceiros foram desenvolvidos, assim como scripts que, aos poucos, foram sendo integrados a ele.

Agora, em 2009, já se tem a versão 3.1 comercial para Windows e já foi lançada a versão 3.12 para MacOS, nas quais novos recursos foram implementados.

2.3 Espaços digitais 2D e 3D

2.3.1 Visão geral

"Imagine um ambiente de trabalho, disposto dentro de uma sala. Existe uma mesa na qual o profissional que a ocupa deixa espalhadas sobre ela suas ferramentas e sua matéria-prima de produção. Imagine que, nas paredes, existem diversos lembretes, anotações, desenhos ou rascunhos de ideias que ainda não foram usadas. Aproximando-se desta mesma mesa, vê-se um documento aberto, um documento de cor branca com rabiscos que sugerem algum projeto a ser executado. Ao seu lado encontra-se um tipo de maquete incompleta, mas que já se percebe que tende a representar o que se vê desenhado neste mesmo papel."

Eis a descrição de um ambiente de trabalho tipicamente de estúdios de jogos ou filmes, onde se encontram a mesa do artista e suas ferramentas. De forma análoga ao meio digital, pode-se dizer que este artista possui na sua mesa referências para trabalhos 2D e 3D.

2D porque se precisa desenhar e representar graficamente a intenção de projeto, geralmente esboçada, num primeiro momento, com desenhos ou eventuais colagens de recortes ou similares, como forma de dar vida e forma à intenção. No plano digital temos esta mesma situação: plano 2D para desenvolvimento de trabalhos, no qual são produzidos desenhos e pinturas que ilustram ou mostram a intenção de algum projeto.

3D porque se efetiva a construção tridimensional de superfícies para concretizar a idéia ou intenção de projeto, esboçada previamente com desenhos do tipo 2D.

2.3.2 Espaço digital 2D

Espaço digital 2D representa as superfícies que ocupam duas dimensões no plano cartesiano (x e y). Espaços 2D podem ser encontrados em filmes, jogos digitais, assim bem como em representações artísticas.

O termo 2D (2D Computer Graphics) é baseado na geração de imagens de características bidimensionais, com profundidade limitada a seus próprios recursos. Um ambiente 2D pode comportar desde imagens produzidas a partir de vetores, como textos e formas geométricas (vistas não de forma espacial).

Exemplos de aplicação deste formato de espaço são os filmes da Disney como "A Bela Adormecida" e "Branca de Neve e os Sete Anões". Em "Toy Story" tem-se o primeiro filme feito totalmente em sistema tridimensional digital. Também a área de jogos usufruiu muito das possibilidades do sistema 2D. Jogos como "Sonic" ou "Super Mário" eram baseados na tecnologia 2D em seus primórdios.

2.3.3 Espaço digital 2.5D

O termo 2.5D (two-and-a-half-dimension ou pseudo-3D) se refere à forma como uma superfície 2D simula uma superfície 3D. Este recurso é muito utilizado em computação gráfica, especialmente na área de videogames, pois com ele pode-se simular mais informações do que as superfícies de fato possuem.

Dentro do espaço 2.5D, além dos canais X e Y, existe um terceiro canal chamado Z-buffer (canal Z), que dita a profundidade de superfícies.

Na terminologia que o ZBrush utiliza, este recurso é visto quando se trabalha com pinturas digitais do tipo 2.5D. Criam-se objetos de fato tridimensionais, mas que, na sua composição final de imagem, são atribuídos a seu Canvas, passando a agir como superfícies 2D com profundidade 3D (profundidade em Z-buffer).

2.3.4 Espaço digital 3D

Espaços digitais 3D compreendem aqueles que trabalham com as três dimensões do plano cartesiano (x, y e z). Os métodos algoritmos de exibição 3D funcionam de forma muito parecida com os métodos utilizados nos sistemas 2D, com uma informação a mais que transforma uma superfície plana em uma superfície com volume (o plano de profundidade Z).

Sistemas que utilizam espaços 3D necessitam de alguns "passos" de processamento, como a modelagem do objeto a ser exibido em tela e sua renderização (apresentação). Por possuir um plano que define sua profundidade, é possível trabalhar com perspectiva fisicamente real, o que no sistema 2D é praticamente impossível.

2.4 Como trabalhar com resolução de imagens e espaços tridimensionais

Trabalhar com resolução de imagens e espaços tridimensionais requer um estudo e prática para que se entenda sua relação. Para se trabalhar com resolução de imagens, deve-se conhecer seus formatos e aplicações previamente. A seguir, exemplos de formatos de arquivos que trabalham em sistema de Pixel:

Formato PSD (Photoshop Document) – é um formato de arquivo que o software Photoshop utiliza para salvar seus arquivos de trabalho. Dificilmente se utiliza este formato como arquivo final, pois ele é um arquivo de trabalho.

Formato TIFF (Tagged Image Format) – é um formato robusto que permite o salvamento de imagens em 8 ou 16 bits por cor em sistema RGB (Red (vermelho), Green (verde) e Blue (azul)). Aceita a inclusão de camadas.

Formato RAW – é um formato de arquivo de imagem usado em câmeras fotográficas digitais, visto sua capacidade de armazenamento de dados em seus arquivos. É um formato de arquivo definido como sem compreensão de qualidade.

Formato GIF (Graphics Interchange Format) – são arquivos pequenos, com capacidade de armazenamento de informação para até 256 cores limitados a uma paleta de 8 bits de cor.

Formato PNG (Portable Network Format) – é um formato de arquivo que foi criado para ser o sucessor do GIF, sendo um formato capaz de trabalhar com até 16 milhões de cores, enquanto o formato GIF suporta apenas 256 cores. É um formato de arquivo que, dependendo da aplicação, pode ser usado como arquivo final.

Formato TGA (Targa File Format) – é um formato de arquivo frequentemente utilizado na indústria de cinema e de jogos digitais. Este formato pode trabalhar com até 32 bits (24 bits para cor e 8 bits para um canal adicional de transparência).

Formato BMP (Windows Bitmap) – é um formato sem compressão que originalmente era usado pelo sistema operacional Windows, sendo de fácil aceitação pelos computadores.

Formato JPEG (Joint Photografic Experts Group) – é um formato de arquivo com muita compressão e pouca perda de qualidade nesta compressão. Trabalha com até 8 bits por cor em sistema RGB, totalizando 24bits. Tipicamente é o formato utilizado para a navegação na Internet.

A seguir um exemplo de imagem em formato salvo com Pixel (Figura 2.4.1) e uma aproximação de uma área da mesma imagem, evidenciando seus pixels (Figura 2.4.2). Perceba o "granulado" na borda do texto.

PIXEL

Figura 2.4.1

Figura 2.4.2

Existem, também, arquivos que trabalham não com sistema de Pixel para exibição em tela, mas, sim, com vetores. O que distingue uma imagem vetor de uma não vetor é o fato da possibilidade de aumento ou afastamento da visualização da primeira, sem perda de qualidade (aumento ou diminuição de zoom). O outro formato, não vetor, não tem a tecnologia de manter constante sua forma, visto que é composto por Pixels.

Em se tratando de espaços tridimensionais digitais, trabalha-se com o conceito de que existe um plano que fornece a profundidade às cenas, conhecido tipicamente como "Eixo de Profundidade", ilustrado pelo campo Z do plano cartesiano.

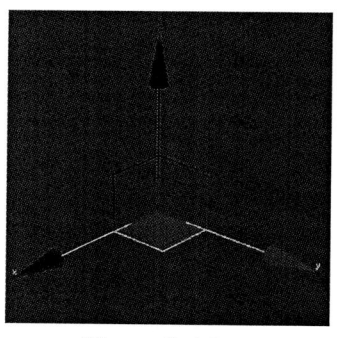

Figura 2.4.3

2.5 Definição de pixel

A palavra pixel é resultado da junção de pix (pictures, imagens) com el (element, elemento). Por definição é a menor unidade de informação de uma imagem, que pode ser conseguida em um espaço quadriculado, dentro de um sistema de grades horizontais e verticais, onde cada quadrado guarda consigo informações de cor e transparência, definido pela posição no plano cartesiano X e Y que ocupa na imagem.

Na Figura 2.5.1 tem-se um exemplo, com destaque para uma região desta mesma figura, onde se pode ver o mosaico quadriculado que os pixels formam pra criar a imagem, quando visto com mais aproximação (Zoon In).

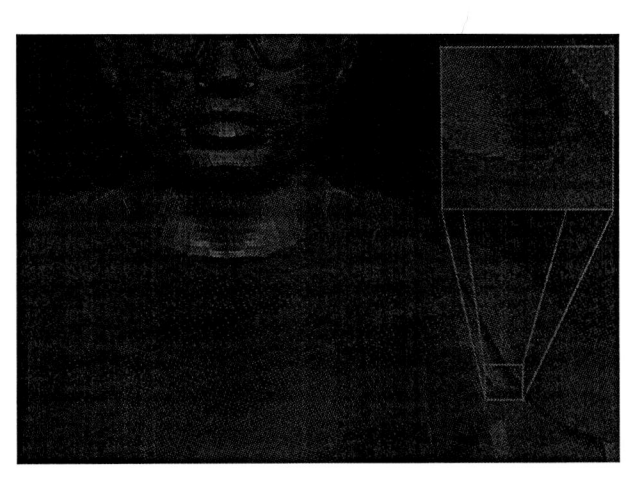

Figura 2.5.1

2.6 Definição de pixol

Se pixel é a menor unidade de informação de uma imagem, pixol é a menor unidade de informação dentro da terminologia do ZBrush, que pode ser conseguida em um espaço quadriculado, dentro de um sistema de grades horizontais e verticais, onde cada quadrado guarda consigo informações de cor e transparência, definido pela posição no plano cartesiano X e Y que ocupa na imagem. Distingue-se do pixel principalmente por possuir um terceiro plano definido como de profundidade e orientação, representado pelo eixo Z, além de receber informações dos materiais que os objetos possuem.

Quando a Pixologic lançou o ZBrush, foi introduzido o conceito de pixol através de recursos de pincéis 2.5D, que permitiam criar objetos 3D e editá-los dentro do Canvas do ZBrush com recursos como adição de elevações (Zadd), rebaixamento de malha (Zsub), cortes (Zcut) ou, ainda, apenas a pintura de texturas (Mrgb ou Rgb) ou apenas materiais (M), criando, assim, o ambiente 2.5D.

Na Figura 2.6.1 tem-se uma imagem que ilustra uma representação de imagem em pixel e na Figura 2.6.2 uma imagem que ilustra uma representação de como o pixol funciona.

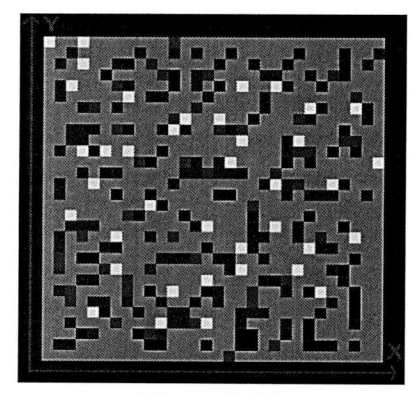

Figura 2.6.1

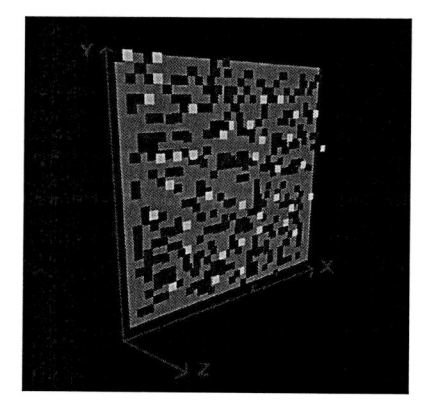

Figura 2.6.2

2.7 Definição de polígono

A definição mais comum aplicada a polígono está associada ao termo matemático da geometria que o define como uma forma fechada composta de infinitas linhas de segmento, chamadas de bordas ou lados, unidas por pontos chamados vértices ou cantos. Seu interior é definido como corpo, podendo ser criado nos planos 2D e 3D.

Na Figura 2.7.1 tem-se uma amostra de polígonos em duas dimensões.

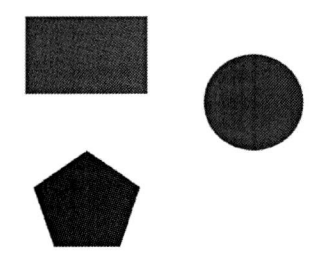

Figura 2.7.1

Em termos digitais, um polígono não é muito diferente do que diz a definição anterior. Ele é definido como um sistema de formas em duas ou três dimensões, salvo em um arquivo de dados. Compõe- se de:

Vértice (Vertex) – menor unidade dentro do polígono, à qual se unem as arestas (Edges).

Aresta (Edge) – linha de segmentos entre um vértice e outro.

Polígono (Polygon) – conjunto de no mínimo três linhas (Edges) unidas por três pontos (Vertex) que formam um polígono.

Elemento (Element) – em caso do objeto polígono estar em ambiente tridimensional, ele pode se apresentar na forma em profundidade, assumindo um corpo com volume.

Este polígono pode ser pintado, texturizado ou receber algum tipo de material, sendo que sua posição no plano tridimensional é definida por seus vértices. A Figura 2.7.2 mostra um polígono básico tridimensional definido como um cubo.

Figura 2.7.2

Um polígono compõe a menor forma de uma superfície de objetos 3D (sua menor unidade é o vértice), em que o agrupamento de vários polígonos constrói as superfícies que se intenciona criar digitalmente. No universo da tridimensionalidade, um polígono para assumir a condição de menor forma de uma superfície deve ser composto de no máximo três lados (três Edges), podendo este número ir aumentando. Na Figura 2.7.3, tem-se a mesma figura anterior, porém sendo exibida sua menor unidade de composição da malha, o polígono de três lados.

Figura 2.7.3

Polígonos são usados em:

Aplicações de interatividade em tempo real (jogos e realidade virtual) – as imagens geradas dentro do ambiente computacional para jogos e realidades virtuais baseiam-se na apresentação de polígonos, exibidos simplesmente em triângulos. Em Real Time usa-se apenas a menor unidade de um polígono, o triângulo, ficando a sua contagem poligonal associada ao número de vértices que compõe cada um, somados todos juntos. Cada objeto que compõe uma aplicação para este fim, dependendo da quantidade de vértices e polígonos de três lados que tenha, irá definir o nível de hardware que será capaz de executar em tempo hábil aquilo que se propõe a exibir. Recebem materiais e texturas que são exibidos em tempo real, que é chamado renderização em tempo real.

Aplicações fílmicas – são usados diversos polígonos, dependendo da intenção de apresentação, para compor um objeto a ser exibido. Diferentemente das aplicações em tempo real, os materiais e texturas não são exibidos em tempo real (exceto quando se está construindo modelos digitais, o software 3D permite visualizar de maneira prévia essas aplicações), essas informações são exibidas de forma acabada em um passo posterior, chamado renderização (apresentação), em que o sistema transforma as informações fornecidas em ambiente computacional 3D de Vetor em uma imagem 2D construída por pixels.

2.8 Definição de Polygroups

Trabalhar em softwares modeladores sem a possibilidade de acessar partes de objetos por vez seria muito dificultoso para o artista desenvolver seu trabalho. Na terminologia do ZBrush, Polygroups se prestam a isto: permitem acessar partes de objetos, assim como organizar para que se possa ter acesso a seleções de partes.

Os Polygroups podem ser criados a partir de seleções de malha, ao passo que as SubTools, nova fermenta disponível no ZBrush 3.1, permite o acesso a diferentes partes da geometria de objetos.

Com Polygroups é possível:

Criar grupos usando Auto Groups;
Criar grupos usando Uv Groups;
Criar grupos usando Group Visible;
Criar grupos usando Material Groups.

2.9 Processos de trabalho do ZBrush

Observe a próxima figura, ela representa um fluxo de trabalho básico com ZBrush, com o intuito de produzir modelos virtuais generalizados. Por fluxo de trabalho entende-se aqui o processo que gerencia etapas dentro de uma ferramenta sistêmica. Segundo a Wikipédia, o termo é definido como " a sequência de passos necessários para que se possa atingir a automação de processos de negócio, de acordo com um conjunto de regras definidas, envolvendo a noção de processos, permitindo que estes possam ser transmitidos de uma pessoa para outra de acordo com algumas regras" (fonte: www.wikipedia.org).

Com ZBrush é possível assumir diversas maneiras de se trabalhar com a construção de modelos digitais (pode-se criar tudo dentro do ZBrush, sem o auxílio de software externos; pode-se criar partes em softwares externos e trabalhar os detalhes dentro do ZBrush; pode-se apenas usar o ZBrush para refinos e adição de detalhes).

Independentemente da maneira como ele for usado, mais de um modo para se alcançar os objetivos poderão ser utilizados. Nenhum está totalmente correto, nem tampouco totalmente errado, cada método tem seus pontos negativos e positivos, cabe ao artista definir qual método melhor se aplica ao modelo a ser desenvolvido.

A figura a seguir ilustra um procedimento básico de fluxo de trabalho com ZBrush, de forma a se integrar a determinados momentos com softwares 3D como o 3ds Max.

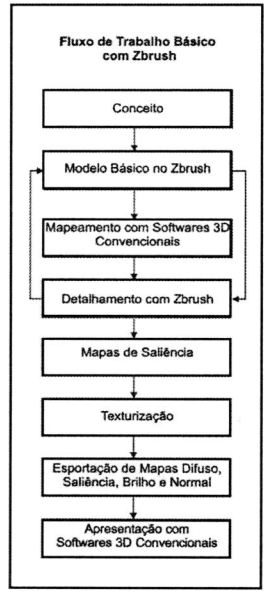

Figura 2.9.1

Observe que o processo é descrito desde a etapa de Conceito, passando em seguida para um modelo básico dentro do ZBrush, pois este processo faz uso única e exclusivamente dele, na questão de construção 3D.

Até a presente publicação deste material, ainda não foi criado um módulo no ZBrush que possibilite a edição de UVs diretamente dentro dele. Infelizmente, o uso de alguma ferramenta de apoio como o 3ds Max para mapeamento se faz necessário na etapa de mapeamento. Evidentemente, os modelos podem ser trabalhados sem o mapeamento externo ao ZBrush, podendo este gerar um mapeamento automático. Cabe ao usuário decidir qual melhor meio resolve o projeto.

Após isto, retorna-se ao ZBrush para detalhar o modelo, pois ele já tem seu mapeamento definido e apto a receber os detalhes.

Uma vez terminado o detalhamento, faz-se necessária a criação dos mapas que irão constituir o modelo como mapa de saliência para os detalhes aplicáveis ao 3D quando apresentado.

A texturização ocorre a seguir, culminando com a exportação dos mapas de difuso, saliência, brilho e normal. Evidentemente, nem sempre todos estes mapas estarão presentes no modelo, pois a necessidade de ter todos varia conforme o modelo em questão.

Por fim, apresentação (Render) é requerida para o modelo no ZBrush e sua posterior composição e pós-produção em softwares 2D encerram o fluxo de trabalho.

CAPÍTULO 3: INTERFACE DO ZBRUSH

Modelo de Alessandro Lima

CAPÍTULO 3

Interface do ZBrush

3.1 Como analisar a interface do ZBrush

O ZBrush possui uma interface única que à primeira vista pode intimidar as pessoas que já possuam certa experiência com ferramentas 3D, ao passo que uma pessoa com pouca ou nenhuma experiência com a área pode ter uma adaptação mais fluida. Isto pode ser verdadeiro em muitos casos, pois, conforme o artista vai se habituando às ferramentas que lhe são disponibilizadas pelos softwares que usa, ele vai adquirindo certa proficiência e agilidade pelo uso repetido delas. O artista adquire "hábitos" que, na maioria das vezes, podem ser empregados de maneiras semelhantes em diversos programas. Porém, quando este mesmo artista se depara com uma interface que em nada ou quase nada se parece com tudo o que sabe, no tocante às ferramentas, a aceitação de certos procedimentos necessários nestes softwares com interface "diferenciada" pode se tornar um bloqueio ou atraso na compreensão de como utilizar tais ferramentas.

O ZBrush possui uma interface que, como dito antes, pode parecer intimidante, mas uma vez que se entenda seu processo, a compressão de como utilizá-lo da melhor maneira possível se tornará um ato corriqueiro.

Primeiramente, sua interface é baseada no princípio da "circularidade" no qual todos os itens de menus são projetados com a intenção de trabalhar juntos em um sistema não linear de navegação. Por este motivo, a integração entre ferramentas e superfícies dos tipos 2D, 2.5D e 3D são possíveis dentro do sistema que o ZBrush adota.

O sistema regulador que define como o artista trata as superfícies é o Edit Mode, pelo qual se tem acesso às transformações dos objetos 3D como edições, recobrimentos de texturas, além de pinturas e diversas ações. Ele é definido pelo botão Edit Mode, com o qual se pode optar entre atuar em modo Paint Mode ou 3D Edit Mode, podendo cada um ser ainda subdividido em outros submódulos. O ZBrush utiliza ainda uma tecnologia denominada Pixol, que atribui ao seu Canvas as informações de deformidade, material, luz e sombra de objetos.

A principal ferramenta deste software é a escultura digital. Com ela, muitos artistas produzem trabalhos que imitam com perfeição a realidade e são transformados em maquetes físicas, usadas na indústria de jogos e filmes.

Analise a interface do programa para se habituar a ela:

01 – Primeiramente, abra o software através dos atalhos do botão Iniciar do Windows ou de sua área de trabalho. A primeira tela que se vê na versão 3.1 é a da Figura 3.1.1.

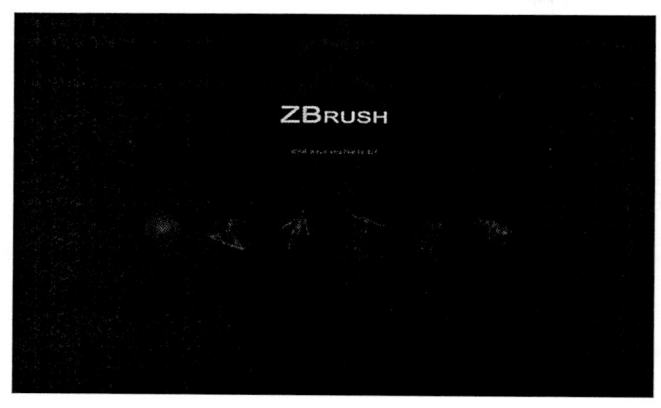

Figura 3.1.1

02 – É uma interface em que rapidamente se pode escolher um modelo pronto para iniciar um trabalho, disponibilizado na instalação do software, ou, se o usuário preferir, pressionando ESC no teclado, entra-se no programa diretamente sem nenhum objeto criado dentro de sua área de trabalho. Escolha o modelo "SuperAverageMan". Automaticamente a tela do sistema é carregada.

Figura 3.1.2

03 – É necessário analisar suas partes, acompanhe a explicação a seguir conforme a Figura 3.1.3 mostra.

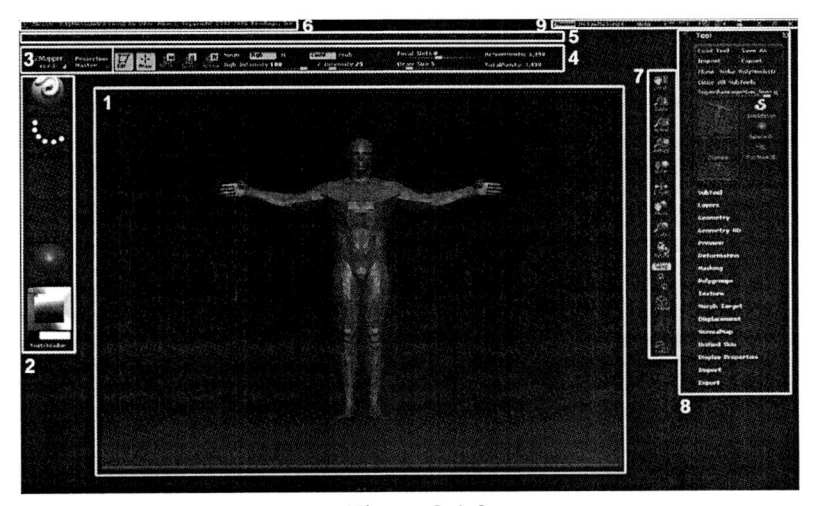

Figura 3.1.3

No item 1, tem-se o Canvas que é o espaço para trabalhar os modelos e construções de qualquer superfície editável;

No item 2 (Left Shelf), tem-se as ferramentas de Brushes, métodos de Stroke (tipo toques nas superfícies), Alphas, Texturas, Shaders e SwitchColor;

No item 3 (Top Shelf), tem-se dois Plugins incorporados ao sistema: ZMapper para a criação de mapas de Normais e Projection Master, para edição minuciosa de objetos;

No item 4 (Top Shelf), encontra-se a barra de ferramentas com itens como Edição (Edit) , Desenho (Draw), Movimentação (Move), Dimensionamento (Scale), Rotação (Rotate), além dos controles de tamanho de Pincel, Força e demais atributos;

No item 5 (Standard Menus List), tem-se a barra de menus, com as principais funções do sistema;

No item 6, tem-se uma área informativa, onde se pode ler a versão do sistema (ZBrush 3.1), nome do documento e quantia de memória RAM usados atualmente;

No item 7 (Right Shelf), tem-se as ferramentas de navegação como Scrolll e Zoom;

No item 8 (Right Tray), tem-se as demais ferramentas de Edição, neste caso, está sendo exibida a paleta Tool.

No item 9, tem-se a área onde se pode definir um tipo de cor para o layout de trabalho, assim como ativar ou desativar o Menu ou acessar a Ajuda (Help) do sistema, desde que, devidamente instalados. Para este projeto, será usado o layout padrão.

Na Figura3.1.4 tem-se em evidência os Dividers, que são estas setas para a direita e esquerda, que servem para recolher ou expandir alguma Shelf.

Interface do ZBrush | 33

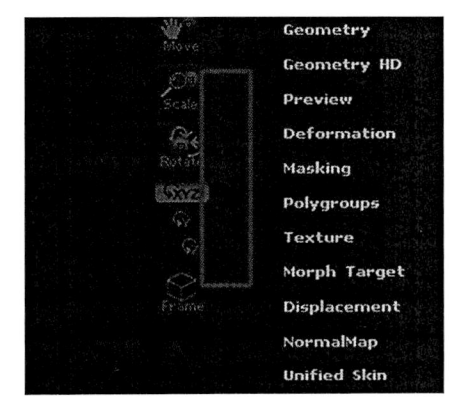

Figura 3.1.4

Já na Figura 3.1.5 tem-se o Palette's Handle para o arraste dos menus. Clicando e mantendo pressionado o mouse sobre esta área, é possível arrastar para qualquer lugar da interface do ZBrush.

Figura 3.1.5

3.2 Barra de títulos

Na barra de títulos encontram-se algumas informações úteis sobre o arquivo atualmente em uso pelo software, além de algumas configurações.

Figura 3.2.1

Iniciando da esquerda para a direita, têm-se:

a) Identidade visual do ZBrush e indicação de respectiva versão em uso;
b) Nome do licenciado;
c) Nome do documento aberto no momento;
d) Memória usada e livre, medida em megabytes;

e) Temporizador;
f) Botão Menus, que ativa ou não a barra de menus;
g) Help para acionar o arquivo de Ajuda previamente instalado (como alternativa, pode-se baixar este Help no formato "Ajuda On-line" através do endereço www.zbrush.info);
h) Botões Load Previews/Next User Inteface Colors, com os quais se opta por uma configuração de cor para a interface do ZBrush;
i) A seguir, botões Load Previews/Next User Inteface Layout, com os quais se opta por uma configuração de Layout de opções para a interface do ZBrush;
j) Botão Unlock UI para desbloquear uma configuração de interface;
k) Por fim, os já conhecidos botões de minimizar, maximizar e encerrar aplicação.

A barra de títulos de certa forma é importante, pois, a partir dela, pode-se ter ideia do quanto o arquivo editado está consumindo de recursos do sistema, assim como podemos mudar a interface do software para que atenda as nossas necessidades, no sentido de que se adapte ao usuário, e não o contrário, mostrando que a ferramenta é, de fato, muito versátil.

3.3 Trays, Dividers e Palettes

A interface do ZBrush é baseada em circularidade, o que significa que o usuário tem total liberdade para navegar nela, assim como customizá-la à vontade. Na Figura 3.3.1 tem-se uma amostra da interface do ZBrush.

Figura 3.3.1

As áreas marcadas com retângulos vermelhos são áreas onde o usuário pode "pegar e arrastar", para definir como quer posicionar suas janelas. O círculo com uma seta apontando para fora é chamado Palette's Handle e pode definir em que área da interface pode ser posicionada a janela.

Na barra de menus, existe este mesmo Palette's Handle para cada opção, um clique em cima dele e automaticamente é posicionado na Tray Direita. Nela, para apagá-lo, basta dar um duplo clique (ele não é apagado permanentemente da interface, pois o menu sempre conterá todas as opções). Do mesmo modo, clicar e manter o botão esquerdo do mouse pressionado sobre o Palette's Handle fará com que ele possa ser movido para qualquer lugar da Interface do ZBrush.

Os dois triângulos dentro do quadrado do meio são os Dividers, que expandem ou não as Trays.

Trays (bandejas) são os espaços direito ou esquerdo, assim como a parte inferior, onde podem ser acomodadas ferramentas como a Tool, atualmente exibida na Figura 3.3.1

Palletes são também chamados de menus, onde ficam as principais ferramentas do ZBrush; na mesma figura, podem ser vistas, no topo, as Palletes (menus) Transform, Zoom, Zplugin e Zscript, além da Texture trazida para o Canvas, posicionada na Tray esquerda da interface.

3.4 Menus

Os estudos de interface começam pelos menus (Standard Menus List). Analise o conteúdo de cada um (na terminologia adota pelo Help do ZBrush, o painel que define os conteúdos mostrados a seguir, segue o nome de Palette (Paleta).

Na direita da interface do ZBrush, aparece listada a Tool Palette, mas pode-se deixar visível nesta área qualquer outra paleta. Para tanto, clique no nome de uma das opções da barra de menus e, no menu que surge, à esquerda, existe o Palette's Handle (círculo com uma seta interna) que, ao clicar sobre ele, mantendo o botão esquerdo do mouse pressionado, e arrastando para o Canvas, faz com que esta paleta vá para a esquerda, abaixo da Tools. Para removê-la, basta realizar o mesmo processo (clique no mesmo círculo na paleta que foi enviada para a esquerda, mantendo o botão esquerdo do mouse pressionado, arraste para o Canvas)

Alpha Palette

Figura 3.4.1

O conceito de mapas de Alpha, dentro do software ZBrush, vai um pouco além de simples texturas em tons de cinza, usadas para causar transparências em objetos (conceito usado em boa parte de definição de "mapas de alpha" em softwares 3D): eles são usados para construir modelos complexos, além de serem usados na elaboração de texturas também complexas. A seguir uma descrição das opções mais comumente utilizadas.

Pelos botões Import e Export, respectivamente, pode-se importar uma textura para servir de Alpha (desde que salva nos formatos "*.bmp", "*.psd", "*.jpg" ou "*.tif", assim bem como exportadas em formatos "*.psd", "*.bmp" ou "*.tif"). Pode-se ainda fazer uso das texturas disponibilizadas pelo ZBrush. No slider abaixo, pode-se escolher o número da textura Alpha que se deseja utilizar também. Se a opção EP estiver marcada, todo e qualquer ajuste feito na textura de Alpha via ZBrush será levado junto na exportação deste Alpha.

No campo DE Options tem-se a caixa de diálogo Displacement Exporter 3, usada para configurar a exportação de mapas usados como Displacement (Figura 3.4.1a).

Figura 3.4.1a

Em AlphaAdjust pode ser ajustado o contraste do mapa de Alpha através de uma curva de edição. Logo, a seguir, têm-se os botões Flip H, Flip V, Rotate e Inverse que são usados, respectivamente, para inverter horizontalmente e verticalmente uma textura, girar horizontalmente e espelhar horizontalmente uma textura de Alpha.

Brush Palette

Esta paleta define uma variedade de pincéis que podem ser utilizados para os mais diferentes fins, desde escultura 3D até pintura 2D.

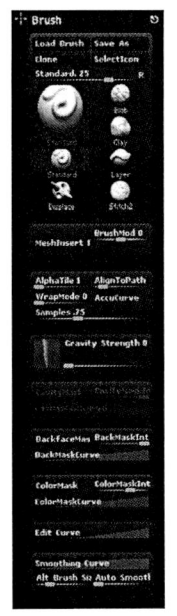

Figura 3.4.2

A figura seguinte é a 3.4.2a; após clicar em qualquer um dos Brushes visíveis nesta paleta, surge o Menu Fly-Out chamado Startup 3D Sculpting Brushes, onde, conforme informa o Help do ZBrush, os principais Brushes são:

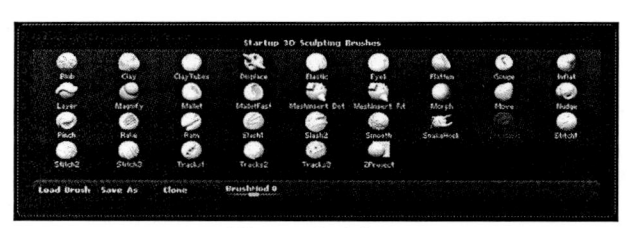

Figura 3.4.2a

Blob Brush – pincel para produzir rápidos efeitos orgânicos de bolhas. Sua uniformidade é afetada por irregularidades da superfície pela qual ele é utilizado.

Clay Brush – a finalidade deste pincel é esculpir utilizando texturas de Alpha, portanto, para se produzir os melhores resultados, ele trabalha melhor em conjunto com texturas de Alpha. Através do campo BrushMod é possível definir uma intensidade para este Brush, potencializando os resultados.

ClayTubes Brush – uma variante do Brush Clay.

Displace – trabalha de forma similar ao pincel Standard, mas mantém os detalhes intactos das transformações.

Elastic – trabalha de forma similar com o pincel Standard.

Flatten Brush – usado para dar acabamento do tipo planificado às superfícies.

Inflate Brush – trabalha expandindo os vértices ao longo de suas direções normais.

Layer Brush – eleva ou aprofunda a surperfície a qual está em contato.

Magnify Brush – este pincel move os vértices passados pelo cursor, deslocando para cima ou para baixo a superfície a qual toca, realizando o trabalho contrário ao Pinch Brush.

MeshInsert Brush – este pincel adiciona partes (meshes) a superfície selecionada. Para tanto, deve-se selecionar a superfície que se deseja inserir outra geometria, usando o botão MeshInsert Preview e, então, usando os pincéis específicos MeshInsert Dot ou MeshInsert Fit, adicionar a nova malha à superfície selecionada.

Morph Brush – este pincel apenas ficará ativo se o modelo a ser editado contiver alguma configuração de Morph Target.

Move Brush – este pincel aplica a funcionalidade de mover partes de uma superfície. A ferramenta de Mover (que não é a mesma ferramenta de mover dentro de Edit Mode) é usada como Transpose Mode, explicado mais adiante.

Nudge Brush – este pincel permite que se movam vértices sobre uma superfície, acompanhando o movimento do cursor.

Pinch Brush – este pincel puxa os vértices para próximo uns dos outros, sendo o inverso de Magnify Brush. Ótimo para se detalhar cantos ou superfícies que precisam ter detalhes "afiados" como cantos de roupas ou superfícies com detalhes elevados.

Smooth Brush – este pincel suaviza detalhes.

SnakeHook Brush – este pincel ajuda na construção rápida de chifres, cachos de cabelo, galhos e outras extrusões necessárias nas superfícies editadas.

Stadard Brush – é o pincel padrão do ZBrush, que pode ser usado para detalhes de rugas ou ranhuras ou qualquer outro vinco.

ZProject Brush – é um pincel especial que serve para transpor informações de textura do Canvas para a superfície editada.

Por fim, neste Menu Fly-Out, têm-se as opções de se carregar um pincel (Load Brush), salvar um (Save As), clonar um pincel (Clone) e o controlador de intensidade do pincel (BrushMode).

Color Palette

Na paleta de Cores é possível definir cores para se trabalhar com os modelos, baseados na escala cromática RGB. Essas cores podem ser associadas à criação de texturas, por exemplo.

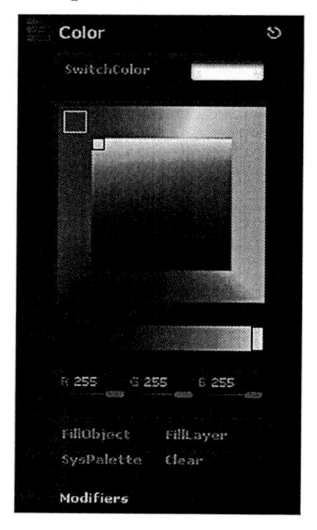

Figura 3.4.3

Document Palette

A Paleta de Documentos é o lugar onde estão as ferramentas para carregar e salvar documentos, importar imagens de fundo ou exportar imagens, modificar o tamanho do Canvas, além de definir uma cor para o fundo dele.

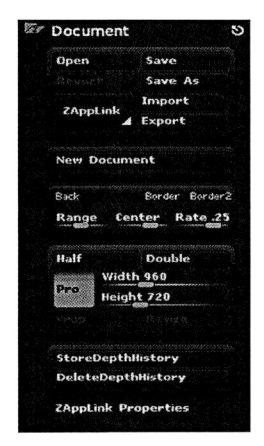

Figura 3.4.4

Os Plugins do ZBrush são distribuídos, quando instalados corretamente, por diversos lugares de sua interface, onde alguns podem aparecer no Menu ZPlugin, assim como em Document, como é o caso do Plugin ZAppLink. Este Plugin é usado na confecção de texturas e correção de emendas. Para usá-lo, deve-se ter instalado, no computador, algum software de edição de imagens como o Photoshop, por exemplo.

Com algum modelo no Canvas, entra-se no modo Edit, clica-se no botão ZAppLink dentro do Menu Document, surgindo a caixa de diálogo ZAppLink Projection (Figura 3.4.4a). Clicando em DROP NOW, vai-se para o editor de imagens, que, previamente através do botão Set Target App desta mesma caixa de diálogo, define-se que software será usado nesta edição. Vai-se, então, para o software de edição de imagens definido, para que se edite a imagem (snapshot) que foi mandada para o editor de imagens (pode-se pintar, acrescentar texturas ou aplicar efeitos, mas, no final, a estrutura, que deverá ser mantida no editor de imagens, deve ser a mesma que foi enviada primeiramente).

Ao retornar, o ZAppLink perguntará se deseja-se mesmo voltar ao ZBrush e aplicar a textura modificada (Re-enter ZBrush) ou se deseja voltar ao editor de imagens e ajustar mais alguma coisa (Return to external editor). Para obter os melhores resultados com este Plugin, use a vista Perspectiva que o ZBrush oferece (Menu Draw – opção Persp. FocalLength).

Figura 3.4.4a

Por fim, o ZAppLink possui ainda um painel logo abaixo desta paleta, chamado ZAppLink Properties, com o qual se pode criar rápidas visualizações de objetos nas vistas Frontal (Front), Costas (Back), Direita (Right), Esquerda (Left), Superior (Top) e Inferior (Botm), podendo-se salvar estas visualizações para uso posterior.

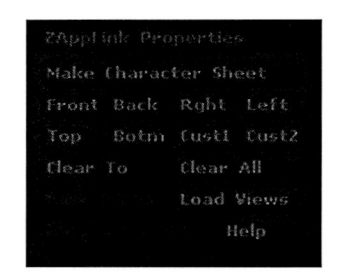

Figura 3.4.4b

Ainda nesta Paleta Document, é possível definir o tamanho do Canvas, onde geralmente se trabalha com valores proporcionais, como Width em 1024 e Height em 1024 também. Para esta amostragem não se configurará esta opção.

Draw Palette

Esta paleta possibilita alterar controles de edição da Tool (objeto em edição, não Paleta Tool) atual.

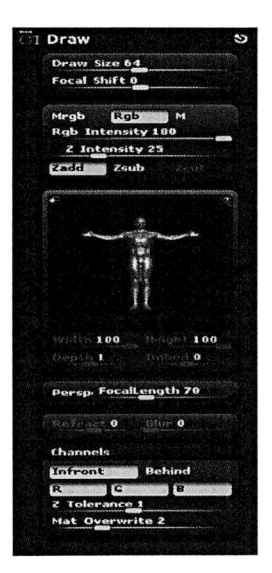

Figura 3.4.5

Draw Size – determina o tamanho máximo do Brush, podendo variar de 1 a 128, sendo que pode ser editado para assumir outros tamanhos no Menu Preferences, opção Draw, escolhendo Max Brush Size Slider.

Focal Shift (tecla de atalho O) – determina o quão rápido e abrangente é o efeito do Brush sobre o objeto editado. Ele é definido por um limite exterior e um interior. Focal Shift configura o limite interior, local onde ocorre maior influência do toque do Brush sobre a superfície editada, havendo um gradiente de força diminutiva até seu limite exterior, quando passa a não ter mais ação na edição deste mesmo objeto;

Mrgb – afeta o desenho em seu Canal de Material e Cor;

Rgb – afeta o desenho somente em seu Canal de Cor;

M – afeta o desenho somente no seu Canal de Material;

Rgb Intensity (tecla de atalho I) – ajusta a intensidade de cor aplicada com o Brush ou Tool (objeto). O valor pode variar de 0 a100, quanto mais próximo de 100, mais intenso;

Z Intensity (tecla de atalho U) – ajusta a intensidade de profundidade de informação aplicada com o Brush ou Tool (objeto). O valor pode variar de 0 a100, quanto mais próximo de 100, mais intenso;

Zaad – adiciona pixols (profundidade do Pixel orientada a partir de informações como distância, orientação e material do objeto) ao desenho, adicionando detalhes sob a forma de uma extrusão para fora do objeto editado;

Zsub – adiciona pixols (profundidade do Pixel orientada a partir de informações como distância, orientação e material do objeto) ao desenho, adicionando detalhes sob a forma de uma extrusão para dentro do objeto editado;

Zcut - retira pixols (profundidade do Pixel orientada a partir de informações como distância, orientação e material do objeto) do desenho;

Current Tool Preview – mostra o atual objeto ou Brush que está sendo editado.

Width – define o tamanho do Brush em pintura do tipo 2.5D.

Height – define a altura do Brush em pintura do tipo 2.5D.

Depth – configura o tamanho do Brush para que puxe mais para fora ou menos.

Imbed – configura a posição do Brush ou objeto relativo à superfície em que é desenhado.

Perspective – habilita a visão em perspectiva de objetos. Quando habilitada, Focal Lenght controla a abertura da perspectiva (abertura de câmera).

Refract / Blur – produzem efeitos de simular a refração de transparência de objetos, ou aspecto borrado, respectivamente.

Edit Palette

Permite desfazer ou refazer ações de edição de objetos ou outras atribuições, além de desfazer ou refazer ações de edição em Tools (superfícies editadas).

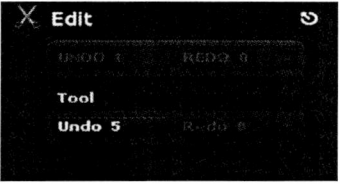

Figura 3.4.6

Layer Palette

Esta paleta permite trabalhar com camadas (Document Layers) de forma ilimitada. Cada camada criada tem por padrão o mesmo tamanho do Canvas e contém Pixols (propriedade de profundidade de o Pixel ser orientado a partir de informações como distância, orientação e material do objeto) independentes de outras camadas.

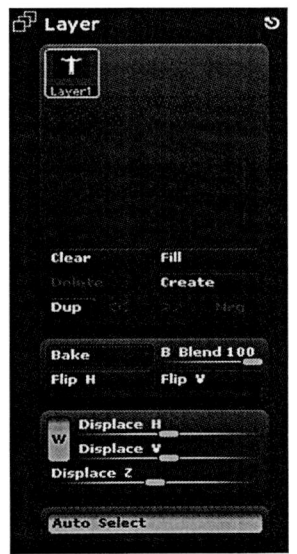

Figura 3.4.7

Nesta paleta é possível criar camadas, apagá-las, movê-las, uni-las ou espelhá-las (na horizontal ou vertical).

Light Palette

Nesta paleta pode-se configurar a iluminação do Canvas do ZBrush, onde os resultados dos modelos apresentados em seu Canvas são resultantes do conjunto de cálculo de Shader baseados no número, tipo, tamanho e posição das luzes na cena, vistos mais adiante neste livro.

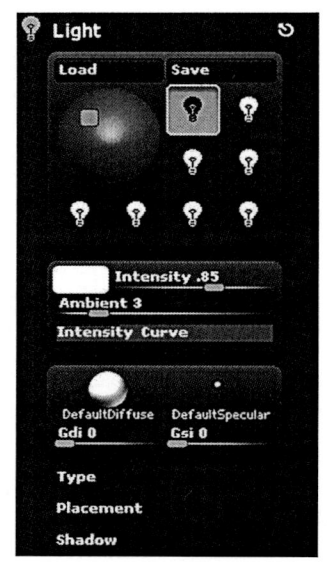

Figura 3.4.8

Macro Palette

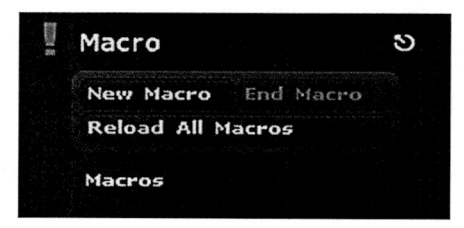

Figura 3.4.9

Esta paleta é muito útil para tornar mais rápidos certos processos, pois uma Macro é apenas a gravação de comandos rápidos, como uma troca de resolução de Canvas, configuração de Compactação de Memória ou definição do tamanho de texturas. Para configurar o ZBrush da mesma forma até o fim deste projeto, pode ser usado o arquivo gravado dentro dos arquivos fornecidos para o desenvolvimento deste livro, ou, pode criar o seus próprios (o arquivo fornecido configura além do tamanho do Canvas, a Compactação de Memória e tamanho de Texturas).

Inicie uma nova Macro (New Macro), o ZBrush começará a gravar suas ações. Por exemplo, vá ao Menu Document e configure seu Canvas para que tenha dimensões Width 1024 por Height 1024. Outros comandos podem ser feitos também, mas, para ilustrar esta ferramenta, isso já é o bastante.

Feito isto, finalize sua Macro (End Macro), o que fará com que o ZBrush lhe pergunte que nome dar ao arquivo de Macro gerado e o lugar a ser salvo. Para que o ZBrush sempre carregue a macro, deixe-a salva na raiz de instalação do ZBrush, geralmente em "C:\Program Files\Pixologic\ZBrush3\ZStartup\Macros". Seria interessante criar uma pasta para que fique mais organizado dentro da pasta "Macros". Nomeie esta macro para "ConfigLayout". Após isto, recarregue suas Macros (Reload All Macros), não é necessário reiniciar todo o sistema. Ela será listada logo abaixo, em Macros, juntamente com outras fornecidas na instalação do ZBrush. Para usá-la, basta clicar em seu nome e o ZBrush fará tudo que foi feito enquanto se gravava a macro.

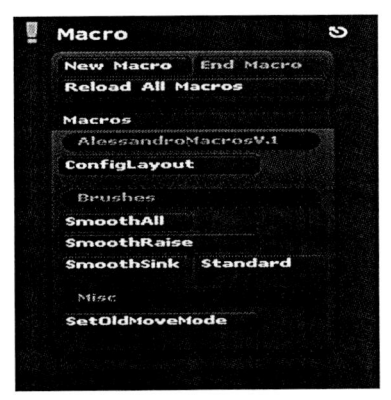

Figura 3.4.9a

Marker Palette

Ferramentas do tipo Markers são usadas para relembrar a posição, orientação e outras propriedades de objetos 3D no Canvas do ZBrush. Elas podem ser posicionadas usando o botão Mark Object Position no Menu Transform.

Figura 3.4.10

Material Palette

Figura 3.4.11

Nesta paleta se pode configurar alguns controles de materiais, onde, dependendo do tipo escolhido, poderá haver mais ou menos controles.

Pode-se carregar um novo Material (Load), configurar um já existente e salvá-lo (Save) ou modificá-lo (Modifiers).

Movie Palette

A paleta Movie serve para criar ou ver tutoriais do ZBrush, ou até mesmo exportar arquivos em formato "*.MOV" de objetos e personagens editados dentro do ZBrush, girando como acontece nas "Demo Reels", ou ainda, vídeos mostrando o processo de seu trabalho.

Figura 3.4.12

Picker Palette

A paleta Picker controla como um novo pincel irá interagir com o valor de orientação, profundidade, cor e material de Pixols no Canvas.

Figura 3.4.13

Preferences Palette

A Paleta Preferences contém configurações acerca das preferências do usuário, assim como configurações para que o ZBrush trabalhe de forma correta com o seu hardware disponível.

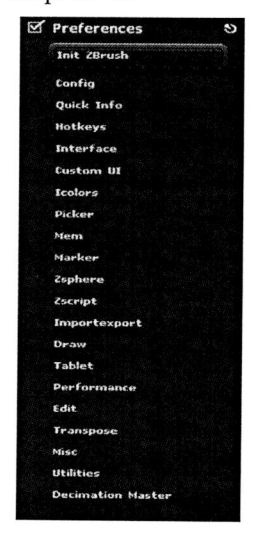

Figura 3.4.14

Compreenda suas partes:

Figura 3.4.14a

Init Zbrush – repõe todas as paletas e configurações de arquivo de documento para suas configurações padronizadas.

Figura 3.4.14b

Config Subpalette – pode-se carregar e salvar alguma configuração de layout de trabalho por esta paleta.

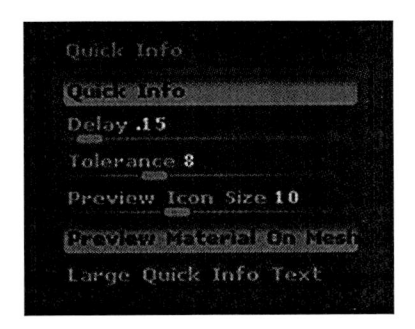

Figura 3.4.14c

Quick Info Subpalette – configura informações acerca de ícones.

Figura 3.4.14d

Hotkeys Subpalette – pode-se salvar ou carregar um arquivo de configuração de atalhos definidos pelo usuário.

Figura 3.4.14e

Interface Subpalette – configurações da interface do programa como tamanho dos botões e demais atributos.

Interface do ZBrush | 53

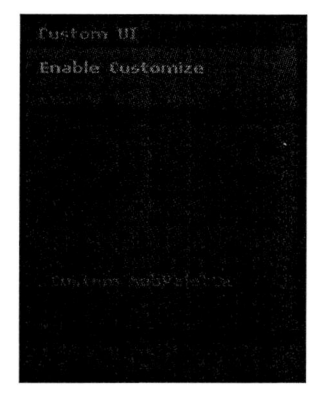

Figura 3.4.14f

Custom UI Subpalette – nesta seção é possível criar menus definidos pelo usuário contendo as ferramentas que ele mais utiliza.

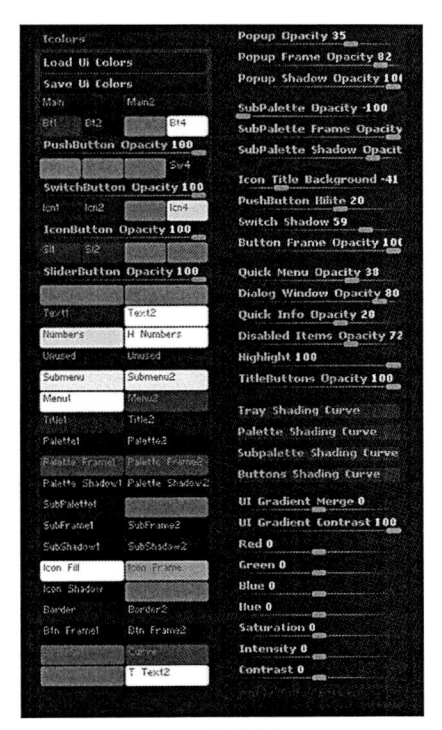

Figura 3.4.14g

Icolors Subpalette – esta seção da paleta Preferences permite alterar as cores de interface do ZBrush (aqui esta opção está sendo exibida em duas colunas para melhor visualização).

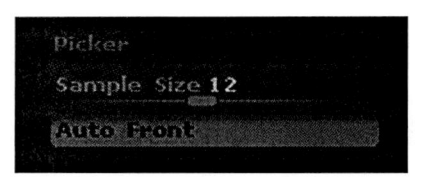

Figura 3.4.14h

Picker Subpalette – é possível configurar algumas propriedades que se têm com amostragens associadas à Picker Palette.

Figura 3.4.14i

Mem Subpalette – nesta seção configura-se a memória com a qual o ZBrush poderá trabalhar com seu sistema. Máquinas com muita memória RAM podem usar valores mais altos, porém valores mais altos acarretam maior uso de memória.

Compact Mem – representa o valor-limite de memória em Megabytes que o ZBrush poderá executar com Compactação de Memória ao escrever arquivos em seu HD. Este campo pode ser configurado entre 32 a 1024.

Doc Undo – é a quantidade de vezes que se pode voltar uma ação de edição, deixe em 10 este campo.

Tool Undo – representa o número de vezes que uma Tool poderá ser mudada, deixe também com o valor 10.

MaxPolyPerMesh – define o valor máximo de subdivisões que um objeto (Tool) poderá ter. Excedendo este limite, o ZBrush irá avisar que foi excedido o limite máximo. Valores altos demandam um sistema de hardware mais robusto que valores mais baixos neste campo. Teste com o valor 8 ou 10 inicialmente.

HD Preview MaxPoly – define o valor máximo de subdivisões que um objeto (Tool) poderá ter quando subdividido em HD. Compact Now compacta a memória imediatamente.

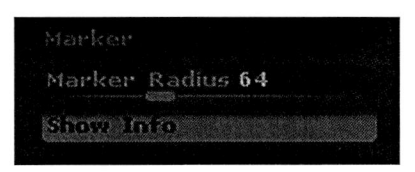

Figura 3.4.14j

Marker Subpalette – configurações do Marker, referente a Marker Palette.

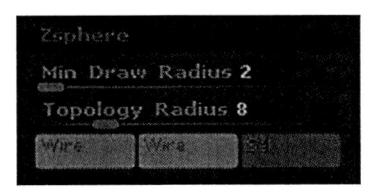

Figura 3.4.14k

Zsphere Subpalette – configurações da ferramenta Zsphere do Zbrush.

Figura 3.4.14l

Zscript Subpalette – configurações de scripts, onde a única disponível consta Auto Record, que faz com que, quando ativa, inicie automaticamente um script.

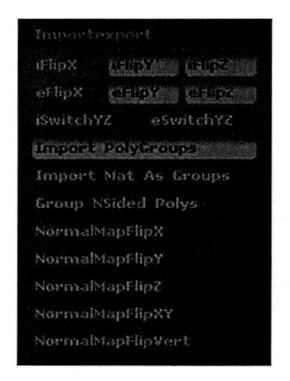

Figura 3.4.14m

Importexport Subpalete – opções de importação e exportação, configuradas conforme a necessidade do usuário.

Figura 3.4.14n

Draw Subpalette – configurações de opções de desenho da Draw Palette.

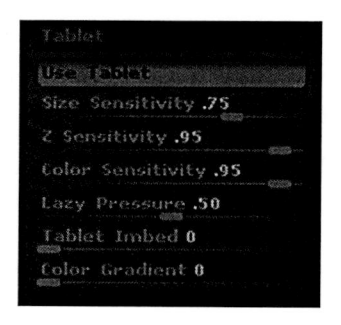

Figura 3.4.14o

Tablet Subpalette – caso o leitor tenha alguma Tablet (Mesa Digital) instalada, o que seria muito recomendável, aqui podem ser feitos alguns ajustes caso seja necessário para garantir o bom funcionamento da mesa com o ZBrush, ou se não for reconhecida pelo sistema.

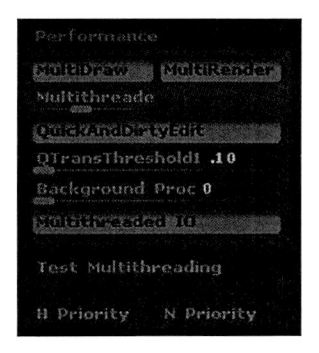

Figura 3.4.14p

Performance Subpalette – aqui podem ser feitos testes sobre a capacidade do hardware do usuário. Efetuando o teste em Test Multithreading, o ZBrush irá dizer qual a capacidade e o que pode ser habilitado ou não desta seção.

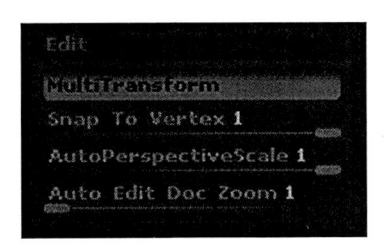

Figura 3.4.14q

Edit Subpalette – configurações de edições.

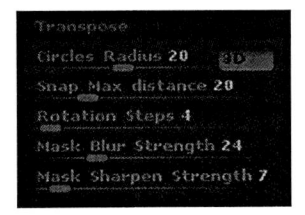

Figura 3.4.14r

Transpose Subpalette – configurações da ferramenta Transpose do ZBrush, afetando sua aparência e comportamento dos elementos quando em Transpose Mode.

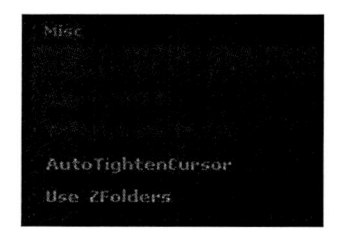

Figura 3.4.14s

Misc Subpalette – configurações diversas.

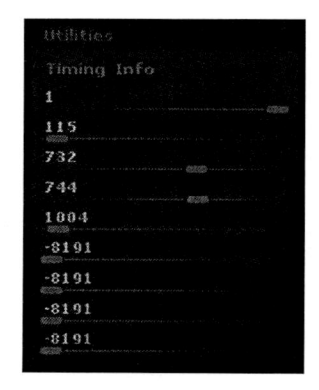

Figura 3.4.14t

Utilities Subpalette – apresenta informações sobre o ZBrush e seus scripts.

Render Palette

Segundo a definição do Help que acompanha o ZBrush, a paleta de Render controla cada método usado para calcular o sombreamento da cena. Luzes, cores e propriedade dos materiais são calculadas e efeitos especiais, como neblina e profundidade de campo, também.

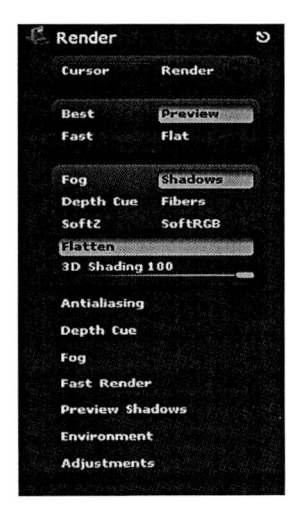

Figura 3.4.15

Stencil Palette

A ferramenta Stencil do ZBrush comporta-se como uma ferramenta de desenho, porém deve-se posicionar o Stencil sobre o modelo e pintar.

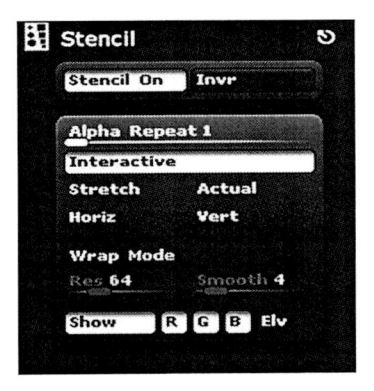

Figura 3.4.16

Stroke Palette

Os controles da paleta Stroke determinam como o ZBrush irá interpretar o pressionamento do cursor e seu movimento quando editando alguma superfície.

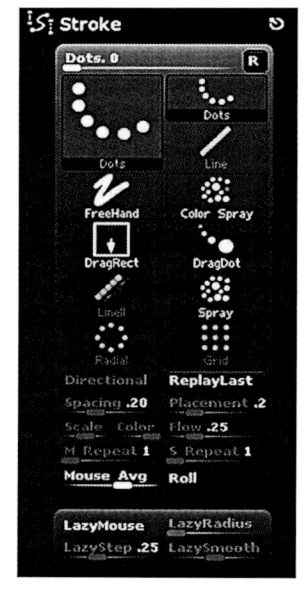

Figura 3.4.17

Diferentes tipos de Strokes servem a propósitos diversos. Existe o tipo 3D and 2.5D Sculpting and PolyPainting Strokes no qual se enquadram os tipos Dots, que produz deformidade por pontos espaçados entre si, já o tipo DragRect é usado para aplicar uma deformidade por toque na superfície editada. O tipo FreeHand é semelhante a Dots, porém com espaçamento entre os pontos em uma distância menor. Color Spray e Spray produzem praticamente os mesmos resultados (superfícies rugosas). O tipo DragDot produz saliências a cada toque na superfície em edição.

E existem aqueles específicos de 2.5D Sculpting and PolyPainting Strokes como o Line, por exemplo.

Existem alguns recursos para a paleta Stroke tal como LazyMouse, que sendo ativado ao clicar na superfície em edição, surge uma linha vermelha contínua que marca onde a ponta de toque passará, agindo sobre a superfície.

Texture Palette

A paleta Texture controla texturas, importando, exportando, manipulando ou convertendo. Pode-se espelhar uma textura horizontalmente, verticalmente, bem como girar e inverter. Pela opção Transparent pode-se produzir partes da textura que serão feitas com preto puro (R0 G0 B0) e renderizadas de forma transparente.

Figura 3.4.18

Pode-se definir o tamanho em que serão criadas as texturas pelos campos Width e Height. A opção MakeAlpha adiciona uma versão em tons de cinza da textura em edição para a Alpha Palette, automaticamente já selecionando como textura de Alpha ativa.

Tool Palette

A Paleta Tool é onde fica o cerne do desenvolvimento do trabalho com modelos digitais, dentro do fluxo de trabalho com o ZBrush. Muitos dos ajustes e configurações feitos em objetos serão feitos através desta paleta.

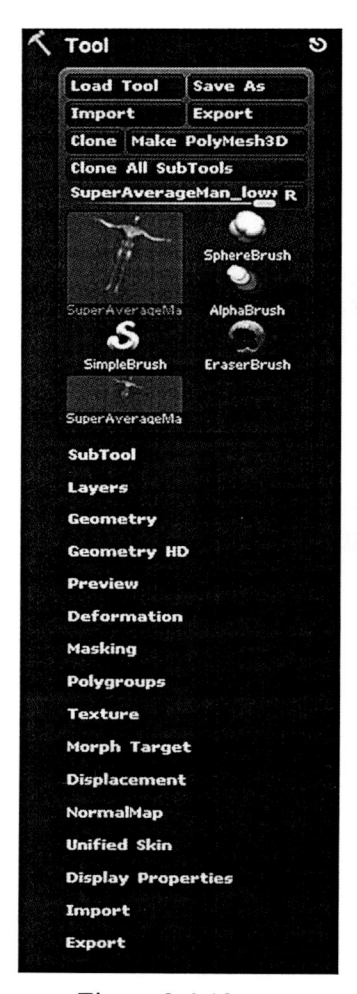

Figura 3.4.19

Na Figura 3.4.19 tem-se a Paleta Tools e as últimas Tools que foram editadas na sessão de ZBrush atualmente aberta (deixar o cursor sobre cada um e pressionar CTRL no teclado faz com que o ZBrush exiba informações sobre estas Tools, mostradas pelo Menu Fly-Out – a parte de baixo desta figura), além de diversos Brushes 2.5D disponíveis.

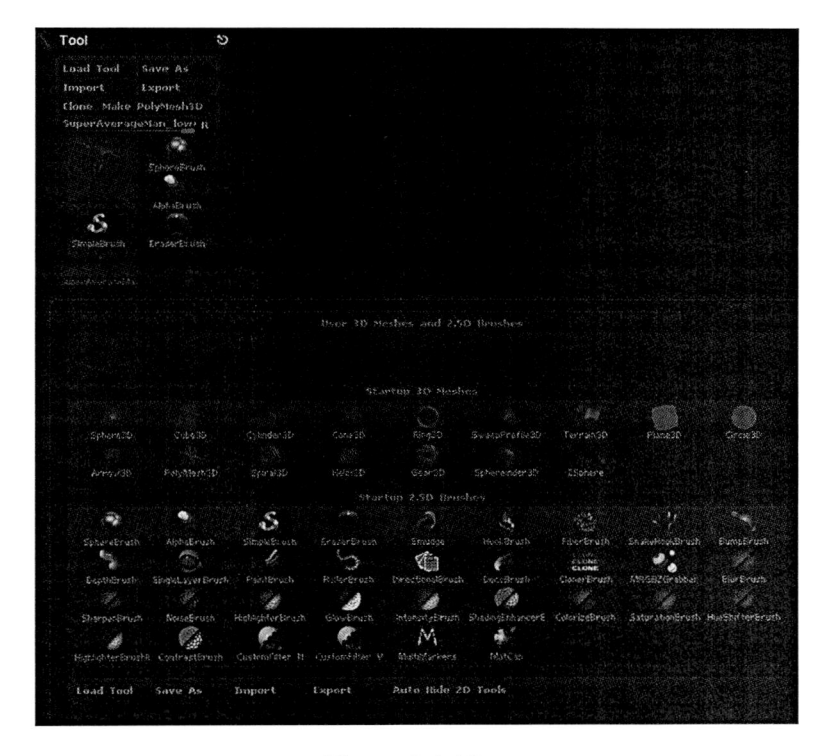

Figura 3.4.19a

Esta subpaleta é chamada Tool Inventory ou Menu Fly-Out – possui as áreas User 3D Meshes and 2.5D Brushes, Startup 3D Meshes e Startup 2.5d Brushes, onde se têm as opções de escolher uma Tool para se trabalhar (que pode ser uma primitiva 3D ou algum modelo previamente importado para dentro do ZBrush). Nesta janela encontram-se, ainda, os objetos do tipo ZSpheres que são usados para construir modelos com poses complexas.

As opções disponíveis são Load Tool (para carregar algum objeto que já seja uma Tool), Save As (para salvar algum objeto como uma Tool, podendo ser editado em outra ocasião), Import (para importar objetos para que se transformem em Tool, geralmente se importa no formato "*.OBJ" e se salva como uma Tool no formato "*.ztl"), Export (para exportar objetos para outros softwares, geralmente se exporta em formato "*.OBJ").

Make PolyMesh3D transforma um objeto que não seja 3D em um do tipo 3D. Passando o cursor e repousando-o por alguns segundos em cima dos Thumbnails das Tools, o ZBrush informará dados como, por exemplo, um

Thumbnail maior, nome e a contagem poligonal que este possui.

As Tools são divididas em Drawing Tools, 3D Primitive Tools, 3D Models, ZSpheres e Multimarkers.

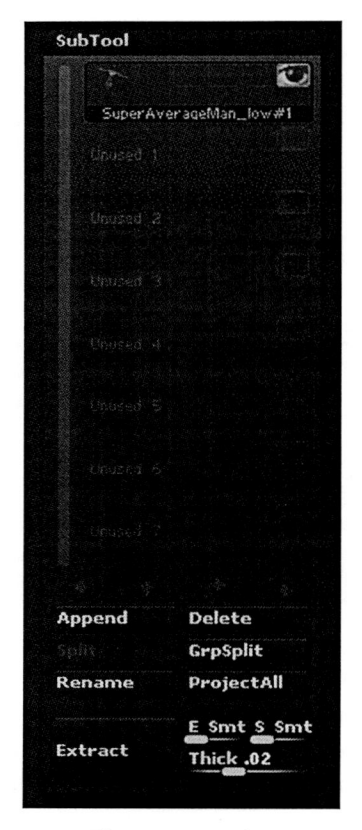

Figura 3.4.19b

SubTool Subpalette – pode-se trabalhar com objetos separados em várias partes editáveis.

Como opções desta Subpalette tem-se Eye Icons que faz com que o conteúdo da camada a qual este "olho" está associado seja visível ou não. As opções Arrows permitem, além de selecionar entre as camadas de Tools, deslocar uma ou outra para cima ou para baixo na lista de camadas.

Append adicionará outras Tools à lista de camadas de Tools. Delete apaga cada Tool selecionada.

Split é usado para dividir uma Tool ou Subtool com partes ocultas, resultando em duas Tools. GrpSplit é usado para, quando uma Tool ou Subtool contiver mais do que um Polymesh Group, quebrar este em múltiplos Subtools, um para cada grupo.

Rename serve para renomear as Tools.

Extract é útil para extrair novas malhas a partir de áreas de máscaras de seleção da Tool atualmente editada, colocando esta nova malha, dentro de uma Subtool. As opções para esta ferramenta são: E Smt que determina o quanto de suavização as edges extraídas terão. Thick ajusta a espessura da malha extraída. Valores como 0.01 são bons para extrair peças com fins de transformá-las em roupas leves como seda, e 0.03 para peças mais espessas como couro.

Figura 3.4.19c

3D Layer Subpalette – possibilita aos artistas trabalhar com um modelo em diferentes estágios de desenvolvimento, podendo adicionar detalhes como rugas ou saliências em um determinado momento, e mais tarde, adicionar outra camada com outro tipo de informação como protuberâncias e arranhões. Com estas informações estando em Layers distintas, pode-se habilitar ora um, ora outro.

Pode-se criar várias camadas pelo comando New, bem como definir sua intensidade de ação no modelo em Intensity ou, ainda, apagar alguma camada pelo comando Delete. Importante lembrar que é aconselhável criar este tipo de camada somente no nível mais alto de subdivisão do modelo, facilitando o gerenciamento de arquivos pelo sistema

As 3D Layers são diferentes das Document Layers, pois as primeiras servem à criação de camadas para objetos em edição 3D, e as outras para a criação de efeitos em documentos, objetivando edição nos Pixols.

Figura 3.4.19d

Geometry Subpalette – é muito importante para o desenvolvimento do trabalho dentro do ZBrush pois é nela que se define a quantidade de subdivisão que um objeto terá.

A subdivisão de malha neste programa é muito semelhante a outros programas 3D (aumento ou diminuição de contagem poligonal para suavizar uma superfície, onde cada polígono de quatro lados é subdivido em outros quatro polígonos de quatro lados cada um), porém o ZBrush oferece um alto controle desta subdivisão, podendo estar em um nível e facilmente saltar para outro.

Para se subdividir algum modelo, deve-se usar o botão Divide tantas vezes quantas forem as subdivisões desejadas (ou CTRL + D como atalho). Depois, para ir de um nível para outro, basta usar os botões Lower Res ou Higher Res, ou ainda digitar no slider SDiv o número da subdivisão que se quer trabalhar. A qualquer momento pode-se apagar uma subdivisão mais baixa (Del Lower) ou uma mais alta (Del Higher).

Em Smt, quando a subdivisão ocorre, os objetos podem assumir a forma suavizada, se esta opção estiver assinalada como Off, isto não acontece, pois todas as edges conservarão sua agudez original.

Em Edge Loop, podem ser feitos ajustes de topologia em malhas no mais baixo nível de subdivisão. Se Crips estiver ativo, pressionar o botão Edge Loop poderá causar extrusão de polígonos com maior dimensão. Disp controla como a distância de edges é mostrada quando Edge Loop é pressionado.

Crease aplica uma identificação nas bordas de polígonos ocultos. CreaseLvl controla quantas vezes uma edge "enrugada" será subdivida antes de começar a ser suavizada, e UnCrease remove as rugas das edges que estão na borda de polígonos ocultos.

Reproject Higher Subdiv é usado para certas áreas do modelo editado que não possuírem uma boa solução de suavização, quando com esta opção se pode "relaxar' algumas áreas.

DelHidden apaga os polígonos ocultos do modelo, preservando apenas o visíveis, e InsertMesh insere novas malhas no modelo em edição.

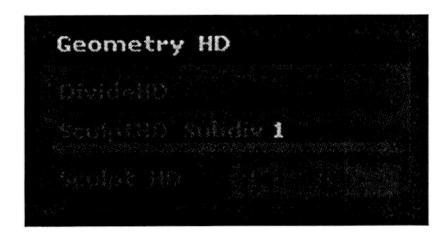

Figura 3.4.19e

HD Geometry Subpalette – é análoga a Geometry, porém com funções específicas para malhas com mais resolução do que em Geometry.

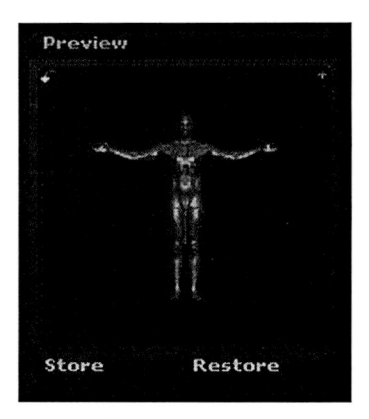

Figura 3.4.19f

Preview Subpalette – é similar ao recurso preview de Draw Palette, a única diferença é que se pode interagir com este método de preview: pode-se girar o modelo para o lado desejado e ele irá seguir o movimento.

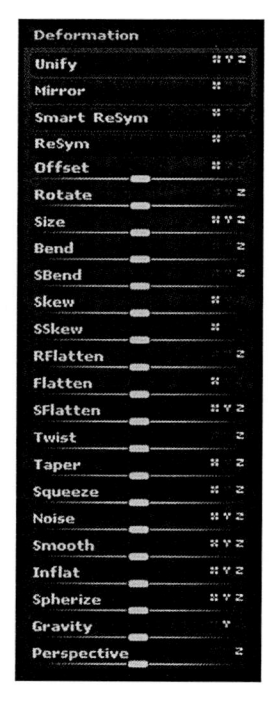

Figura 3.4.19g

Deformation Subpalette – é usada para aplicar ações de deformidade a seleções em objetos. Faz-se uma máscara de seleção na região onde se quer aplicar a deformidade, depois se escolhe qual delas aplicar e movimentar o slider para que seja aplicada ao modelo. Pode-se ainda escolher em quais eixos X, Y, Z aplicar as deformidades ou se em todos ao mesmo tempo, bastando estarem ativos.

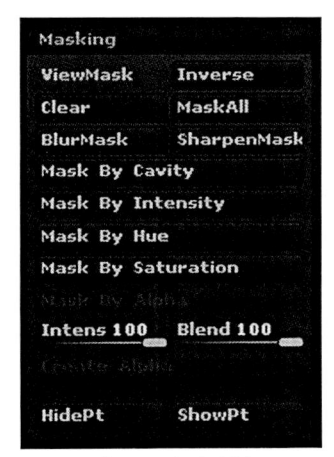

Figura 3.4.19h

Masking Subpalette – controla as opções de se criar máscara de seleção em superfícies editáveis, podendo mascarar todo um elemento (MaskAll), inverter uma seleção (Inverse), limpar uma seleção (Clear), borrar (BlurMask) ou aguçar uma seleção (SharpenMask). Pode-se também criar um mapa de Alpha com a seleção de máscara (Create Alpha) ou criar máscaras por características de Cavity, Intensity, Hue ou Saturation do modelo.

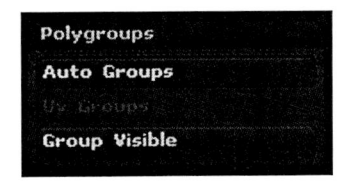

Figura 3.4.19i

Polygroups Subpalette – configura diferentes cores para diversos grupos de polígonos, para que se possa trabalhar com regiões, dividindo o trabalho.

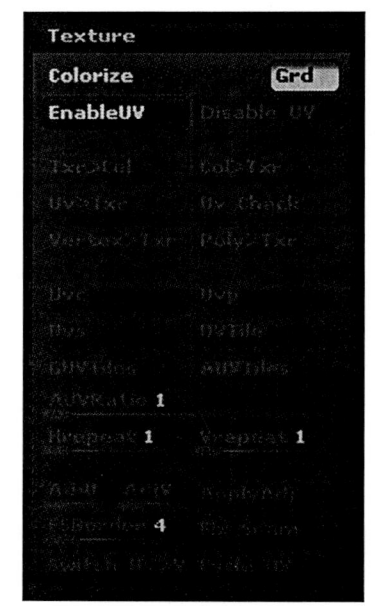

Figura 3.4.19j

Texture Subpalette – possibilita edições na textura aplicada ao modelo, além de seu mapeamento.

Nesta Subpalette pode-se ativar algum tipo de mapeamento como EnableUV ou desativar como DisableUV. A opção EnableUV permite que o ZBrush crie mapeamentos, o que pode ser útil quando não se tem o modelo previamente mapeado oriundo de algum Software 3D.

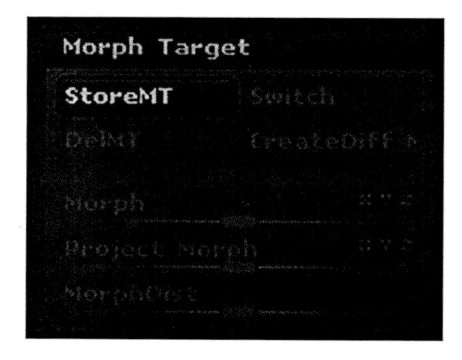

Figura 3.4.19k

Morph Target Subpalette – configura operações relativas à remoção ou restabelecimento de posições originais de vértices dentro do espaço 3D, de forma prévia à edição dos modelos (Tools).

StoreMT salva o objeto 3D selecionado com suas posições atuais de vértices como um objeto que pode ser "trocado" com outro objeto que tenha a mesma quantia e endereçamento de vértices.

LoadMT importa a geometria salva de objetos como um objeto que pode ser "trocado" com outro objeto que tenha a mesma quantia e valor de vértices.

Switch realiza a troca entre o objeto editado atualmente e a forma definida em StoreMT para realizar a ação de "troca" entre um e outro.

Restore desfaz todas s deformações do objeto atualmente em edição.

DelMT remove o vínculo de "troca" entre o objeto em edição atualmente e seu correspondente salvo em StoreMT.

Morph ajusta a quantidade de "troca" entre o objeto em edição atualmente e seu correspondente salvo em StoreMT.

Morph Distance é usado quando a "troca" é realizada entre objetos do tipo ZSpheres.

Projection Morph é uma opção que procura relaxar um objeto e remover polígonos esticados, criados a partir de pincéis do tipo Pinch ou Move.

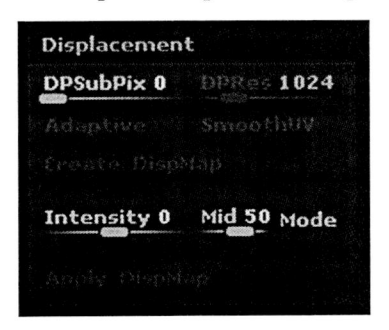

Figura 3.4.191

Displacement Subpalette – é o campo onde é possível gerar mapas para uso em Displacement (mapas de deslocamento).

DPSubPix é como o mapa de deslocamento é criado, adicionando níveis de subdivisão para deixar o resultado mais apurado.

DPRes ajusta a resolução do mapa gerado. Configurando para 1024, serão gerados mapas de 1024 pixels de resolução.

Adaptive quando ligado, automaticamente determina números adicionais de subdivisão que são executados por várias regiões do objeto atualmente selecionado, durante a geração de mapas de deslocamento.

Smooth UV afeta a suavização do efeito final quando o mapa de deslocamento é criado, quando, ao se editar modelos orgânicos, geralmente se deseja isto. Para modelos mais "retos" como armas, por exemplo, deixe desabilitada esta opção.

Create DispMap cria um novo mapa de deslocamento baseado em outras configurações. O mapa criado surgirá em Alpha Inventory.

Existem controles para se visualizar o mapa, tais como Intensity que controla a força do mapa de deslocamento, Mid que ajusta o "ponto médio" na escala tonal cinza do mapa para sua intensidade, Mode que controla como o mapa será visto na geometria (se ativado, exibe as informações no mapa criado sob a forma de deslocamento; se desabilitado, exibe apenas informações de saliências) e Apply DispMap é usado para criar o mapa de deslocamento dentro da malha do ZBrush.

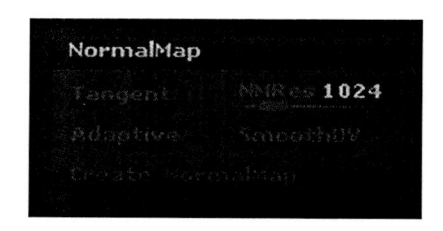

Figura 3.4.19m

NormalMap Subpalette – realiza operações acerca da criação de mapas do tipo Normal Mapping. Atualmente, o ZBrush disponibiliza outro recurso para geração de mapas desta natureza chamado ZMapper, visto mais adiante neste material.

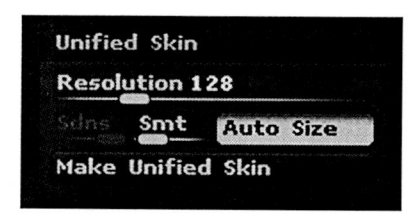

Figura 3.3.19n

Unifield Skin Subpalette – controla operações para gerar malhas com modelos do tipo ZSphere.

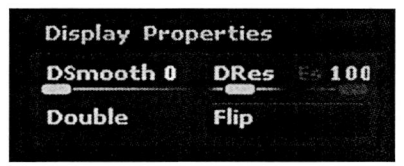

Figura 3.4.19o

Display Properties Subpalette – é um submenu que contém informações sobre propriedades dos objetos. Os itens que o compõem podem variar conforme o objeto selecionado.

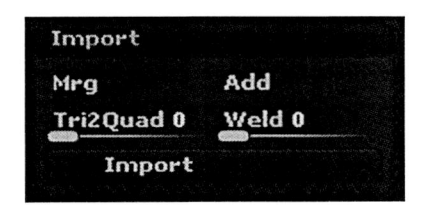

Figura 3.4.19p

Import Subpalette – é usada para configurar como os modelos serão importados. Mrg une os pontos que ocupam o mesmo lugar no espaço 3D e Add multiplica a malha que será importada e combinada.

Tri2quad deve ser ajustado para 0 (zero) se a geometria importada for usada com um "Morph Target".

Weld irá unir dois pontos a uma distância definida previamente. Para usar objetos como "Morph Target", o campo Weld deve ser ajustado para 0 (zero). Import realiza a operação de importação propriamente dita.

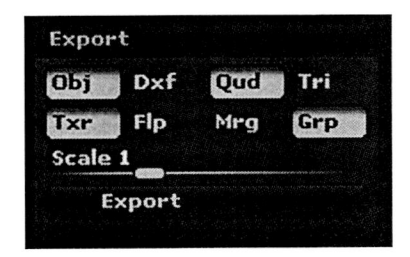

Figura 3.4.19q

Export Subpalette – exporta os modelos editados no ZBrush em formatos como "*.OBJ".

O campo Obj exporta os objetos com o formato "*.OBJ" automaticamente com polígonos de quatro lados, Dxf exporta os objetos com o formato "*.OBJ" automaticamente com polígonos de três lados.

Qud ajusta os polígonos dos objetos para quadrados, caso algum polígono tenha passado despercebido com lados diferentes disto. Tri ajusta os polígonos dos objetos para triângulos, caso algum polígono tenha passado despercebido com lados diferentes disto.

Txt inclui coordenas UV na exportação dos objetos no formato "*.OBJ".

Flp inverte a textura exportada de cima para baixo. Mrg une pontos que ocupam o mesmo lugar no espaço 3D e Grp inclui grupos de informação quando exportados.

Scale ajusta o tamanho do objeto exportado. O valor padrão é 1.

Transform Palette

A Paleta Transform possibilita mover, girar ou dimensionar objetos 3D, assim como aumentar a capacidade de edição de formas

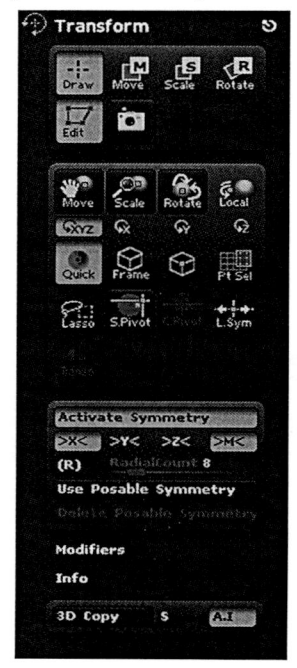

Figura 3.4.20

É possível também ativar os eixos de Simetria em Activate Symemetry para acelerar o processo de edição de formas.

Zoom Palette

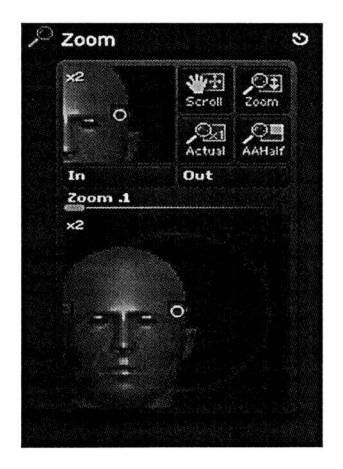

Figura 3.4.21

Possibilita realizar um Zoom rápido pelo programa, incluindo seu Canvas na visualização.

Zplugin Palette

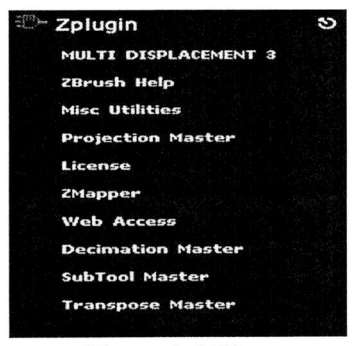

Figura 3.4.22

Um Plugin é um arquivo ou programa que é executado em separado do ZBrush, mas que pode ser lido dentro deste, podendo adicionar novas funcionalidades a todo o sistema. Um bom exemplo disto é o Plugin ZMapper.

Alguns de seus principais plugins que já vêm com a instalação do sistema são o MULT DISPLACEMENT 3, Projection Master e ZMapper.

Zscript Palette

Figura 3.4.23

Paleta que controla os scripts que são executados com o programa.

3.5 Shelfs

Nas Shelfs, encontra-se a barra de ferramentas, que são os recursos ou ajustes mais "visitados" dentro de uma seção do ZBrush. É dividida em Top, Lef e Right, cada uma com suas opções e aplicações.

Por exemplo, na Top Shelf, encontram-se ferramentas para edição de arquivos 2D, 2.5D e modelos 3D, bem como os ajustes finos de pincéis.

Na Left Shelf, encontram-se os tipos de Brushes, Strokes, Alphas, Textures, Materials e Colors.

Na Right Shelf encontram-se basicamente as opções de navegação no documento, além de visualizações e opções de edição como Move, Scale e Rotate.

3.5.1 Top Shelf (barra de ferramentas)

Nesta seção encontram-se as ferramentas de edição dos objetos conforme descrição a seguir.

Figura 3.5.1.1

ZMapper rev-E (tecla de atalho CTRL + G) – acessa o Plugin ZMapper para produção de mapas do tipo Normal Map e Cavity Map. Por este botão encontra-se o acesso ao seu painel e interface.

Projection Master (tecla de atalho G) – fornece acesso à confecção de texturas elaboradas e modelagem detalhada;

Edit (tecla de atalho T) – fornece acesso à edição do modelo atualmente selecionado;

Draw (tecla de atalho Q) – possibilita o acesso à edição do modelo atualmente selecionado;

Move (tecla de atalho W) – possibilita mover o modelo selecionado;

Scale (tecla de atalho E) – possibilita redimensionar o modelo selecionado;

Rotate (tecla de atalho R) – possibilita girar o modelo selecionado;

Mrgb – afeta o desenho em seu Canal de Material e Cor;

Rgb (tecla de atalho I) – afeta o desenho somente em seu Canal de Cor;

M – afeta o desenho somente no seu Canal de Material;

Zaad – adiciona Pixols (propriedade de profundidade de o Pixel ser orientado a partir de informações como distância, orientação e material do objeto) ao desenho, adicionando detalhes sob a forma de uma extrusão para fora do objeto editado;

Zsub – adiciona Pixols (profundidade do Pixel orientada a partir de informações como distância, orientação e material do objeto) ao desenho, adicionando detalhes sob a forma de uma extrusão para dentro do objeto editado;

Zcut - retira Pixols (profundidade do Pixel orientada a partir de informações como distância, orientação e material do objeto) do desenho;

Rgb Intensity (I) – ajusta a intensidade de cor aplicada com o Brush ou Tool (objeto). O valor pode variar de 0 a 100, quanto mais próximo de 100, mais intenso;

Z Intensity (U) – ajusta a intensidade de profundidade de informação aplicada com o Brush ou Tool (objeto). O valor pode variar de 0 a 100, quanto mais próximo de 100, mais intenso;

Focal Shift (O) – determina o quão rápido e abrangente é o efeito do Brush sobre o objeto editado. O Brush é definido por um limite exterior e um interior, Focal Shift configura o limite interior, local onde ocorre maior influência do toque do Brush sobre a superfície editada, havendo um gradiente de força diminutiva até seu limite exterior, quando passa a não ter mais força de edição sobre este mesmo objeto;

Draw Size – determina o tamanho máximo do Brush, podendo variar de 1 a 256, sendo que pode ser editado para assumir outros tamanhos no Menu Preferences, opção Draw, escolhendo Max Brush Size Slider

3.5.2 Left Shelf (Inventory Lists)

Esta seção (Left Shelf) possibilita ter acesso a Inventory Lists que são paletas com ferramentas parecidas com as vistas nos menus, porém dispostas de maneira mais acessível. São também chamadas de Menu Fly-Out.

Figura 3.5.2.1

Constam paletas para que se tenha acesso aos objetos de criação de modelos 2.5D e 3D, bem como Alphas e Shaders.

Startup 3D Sculpting Brushes

Nesta Inventory List encontram-se os Brushes, usados para esculpir modelos e aplicar detalhes.

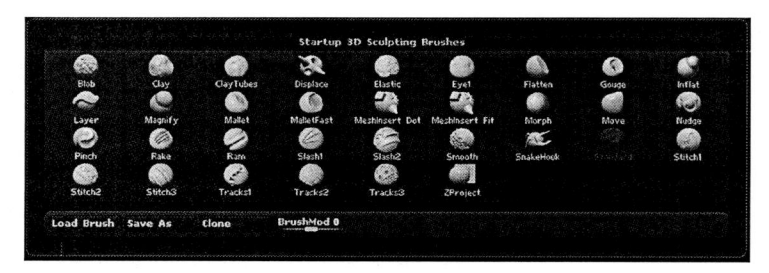

Figura 3.5.2.2

Pode-se carregar um Brush (Load Brush), salvar um (Save As), copiar um já existente (Clone) e através do campo BrushMod é possível definir uma intensidade para este Brush, potencializando os resultados.

3D and 2.5D Sculpting And PolyPaint Strokes e 2.5D Painting And Texturing Strokes

Nesta Inventory List, os controles da paleta Stroke determinam como o ZBrush irá interpretar o pressionamento do cursor e seu movimento quando editando alguma superfície.

Figura 3.5.2.3

Diferentes tipos de Strokes servem a propósitos diversos. Existem os tipos 3D and 2.5D Sculpting and PolyPainting Strokes nos quais se enquadram os tipos Dots, que produzem deformidade por pontos espaçados entre si. Já o tipo DragRect é usado para aplicar uma deformidade por toque à superfície editada.

O tipo FreeHand é semelhante a Dots, porém com espaçamento entre os pontos em uma distância menor. Color Spray e Spray produzem praticamente os mesmos resultados (superfícies rugosas). O tipo DragDot produz saliências a cada toque na superfície em edição.

E existem aqueles específicos de 2.5D Sculpting and PolyPainting Strokes como o Line. Alguns recursos para a paleta Stroke incluem LazyMouse, e ativando-se esta opção, ao tocar na superfície em edição, surge uma linha vermelha contínua que marca onde a ponta de toque passará, agindo sobre a superfície.

Para qualquer um dos tipos escolhidos, é possível modificar o espaçamento (Spacing), a distância de seus centros de atuação (Placement), o tamanho (Scale), a cor (Color), no sentido de aplicar ou retirar intensidade de força. Densidade de desenho (Flow), o número de vezes que um "elemento" do Stroke for repetido enquanto se desenha (M Repeat), o número de vezes que um "elemento secundário" do Stroke for repetido enquanto se desenha (S Repeat) e suavização do desenho (Mouse Avg).

Startup Alphas

Nesta Inventory List se pode definir uma textura em tons de cinza para aplicar detalhes a um modelo previamente subdividido adequadamente. Nesta seção é possível definir os microdetalhes em que a modelagem em si não é capaz de conseguir, como detalhes de rugas ou poros na pele.

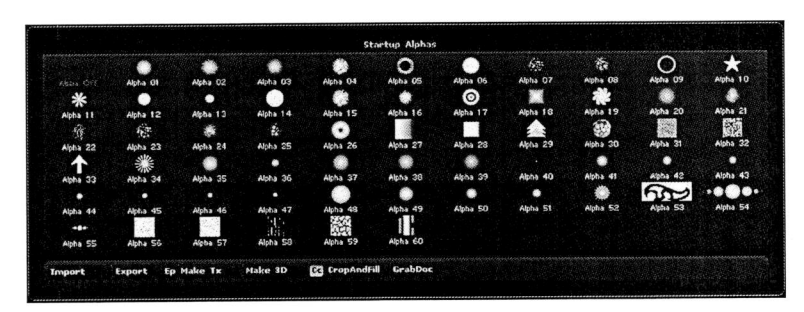

Figura 3.5.2.4

Pelos botões Import e Export, respectivamente, pode-se importar uma textura para servir de Alpha (desde que salva nos formatos "*.bmp", "*.psd", "*.jpg" ou "*.tif", assim como exportadas em formatos "*.psd", "*.bmp" ou "*.tif"). Pode-se ainda fazer uso das texturas disponibilizadas pelo ZBrush. No slider a seguir, pode-se escolher o número da textura Alpha que se deseja utilizar também. Se a opção EP estiver marcada, todo e qualquer ajuste feito na textura de Alpha via ZBrush será levado junto na exportação deste Alpha.

A opção Make Tx cria uma nova textura a partir da atual. Make 3D cria malhas a partir da textura de Alpha atualmente selecionada, e a opção Cc (Clear Color) trabalha em conjunto com CropAndFill, e somente quando a textura de Alpha contiver o mesmo tamanho do Canvas. Esta opção pinta os Pixols de acordo com a intensidade deles.

A opção CropAndFill quando pressionada modifica o tamanho da textura Alpha atualmente selecionada, ajustando a profundidade dos Pixols no Canvas, de acordo com a intensidade dos tons de cinza da textura Alpha. GrabDoc cria um nova textura Alpha com o tamanho de acordo com o do Canvas, com intensidade variando em função da profundidade de Pixols deste.

User Textures e Startup Textures

A paleta Texture controla as texturas importando ou exportando. É nesta seção que se importa toda e qualquer imagem que se deseja atribuir ao canal difuso de um modelo já existente ou não no Canvas. Ela pode ser divida em User Textures que são as atualmente em uso, e em Startup Textures, que são as pertencentes à instalação do ZBRush.

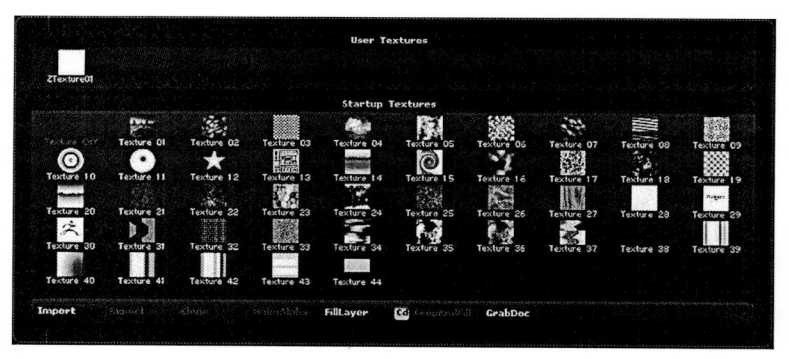

Figura 3.5.2.5

As opções Import e Export servem, respectivamente, para importar alguma textura para o ZBrush ou exportar para outros softwares. A opção Clone é utilizada para se criar uma cópia da textura atualmente em uso. MakeAlpha cria uma textura em tons de cinza da textura em uso e atribui a Alpha Palette.

Cd (Clear Depth) afeta como CropAndFill irá se comportar, sendo que

Interface do ZBrush | 83

esta opção recorta o Canvas para o tamanho da textura atualmente selecionada. GradDoc cria uma nova textura a partir do Canvas, aplicando à Texture Palette

Startup MatCpa Materials e Startup Standart Materials

Nesta Inventory List fica a seção onde se definem as características dos objetos no Canvas (é a área de configuração dos Shaders – padrões de comportamento e sombreado de objetos).

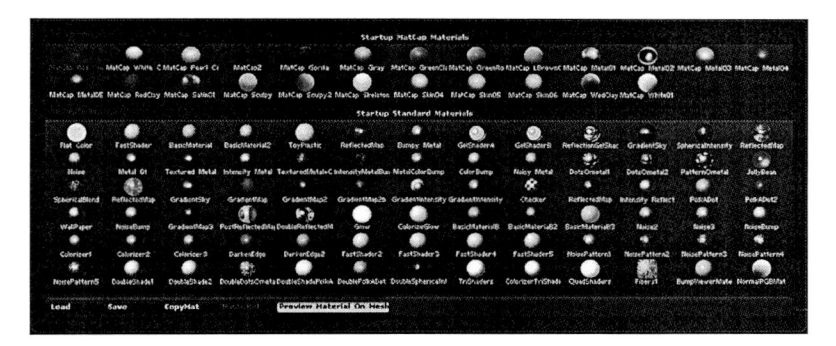

Figura 3.5.2.6

Em Startup MatCpa Materials é possível utilizar ou configurar a aparência de superfícies dos mais variados tipos, usando, como referências, fotografias. Em Startup Standart Materials é possível utilizar o material padrão do ZBrush para uso em diversos tipos de objetos.

Pode-se carregar (Load) ou salvar (Save) materiais.

SwitchColor

Nesta pequena parte do programa pode-se definir uma cor para cobrir um objeto atualmente editado.

Figura 3.5.2.7

3.5.3 Right Shelf (barra de navegação)

Nesta seção encontram-se as ferramentas de navegação do ZBrush, além de alinhamentos e seleções.

Figura 3.5.3.1

Scroll – esta ferramenta permite mover o Canvas para um melhor enquadramento (similar a ferramenta "PAN" de alguns softwares).

Zoom – aplica efeito de aproximação ou afastamento ao objeto dentro do Canvas.

Actual – repõe o Canvas em seu estado de enquadramento inicial.

AAHalf – põe o Canvas em enquadramento pela metade de Actual.

Local – Local Transformations determina o quanto às ações de redimensionamento e rotação são afetadas enquanto se edita alguma parte do objeto (a última edição se torna o centro de rotação do objeto).

L.Sym. – deve ser usado quando se trabalha com SubTools, pois ele ajusta o centro dos objetos, uma vez que um objeto editado sem SubTools tem seu centro de coordenadas localizado no centro do objeto.

Move / Scale / Rotate – possibilitam realizar ações de mover, redimensionar ou girar um objeto.

XYZ – quando ativo, torna as rotações do modelo em modo livre.

Y – trava a rotação do modelo no eixo Y quando movimentado o cursor no sentido horizontal.

Z – trava a rotação do modelo no eixo Z quando movimentado o cursor no sentido horizontal.

Frame – exibe as linhas aramadas (Wireframes) do modelo, exibindo também os Polygroups do modelo.

Transp – ativa a transparência entre cada SubTool do modelo em edição.

Lasso – realiza uma seleção em forma de "lasso". Use as teclas de atalho CTRL + SHIFT enquanto o botão Lasso estiver ativo para criar seleções em formato de lasso.

3.6 Inventory Lists

Inventory Lists são listas de itens usados nas paletas Alpha, Brush, Stroke, Texture e Material, que disponibilizam pincéis e modelos 3D, tratados como Tools e Brushes. Estas Inventory Lists também são chamadas Menu Fly-Out.

Tools são todos os objetos paramétricos (objetos que podem ser alterados matematicamente por meio de controles manuais pelo usuário), também chamados de "Primitivas", que são disponibilizadas nativamente com o ZBrush. Ainda é possível ter objetos vindos de outras aplicações 3D considerados Tools também. O termo Tool fica associado não só ao painel que fornece acesso à edição destes modelos, como também aos os próprios modelos.

Brushes são ferramentas dentro do ZBrush que possibilitam as edições de superfícies. Uma vez em modo Edit, é possível ter acesso a uma infinidade de pincéis, que servem a propósitos tanto 2D, como 2.5D e 3D.

A seguir, um exemplo de Inventory Lists com seções para:

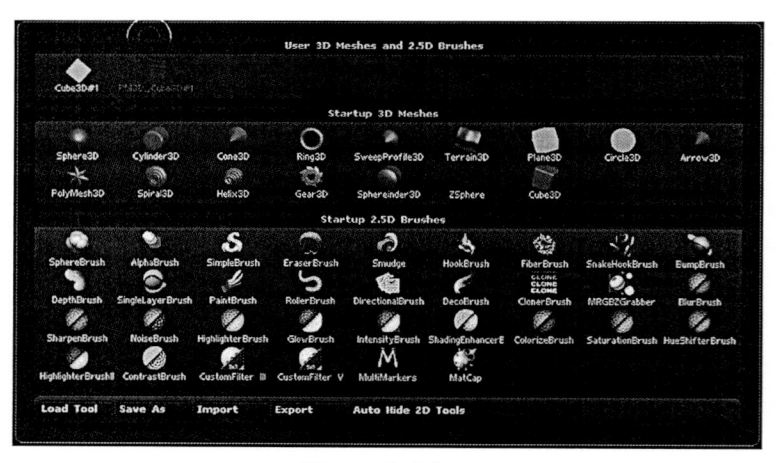

Figura 3.6.1

User 3D Meshes and 2.5D Bruhses – lista dos últimos modelos editados no ZBrush;
Startup 3D Meshes – objetos 3D paramétricos;
Startup 2.5D Brushes – pincéis para trabalho com 2D e 2.5D.

Na interface do ZBrush, existem Inventory Lists para as paletas Brushes, Stroke, Alpha, Texture e Material, respectivamente. Deixar o cursor sobre qualquer item da interface do ZBrush e pressionar a tecla CTRL do teclado faz surgir uma rápida caixa de diálogo que explica a função da ferramenta a qual se está apontando.

3.6.1 Drawing Tools

Drawing Tools são ferramentas que possibilitam criar ou modificar os Pixols do Canvas. Deixar o cursor sobre qualquer item da interface do ZBrush e pressionar a tecla CTRL do teclado faz surgir uma rápida caixa de diálogo que explica a função da ferramenta a qual se está apontando, a qual, para se ter a informação completa destes pincéis, pode-se usar este recurso.

Esta seção do ZBrush, destina-se a explorar os pincéis que podem ser usados para pintura 2.5D. Para acessá-los, pode-se utilizar a janela de Menu Fly-Out de Brushes chamada Startup 2.5D Brushes. Usando o Plugin Projection Master, pode-se acessá-los, com a possibilidade de se acessar um painel específico pra cada Brush selecionado, contendo cada um as suas próprias configurações e ajustes personalizáveis.

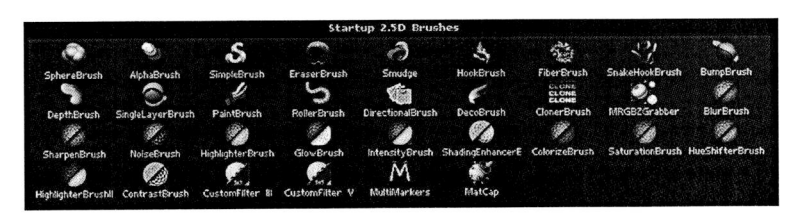

Figura 3.6.1.1

Na Figura 3.6.1.2 vê-se o pincel DirectionalBrush com suas configurações próprias no campo Modifiers (esta seção pode ser habilitada na paleta Tools, quando em edição com Projection Master).

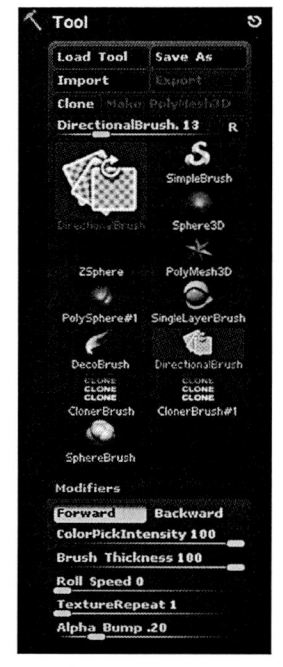

Figura 3.6.1.2

A seguir o painel de Brushes para edição 2.5D e uma breve explicação dos pincéis quando em uso para edição 2.5D. Acompanhe pelo Menu Fly-Out dos Brushes.

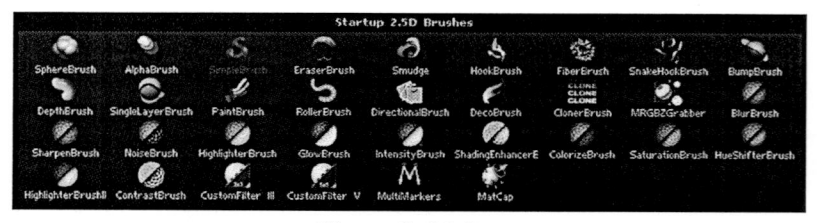

Figura 3.6.1.3

SphereBrush – este pincel atua com pintura em forma hemisférica perfeita. Ideal para definir volumes.

AlphaBrush – este pincel atua com qualquer imagem usada como uma textura de transparência, atuando nas formas criadas com ele.

SimpleBrush – aplica pintura ao Canvas assim como deformidades nas superfícies. É o pincel padrão do ZBrush.

EraserBrush – quando usado com uma imagem de Alpha atua de modo a causar "cortes" (apagando) a superfície.

Smudge – pincel parecido com a ferramenta Smudge do Photohop, a qual move a superfície na direção onde acontece o movimento do cursor.

HookBrush – puxa partes de superfícies para fora, baseado em mapas de Alpha.

FiberBrush – pincel usado para criar fibras ou superfícies densas como cabelos, pelos ou gramas.

SnakeHookBrush – puxa as superfícies para fora, de acordo com a visão. Pode ser usados mapas de Alpha para gerar efeitos interessantes.

BumpBrush – adiciona efeito de saliência nas superfícies, baseado em qualquer mapa de Alpha.

DepthBrush – ajusta qualquer orientação dos Pixols, usando qualquer mapa de Alpha. Se usado com o Stroke do tipo DragRect, pode ser transformado a cada aplicação.

SinlgeLayerBrush – aplica um efeito de pintura ou profundidade com cada toque com o pincel.

PaintBrush – aplica um efeito de camada de cor ou deformidade de forma contínua a cada movimento do pincel.

RollerBrush – pincel ideal para aplicar efeitos de textura às superfícies, como, por exemplo, textos escritos ao longo de uma superfície. É possível utilizar texturas de Alpha com este pincel.

DirectionalBrush – similar ao pincel RollerBrush.

DecoBrush – é um pincel ótimo para pinturas em que se precise de aplicações que sigam um caminho ou áreas com formas específicas. Como recurso extra deste pincel, pode-se tornar um desenho em um objeto do tipo polymesh através do comando Make Polymesh3D, podendo ser editado juntamente com o objeto em edição.

ClonerBrush – copia de forma "duplicada" os Pixols de um objeto em edição para o Canvas ou outro objeto.

MRGBZGrabber – é um pincel que cria automaticamente texturas a partir da visualização no Canvas (ele cria, a partir do que é visualizado nos Pixols, texturas planas). Este pincel faz uso das opções Mrgb, Rgb e M para produção de texturas que podem ser criadas tanto Difusas como Alphas.

BlurNrush – este pincel aplica um efeito do tipo "borrado" aos Pixols em cada desenho.

SharpenBrush – este pincel aplica um efeito do tipo "afiado" ou "definido" aos Pixols em cada desenho.

NoiseBrush – este pincel aplica um efeito do tipo "ruído" aos Pixols em cada desenho.

HighlighterBrush – este pincel aplica um efeito de realce à luz e cor dos Pixols.

GlowBrush – este pincel aplica um efeito de "borrado profuso" aos Pixols

IntensityBrush – este pincel aplica um efeito de intensidade de cor aos Pixols.

ShadingEnhancerE – este pincel analisa as configurações de luz do objeto assim como sua profundidade no Canvas, que usa estas informações para produzir iluminação nas partes mais escuras.

ColorizeBrush – aplica a cor ou textura selecionada ao objeto.

SaturationBrush – adiciona saturação aos Pixols.

HueShiftBrush – este pincel altera os valores dos Pixols através do espectro de cor de cada amostra de cor nos Pixols.

HighlighterBrush II – este pincel aplica um efeito de realce à luz e cor dos Pixols.

ContrastBrush – este pincel aplica um efeito de contraste à luz e cor dos Pixols

CustomFilter III e V – estes pincéis aplicam efeitos ajustáveis aos Pixols, de forma acumulativa com outros efeitos já executados por outros pincéis.

MultiMarkers – é usado em conjunto com outros objetos. Com o uso de SubTools, este recurso acaba não sendo mais usado, pois sua função é fazer a ligação entre objetos diferentes no Canvas. Com SubTools, esta interação já é possível e de forma mais intuitiva.

MatCap – este pincel possibilita a criação de materiais do tipo MatCap (materiais capturados a partir de imagens, fotos ou texturas).

3.7 Primitivas 3D

O ZBrush possui Tools que são chamadas Primitivas, pois possuem configurações próprias, com controladores paramétricos (que podem ser alteradas através de entradas de dados numéricos).
Estas Tools podem ser muito úteis para rápidos esboços de formas mais complexas, assim como podem vir a servir de modelo básico para se iniciar algum trabalho,
Existem as Tools primitivas do tipo Shere3D, Cylinder3D, Cone3D, Ring3D, SweeProfile3D, Terrain3D, Plane3D, Circle3D, Arrow3D, PolyMesh3D, Spiral3D, Helix3D, Gear3D, Sphereinder3D, ZSphere e Cube3D, localizadas na Janela Fly-Out Startup 3D Meshes (Figura 3.7.1)

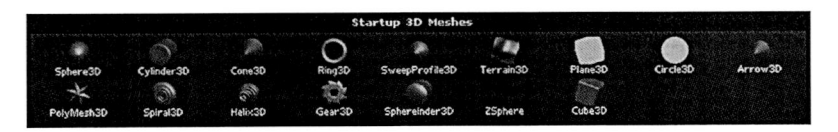

Figura 3.7.1

3.8 ZSpheres

3.8.1 Conceito

Trabalhar com ZSpheres dentro do ZBrush é operar com uma ferramenta sem igual em outras plataformas de softwares modeladores digitais.

A definição mais simplificada da ferramenta ZSpheres seria a de um conjunto de ossos dinâmicos, que podem ser criados alguns sendo pais e outros filhos, dentro de uma hierarquia óssea simples.

Usar ZSpheres é uma maneira rápida e intuitiva de criar objetos básicos com os quais se deseja detalhar progressivamente até produzir modelos altamente detalhados. Um dos recursos interessantes desta ferramenta é a possibilidade de se alternar entre o modo de estrutura de ZSpheres (os "ossos") e a malha poligonal, com apenas um simples atalho.

3.8.2 Controles básicos

Para criar uma ZSpheres, entre no modo Draw (Q), vá até a paleta Tools, escolha ZSpheres em Startup 3D Meshes, clique no Canvas e crie a primeira ZSpheres. Comumente, esta será a ZSpheres Root (raiz), que controlará todas as outras.

Figura 3.8.2.1

Para editar esta ZSpheres, entre no modo Edit (T). Quando se entra neste modo, é possível criar novas ZSpheres a partir desta primeira, tornando as novas, dependentes da Root (raiz). Na Figura 3.8.2.2 vê-se a ZSpheres com o seu ponto central, uma linha e outro ponto. O círculo mais afastado do centro da ZSpheres indica onde será inserida a nova ZSpheres-filha.

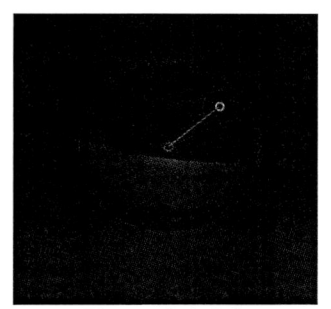

Figura 3.8.2.2

Para criar uma nova ZSpheres, basta tocar a superfície dela no ponto indicado pelo ponteiro do cursor e arrastar para alguma direção.

Figura 3.8.2.3

Ao usar a tecla SHIFT, ativa-se o recurso de criar novas ZSpheres do mesmo tamanho que a primeira.

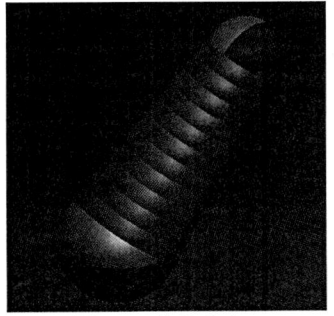

Figura 3.8.2.4

Na Figura 3.8.2.4 vê-se a nova ZSpheres com a mesma estrutura que a primeira, entre elas, um objeto que se assemelha a algum tipo de "ligação" (Link-Spheres) e um tipo de "sanfona" (passe o cursor sobre este para que seja realçado no Canvas). Estes itens compõem os elementos que podem ser editados na construção de ZSpheres.

Se tocar mais uma vez na superfície de qualquer uma das duas ZSpheres, será criada uma nova e assim sucessivamente.

Para mover uma ZSpheres criada, ative o modo Move (W) e mova a última criada um pouco para cima ou para o lado.

Veja que a estrutura entre as duas se estende e procura compensar as distâncias criando mais "sanfonas" (Link-Spheres).

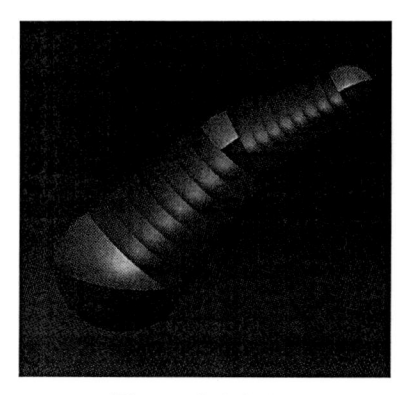

Figura 3.8.2.5

Reposicione a terceira ZSheres a partir da última criada.

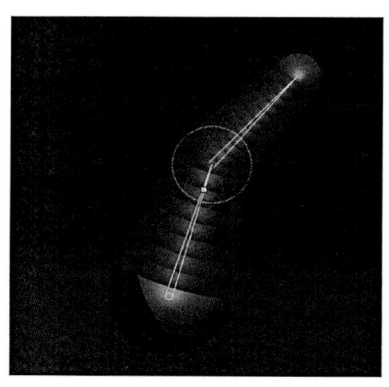

Figura 3.8.2.6

Tente mover a ZSpheres, mas com seus Link-Spheres. Toda a estrutura segue, depois da ZSpheres destacada, a qual é levada junto em uma espécie de Foward Knematics (FK). Se for movida somente uma ZSpheres por vez, a estrutura será editada localmente, sem afetar todos os "filhos".

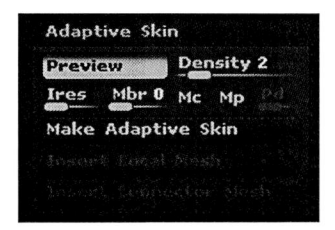

Figura 3.8.2.7

Em Adaptive Skin da paleta Tools, ative Preview (ou a tecla de atalho A), para se ver a malha resultante desta composição de ZSpheres.

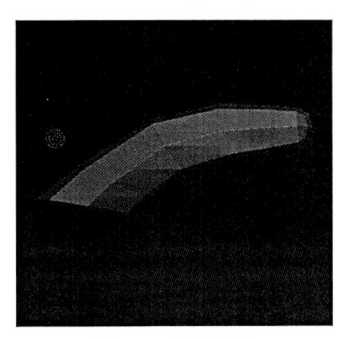

Figura 3.8.2.8

Experimente criar uma ZSphere para "dentro", veja a figura a seguir.

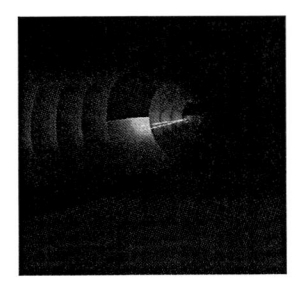

Figura 3.8.2.9

Em alguns casos, a malha resultante pode se mostrar distorcida, isto, em função da má orientação de ZSpheres. Ocorrendo isto, volte ao modo ZSpheres (A) mova ou gire as ZSpheres que estão na área problemática e verifique se foram corrigidos os possíveis defeitos.

Em modo Move (W), empurre a ZSpheres recém-criada para dentro de sua antecessora.

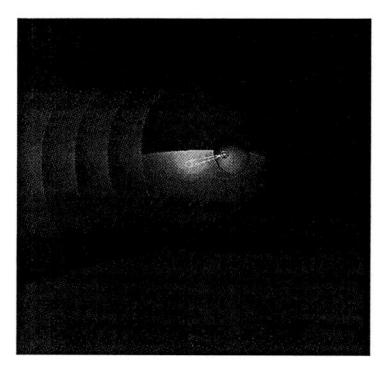

Figura 3.8.2.10

Como resultado na malha tem-se a Figura 3.8.2.11

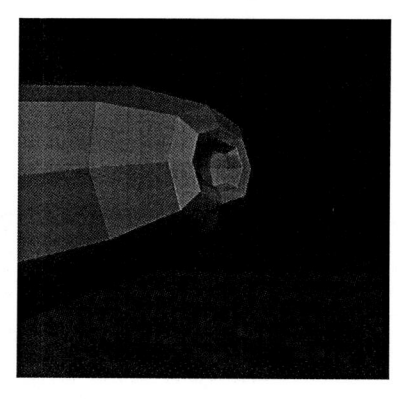

Figura 3.8.2.11

Na Figura 3.8.2.12 o resultado final deste estudo em modo de visualização de malha.

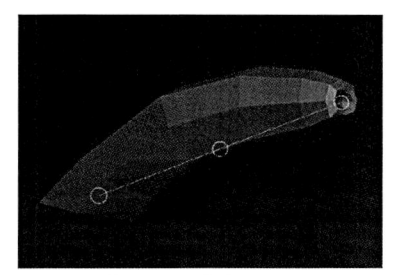

Figura 3.8.2.12

Alguns comandos usados dentro da terminologia do ZBrush podem ser usados com ZSpheres, por exemplo, criar máscaras de seleção usando a tecla CTRL enquanto se pintam estas máscaras. A tecla ALT apaga ZSpheres, SHIFT cria novas ZSpheres a partir da ZSpheres que se torna "pai" da nova ZSpheres "filha". CTRL + SHIFT juntos ativam a seleção para tornar visível somente o que estiver dentro do quadro de seleção, assim como pressionar CTRL + SHIFT e, em seguida, liberar SHIFT faz com que se oculte o que estiver dentro da seleção.

3.8.3 Modelo de exemplo

Neste modelo de exemplo, serão aplicados os conceitos explicados anteriormente. Para isto, será usada como referência a arte conceitual do "Capítulo 4 – Trabalho em 2.5D (pintura)" que se trata de uma cena de exterior, com uma velha árvore e um cenário desolado.

No material que acompanha o livro, está disponível um vídeo que mostra os passos para a criação desta velha árvore, feita com ZSpheres.

01 – Acesse o menu Macros e ative a macro ConfigLayout, disponibilizada no material que acompanha este livro. Crie uma ZSpheres a partir da paleta Tools. Isto fará com que o sistema entre no modo Draw, possibilitando a criação da mesma no Canvas com um toque e arraste do cursor.

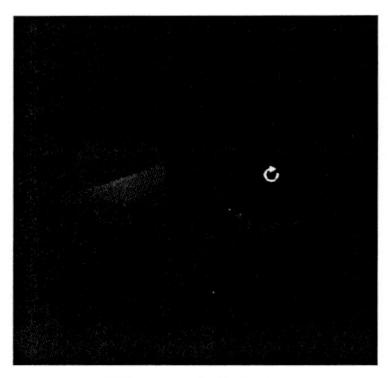

Figura 3.8.3.1

02 – Entre no modo Move, pressione e mantenha pressionada a tecla SHIFT pra posicionar ortogonalmente a ZSpheres no Canvas. Perceba o alinhamento deste objeto; ele possui dois hemisférios (um claro e outro escuro) que servem como referência para orientar o usuário sobre sua posição correta na construção de modelos.

Figura 3.8.3.2

03 – Volte ao modo Draw, desta vez para criar novas ZSpheres a partir da primeira. Crie conforme mostra a Figura 3.8.3.3.

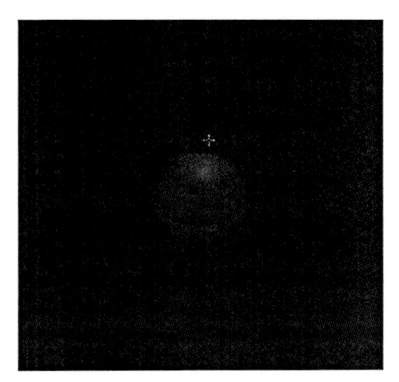

Figura 3.8.3.3

04 – Com ferramenta Move, selecione e mova-a um pouco mais afastada da ZSpheres Root.

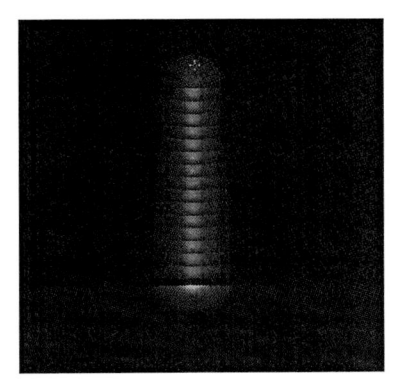

Figura 3.8.3.4

05 – Em modo Draw crie outras ZSpheres. Depois, entre em modo Move e reposicione-as

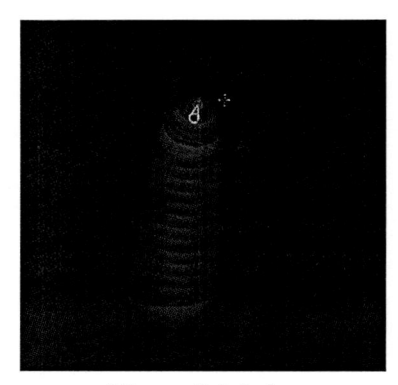

Figura 3.8.3.5

06 – Se preciso, mude a escala ou gire as novas ZSpheres.

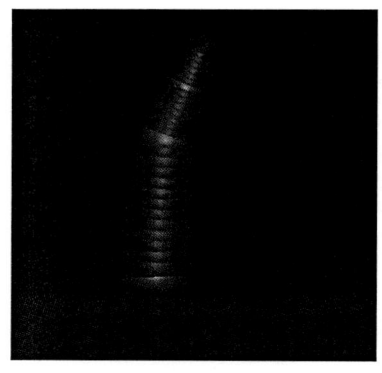

Figura 3.8.3.6

07 – Talvez seja necessário reduzir o tamanho do pincel para poder mover adequadamente cada ZSpheres. Mude o Draw Size para algo em torno de 22.

Figura 3.8.3.7

08 – Se preciso, movimente também os Link-Spheres.

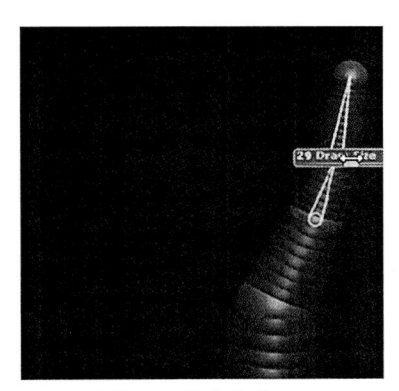

Figura 3.8.3.8

09 – Crie os outros ramos da árvore. Seria interessante pesquisar em livros, revistas ou na Internet algumas imagens de árvores velhas, ou, se por acaso existir uma a qual se possa fazer uma observação física, seria ideal.

102 | ZBrush para Iniciantes

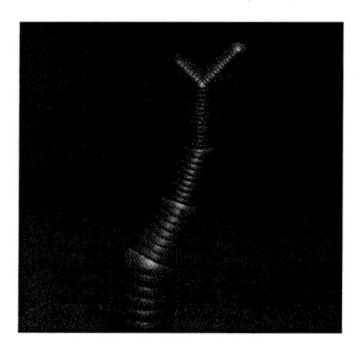

Figura 3.8.3.9

10 – Não se esqueça de que, ao criar ZSpheres no Canvas, na verdade, elas estão sendo criadas em dois planos com duas direções de acordo com o plano cartesiano (X e Y). Para que a árvore tenha características diferentes em todas as suas vistas, deve-se criar as estruturas em ZSpheres e ir girando o modelo, alterando as posições de algumas para que se tenha um padrão aleatório de ramos. Evidentemente que, criar as estruturas com ZSpheres, não é o mesmo que passar esta estrutura para o Canvas (Drop), fazendo participar dos Pixols.

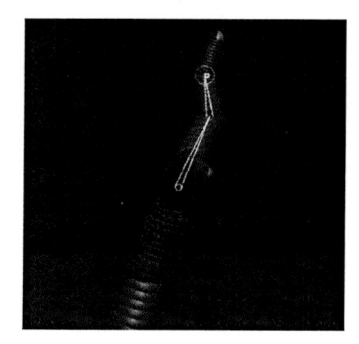

Figura 3.8.3.10

11 – Trabalhe nos ramos do meio do tronco da árvore.

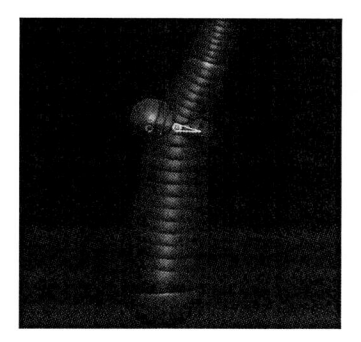

Figura 3.8.3.11

12 – Crie outras ramificações a partir destes ramos. Mova cada ZSpheres ou Link-Spheres para que ela tenha ramos distintos. Uma observação neste ponto seria a de que como o objeto de estudo não requer espelhamento (Mirror), ou seja, ele não é igual em seus dois lados, desabilita-se o recurso de Mirror do ZBrush. Se, por acaso, fosse preciso a edição de ZSpheres com a opção de Mirror, seria possível utilizar o Menu Transform, opção Activate Symmetry, escolhendo um dos eixos X, Y ou Z para se habilitar e a opção M para Mirror.

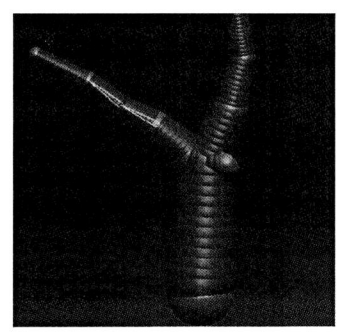

Figura 3.8.3.12

13 – Na Figura 3.8.3.13 continua-se criando mais ramos.

Figura 3.8.3.13

14 – Na Figura 3.8.3.14 foi reduzido o tamanho de algumas ZSpheres para que fiquem com aspecto mais sutil de ramo de árvore.

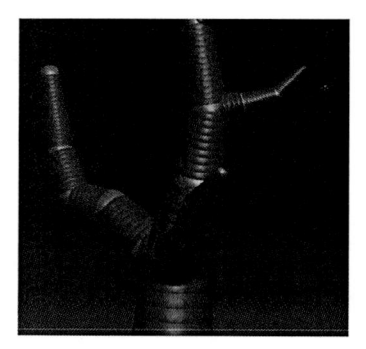

Figura 3.8.3.14

15 – Na figura 3.8.3.15 tem-se a opção da paleta Tools de Adaptative Skin, a qual é possível acessar a malha resultante desta estrutura de ZSpheres (ou pode-se ainda utilizar a tecla de atalho A para visualização da malha).

Figura 3.8.3.15

16 – Aqui se vê um defeito comum na base da árvore através da malha resultante, que pode ter sido causado pelo mau posicionamento das ZSpheres, facilmente resolvido.

Figura 3.8.3.16

17 – Entre no modo Rotate, selecione a ZSpheres seguinte a Root, gire-a um pouco e veja na malha resultante o efeito desta alteração.

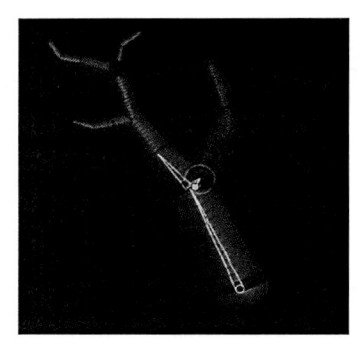

Figura 3.8.3.17

18 – Se por acaso girar não resolver, procure reposicionar ou até mesmo criar um nova ZSpheres estrategicamente abaixo da ZSpheres Root para solucionar o problema.

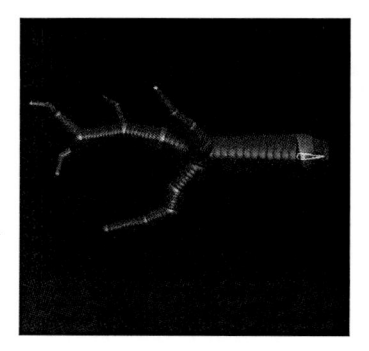

Figura 3.8.3.18

19 – Possivelmente tenha se mostrado mais adequada a malha resultante com este último ajuste (Figura 3.8.3.19).

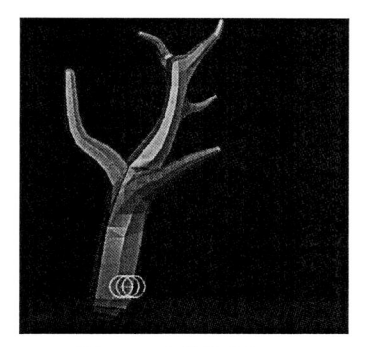

Figura 3.8.3.19

20 – Continue criando os ramos menores da árvore.

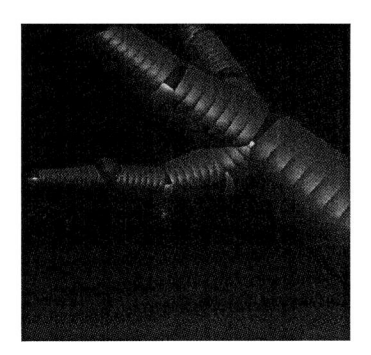

Figura 3.8.3.20

21 – Mais ramos.

Figura 3.8.3.21

22 – Corrija algumas posições dos novos ramos, veja os resultados na malha resultante.

Figura 3.8.3.22

23 – Resultado na malha.

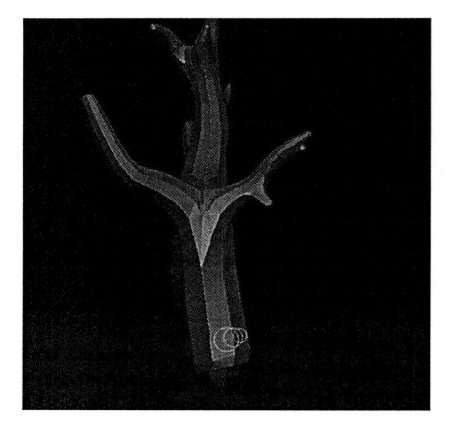

Figura 3.8.3.23

24 – Um pequeno problema na malha: ela está distorcida. Isto é corrigido girando, posicionando novamente ou mudando o tamanho das ZSpheres que possivelmente estejam causando isto.

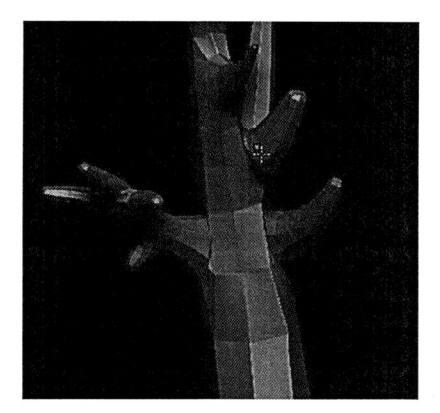

Figura 3.8.3.24

25 – Na Figura 3.8.3.25, a estrutura de ZSphere é alterada para corrigir o erro mostrado na figura anterior.

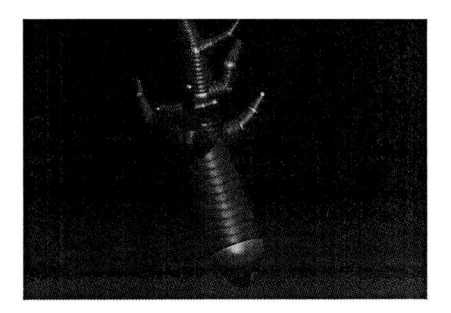

Figura 3.8.3.25

26 - Na figura a seguir, a malha resultante devidamente ajustada.

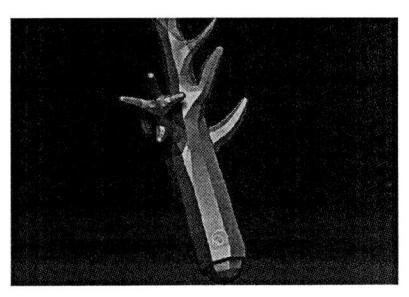

Figura 3.8.3.26

27 – Uma vez que o modelo esteja pronto, pode-se salvá-lo para posterior edição, ou transformá-lo em uma malha editável (PolyMesh3D). Neste caso, salve o modelo acessando a paleta Tools, Save As e escolha um nome e um local para o salvamento.

28 – Feito isto, inicialize novamente a sessão do ZBrush para que ele entre em sua configuração padrão, através do menu Preferences, opção Initialize.

29 – Através da paleta Tools, escolha Load Tool e carregue a árvore criada anteriormente

30 – Crie no Canvas a árvore. Note que ainda é possível acessar sua estrutura de ZSpheres usando Adaptative Skin.

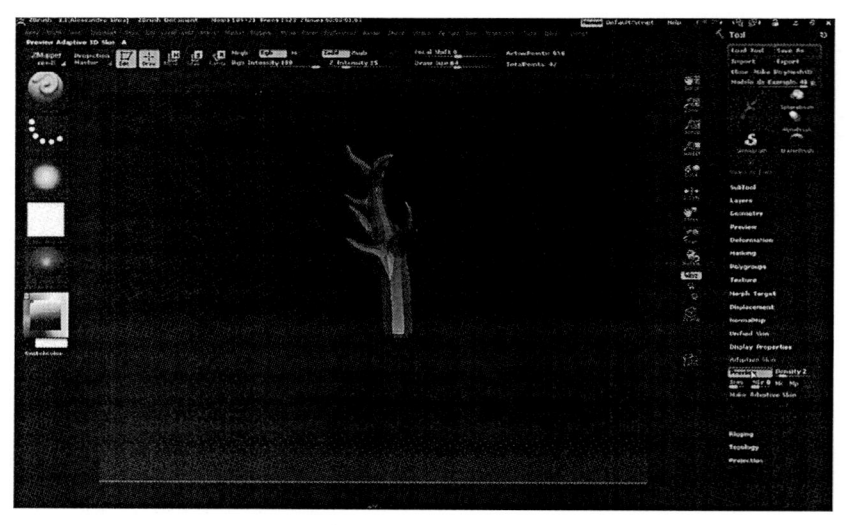

Figura 3.8.3.27

3.9 Customização de interface e atalhos do sistema

O software ZBrush é uma ferramenta altamente ajustável, que pode ficar com a aparência a que o usuário melhor se adapte, bem como seus atalhos podem ser definidos conforme o usuário desejar.

Adequar a aparência ou as funcionalidades de uma ferramenta ao ideal de cada usuário pode ser ponto crucial para o aceleramento do aprendizado. Neste ponto, o ZBrush é muito versátil, pois, através da opção Load Previous/

Next User Interface Colors, pode-se definir um estilo de aparência do layout de trabalho.

Figura 3.9.1

Já em Load Previous/Next User Interface Layout, pode-se definir um layout de trabalho para a interface do ZBrush, onde, dependendo da escolha, pode-se ter mais recursos ou menos recursos visíveis, mas igualmente acessíveis.

Figura 3.9.2

Sobre definições de atalhos para o programa, o ZBrush é muito eficaz em seu método, pois bastam apenas três ações para se definir um atalho, ou simplesmente utilizar algum que já exista.

Deixar o mouse sobre uma determinada ferramenta faz com que ele exiba uma caixa de diálogo indicando qual o atalho disponível para ela, caso não exista, o ZBrush não exibe nada e pode ser interessante atribuir algum atalho neste caso. Na Figura 3.9.3 tem-se o primeiro caso em que já existe o atalho definido na opção.

Figura 3.9.3

Para atribuir algum atalho a alguma ferramenta, pincel ou paleta, proceda da seguinte forma:

Configuração de atalhos por ferramentas

    a) Escolha alguma ferramenta para atribuir algum atalho;
    b) Pressione e mantenha pressionada a tecla CTRL do teclado;
    c) Pressione o conjunto de teclas que será seu atalho para a ferramenta escolhida;
    d) Tecle ENTER no teclado para efetivar a ação ou ESC para cancelar.

Como salvar os atalhos

Para salvar alguma configuração de atalho feita, vá ao menu Preferences, escolha a opção Hotkeys, e clique em Save para salvar, ou Store, para carregar.

Como carregar os atalhos

Para carregar alguma configuração de atalho feita, vá ao menu Preferences, escolha a opção Hotkeys, e clique Load para carregar os atalhos já salvos.

No site www.zbrush.info é possível obter a lista completa dos atalhos disponíveis para o ZBrush.

3.10 Plugins

3.10.1 ZMapper rev-E

ZMapper rev-E (CTRL + G) é o recurso em que é possível criar e configurar os ajustes de projeção de Normal Map e Cavity Map

Para acessá-lo, deve-se primeiramente importar algum modelo e detalhá-lo à vontade. Uma vez feito isto, deixar no nível mais baixo de subdivisão e acessar o ZMapper através do botão que consta na Top Shelf (Barra de Ferramentas) (Figura 3.10.1.1) que irá direcionar para a tela específica do Plugin (Figura 3.10.1.2).

Figura 3.10.1.1

Figura 3.10.1.2

Em resumo, sua maneira de trabalhar consiste em:

A – Criar um modelo Lowpoly e detalhá-lo à vontade nas subdivisões mais altas, depois deixá-lo na mais baixa para o Plugin trabalhar;
B – Criar uma textura para a produção do Normal Map;
C – Adicionar algum Bump Map Shader para detalhar ao extremo o modelo (Shader), se desejar;
D – Iniciar o ZMapper para criar o Normal Map ou Cavity Map;
E – Exportar as texturas para uso no ZBrush ou outras aplicações 3D.

Os recursos disponíveis para este Plugin estão dispostos em duas seções: ZMapper (Upper Controls) e Normal & Cavity Map (Hiding the Controls).
Na seção ZMapper (Upper Controls), os controles estão dispostos em colunas, cada uma possuindo os seguintes recursos:

Coluna ZMapper

Nesta coluna encontram-se os controles gerais para o Plugin.

Exit – botão para encerrar o plugin, sem gerar o mapa (pode ser usada a tecla ESC como atalho).

Hide – deixa invisível a janela de Interface do ZMapper.

Local Light – por padrão, o ZMapper exibe os modelos com uma luz fixa de forma a iluminar todo o objeto. Quando esta opção está ativa, uma luz pode ser criada de forma a focar uma parte do modelo dinamicamente.

Opaque – quando ativa, esta opção deixa o painel de Interface do ZMapper opaco.

Background (Slider) – altera a cor de fundo.

RenderRgn – produz uma caixa de render para uma área especifica e tudo que estiver lá dentro será apresentado.

Coluna Transform

Esta coluna controla a navegação do objeto na tela do ZMapper.

Rotate R, Scale E Move W – diz respeito a rotação, redimensionamento e movimentação do objeto, respectivamente.

Coluna Mesh

Esta coluna possui os controles de visualização da malha do objeto.

Facet – geralmente os modelos são exibidos com alguma suavização de polígonos, ativando esta opção, o modelo é exibido de forma facetada.

Smooth – geralmente, os modelos são exibidos com alguma suavização de polígonos, ativando esta opção, o modelo é exibido de forma suavizada.

Spin – controla a rotação contínua do modelo, podendo esta direção ser mudada com o toque e o arraste do mouse na tela.

Recenter – com esta opção o modelo pode ser ajustado para sua posição inicial no espaço de visualização do ZMapper.

Difuse Intensity (Slider) – modifica a intensidade da cor difusa do objeto (na verdade, permite receber mais ou menos intensidade de iluminação de ambiente).

Coluna Morph Modes

É a coluna em que dinamicamente pode-se fazer a transição de um modelo em uma determinada pose para diferentes poses.

Morph 3D – esta opção faz a transição 3D entre dois modelos em poses distintas. Não havendo Morph Targets habilitando esta opção, nenhum efeito será percebido.

Morph UV – esta opção faz com que, de forma dinâmica, o Gabarito UV seja exibido na tela do ZMapeer, alternando entre o modelo que possui este Gabarito e o próprio Gabarito.

Freeze At Target – congela a transição entre os Morph Targets naquele em que será o "alvo" e o modelo original.

Morph Speed (Slider) – controla a velocidade do ciclo de transições entre os Morph Targets.

Coluna Wires

Esta coluna configura formas de exibir o modelo na tela do ZMapper.

PolyFrame – exibe ou não as bordas dos polígonos [exibe o objeto em modo Wireframe (aramado)].

TanFrame – exibe as tangentes e bitangentes dos polígonos, as quais se referem aos vetores de direção destes polígonos para a geração de Normal Map (exibidos em linhas vermelhas e verdes).

NormFrame – exibe a orientação de Normais (direções) das faces dos polígonos.

Coluna Screen

Esta coluna cria e salva Screenshots de várias vistas do mesmo modelo, em diferentes poses.
O processo para produzir estas Screenshots se dá da seguinte forma:

A – Posicione o modelo na tela de navegação do ZMapper. Ative Snapshot, uma cópia será exibida no Background, quando o modelo for movido, uma nova cópia será exibida.
B – Repita o passo "A" para criar múltiplos Snapshots.
C – Ative Save para salvar ou Dispose para limpar o Background.

Snapshot – cria Snapshots do modelo em exibição.

Dispose – limpa o Background.

Save – salva os Snapshots.

Coluna Display

Controla a visualização do modelo e vários controles de qual modo o Normal Map será criado.

Display (Slider) – muda a visão de perspectiva do modelo.

Object space N.Map – cria mapas do tipo "Object-Space", os quais são usados em objetos que não se movimentam (não dinâmicos).

Tangent space N.Map – cria mapas to tipo "Tangent-Space", os quais são usados em objetos que se movimentam (dinâmicos).

Normals – exibe as cores do mapa do tipo "Object-Space" de objetos Lowpoly com o Normal Map aplicado a sua superfície. O padrão RGB é usado para representar o "Espectro Completo" de variações neste tipo de mapa.

Tangent – exibe as cores do mapa do tipo "Tangent-Space" de objetos Lowpoly com o Normal Map aplicado a sua superfície, porém exibindo os vetores calculados com o uso do próprio mapa.

UV Seams – opção para mostrar as diferentes áreas da textura de Normal Map aplicadas ao modelo.

Groups – exibe o modelo com diferentes grupos em cores distintas.

Texture – exibe o modelo com o Normal Map aplicado como uma textura Difusa.

Entre a seção Normal Map e Cavity Map, encontram-se os controles:

Save Configuration e Open Configuration – que respectivamente servem para salvar ou carregar uma configuração de projeção.

Preview High Resolution Level – permite visualizar na tela o modelo Highploy que dará origem aos mapas de Normal e Cavity.

Na seção para Normal & Cavity Map (Hiding the Controls), os controles estão dispostos em Abas, e cada uma possui os seguintes recursos:

Aba Normal & Cavity Map

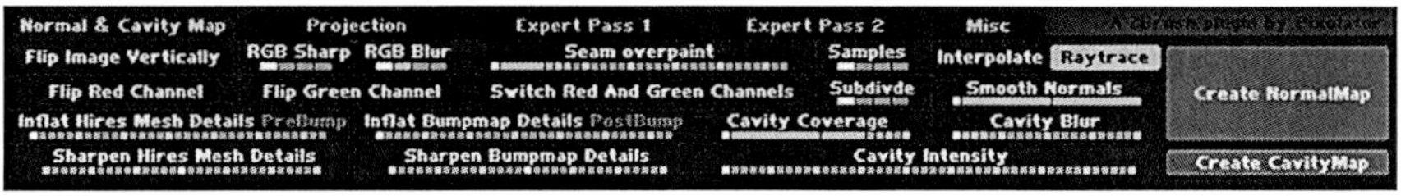

Figura 3.10.1.3

Flipe Image Verticaly – espelhamento vertical da textura Normal Map produzida.

Flipe Red Channel – espelhamento do canal vermelho da textura Normal Map produzida.

Flip Green Channel – espelhamento do canal verde da textura Normal Map produzida.

Switch Red And Green Channels – troca entre as cores vermelha e verde do mapa de Normal Map.

RGB Sharp – usado para "melhorar a qualidade" da textura, sendo que ele "afia" os detalhes.

RGB Blur – usado para "disfarçar" artefatos produzidos na textura, sendo que este efeito "borra" a mesma.

Seam overpaint (Slinder) – este campo controla quantos pixels do mapa serão calculados, onde aumentado o valor no slider, pode-se fazer aparecer os "artefatos", ou pode-se reduzir o valor no slider para diminuí-los.

Samples / Subdivide – afetam a qualidade final do mapa.

Raytrace / Interpolate – modos de geração de mapas de Normal. Dependendo das ferramentas usadas para criar ou detalhar o modelo (como Nudge que causa, nos vértices das subdivisões altas, um deslocamento significante comparado à superfície de mais baixo nível de subdivisão).

Inflat Hires Mesh Details Pre Bump / Inflat Bumpmap Details Post Bump – ambos os campos exageram as ranhuras de maneira "inflada", dependendo dos valores ajustados.

Sharpen Hires Mesh Details – similar a Sharpen Bumpmap Details, porém aplica mais detalhes.

Sharpen Bumpmap Details – permite que os elementos de informação de mapas de Bump sejam apresentados de modo claro.

Cavity Coverage – controla a profundidade do mapa de cavidade.

Cavity Blur – usado para compensar a geração de "artefatos" que talvez possam surgir.

Cavity Intensity – controla a força do mapa de cavidade, reforçando as áreas aprofundadas ou salientadas.

Create NormalMap – cria o mapa de Normal com as atuais configurações.

Create CavityMap – cria o mapa de Cavidade com as atuais configurações.

Aba Projection

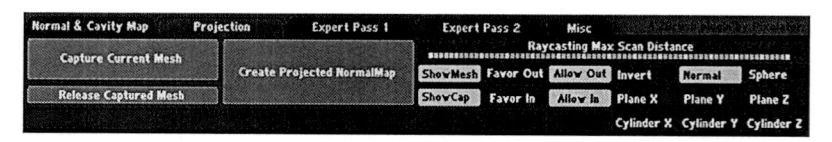

Figura 3.10.1.4

Capture Current Mesh – é possível "deslocar" o mesh para uma posição diferente para que ocorra a projeção em outra posição, ajustando a atual seleção de subdivisão como o modelo original para cada Normal Map que for sendo calculado e projetado.

Release Captures Mesh – repõe o objeto na posição original.

Create Projected NormalMap – cria a nova projeção de Normal Map a partir do novo posicionamento em Capture Current Mesh.

Raycasting Max Scan Distance (Slider) – ajusta a distância máxima dos raios de projeção do ZMapper, ajustando seu target mesh (malha-alvo).

ShowMesh / ShowCap – controla a visibilidade do target (alvo) e source mesh (malha original).

Favor Out / Favor In – favorece a projeção de raios em uma direção específica que deve ser usada se dois target points (pontos-alvo) forem perdidos, desorientados ou distanciados

Allow Out / Allow In – ativa ou desativa a projeção de raios para dentro ou para fora, procurando acertar os pontos entre o objeto original e seu alvo.

Invert / Normal / Plane X / Plane Y / Plane Z / Cylinder X / Cylinder Y / Cylinder Z – controlam como os raios serão projetados.

Aba Expert Pass 1 e Expert Pass 2

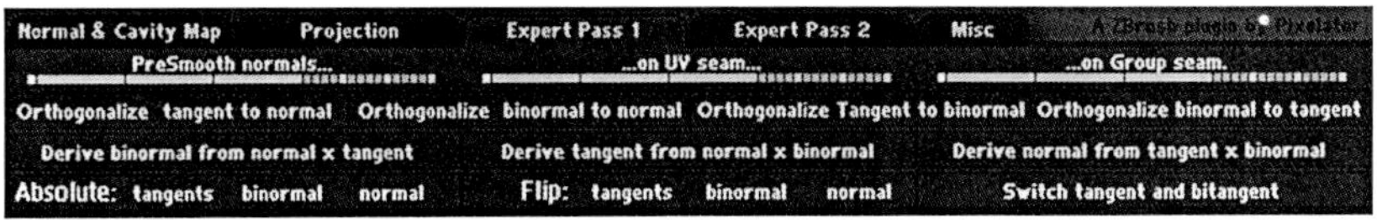

Figura 3.10.1.5

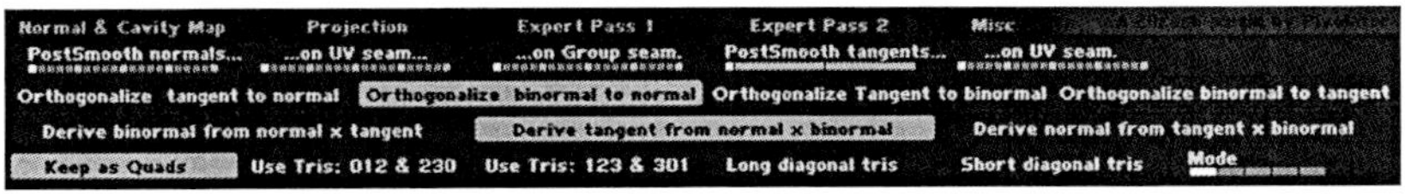

Figura 3.10.1.6

Alguns controles de Expert Pass 1 (Figura 3.10.1.5) aparecem em Expert Pass 2 (Figura 3.10.1.6) e o contrário também é verdade. Isto funciona cumulativamente, de modo que, escolhendo uma opção no primeiro e a mesma opção também no segundo Pass, os valores se somarão aos resultados da projeção. Para que não se precise configurar estes campos a cada projeção feita, pode-se usar o recurso de carregar uma configuração já pronta através da opção Open Configuration.

PreSmooth normals... (Slider) – realiza as configurações relativas à malha do objeto.

...on UV seam... (Slider) - realiza as configurações relativas ao mapeamento do objeto.

...on Group seam. - realiza as configurações relativas à configuração de grupos do objeto.

Aba Misc

Figura 3.10.1.7

Este painel acomoda opções que geralmente não se alteram.

Wireframe: Normal vector lengh / Wireframe: Tangent vector length – controlam o tamanho das linhas de desenho quando correspondendo com a coluna Wires na parte de cima deste painel de controle.

Active MipMap Preview – quando ativo, ZMapper calcula e usa mipmaps enquanto exibe o modelo na tela.

3.10.2 Projection Master

Projection Master é uma ferramenta que usa os pincéis do tipo 2D e 2.5D para esculpir, texturizar ou pintar o modelo diretamente no Canvas.

O que confere grande destaque a esta ferramenta é seu modo de trabalhar com os modelos quando são editados no Canvas. Enquanto se trabalha com os modelos 3D, geralmente com alta contagem poligonal, além das ferramentas disponíveis fora do modo Projection Master, outras são habilitadas para esculpir o modelo ou texturizá-lo.

Quando se ativa o modelo em modo Projection Master, é convertido na forma de Pixols a parte visível deste, no Canvas do ZBrush. Em uma explicação mais simples, a área vista do modelo quando se entra no modo Projection Master, entra em estado de "congelamento", e toda e qualquer edição no modelo por meio dos pincéis disponíveis gera um deslocamento de pixels perpendiculares à visão, criando o efeito de profundidade. Uma vez que se saia deste modo, todas as edições são fixadas no modelo.

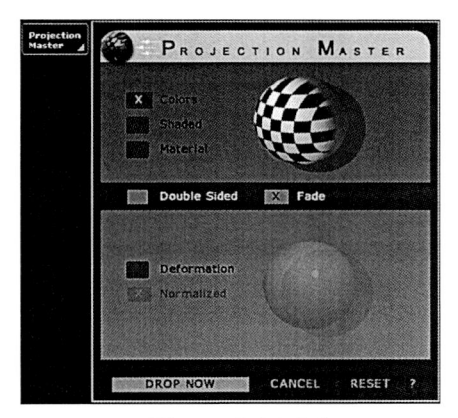

Figura 3.10.2.8

Para se acessar o Projection Master deve-se observar as seguintes etapas:

A - Ter um modelo em edição no Canvas;
B - Acessar o botão Projection Master (tecla de atalho G) na Top Shelf, surgindo a caixa de opções da ferramenta (Figura 3.10.2.8);
C – Realizar todas as edições necessárias no modelo, seja esculpir, pintar texturizar ou criar materiais.
D - Para sair deste modo de edição, basta pressionar o mesmo botão Projection Master ou usar a tecla de atalho G, reposicionar o modelo e continuar a edição.

Este modo de trabalho não acrescenta ou retira polígonos, sempre se deve acessar este modo já com a contagem poligonal adequada para se conseguir detalhar ao máximo o modelo. Uma boa dica para se conseguir bons resultados é redimensionar o modelo para focar a área desejada para edição, mas não de forma extrema, pois se cada polígono exceder a largura máxima dos Pixols no Canvas (sendo que um polígono ocupa uma área aproximada de 100 Pixols), os micros detalhes produzidos em modo Projection Master, quando trazidos para o modelo efetivamente, podem não se fixar de forma adequada.

Outra boa dica é o uso de Shaders que colaboram com a produção de mapas do tipo Bump para os micros detalhes, aplicado ao modelo antes de enviá-lo ao Projection Master.

As opções da caixa de diálogo desta ferramenta são:

Colors – as edições feitas com os pincéis são transferidas ao modelo na forma de cores.

Shaded – usado para produzir sombreamento nas texturas produzidas dentro de Projection Master.

Material – similar à opção Colors, porém as edições afetam o material do objeto.

Double Sided – afeta os dois lados do objeto (boa opção para se usar quando o modelo possuir lados simétricos).

Fade – quando usada para pintar o modelo, faz com que a pintura tenha um gradiente de tons da cor aplicada. Quando desligada esta opção, a cor pura é aplicada ao modelo. Se usado para esculpir o modelo, faz com que o modelo tenha deformações com transições suaves.

Deformation – aplica deformações 3D feitas no objeto através dos pincéis disponíveis.

Normalized – opção usada quando são feitas transformações no modelo que afetam a posição dele.

DROP NOW – aplica as edições e transformações feitas no modelo dentro do modo Projection Master.

CANCEL – cancela a chamada para a edição.

RESET – cancela a edição feita.

3.10.3 ZAppLink

ZAppLink é um Plugin que transforma a criação de texturas digitais em uma forma mais fácil de se produzir, levando para dentro do seu software de edição de imagens a tela do ZBrush para que se criem as texturas ou qualquer outro tipo de edição nela. Para obter os melhores resultados com este Plugin, use a vista Perspectiva que o ZBrush oferece (Menu Draw – opção Persp. FocalLength).

A seguir a tela de inicialização do ZAppLink

Figura 3.10.3.9

Para usar o ZAppLink proceda da seguinte forma:

A – Com algum modelo no Canvas, entra-se no modo Edit, posicionando adequadamente para edição. Clica-se no botão ZAppLink (ou tecla de atalho CTRL + SHIFT + S) dentro do Menu Document, surgindo a caixa de diálogo ZAppLink Projection [é possível entrar primeiramente no modo Projection Master (G) para depois entrar no ZAppLink];

B – Clicando em DROP NOW, vai-se para este editor de imagens, que, previamente através do botão Set Target App desta mesma Caixa de Diálogo, define que software será usado nesta edição;

C – Vai-se então para o software de edição de imagens definido, para que se edite a imagem (snapshot). Pode-se pintar, acrescentar texturas ou aplicar efeitos, mas, no final, a estrutura de camadas, que deverá ser mantida no editor de imagens, deverá ser a mesma que foi enviada primeiramente;

D – Fazendo-se todos os ajustes necessários, salva-se o arquivo e se retorna ao ZBrush. Ao retornar, o ZAppLink perguntará se deseja mesmo voltar e aplicar a textura modificada (Re-enter ZBrush) ou se deseja voltar ao editor de imagens e ajustar mais alguma coisa (Return to external editor).

Por fim, o ZAppLink possui ainda mais um painel logo abaixo da paleta Document, chamado ZAppLink Properties, onde se pode criar rápidas visualizações de personagens nas vistas Frontal (Front), Costas (Back), Direita (Right), Esquerda (Left), Superior (Top) e Inferior (Botm), podendo-se salvar estas visualizações para posterior uso.

Figura 3.10.3.10

3.10.4 Multi Displacement Exporter 3 (DE3)

O Plugin Multi Displacement Exporter 3 (DE3) é usado para criar mapas do tipo Displacement de 8, 16 ou 32 bits RGB, bem como criar diversos mapas baseado em diversas configurações para o mesmo objeto.

Uma das vantagens deste sistema, lembrando que ele não é o único disponível no ZBrush, é o fato de que com ele é possível configurar diversas formas de exportação de mapas, como dito anteriormente, porém, podendo reutilizá-los posteriormente, economizando tempo na produção destes.

Um Mapa de Deslocamento (Displacement Map) é um mapa que tem por princípio o mesmo processo de produção de um mapa de saliência (Bump

Map), usando mapas em tons de cinza para identificar as superfícies que se elevam ou afundam. A grande diferença entre as duas técnicas (Bump Map e Displacement Map) reside no fato de que, no primeiro, as saliências são fisicamente ilusórias, e, no segundo, fisicamente reais.

Existe ainda o mapa de Normal Map, que a indústria de jogos tem usado em grande escala, especialmente nos últimos consoles lançados no mercado. Este tipo de mapa calcula, em tempo real, saliências nas superfícies baseado em mapas de pixels. O mapa do tipo Normal Map pode ser gerado a partir da edição do Displacement Map, ou a partir de recursos específicos como o ZMapper, visto na seção "3.10.1 ZMapper rev-E" deste livro.

A Figura 3.10.4.1 ilustra, na paleta Zplugin, as opções para este recurso.

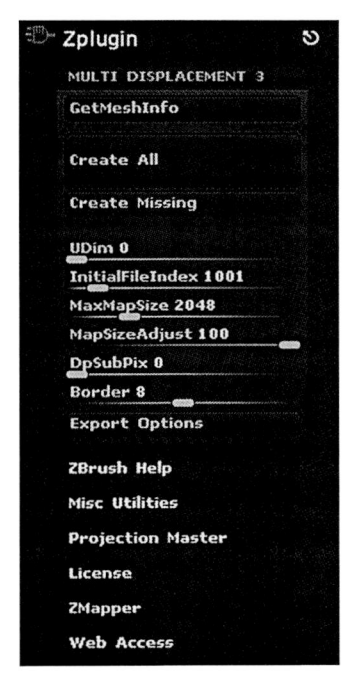

Figura 3.10.4.1

GetMeshInfo – mostra informações a respeito de malha e layout UV de objetos selecionados.

Create All – cria múltiplos mapas de displacement baseado nas configurações atuais. Caso já existam mapas salvos para o objeto selecionado, clicar nesta opção fará com que se criem outros, substituindo os já existentes.

Create Missing – cria múltiplos mapas de displacement baseado nas configurações atuais. Havendo mapas já salvos, com esta opção eles não serão gerados.

UDim – é o número de repetições da direção U (esquerda para direita). Deixe em 0 (zero).

InitialFileIndex – esta opção é usada para representar repetição em 0 (zero).

MaxMapSize – tamanho máximo do mapa a ser exportado.

MapSizeAdjust – esta opção ajusta os polígonos dentro do espaço 3D, onde, em 0 (zero), não existem ajustes e, em 100, existem ajustes em todos os mapas.

DpSubPix – configura a qualidade do mapa, em 0 (zero) a qualidade está em nível baixo.

Border – regula a espessura de borda do mapa.

Export Options – abre a caixa de dialogo de Displacement Exporter 3 (DE3) (Figura 3.10.4.2)

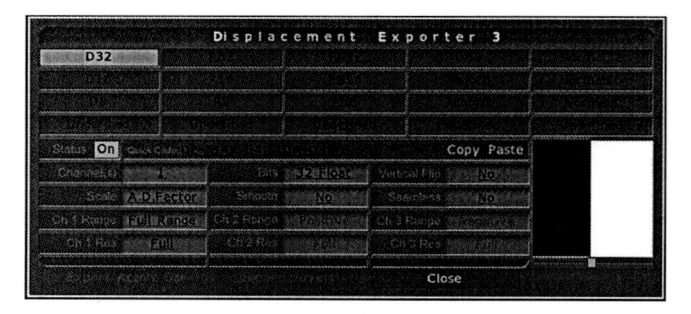

Figura 3.10.4.2

Configurações do Mult Displacement Exporter 3 (DE3)

A caixa de diálogo do DE3 é divida em várias seções, a saber:

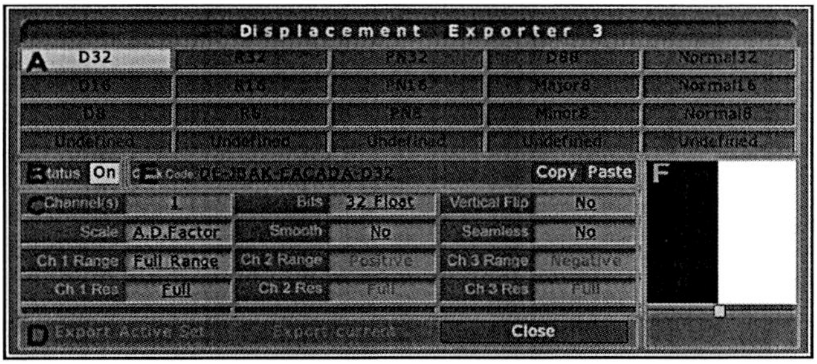

Figura 3.10.4.3

Seção A – Configurações Gerais é uma área destinada aos ajustes de exportação de um mapa ou de vários mapas para o mesmo objeto, onde:

Coluna D8, D16 e D32: criam mapas simples de displacement usando 8, 16 e 32 bits, respectivamente.

Coluna R8, R16 e R32: criam arquivos com três canais de cor do padrão RGB [Red (vermelho), Green (Verde) e Blue (azul)], sendo que o Displacement é armazenado no canal de cor vermelha, as outras duas não são usadas. Respectivamente produz mapas de 8, 16 e 32 bits.

Coluna PN8, PN16 e PN32: criam arquivos com três canais de cor do padrão RGB. Seções positivas do mapa de Displacement (elevações) são armazenadas em um canal de cor, seções negativas (afundamentos) são armazenadas em outra, e a terceira cor não é utilizada. Respectivamente produz mapas de 8, 16 e 32 bits.

Coluna D88: exporta os mapas de Displacement com maior deslocamento no primeiro canal, menor deslocamento no segundo e todo o restante intermediário (Range) no terceiro canal.

Coluna Major e Minor: cada uma cria mapas de Displacement com maior ou menor intensidade de deslocamento em um único canal, respectivamente.

Coluna Normal 8, 16 e 32: criam mapas do tipo Normal Maps de 8, 16 e 32 bits cada um, dentro de um mapa composto por três canais de cor RGB, respectivamente.

Cada canal tem uma associação com a resolução: quanto maior sua resolução, melhores são os mapas exportados, pois haverá mais informações para produzir o gradiente de tons (informações) necessários para criar elevações ou aprofundamentos mais resolvidos graficamente nos objetos.

Por exemplo, um mapa de 8 bits pode ter até 256 Níveis de Intensidade de Informações, um de 16 bits poderá ter até 65.536, e um mapa de 32 bits poderá ter até 4.294.967.296 Níveis de Intensidade de Informações (fonte: www.zbrush.info).

Seção B – Configurações do Status do Exportador, ativo ou não.

Seção C – Configurações de Opções do Exportador, as quais podem ser usadas para controlar cada aspecto do arquivo a ser exportado.

Seção D – Seção para Confirmar ou Cancelar a exportação de mapas.

Seção E – Opção para usar o Quick Code e, com ele, é possível atribuir ajustes predefinidos ao DE3. Nesta seção, são disponibilizados campos para copiar ou colar um código e utilizá-lo.

Seção F – Seção de pré-visualização do mapa e, abaixo, seu ajuste de intensidade de normal do mapa.

3.10.5 Transpose Master v1.2E

Transposer Master é um novo plugin que possibilita alterar a pose e a postura de objetos (Tools) compostos de vários subobjetos (SubTools). Seu princípio de uso age no nível de subdivisão mais baixo dos objetos, sendo transmitidos para os níveis mais altos de subdivisão.

Como teclas de atalho, a Ajuda Online disponível em www.zbrush.info aconselha o uso das teclas B e N para as ações TPoseMesh e TPose>SubT, respectivamente.

Com o ZBrush 3.1, um novo recurso é inserido para que se possa trabalhar com objetos (Tools) compostos de várias partes (SubTools) (chamadas, inclusive, de SubTools). Este novo recurso é acessado pela paleta Tools, Subpalette SubTool, o que será melhor abordado na seção "3.11 Como utilizar as novas ferramentas do ZBrush 3.1" deste livro.

Figura 3.10.5.1

O Transpose Master pode ser acessado pelo Menu Zplugin, opção Transpose Master. As opções que seguem realizam as seguintes funções:

TPoseMesh – cria uma cópia com o nível mais baixo de polígonos do objeto atualmente selecionado.

TPose>SubT – transfere a pose definida com TPoseMesh para as SubTools do objeto.

Para usar o Transpose Master realize os seguintes passos:

A) Carregue algum objeto composto de SubTools, como, por exemplo, "DemoSoldier.ztl", disponível com a instalação do ZBrush;
B) Vá ao menu Zplugin, escolha Transpose Master, clique em TPoseMesh. Automaticamente é criada uma cópia do objeto composto de SubTools, em uma única camada de SubTools, o que pode ser visto na Subpalette SubTool da paleta Tool;
C) Altere a pose e a postura à vontade;
D) Para finalizar a ação, clique em Tpose>SubT para que a nova pose ou postura seja transmitida a todas as SubTools.

3.10.6 SubTool Master 1.2G

O Plugin SubTool Master é um recurso que foi recentemente introduzido para que os usuários do ZBrush 3.1 tenham um controle maior sobre as SubTools. Este Plugin é composto de dois botões, acessados pelo Menu Zplugin, opção SubTool Master.

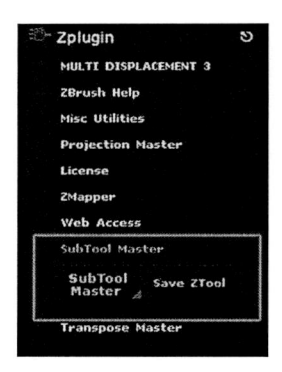

Figura 3.10.6.1

SubTool Master – aciona o Menu Pop-Up do SubTool Master no Canvas. Caso o usuário não queria trabalha com a interface do tipo "Pop-Up", basta clicar no último botão com o nome da versão do SubTool Master (neste caso, "rev. 1.2G"), fazendo com que todas as opções deste menu Pop-Up sejam disponibilizadas logo abaixo dos botões SubTool Master e Save ZTool, no menu Zplugin, Subpalette SubTool Master.

Save ZTool – salva a Tool em edição.

Ao se pressionar o botão SubTool Master, do Menu Zplugin da Subpalette SubTool Master, obtém-se seu menu Pop-Up.

Figura 3.10.6.2

Multi Append – com este recurso é possível inserir outros objetos (novas SubTools) no objeto atualmente em edição. É possível adicionar novas SubTools pelos formatos de arquivo "*.ztl" e "*.obj".

Duplicate – esta opção duplica o SubTool selecionado, dentro de uma Tool em edição, aplicando, à frente de seu nome, o prefixo "Dup#", como forma de identificar as cópias.

Mirror – esta opção realiza cópias espelhadas de SubTools.

Merge – esta opção une duas SubTools diferentes, criando uma nova e única SubTool.

Fill – esta opção define a visibilidade das SubTools com cor, material ou ambos. É possível pintar cada uma com cor e material diferentes, de forma intuitiva.

Export – exporta as SubTools em formatos "*.obj" ou "*.dxf".

Delete Invisible – apaga todas as SubTools ocultas.

Hi Res All – ajustas todas as SubTools para o mais alto nível de subdivisão.

Low Res All – ajustas todas as SubTools para o mais baixo nível de subdivisão.

Layers SubTools – esta opção possibilita a cópia de transformações armazenadas nas Layers 3D do menu Tools, opção Layers, para as SubTools da Tool atualmente em edição.

Shift Up – cria grupos de SubTools.

Show/Hide All – alterna a visibilidade entre as SubTools visíveis e todas as outras.

Invert Visibility – inverte a visibilidade de SubTools no Canvas.

Assign Hotkeys - clicar no último botão com o nome da versão do SubTool Master (neste caso, "rev. 1.2G"), faz com que todas as opções do menu Pop-Up sejam disponibilizadas logo abaixo dos botões SubTool Master e Save ZTool, no menu Zplugin, Subpalette SubTool Master.

3.10.7 Image Plane

Este Plugin é muito útil, pois com ele pode-se utilizar imagens ortogonais de personagens e diversos objetos como referência para as modelagens.
Ele fica acessível no menu Texture, opção Image Plane.

Figura 3.10.7.1

As opções a seguir servem para:

LoadImage – carregar o arquivo que contém a estrutura de malha do Image Plane (planos que receberão as referências ortogonais do que será modelado).

ImgSize – definição do tamanho destas imagens (aconselha-se que as imagens não ultrapassem a resolução de 4096x4096 pixels).

3.10.8 ZScripts

As funções de Script permitem implementar recursos ao sistema, dando mais poder a ele. Com Scripts, podem ser inseridos comandos ou ações que o programa originalmente não tinha, o que pode ser desenvolvido pelo próprio fabricante ou por terceiros. Geralmente, cada Script é desenvolvido baseado na linguagem de programação que origina o software que irá agregar funções.

O ZBrush permite o uso de diversos Scripts úteis ao desenvolvimento de projetos dentro dele, o que lhe confere grande flexibilidade.

3.11 Como utilizar as novas ferramentas do ZBrush 3.1

3.11.1 Transpose

O recurso Transpose é uma nova implementação no ZBrush 3,1 que permite rapidamente posicionar ou girar um modelo ou parte dele, para que assuma diversas posturas enquanto em edição.

Ele é composto de elementos como a Action Line (uma linha usada para mover o modelo ou parte dele), no Menu Transform, as opções Move, Scale e Rotate controlam como as transformações irão ocorrer e a opção de Mask causa transposições complexas. Nas explicações que seguem, é usado o modelo que acompanha a instalação do ZBrush, chamado "SuperAverageMan.ztl".

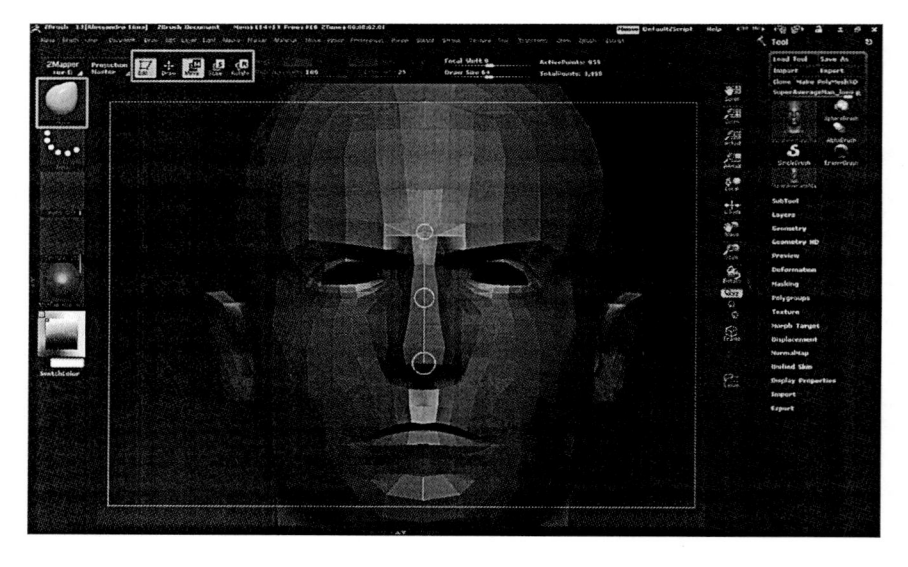

Observe que, para ativar o recurso Transpose, é preciso sair do modo Edit e escolher uma das opções Move, Scale ou Rotate e selecionar o pincel Move na Left Shelf. Fazendo isto, uma linha é criada ao se clicar em dois pontos no modelo.

Action Line

Criando - Para criar uma Action Line (Linha de Ação) deve-se escolher Move (W), Scale (E) ou Rotate (R). Clique no modelo na área onde se deseja iniciar a linha e, em seguida, clique em outra parte do modelo para finalizar a linha. Não se preocupe em posicionar esta linha, pois ela possui sistema de Snap que "adere" ao modelo.

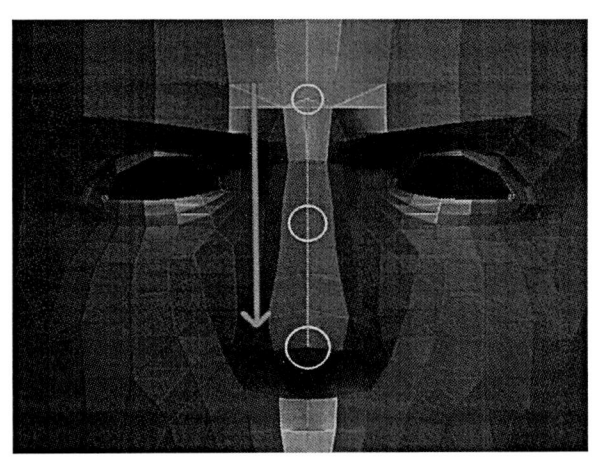

Figura 3.11.1.2

Movendo - Clicando no círculo central ou na linha em si, é possível mover a Action Line.

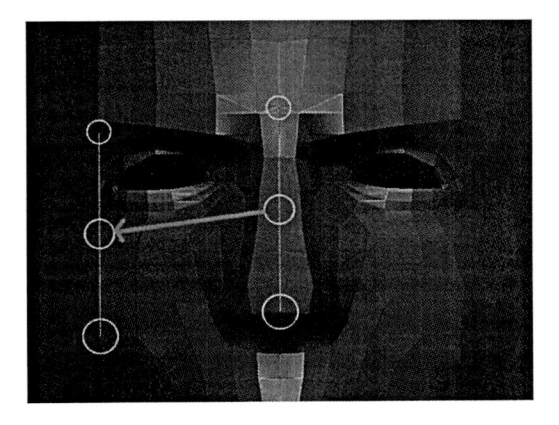

Figura 3.11.1.3

Movendo as extremidades – Clicando nos círculos das extremidades, deslocam-se as pontas da Action Line.

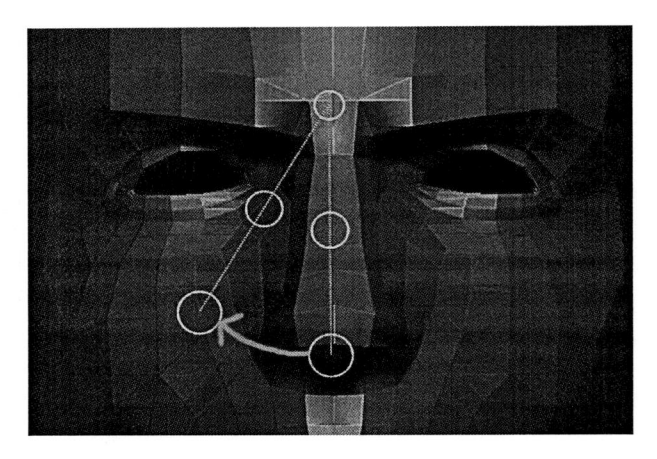

Figura 3.11.1.4

Posicionando o modelo

Para trabalhar com posicionamentos em Transpose Mode, primeiramente se deve clicar no centro dos círculos, ativando outro "círculo menor" (vermelho nas extremidades e branco no intermediário) que fornece a capacidade de deslocar efetivamente o modelo ou partes mascaradas.

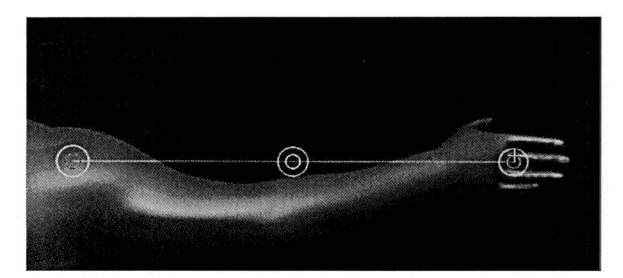

Figura 3.11.1.5

Quando a opção Rotate está ativa na Top Shelf, pressione e mantenha pressionada a tecla CTRL, clique em uma região para iniciar a máscara de seleção, depois libere em outro ponto pra concluir. Note que, enquanto se realiza este procedimento, uma linha acompanha o cursor, indicando a direção de criação desta máscara.

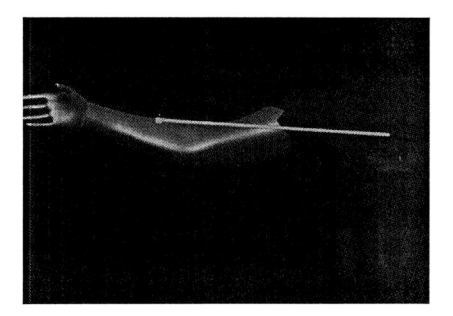

Figura 3.11.1.6

Feito isto, basta criar a Action Line e posicionar o modelo conforme a necessidade. Na medida em que o modelo for sendo posicionado, vá criando outras máscaras de seleções para continuar posicionando o modelo (é possível pintar seleções no modo Edit, alternando entre Edit e Transpose).

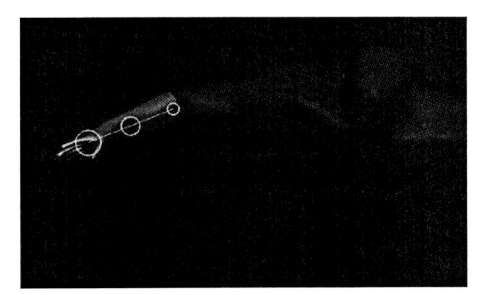

Figura 3.11.1.7

Movendo o modelo

Para mover o modelo basta acionar a opção Move de Top Self, criar uma Action Line com tamanho próximo ao modelo, selecionar o círculo interno mediano desta linha e mover para a posição desejada.

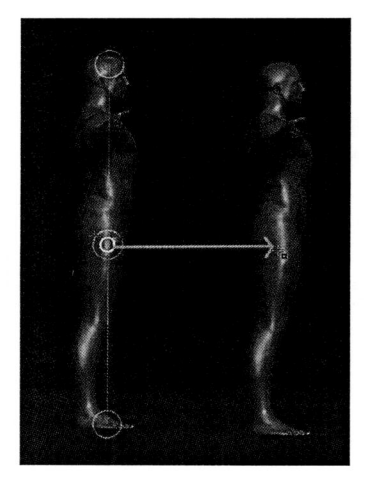

Figura 3.11.1.8

Pode-se redimensionar o modelo neste modo de edição com Move, movendo os círculos internos das extremidades.

Redimensionando o modelo

Para se redimensionar o modelo usando Transpose Mode, deve-se usar os círculos internos extremos para realizar esta operação de modo uniforme, ou pelo centro, de modo não uniforme. Um interessante acréscimo a esta operação seria o uso da tecla ALT que produz efeitos diferentes no processo. Lembrando que, em Modo Move, ainda é possível realizar a operação de redimensionamento não uniforme também.

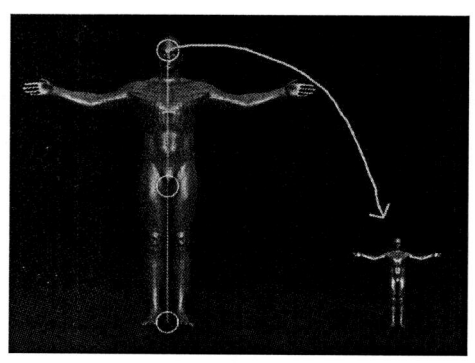

Figura 3.11.1.9

Rotacionando o modelo

Para rotacionar o modelo usando Transpose Mode, deve-se seguir o modo como feito em redimensionar, porém os resultados aqui afetam a rotação do objeto, não sua escala. Usando a tecla SHIFT pode-se girar o modelo em ângulos mais específicos e, em combinação com a tecla ALT, produzem-se interessantes resultados. Na Figura 3.11.1.10 pode-se ver o modelo rotacionado apenas da cintura para cima, utilizando a combinação de teclas explicadas anteriormente.

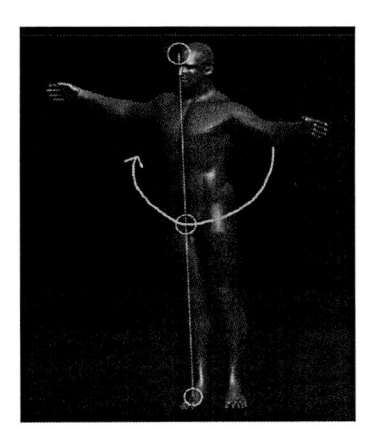

Figura 3.11.1.10

Como borrar máscaras de seleção e ajustar juntas de rotação

Quando se define uma área mascarada, nem sempre o limite desta máscara estará borrado o suficiente para se produzirem os posicionamentos suaves necessários, portanto pressionar, e manter pressionada a tecla CTRL, enquanto se clica com o botão esquerdo do mouse sobre o modelo, faz com que a máscara de seleção fique cada vez mais borrada, permitindo, assim, um melhor ajuste no posicionamento de partes do modelo em Transpose Mode. Na Figura 3.11.1.11 tem-se o modelo com a máscara pura, sem borrados. Na figura 3.11.1.12 tem-se o modelo com sua máscara de seleção devidamente borrada. A intensidade de "borrar" a máscara de seleção pode ser ajustada por Transpose Preferences no menu Preferences.

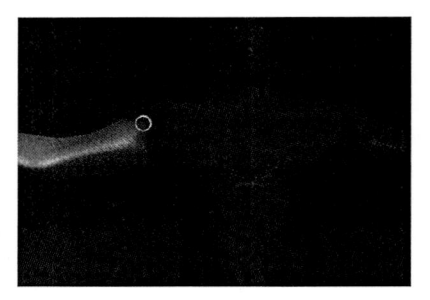

Figura 3.11.1.11

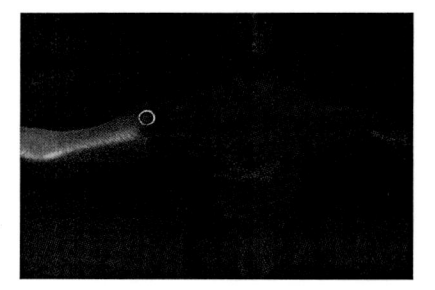

Figura 3.11.1.12

Transpose como Bones

O modo Transpose também pode ser trabalhado como um Bone (osso) de animação, tornando ainda mais realistas os reposicionamentos de partes do modelo. Para conseguir este efeito, posicione a Action Line para representar o osso acima do lugar que se deseja criar o volume criado pela ação de dobrar alguma parte do corpo. Em seguida, pressione a tecla ALT enquanto clica e arrasta para a direita ou esquerda os círculos internos da Action Line. Na Figura 3.11.1.13, tem-se uma visão da área de atuação (não é necessário criar uma máscara de seleção neste caso).

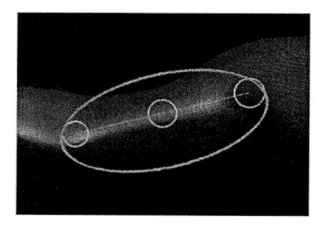

Figura 3.11.1.13

3.11.2 MatCap

MatCap são materiais que definem as características dos objetos no Canvas. Estas características podem ser copiadas de fotos diretamente ou criadas a partir de controles específicos.

A aparência de um determinado objeto associado a determinado material depende de algumas variáveis para que assuma uma caracterização própria, que venha a ser sua, tornando-o único entre os demais objetos. Estas variáveis podem ser a superfície normal de um objeto, o ponto onde esse objeto é visto pela câmera, tipos de luz e forma de iluminação, além de seu brilho ou rugosidade.

A ferramenta MatCap é usada para calibrar os marcadores na captura de informações nas fotos ou outras imagens. Cada marcação representa um ponto na imagem que, posta junto a outras diversas informações, é capaz de recriar a luz e a sombra da superfície fotografada.

A ferramenta MatCap pode ser acessada através da paleta Startup 2.5D Brushes.

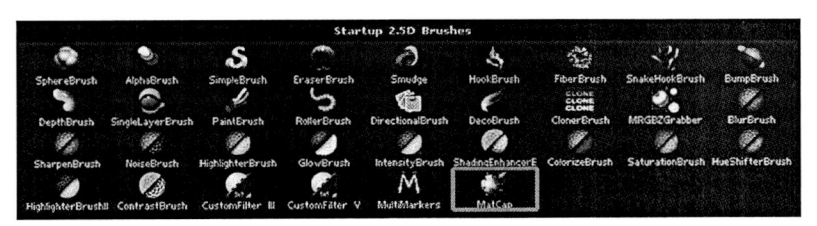

Figura 3.11.2.1

3.11.3 ZProject Brush

A ferramenta ZProject Brush utiliza a profundidade Z do Canvas para realizar as pinturas e texturizações dos detalhes dos objetos, além de trabalhar em conjunto com a modelagem. Com esta ferramenta, é possível transferir para modelos, um nível complexo de detalhes em poucos minutos com o uso de fotografias de boa resolução.

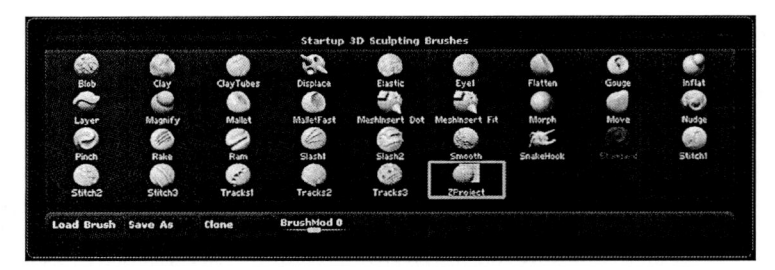

Figura 3.11.3.1

Para usar este recurso deve-se proceder da seguinte forma:

A – Crie um arquivo do tipo JPG com duas fotos (uma de frente e outra de lado) que deseje usar como textura;
B – Crie um novo Documento no ZBrush com as mesmas dimensões deste arquivo. Importe para o documento este arquivo de fotos;
C – Carregue o objeto (Tool) que deseja texturizar usando o método ZProject (é importante que esta Tool esteja devidamente mapeada antes);
D – Crie uma nova textura com as dimensões desejadas (geralmente 2048x2048 pixels);
E – Entre em modo Edit e posicione a Tool lateralmente a uma das duas imagens que agora devem estar expostas no Canvas do ZBrush;
F – Saia do modo Edit e entre em Move, criando a linha Transpose, inicie no Objeto uma ponta e termine a outra na figura de fundo, em um ponto que deseje aplicar no objeto;
G – Certifique-se de ter escolhido o pincel ZProject na lista de pincéis;
H – Entre no modo Edit novamente e vá ao Menu Color e ative FillObject;
I – Deixe marcado apenas Rgb da Top Shelf;
J – Automaticamente ao tocar no seu objeto, ele já estará transpondo as informações da figura de fundo para o objeto. Acertar a pintura é uma questão de prática e escolha de força e tamanho do pincel.

3.11.4 PolyPainting

O recurso PolyPaint consiste em pintar o modelo usando apenas cores, e deixar as informações de deformidade definirem a pintura de detalhes na textura. Esta técnica é útil quando se precisa de muitos detalhes em uma alta resolução e, por meio dos métodos tradicionais de criação de textura, acaba se tornando dificultoso conseguir tal resultado.

Como vantagens deste método se pode citar a capacidade do modelador e texturizador em resolver pequenos problemas de texturas, além da resolução do mapa não ser problema. Problemas de mapeamento também podem ser resolvidos facilmente.

Para usar este recurso proceda da seguinte forma:

A – Importe algum modelo devidamente mapeado para o Canvas do ZBrush, detalhe-o como desejar (pode deixar a cargo do ZBrush o mapeamento também);
B – Deixe ativo apenas Rgb na Tool Shelf;
C – No menu Tool – opção Texture habilite Colorize;
D – Utilize os métodos de Stroke que preferir, além de Alphas também serem usados;
E – Escolha alguma cor e intensidade do pincel e trabalhe seu modelo;
F – Para transpor as informações de cor com as deformidades do modelo para um arquivo de textura, vá ao menu Tool – opção Texture e marque Col>Txr.

3.11.5 HD Geometry

O recurso HD Geometry é a evolução da subdivisão dentro das funcionalidades do ZBrush, pois com ele pode-se subdividir um modelo localmente através de uma seleção feita e detalhar à vontade o modelo com quantias superiores a 1 bilhão de polígonos.

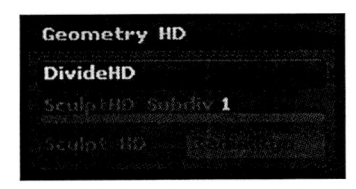

Figura 3.11.5.1

A dinâmica deste recurso é bem simples:

A – Subdivide-se o modelo, detalhando o máximo que for possível com as subdivisões tradicionais;
B – Para detalhes que exigem maiores números de subdivisões, isola-se a

área que se quer trabalhar;

C – Ativa-se em Tool, opção Geometry HD, escolhendo DivideHD tantas vezes quantas forem necessárias para se trabalhar no modelo (o número de polígonos é determinado por MaxPolyPerMesh);

D – Depois de editado, basta voltar à visualização normal;

E – A contagem poligonal volta a ser a mesma anterior a subdivisão de HD Geometry, porém, toda vez que se habilitar este recurso, a subdivisão e detalhes estarão lá.

Seus controles são:

DivideHD – adiciona níveis de subdivisão HD ao modelo. Esta opção apenas funcionará quando o modelo chegar ao número máximo de subdivisões (Tool – Subpalette Geometry – opção SDiv) permitido pelo sistema.

SculptHD Subdivid – controla a subdivisão dos níveis exibidos.

Sculpt HD – esta opção geralmente é acionada por uma tecla de atalho, e isto resulta em uma área de seleção feita com o cursor para esculpir em altíssima resolução poligonal. Esta área de seleção é definida pela capacidade máxima que o sistema pode operar (definido em Preferences).

RadialRgn – realiza uma seleção circular e não quadrada para a edição em Subdivision HD.

3.11.6 Wrap Mode

WrapMode é uma função que permite a artistas criarem texturas de repetição (Tileable Textures) baseados em geometrias.

3.11.7 Topology

A ferramenta Retopo pode ser usada para inúmeros fins, mas, basicamente, ela torna possível a construção de uma nova malha a partir de um objeto editado com todos os detalhes atribuídos. Ótima ferramenta pra reconstruir malhas adequadas para os mais diversos fins.

Muitas vezes os artistas iniciam seus trabalhos no ZBrush com objetos sem a devida organização de malha ou até mesmo com ZSpheres, que são objetos que proporcionam uma criação de objetos complexos, mas ainda assim sem mapeamento, esculpindo-os e, depois, com a ferramenta Retopo, criam uma malha definitiva que agrega todas as transformações feitas.

Para utilizar esta ferramenta, é necessário seguir estes passos:

A – Carregue e desenhe algum modelo dentro do ZBrush;
B – Vá para o modo Edit;
C – Acione as ZSheres em Tools do menu Tools. Surgirá um objeto ZSphere no Canvas, substituindo o atual modelo;
D – No menu Tool, surgem duas seções que se referem ao objeto ZSphere (Rigging e Topology);
E – Vá até a Subpalette Rigging, pressione Select Mesh e selecione o objeto que servirá de alvo para esta nova construção 3D;
F – Agora, selecione a Subpalette Topoloy no menu Tool, ativando a opção Edit Topology;
G – Feito isto, basta ir criando a nova estrutura de malha.

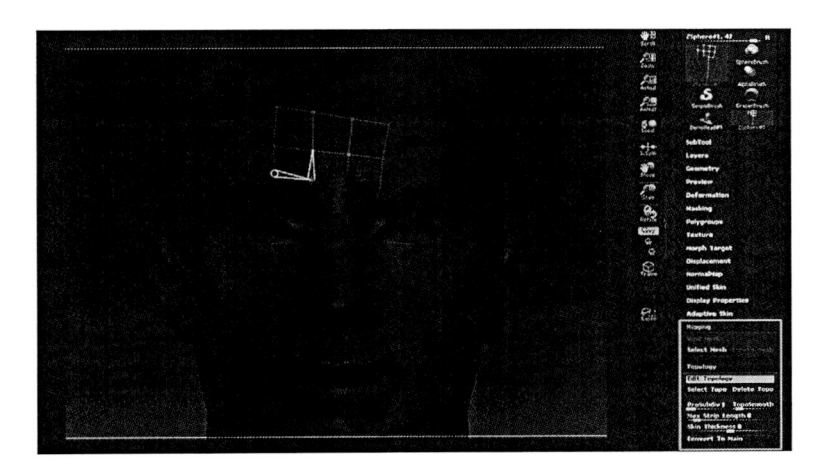

Figura 3.11.7.1

Alguns atalhos úteis:

LMB (Botão esquerdo do mouse) – adiciona pontos.
ALT – apaga pontos.

CTRL + Clique em algum ponto – inicia um novo ponto inicial.

Draw Mode – move pontos (aumentando o tamanho (Size) de Draw, é possível mover mais de um ponto ao mesmo tempo).

Scale Mode – muda o tamanho dos pontos.

3.11.8 3D Layers

Subpaleta 3D Layer possibilita aos artistas trabalhar com um modelo em diferentes estágios de desenvolvimento, podendo adicionar detalhes como rugas ou saliências a modelos em um determinado momento, e mais tarde, adicionar outra camada com outro tipo de informação como protuberâncias e arranhões. Com estas informações estando em Layers distintas, pode-se habilitar ora um, ora outro.

Pode-se criar várias camadas pelo comando New, assim como definir sua intensidade de ação no modelo em Intensity ou ainda apagar alguma camada pelo comando Delete.

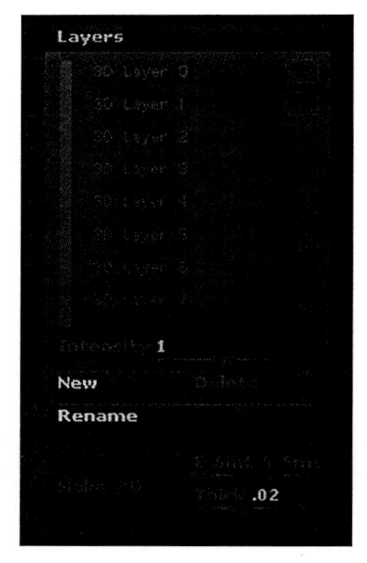

Figura 3.11.8.1

As 3D Layers (disponíveis na Paleta Tool, Subpalette Layers) são usadas para adicionar efeitos de modelagens a superfícies 3D enquanto estão sendo editadas, já as Documents Layers (disponíveis na Paleta Document) são usadas para as ações que interagem com o Canvas (aplicação em Pixols), enquanto se trabalha com modelos para serem usados em trabalhos 2D e 2.5D. Logo, 3D Layers não são a mesma coisa, nem tão pouco possuem função homogênea as Documents Layers.

Com este recurso, é possível ter vários níveis de detalhamentos, todos armazenados em camadas distintas, podendo estar visíveis ou não, tal como é em softwares utilizadores deste recurso como o Photoshop, por exemplo. É possível, ainda, apagar partes de cada 3D Layers, aumentando mais ainda as possibilidades de efeitos.

Recomenda-se que estas 3D Layers sejam criadas apenas no último nível de subdivisão dos modelos, contribuindo para um melhor gerenciamento de arquivos por parte do programa.

3.11.9 SubTool

A ferramenta SubTool, disponível na Paleta Tool, Subpalette SubTools, permite trabalhar com objetos separados em várias partes editáveis.

Figura 3.11.9.1

Cada SubTool, é capaz de armazenar consigo informações de detalhamentos e pinturas, compondo objetos verdadeiramente complexos que, outrora, não seriam viáveis. Deve-se levar em conta o fato de que, ao se criar um objeto composto de várias SubTools, cada uma, além do que foi explicado anteriormente, permite também ter seu próprio nível de subdivisão de malha, o que remete ao fato de que quanto maior a subdivisão dos modelos, mais requisitos de hardware são necessários para que se possa trabalhar adequadamente.

Para acesso às SubTools, pode-se clicar em seus respectivos nomes nas Layers ou CTRL+SHIFT e clique na SubTool desejada para edição diretamente no Canvas.

Para se criar uma SubTool, pode-se usar os recursos de:

Appending – isto faz com que uma Tool salva em seu Disco Rígido, em formato de arquivo "*.ztl", possa ser carregada juntamente com a Tool atualmente em edição.

Spliting – cria SubTools a partir de Polygroups.

Extracting – esta opção cria novas SubTools a partir da seleção e extração de partes de malha, do objeto atualmente em edição no Canvas.

Como opções desta Subpalette tem-se Eye Icons que faz com que o conteúdo da camada, a qual este "olho" está associado, esteja visível ou não. As opções Arrows permitem, além de selecionar entre as camadas de Tools, deslocar uma ou outra para cima ou para baixo.

Append adicionará outras Tools à lista de camadas de Tools. Delete apaga cada Tool selecionada.

Split é usado para dividir uma Tool ou Subtool com partes ocultas, resultando em duas Tools. GrpSplit é usado para, quando uma Tool ou Subtool contiver mais do que um Polymesh Group, quebrar este em múltiplos Subtools, um para cada grupo.

Rename serve para renomear as Tools. Extract serve para extrair novos objetos a partir de áreas de máscaras de seleção da Tool atualmente editada, colocando estas novas malhas dentro de uma Subtool. As opções para esta ferramenta são: E Smt que determina o quanto de suavização as edges extraídas terão, S Smt que determina quanto de suavização as superfícies extraídas terão e Thick que ajusta a espessura do mesh extraído. Valores como 0.01 são bons para extrair peças com fins de transformar em roupas mais finas e 0.03 para peças mais espessas.

3.12 Procedimentos de movimentação dentro do ZBrush

Para se mover no Canvas do ZBrush é muito simples, carregando algum modelo (Tool), tocar no Canvas diretamente com o cursor pressionado (no mouse botão esquerdo, na caneta ótica, é o toque simples), desenhando o modelo.

Para girar, toque e mantenha pressionado o cursor no Canvas enquanto movimenta este.

Depois de desenhado algum objeto no Canvas, enquadrá-lo de forma rápida é feita usando a tecla F.

Pressionar e manter pressionado a tecla ALT do teclado enquanto se pressiona o cursor no Canvas causa um movimento de deslocamento no plano 2D (um tipo de ("Panning").

Pressionar a tecla ALT do teclado e, em seguida, clicar com o cursor no Canvas, liberar a tecla ALT e arrastar o cursor para cima ou para baixo, produz a ação de redimensionar o modelo.

Rotacionar um modelo no Canvas faz com que ele saia de uma vista frontal absoluta para uma lateral absoluta. Para pôr uma visão como esta, basta pressionar a tecla SHIFT no teclado e tocar no Canvas com o cursor no sentido de rotacionar o modelo. Automaticamente o ZBrush tentará ajustar o modelo para alguma vista frontal, lateral, costas, superior ou inferior, de acordo com a maior parte exibida no Canvas do mesmo modelo.

Clicar com o botão direito do cursor no Canvas ativa um rápido menu onde são exibidos as principais ferramentas e seus controles.

Figura 3.12.1

A tecla T ativa o modo Edit, Q ativa Draw Pointer, W para Move, E para Scale e R para Rotate. A tecla S no teclado ativa o controle Draw Size, O ativa Focal Shift, assim como U controla Z Intesity e I controla Rgb Intensity.

Quando se está esculpindo um modelo no Canvas, os botões do teclado SHIFT e ALT são usados com frequência. A tecla SHIFT quando pressionada edita o modelo usando um pincel simples como o Smooth, fazendo com que o modelo não seja deformado, mas sim suavizado. Algo a ser observado neste atalho é o fato de que quando se edita o modelo e o suaviza em níveis de subdivisão mais baixos, o efeito de "suavização" é mais nitidamente percebido do que em subdivisões mais altas.

Evidentemente, como o pressionar da tecla SHIFT força o sistema a editar o modelo com outro pincel, um ajuste prévio da intensidade pode ajudar na edição do modelo. Esta particularidade se refere ao ZBrush fazer uso de um pincel secundário, predefinido, no caso o Smooth. Por padrão, o Z Intensity deste pincel é definido como 100, e cada vez que se alternar uma edição com a tecla SHIFT, ele atuará com este valor. Para alterar, selecione o pincel Smooth, modifique o valor dele para algo em torno de 20 ou o que preferir, retorne ao pincel de edição primário escolhido pelo usuário e prossiga com a sessão.

Já a tecla ALT inverte a ação selecionada, se a opção Zadd (adiciona extrusões para fora do modelo) estiver ativa, pressionar a tecla ALT enquanto se edita o modelo, fará com que o pincel se comporte como se estivesse em modo Zsub (adiciona extrusões para dentro do modelo), e o contrário também é verdadeiro.

Quando se deseja selecionar partes do modelo para deixá-lo exibindo algumas partes, pode-se usar a combinação de teclas SHIFT e CTRL.

CTRL + SHIFT + arraste do cursor cria um retângulo verde que representa a área que será mantida após liberar as referidas teclas.

CTRL + SHIFT + arraste do cursor + liberação da tecla SHIFT faz surgir um retângulo vermelho que indica que a área dentro deste retângulo ficará oculta após a liberação destas teclas.

CTRL + SHIFT + toque do cursor no Canvas exibe a parte do modelo ocultada.

CTRL + arraste do cursor cria máscaras de seleção baseadas na textura Alpha definida na paleta Alpha Inventory.

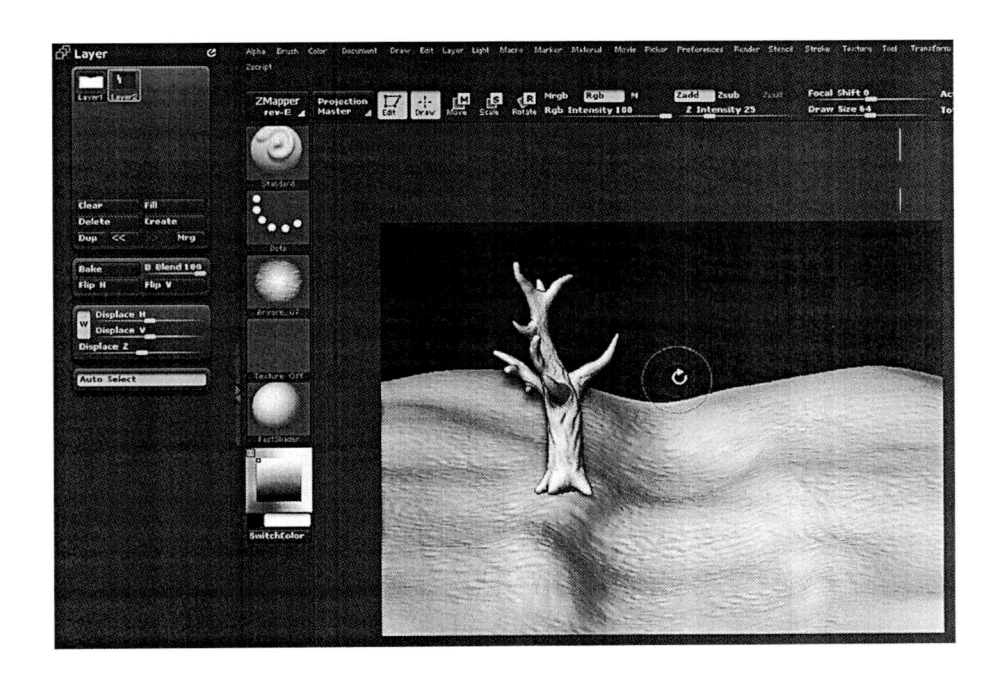

CAPÍTULO 4: TRABALHO EM 2.5D (PINTURA)

CAPÍTULO 4

Trabalho em 2.5D (pintura)

4.1 Escolha do tema para um cenário

Neste exercício será criada uma cena simples para demonstrar o poder de ilustrar com o ZBrush, utilizando somente suas ferramentas. O exemplo a ser feito pode ser de qualquer natureza: uma paisagem, um rosto, uma cena complexa, ou simplesmente algum desenho abstrato. O importante nesta seção é mostrar o quão simples pode ser o uso desta ferramenta para fins ilustrativos.

Por uma questão didática, não serão abordadas questões como materiais ou texturizações neste capítulo, visto que já existe um específico para isto mais adiante neste livro. Foca-se então no processo de ilustrar com ZBrush, não sua finalização. Caso queira o leitor antecipar o conteúdo, verifique no "Capítulo 8 – Materiais, luzes e render" todo o conteúdo necessário para finalizar esta cena.

Para este estudo, será utilizada uma paisagem simples, ilustrada na figura a seguir.

Figura 4.1.1

Ela é composta de uma cena em que aparece uma árvore sem folhas, antiga e gasta, assentada em um solo seco, por onde passa um caminho pouco visitado. Em seu lado oposto, um aglutinamento sutil de pedras, fazendo contraponto na cena. Ao fundo, o caminho se estreita, parecendo levar até o horizonte quem por ali passasse, por onde o sol parece se esvair.

Os elementos a serem construídos nesta cena se resumem a uma árvore desfolhada (que já foi iniciada anteriormente), um conjunto de pedras, um vale e um fundo simples.

4.2 Como criar as partes

4.2.1 Árvore

Inicia-se então com a árvore que é o elemento principal da cena.

01 – Inicie uma nova sessão no ZBrush pelo menu Preferences - opção Init ZBrush e carregue o arquivo "Arvore.ZTL" disponível com o material que acompanha este livro.

02 – Será feito apenas a adição de alguns detalhes a este modelo, que se refere às "Blocagens" de formas no modelo, suficientes para demonstrar a técnica de ilustrar.

03 – Se ao carregar o objeto, ele não for um PolyMesh3D, após desenhá-lo, tente subdividir. Se isso não for possível, vá à paleta Tool e clique em Make PolyMesh3D, fazendo com que se torne um.

04 – Subdivida o modelo até cinco vezes. Use o Brush Inflate com intensidade baixa. Vá definindo as rugas no modelo, tanto salientes como as em forma de sulcos.

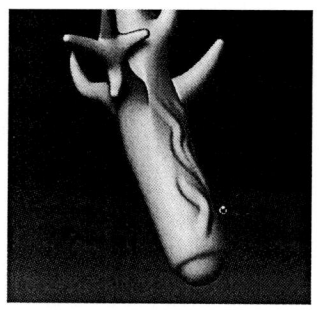

Figura 4.2.1.1

05 – Faça uso do recurso Local para que o objeto sempre mantenha seu ponto de Pivot no último "local" editado.

Figura 4.2.1.2

06 – Seja meticuloso, editando até mesmo os galhos. Faça uso do atalho de teclado ALT e SHIFT para criar sulcos ou suavizar, quando necessário.

Figura 4.2.1.3

Figura 4.2.1.4

07 – Salve o modelo por enquanto. A próxima etapa se refere à aplicação de rápidos "Alphas".

Figura 4.2.1.5

08 – Nesta etapa se aplicam microdetalhes ao objeto. Continue com o mesmo tipo de pincel, mudando o tipo de Stroke para DragRect. Escolha como Alpha o mapa de "Alpha 02", com Z Intensity definido em 20. Vá aplicando detalhes ao modelo de forma moderada até sentir-se satisfeito.

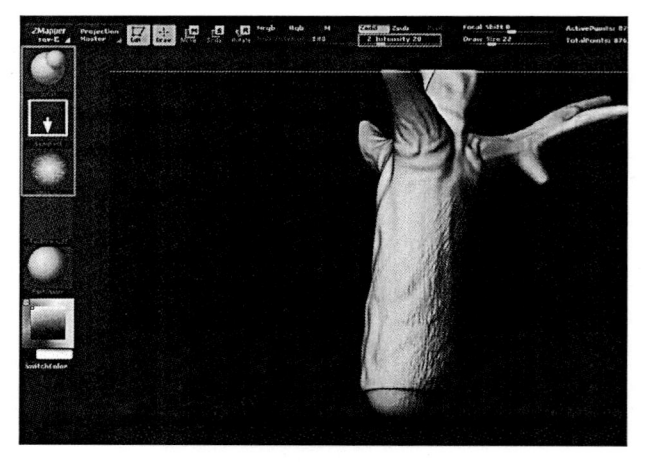

Figura 4.2.1.6

09 – Continue editando todo o modelo.

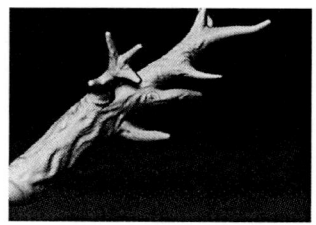

Figura 4.2.1.7

10 – Procure manter o sentido lógico da madeira e seus vincos. Procure aplicar com o mapa orientado corretamente para o modelo, observando a direção que os vincos tomarão (geralmente, em arbustos com cascas grossas, os vincos tendem a assumir a orientação vertical no caule e variar nos galhos).

Figura 4.2.1.8

11 - Salve o modelo. Aplique um material diferenciado para ver como ele se comporta. Na imagem a seguir está sendo usado um material feito ainda neste livro, disponibilizado no material que o acompanha.

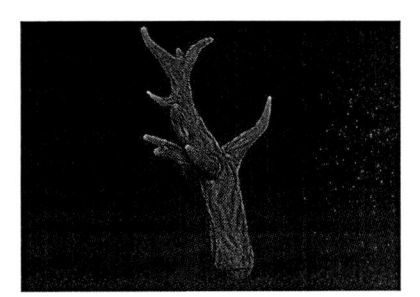

Figura 4.2.1.9

12 – Para definir as raízes, utilize o Brush Move e Inflate. Vá definindo e movendo as partes para obter o aspecto de raízes.

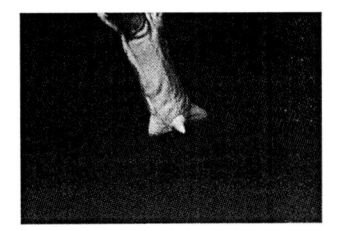

Figura 4.2.1.10

13 – Depois de concluída a construção das raízes, aplique o mesmo mapa de Alpha usado anteriormente para assegurar que o modelo seja consistente.

Figura 4.2.1.11

14 – Salve seu modelo. Passe para o próximo.

4.2.2 Pedras

01 – Inicie uma seção nova no ZBrush com uma PolySphere, transformando-a em um objeto PolyMesh3D.

02 – Atribua um material simples como FastShader e com o Brush Move mova algumas partes do objeto para que tenha alguma deformidade. Utilize um Brush grande com intensidade moderada de 25.

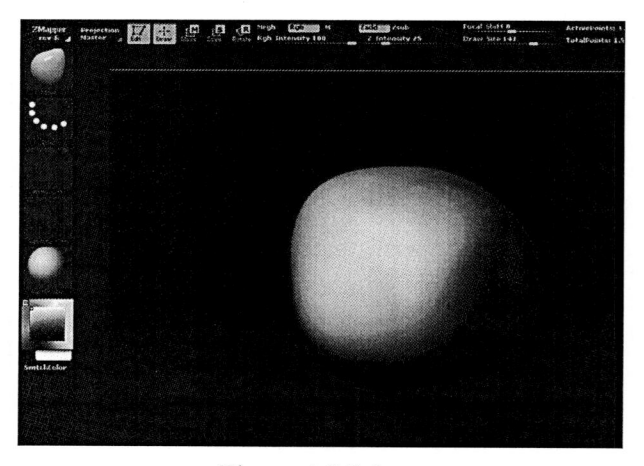

Figura 4.2.2.1

03 – Utilize também o Brush Inflat com o método de Stroke como FreeHand e produza alguns detalhes de deformidade adicionais.

Figura 4.2.2.2

04 – Depois disto, aplique microdetalhes com mapa de Alpha a todo o modelo. Utilize ainda o Brush Inflat, mas agora com o método de Stroke como DragRect. O Alpha a ser usado é o de número 20, deixe Z Intensity baixo, algo como o valor 14 é o suficiente.

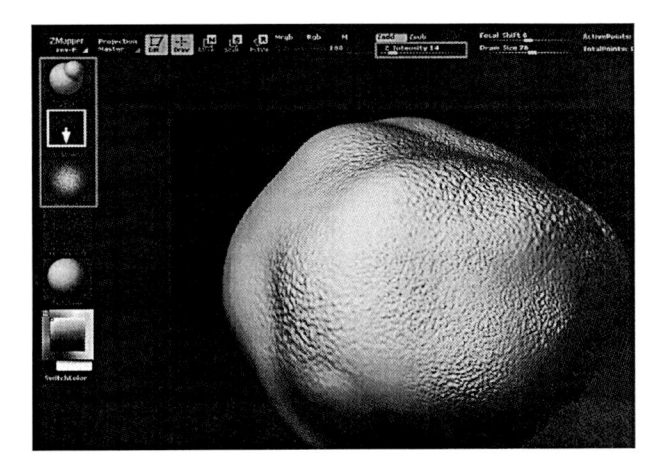

Figura 4.2.2.3

05 – Salve o modelo. Aplique um material diferenciado para ver como ele se comporta.

4.2.3 Terreno

01 – Para este objeto, crie um objeto primitivo Plane3D. Como de praxe, converta em um objeto PolyMesh3D.

02 – Subdivida-o em até quatro vezes.

03 – Com um Brush Standard procure realizar um sulco que represente a trilha da imagem de referência. Como sugestão é possível editar este entalhe em um ângulo que se aproxime mais da figura de referência.

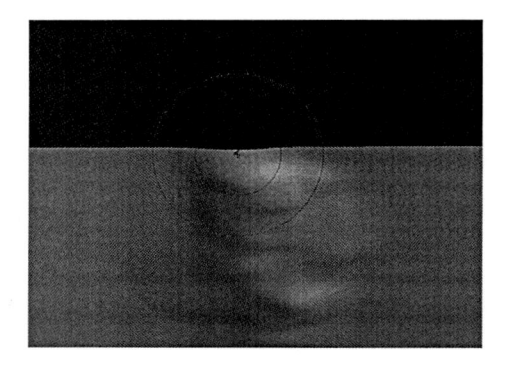

Figura 4.2.3.1

04 – Utilize também o Brush Move se necessário.

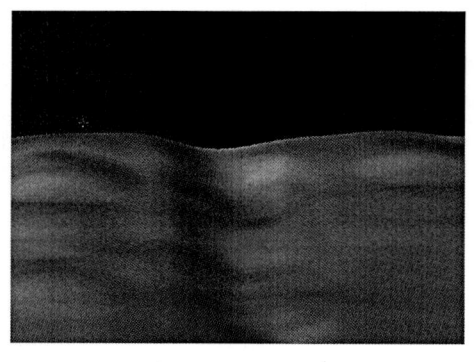

Figura 4.2.3.2

05 – Trabalhe o objeto visto de cima também, para deixar mais bem acabado.

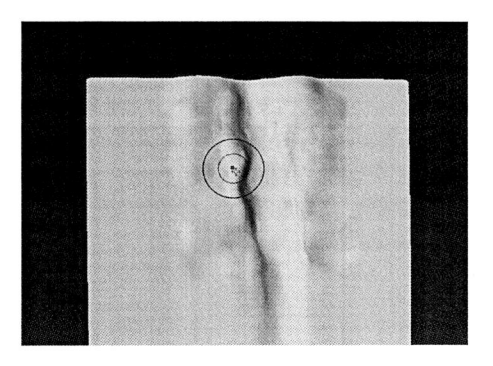

Figura 4.2.3.3

06 – Aplique algum detalhamento em nível micro. Utilize o Brush Inflat, com Stroke em DragRect e Alpha 07. Utilize Z Intensity com valor 9.

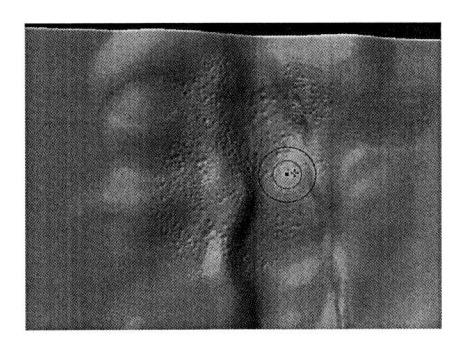

Figura 4.2.3.4

07 – Depois apenas mude o método de Stroke para FreeHand e aplique alguns detalhes a mais no modelo.

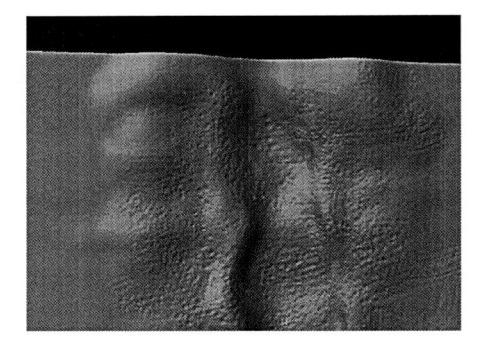

Figura 4.2.3.5

08 – Salve o modelo para que seja usado na composição de cena a seguir.

4.3 Como definir a cena

Antes de prosseguir, dedique um tempo para analisar a arte conceitual que acompanha o material deste livro, para captar algum detalhe que ainda não tenha percebido.

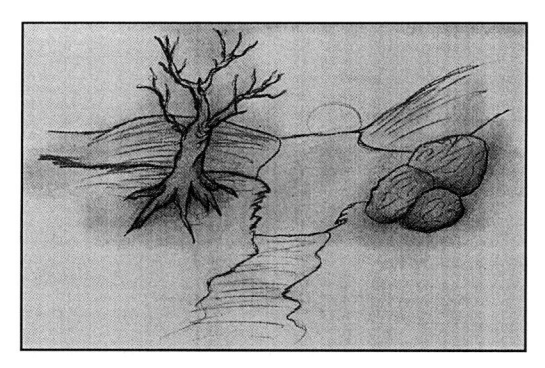

Figura 4.3.1

Depois disto, inicie uma nova sessão no ZBrush. Como dito no início deste capítulo, o foco está na composição da cena, a aplicação de materiais, texturas ou luzes fica destinada a um capítulo específico, como forma de melhor organizar o aprendizado para o leitor.

01 – Carregue a macro ConfigLayout para que seja preparada a interface.

02 – Depois disto, modifique a resolução do documento através do menu Document, modificando Width para 1024 e Height para 780.

03 – Carregue o primeiro objeto desta composição, o terreno, através da opção Load Tool da paleta Tool.

04 – Mude seu material para FastShader e procure enquadrar este objeto tal como seu homólogo da arte conceitual. Mude também a visão para o modo Perspectiva (pressione P no teclado).

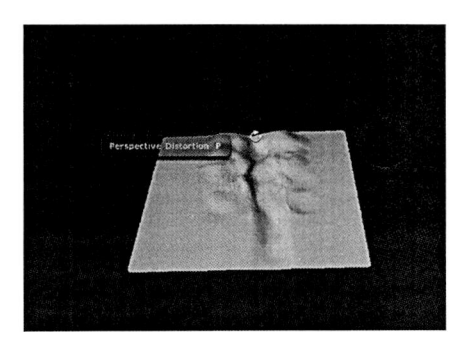

Figura 4.3.2

05 – Uma vez enquadrado o objeto de forma correta no Canvas, disponha a paleta Layers à esquerda da interface do programa, pois a partir de agora seu uso será mais constante.

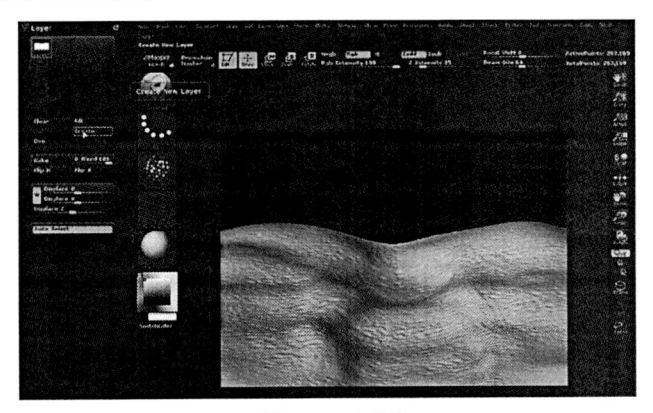

Figura 4.3.3

06 – Crie uma nova Layer para este documento. Clique em Create na paleta Layer e, automaticamente, o ZBrush cria uma camada nova. Nesta, carregue o objeto "Árvore.ztl" e desenhe-o na cena. Lembre-se sempre que criar camadas na paleta Layer não é o mesmo que as Layers 3D da paleta Tool.

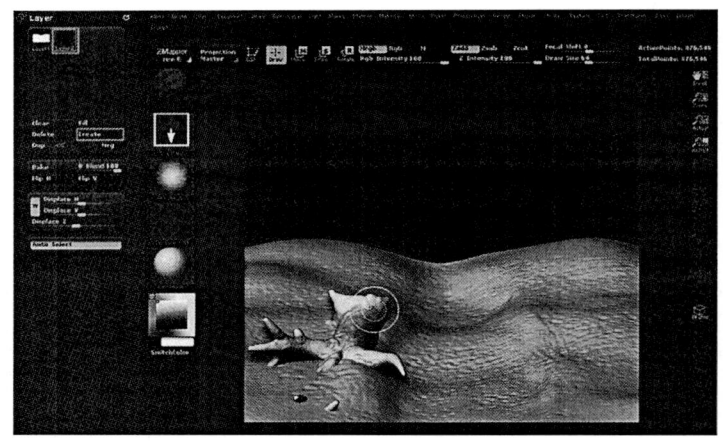

Figura 4.3.4

07 – Com o Brush Move mova esta árvore para uma posição mais próxima da arte conceitual.

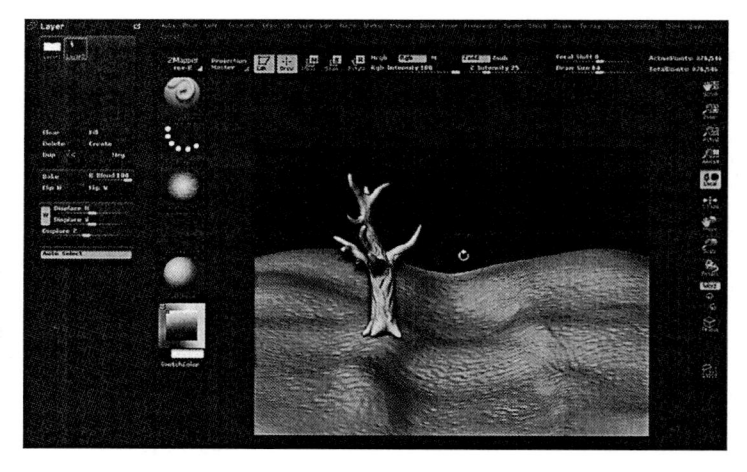

Figura 4.3.5

08 – Crie uma nova Layer e carregue para dentro deste arquivo o objeto "Pedra.ztl". Posicione-o conforme a arte conceitual.

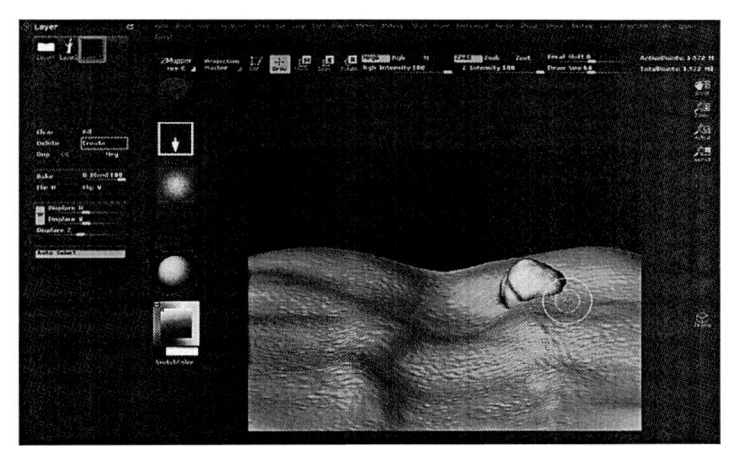

Figura 4.3.6

09 – Copie este objeto utilizando o recurso de Snapshot. Acesse o menu Transform e clique em Snapshot Objects.

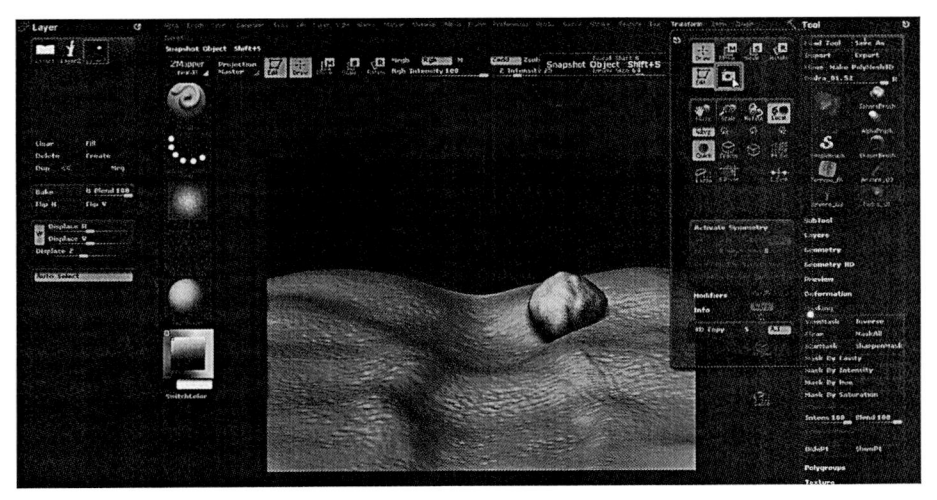

Figura 4.3.7

10 – Ajuste o novo objeto conforme mostra a figura a seguir.

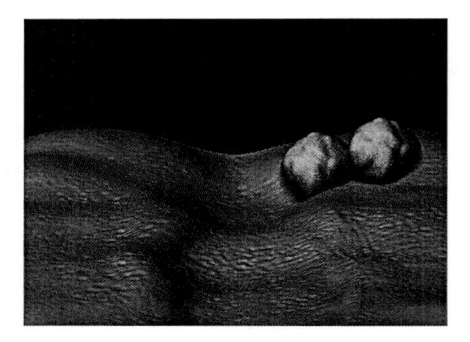

Figura 4.3.8

11 – Crie uma nova pedra a partir desta e ajuste-a conforme a figura a seguir mostra.

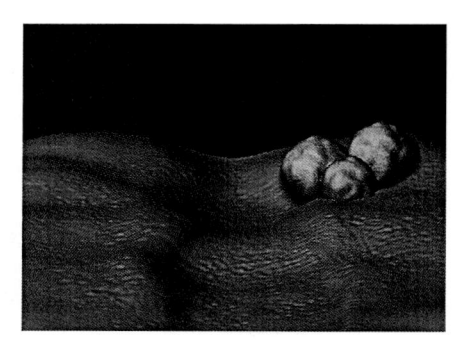

Figura 4.3.9

12 – Salve seu documento a partir do menu Document. Isto garante que esta cena poderá ser acessada em outra ocasião, exatamente como foi salva da última vez em que foi aberta.

Figura 4.3.10

12 – No menu Render, clique em Best. Isto faz com que seja apresentada, de modo mais refinado, a cena no Canvas. Depois de finalizada a apresentação, exporte uma imagem através do Menu Document, opção Export. Uma vez que a cena esteja devidamente texturizada e com seus materiais corretos, exporte uma imagem desta forma, propiciando a finalização em algum software de edição de imagens.

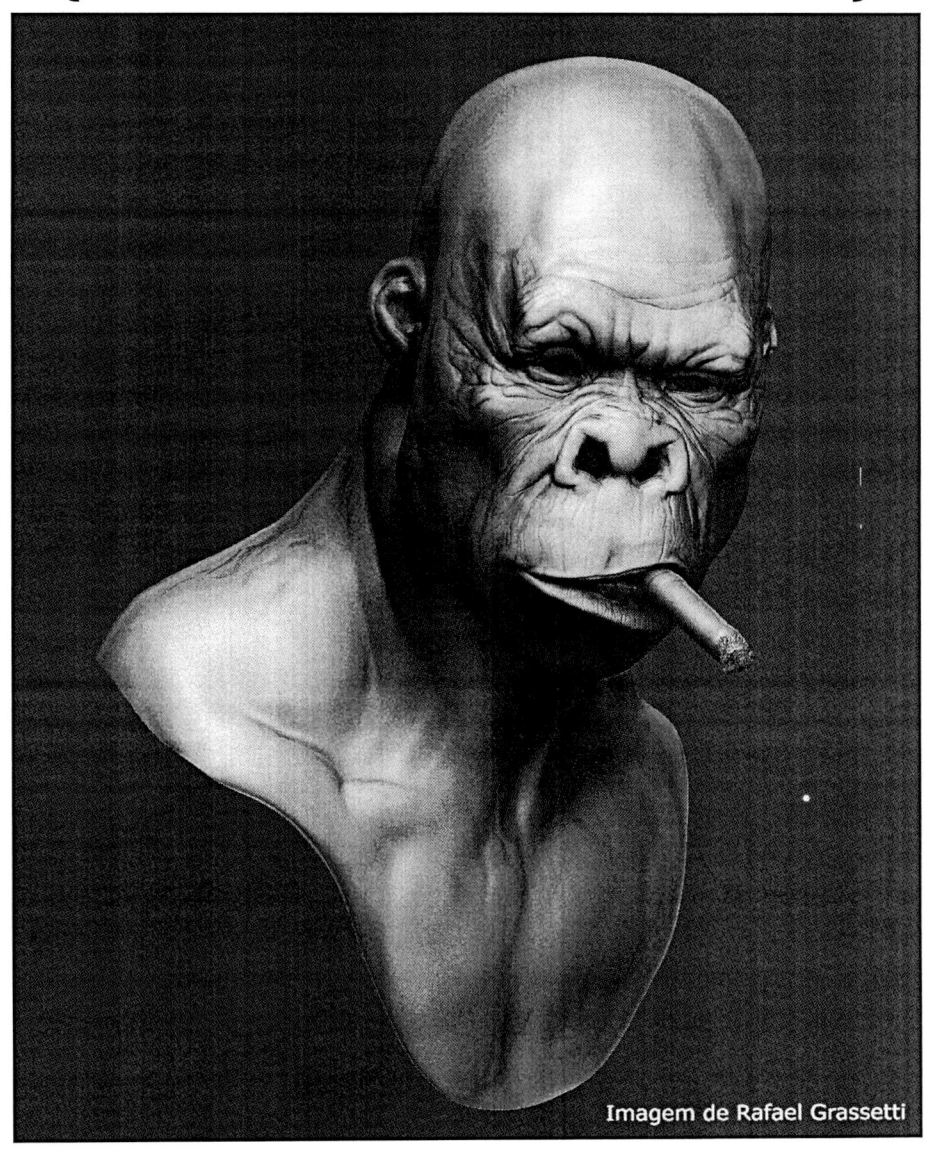

CAPÍTULO 5: TRABALHO EM 3D (ESCULTURA DIGITAL BÁSICA)

Imagem de Rafael Grassetti

CAPÍTULO 5

Trabalho em 3D
(escultura digital básica)

5.1 Introdução

Este capítulo é focado em escultura digital em nível básico, pois, com ZBrush, pode-se atingir um número incrível de detalhes através dos conceitos de esculturas tradicionais. Artistas atuais se valem destes conhecimentos como forma de desenvolver seus trabalhos com esta ferramenta.

Em termos práticos, a escultura é manifestada por artistas ao longo dos séculos, sendo representada em diversos materiais que variam desde o bronze, mármore até mesmo a madeira. É uma arte que poucos conseguem produzir, pois são extraídas figuras tridimensionais de blocos sólidos destes materiais. A Figura 5.1.1 ilustra um belo resultado obtido com esta técnica tradicional (imagem cedida por Paula Ramos).

Figura 5.1.1

Seguramente foram os gregos que detiveram o princípio desta arte milenar – a escultura. Com seus trabalhos mitológicos, eles definiram uma nova arte que até hoje é praticada.

Nesta seção do livro, serão abordados conceitos sobre escultura aplicados ao meio digital por intermédio do ZBrush a qual, com sua lista de ferramentas, procura aproximar-se ao máximo das antigas ferramentas de artistas do passado para a produção de esculturas.

Assim como o lápis e o papel foram os instrumentos de artistas na mediação de sua arte durante vários séculos, as ferramentas digitais começam a se firmar neste cenário de produção artística como atuais instrumentos para que artistas realizem sua arte.

5.2 Conceito de subdivisão

O trabalho com o ZBrush para a escultura digital consiste em se usar os seus pincéis (Brushes) tal como são usados na escultura tradicional, pois ele, como dito, procura aproximar-se ao máximo ao que os artistas utilizam como recursos na questão de ferramentas oferecidas.

Dentro da terminologia utilizada para o software ZBrush, subdivisão significa dividir a malha em mais polígonos, geralmente, cada face origina mais quatro (este conceito é visto com frequência em outros pacotes de softwares 3D como o 3ds Max).

Este sistema algorítmo de subdivisão é baseado no sistema de Catmull-Clark, a qual seu procedimento de subdivisão força o sistema a dividir cada polígono em mais quatro novos. Por exemplo, se, no primeiro nível de subdivisão, o modelo contiver 4.000 faces, no nível 2, terá 16.000 (4.000 x 4) faces. Se o modelo for subdivido mais uma vez, originando uma terceira subdivisão, ele terá 64.000 (16.000 x 4) como contagem poligonal resultante (SPENCER, 2008, p. 76).

Dentro da história da computação gráfica, o algorítmo Catmull-Clark foi desenvolvido para subdividir superfícies de modelagem de forma a deixá-las mais suaves. Edwin Catmull (Pixar Animation Studios) e Jim Clark criaram esta forma de trabalhar com divisão de superfícies em 1978 (daí o nome "Catmull-Clark"), desde então, alguns dos principais softwares 3D vêm utilizando este algorítmo, como, por exemplo, o próprio ZBrush, 3ds Max, Maya, Blender, Carrara, LighWave (versão 9), Softimage XSI e Mudbox entre outros (fonte: Wikipédia online).

Para se entender isto, é preciso realizar um estudo prático. Inicie uma sessão do ZBrush e crie uma PolySphere a partir do Script DefaultScript na barra de títulos. É interessante notar que não está se utilizando neste exercício a Tool Sphere3D, e, sim, PolySphere, pois esta última tem sua malha melhor resolvida, não possuindo acúmulo de vértices em seus polos, tal como ocorre com a Sphere3D. Logo, ela é mais indicada para este exercício e até mesmo para certas modelagens como será visto ao longo deste livro.

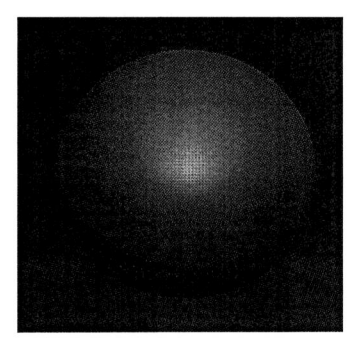

Figura 5.2.1

Mude o material para FastShader ou Flat Color e ative o modo Wireframe através do botão Frame (modo Polyframe, tecla de atalho F)

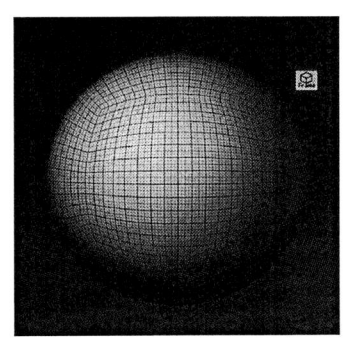

Figura 5.2.2

Na Paleta Tool, acesse Geometry Subpalette e reduza o nível de subdivisão para o valor 1. Perceba a redução de polígonos.

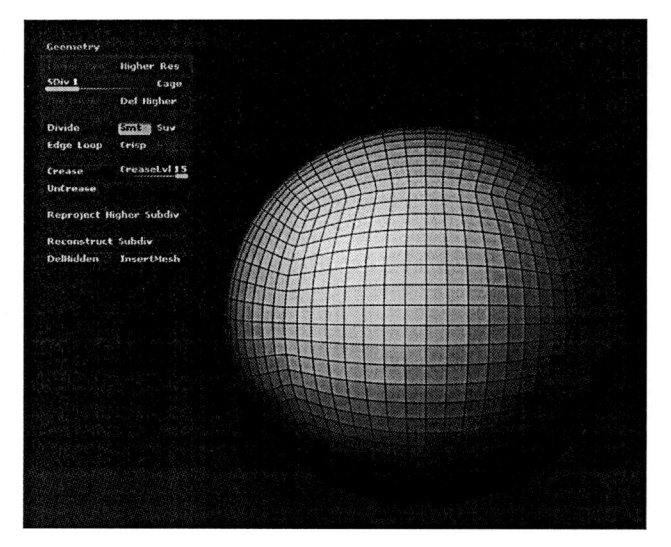

Figura 5.2.3

Clique no botão Reconstruct Subdiv por três vezes. Isto faz com que o sistema reconstrua a malha do objeto atualmente selecionado, de forma a reduzir sua contagem poligonal. Na Figura 5.2.4 vê-se a PolySphere com material Flat Color para melhor visualização.

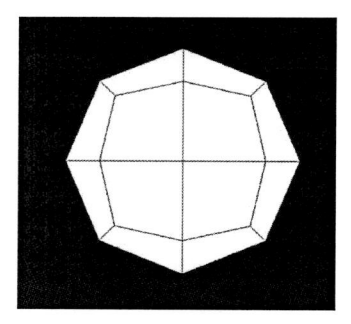

Figura 5.2.4

Deixe o cursor sobre o ícone maior da paleta Tool que representa este objeto para que se possa ter uma estatística. Observe a contagem de polígonos: 24 ao todo. Este objeto, após o último ajuste, ficou com esta quantia de polígonos.

Trabalho em 3D (escultura digital básica) | 175

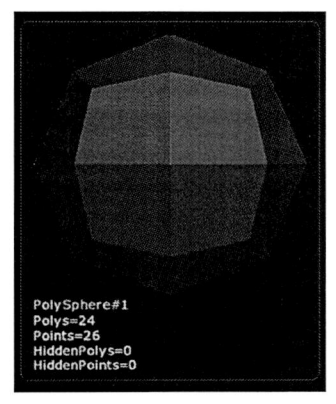

Figura 5.2.5

Agora, subdivida-o uma vez e verifique a quantidade de polígonos gerados.

Figura 5.2.6

A contagem aumentou em número de quatro, passando para 96. Subdivida mais uma vez.

Figura 5.2.7

A contagem vai para 384 (quatro vezes mais). Isto demonstra o método de subdivisão na prática, adotado pelo ZBrush. A figura resultante após três níveis de subdivisão é a Figura 5.28.

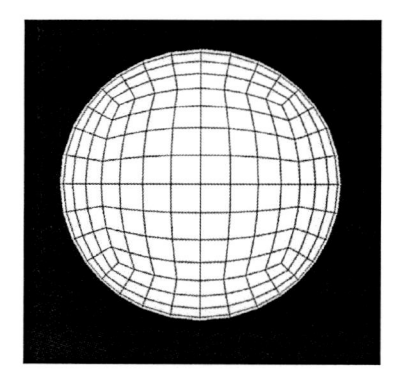

Figura 5.2.8

Como teclas de atalho para navegar nas subdivisões do modelo, utilize CTRL + D para subdividir, D para avançar nos níveis de subdivisão e SHIFT + D para retroceder nos níveis de subdivisão.

5.3 Conceito de escultura digital

Todo artista precisa de pincéis para produzir seus quadros e, no método de escultura, não é diferente, pois o artista também precisa de seus "pincéis" para esculpir. Em escultura digital, evidentemente se precisará de ferramentas que funcionem como as citadas anteriormente, pois só assim o artista terá liberdade para trabalhar seus modelos como gostaria de fazer na vida real.

É extremamente aconselhável que o leitor tenha uma mesa digital conectada em seu computador para que possa tirar o máximo proveito da ferramenta ZBrush, bem como do conteúdo apresentado neste livro. Na impossibilidade de adquirir uma, o próprio mouse pode ser usado, mas sem poder usufruir tudo o que uma caneta ótica pode oferecer (flexibilidade e liberdade de movimentação na edição de malhas e pintura livre no Canvas do ZBrush, assim como níveis de pressão da ponta da caneta relativa ao seu toque nas superfícies em edição).

A técnica tradicional de esculpir objetos a partir de sólidos é uma das técnicas de arte mais antigas que se tem notícia, como mencionado no texto introdutório deste capítulo, atualmente, ela é traduzida para a era digital.

Grandes estúdios de filmes e jogos no passado e no presente requisitam, aos artistas, modelos físicos de suas idéias para que possam ser digitalizados e trabalhados em ambiente computacional. Ainda hoje, grandes produções são feitas desta forma: desenha-se o conceito, passa-se ao artista para esculpir o modelo físico, que, ao término, é digitalizado (Scan 3D) e passados para o computador os dados capturados. São montados em ambiente virtual os dados capturados, gerando um modelo "pré-acabado" do que será o modelo digital, a partir do modelo físico. Um artista digital, então, assume o controle deste ponto em diante e finaliza o modelo em softwares específicos para que tenha exatamente o que precisa para continuar o processo de produção do qual seu trabalho fará parte.

O processo descrito anteriormente ilustra os passos de uma Pipeline. Este termo pode ser traduzido como "tubulação", podendo ser interpretado da seguinte forma: o radical "pipe" pode ser interpretado como "tubo" e o sufixo "line" interpretado como "linha", logo se lê como "linha de tubos" ou "tubulação", em uma tradução mais literal. Analisando o termo em seu contexto, entende-se que se trata das conexões feitas entre tubos, criando uma rede que se comunica de várias formas – uma tubulação. Logo, se pode inferir que é um processo de encadeamento e gerenciamento de softwares específicos com o intuito de obter os melhores resultados entre tarefas a partir da união destes, o que, dependendo do conjunto de ferramentas utilizadas (entenda-se aqui por "ferramentas", a utilização de softwares distintos o que possibilita a execução de um processo de produção) pode tornar mais caro ou mais barato, mais rápido ou menos rápido todo um projeto. Nos tempos atuais, vivemos de uma maneira que rápidas soluções a custos cada vez mais baixos podem ser fatores determinantes para se desenvolver algum projeto, e os artistas da atualidade devem saber contornar isto e tirar proveito para seu trabalho.

Incrivelmente, o uso de softwares modeladores digitais dedicados permitiu certo barateamento e aumento da produção de artistas nas grandes indústrias. Tudo isto graças à tecnologia dita High-End que se tem hoje, a possibilidade de "conversação" entre diferentes tecnologias como, por exemplo, 3ds Max com ZBrush é muito facilitada.

Hoje em dia, as empresas contam com técnicas atuais de produção entre Pipelines, porém podendo ter outras opções se assim julgarem melhor alternativa, na qual, o ZBrush participa em grande escala. No lugar de se ter o modelo feito fisicamente, já se tem ele feito digitalmente, assumindo o nome de Digital Maquete (Maquete Digital). Com a técnica de desenvolver maquetes digitais para se produzir os modelos físicos [conceito de prototipagem (criação de um protótipo a partir de informações técnicas via softwares específicos)], o custo de construção de modelos complexos e alterações quando necessários se tornam relativamente mais baixos do que nos casos em que o modelo físico gera todo o resto do material.

É neste mercado que existe espaço para o artista pôr em prática sua arte e seu trabalho, pois há muitas oportunidades para bons profissionais e estes, fatalmente, serão reconhecidos se o trabalho for realmente bom. Para que ele seja reconhecido, deve haver estudo, experimentação e trabalho, e isto se consegue procurando e praticando tudo que for aprendido em livros, revistas, tutoriais ou mesmo na Internet. Atuar com escultura digital é um trabalho muito recompensador, pois se tem a chance de trabalhar com os mínimos detalhes de produção de personagens e objetos complexos, o que, outrora, não seria possível pela limitação do hardware e software.

5.4 Escultura utilizando Brushes, Strokes e Alphas

Muito do trabalho com ZBrush é centrado no uso de Brushes (pincéis) e Alphas (mapas com informações em tons de cinza) os quais, juntos, produzem incríveis efeitos de deformidade em superfícies, bem como em acabamentos.

Dentro do sistema que o ZBrush adota, existem pincéis usados para edição em modelos 3D ou para pintura em superfícies 2.5D que podem ser usados livremente. Assim como os artistas tradicionais do passado tinham seus "pincéis", os artistas digitais da atualidade têm os seus. Com ZBrush é possível utilizar praticamente os mesmos pincéis que outrora eram usados em escultura tradicional.

Os pincéis do ZBrush foram apresentados na seção "3.6 Inventory Lists", agora, serão analisados os mais frequentemente utilizados, buscando entender seu funcionamento e efeito nas superfícies, assim como os demais pincéis baseados ou derivados deles.

Assim como se pode escolher o tipo de "bitola" para cada pincel, ainda pode-se definir como será o comportamento de cada pincelada a cada toque nas superfícies em edição. Esta função é definida pelos Strokes (pinceladas), onde é definido se cada pincelada será contínua (FreeHand), a cada toque (DragRect), se ela poderá ser editada em tamanho, posição ou direção ou se simplesmente ela pode ser aplicada uma única vez (DragDot).

Juntamente com os pincéis e suas respectivas pinceladas, podem ser utilizados mapas de Alpha para dar efeitos na aplicação deles durante sua utilização nas superfícies. Para se saber mais sobre cada Brush, basta posicionar o cursor sobre o Brush no qual se deseja obter mais informações, pressionar e manter pressionado a tecla CTRL do teclado para surgir uma caixa de diálogo contendo mais informações (isto pode ser feito com qualquer ferramenta do ZBrush para se aprender mais sobre ele).

5.4.1 Brushes

Tipo Standard, Smooth e Move

Estes tipos de pincéis praticamente são utilizados no refino de poses dos modelos em edição dentro do Canvas do ZBrush, assim como a definição de seus volumes iniciais. O trabalho com modelagem dentro do ZBrush consiste em trabalhar em etapas conforme o livro de Scott Spencer, "ZBrush Character Creation", define (SPENCER, 2008, p. 111):

Formas Primárias – representam as formas básicas do modelo, aquelas com as quais se definem os volumes iniciais para um posterior refino e aprimoramento, é o momento em que se definem a "Proporção", "Forma" e "Gesto (Movimento)" que nortearão todo o modelo.

Formas Secundárias – nesta etapa, são definidos os volumes mais específicos, como músculos e vincos, assim como qualquer outra característica do modelo como, por exemplo, protuberâncias ou cicatrizes.

Formas Terciárias – é a etapa em que são aplicados os microdetalhes de poros, veias ou escamas, ou ainda todo o detalhamento mínimo, o que requereria o número máximo de subdivisões de um modelo.

Poder-se-ia ainda, definir mais uma quarta etapa a esta definição, na qual se aplicariam informações de cores e texturas aos modelos, não fazendo parte da modelagem e, sim, da texturização.

Evidentemente, conforme a intenção do artista e o modelo em si, o uso destes pincéis não acarreta uso apenas nas etapas iniciais da modelagem. Dependendo da necessidade, eles poderão trabalhar no refino também de superfícies.

01 – Abra uma nova sessão do ZBrush ou inicialize-o (menu Preferences – opção Init ZBrush) caso já tenha uma sessão aberta.

02 – Carregue a PolySphere através da opção DefaultScript.

03 – Subdivida-a quantas vezes seu sistema de hardware permitir.

04 – Escolha o Brush Standard com as configurações padrões. Este pincel atua elevando a superfície tocada em direção a superfície normal de toque do Brush.

Figura 5.4.1.1

05 – As imagens a seguir foram feitas utilizando uma mesa digital Wacon Graphire 4 de tamanho 5'x4'.

06 – Configure Z Intensity para 25, Focal Shift para 0 e Draw Size para 45. Deixe ativo apenas Rgb e Zadd. Toque na superfície e veja o resultado

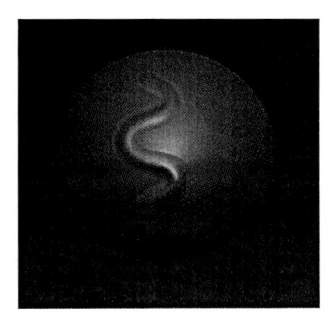

Figura 5.4.1.2

07 – O resultado produzido é uma elevação da superfície de acordo com o toque. Caso se pressione a tecla ALT enquanto se toca a superfície, o efeito contrário é obtido: um aprofundamento. Em modo Zadd ativo, o Brush puxa para fora a superfície tocada. Com a tecla ALT pressionada, o ZBrush trabalha em modo Zsub.

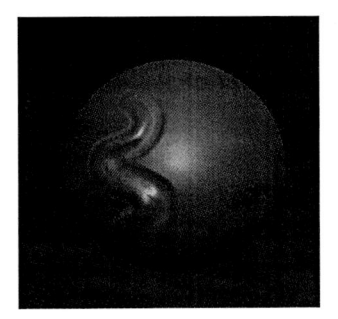

Figura 5.4.1.3

08 – Mude para o pincel Smooth, toque na superfície editada. Perceba que ele suaviza as deformidades causadas pelo outro Brush. Perceba também que seu Z Intesity está em 100. Cada pincel tem suas próprias configurações de uso, guardadas na memória do ZBrush conforme sua última utilização na atual sessão.

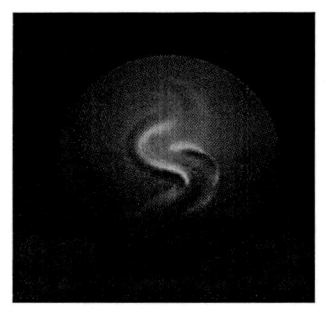

Figura 5.4.1.4

09 – O pincel Smooth é geralmente configurado como o segundo pincel do ZBrush enquanto se editam superfícies (para acessar as configurações do segundo pincel basta pressionar a tecla SHIFT enquanto se toca nas superfícies em edição). É possível também alternar o tamanho do segundo Brush através do comando Alt Brush Siz na paleta Brushes.

10 - O segundo pincel pode ser alterado e definido pressionando a tecla SHIFT e escolher outro Brush do Menu Fly-Out (Inventory Lists).

11 – O campo Z Intesity é muito importante, pois é nele que se define a força de atuação de um pincel em uma superfície. Valores maiores produzem resultados mais evidentes que valores menores. Na Figura 5.4.1.5 isto é ilustrado com Z Intensity variando entre 10, 25, 50 e 100 respectivamente, da esquerda para a direita.

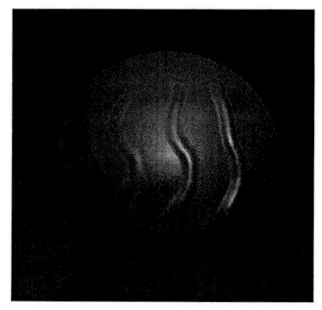

Figura 5.4.1.5

12 – Os campos Focal Shift (tecla de atalho O) e Draw Size (tecla de atalho S) definem as influências deste pincel: um define a área interna de atuação

do pincel e o outro, a área externa de atuação respectivamente, trabalhando entre um e outro e um sistema de gradiente de forças que partem do centro, em direção à borda mais extrema. Na Figura 5.4.1.6 têm-se duas amostras de configurações extremas para estes dois campos. Na esquerda, Focal Shift possui 93 e Draw Size 84. Na direita Focal Shift está com -84 e Draw Size continua com 84.

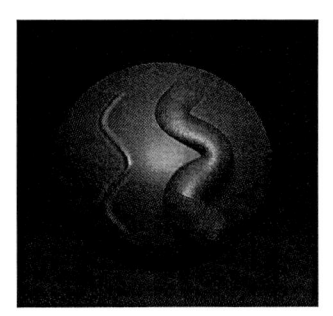

Figura 5.4.1.6

13 – A paleta de Brushes possui ainda alguns controles interessantes como o BrushMode que aplica efeitos ao toque de cada pincel (cada pincel, inclusive, pode ter seus próprios controles).

14 - Na Figura 5.4.1.7 tem-se um objeto com edições feitas com Brush Standard, Focal Shift 0 e Draw Size 68, com BrushMode definido como 0, 25, 50 e 100 respectivamente da esquerda para a direita. Ele configura o pincel a "puxar" a concentração de força para um ponto enquanto a superfície é tocada. Usando valores negativos, o pincel tenderá a expandir a concentração de força para fora, inflando as edições. Após os estudos, deixe este campo com valor 0 (zero).

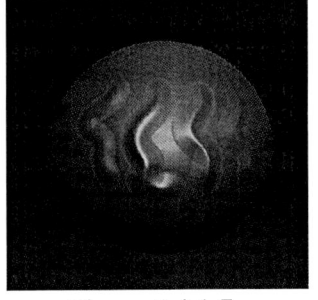

Figura 5.4.1.7

15 – BrushMode é um comando que aplica efeitos às superfícies conforme o toque nelas, para este momento, aconselha-se deixar seu valor em 0 (zero)

16 – O Brush do tipo Move na verdade realiza uma edição que representa a ação de "mover vértices" de acordo com a direção da pincelada. Sua movimentação baseia-se em mover partes de objetos (vértices) por onde seu Draw Size alcança, para direções em planos de visão de duas direções (X e Y) no Canvas.

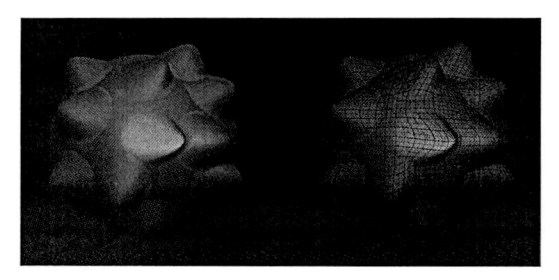

Figura 5.4.1.8

17 – Este pincel habilita o Transpose Handle, o novo sistema de movimentação e posicionamento de objetos que acompanha o ZBrush 3.1, discutido mais adiante neste livro.

Tipos Inflate, Magnify, Blob e Flatten

Estes tipos de pincéis são úteis para refino em modelos, bem como aplicar efeitos e detalhamentos a superfícies, como rugosidades, veias, ou, ainda, aplicar efeitos de "achatamento" a modelos mais retos e não tão orgânicos.

01 – Os tipos de pincéis Inflate, Magnify e Blob podem ser classificados como de mesma ação quando em contato com superfícies. Seus resultados são muito próximos uns dos outros em teoria, mas, na prática, oferecem muitas possibilidades de tratamento orgânico a superfícies (Keller, 2008, p. 149).

02 – Crie uma nova PolySphere, deixe o campo Z Intensity com 25 e mude o pincel para o tipo Inflate. Este pincel atua expandindo os vértices da

superfície tocada em direção às normais apontadas por estes vértices. Aplique algumas pinceladas a esta superfície.

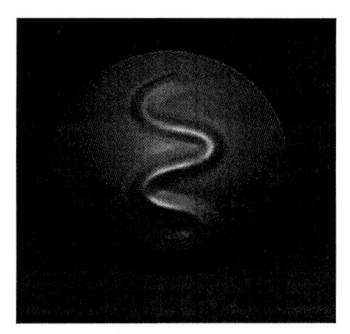

Figura 5.4.1.9

03 – Mude para o pincel do tipo Magnify, crie um nova PolySphere e aplique algumas pinceladas. Perceba que este pincel trabalha empurrando os vértices da superfície tocada, partindo do centro de contato e, ao mesmo tempo, elevando a mesma.

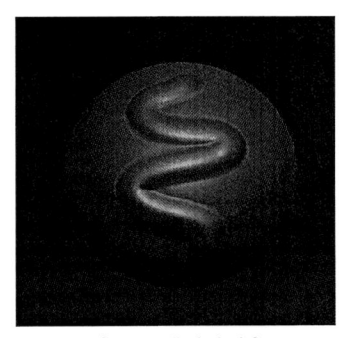

Figura 5.4.1.10

04 – Mude o pincel para o tipo Blob e aplique em uma nova PolySphere. Perceba a diferença entre os outros pincéis experimentados. Este pincel é excelente para edições em superfícies orgânicas como, por exemplo, fungos.

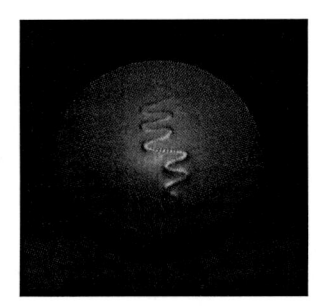

Figura 5.4.1.11

05 – Crie uma nova PolySphere, crie algumas elevações com um Brush do tipo Standard e mude para o tipo Flatten. Perceba que este pincel vai "achatando" as superfícies por onde ele toca, trabalhando como se fosse uma "espátula" polindo superfícies.

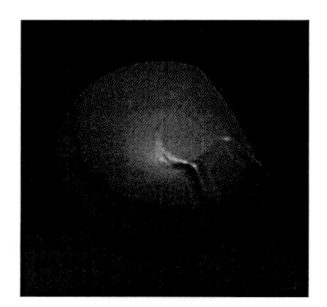

Figura 5.4.1.12

Tipos Clay, ClayTubes, SnakeHook e Rake

Atualmente com a tecnologia disponível no ZBrush é possível trabalhar com densidades de malhas o que nunca antes foi pensado: ninguém poderia, no passado, imaginar que poderiam ser editadas como são hoje. São milhões de polígonos exibidos em tela, sendo trabalhados como se fossem apenas alguns, evidentemente, com um hardware adequado para isto.

Mas isto é possível, como dito, graças à tecnologia implementada no novo ZBrush. Ele disponibiliza recursos para se trabalhar nestas densidades de malhas. Nada adiantaria dispor de hardware adequado sem recurso (ferramenta) para isto.

Os pincéis do tipo Clay, ClayTubes, SnakeHook e Rake e seus derivados Mallet, Slash e Gouge evidenciam a capacidade de edição de malhas densas. Estes tipos de pincéis são desenvolvidos justamente para se trabalhar com contagens poligonais densas, pois seu comportamento é mais natural quando usados nas últimas subdivisões de modelos.

Uma explicação para este comportamento seria o fato de que a origem destes tipos de pincéis reside no fato de basearem seu funcionamento no princípio de pincéis para escultura tradicional, agindo no acabamento destas.

Tipicamente, as formas básicas dos modelos dentro do ZBrush são definidas com pincéis do tipo Standard ou Inflat e finalizados os modelos com acabamentos em pincéis mais específicos como o Rake ou Clay Tubes (SPENCER, 2008, p. 39). Evidentemente, esta ordem de uso não consiste em uma regra, na qual, dependendo do modelo, outros pincéis podem ser usados na fase de formas básicas ou de acabamento.

01 – Crie uma nova PolySphere, aumente a sua subdivisão para o máximo que seu hardware permitir, mude o pincel para o tipo Clay e aplique algumas pinceladas à superfície. Este pincel tem o mesmo princípio de atuação que o tipo Flatten, que aplica efeito de "achatar" superfícies com a diferença de que antes, ele eleva esta a certa altura, para depois aplicar o efeito de "achatamento". Neste pincel, o parâmetro BrushMode controla a altura desta elevação (valores maiores representam elevações maiores).

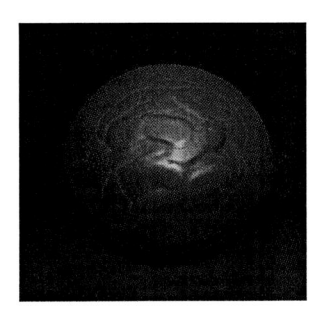

Figura 5.4.1.13

02 – Use outro lado não usado desta PolySphere ou crie outra com a mesma subdivisão. Mude o pincel para o tipo ClayTube. Este pincel aplica o mesmo efeito que o pincel Clay, porém, de acordo com seu Alpha, seu formato é diferenciado.

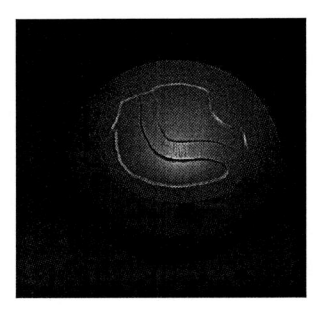

Figura 5.4.1.14

03 – Mude seu pincel para SnakeHook. Este pincel atua puxando partes do objeto em edição no Canvas de acordo com o plano X e Y de visualização. Este pincel é bom para fazer fios grossos de cabelos ou pelos, bem como superfícies salientes que necessitem de direção.

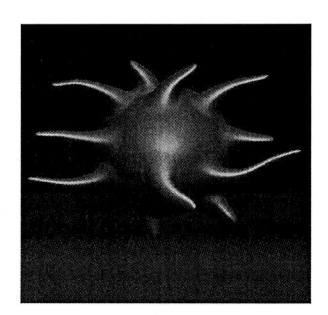

Figura 5.4.1.15

04 – Crie uma nova PolySphere e experimente o pincel Rake. Este tipo de pincel atua de forma semelhante aos processos de escultura tradicional, nas etapas de refinamento, pois ele cria microdetalhes de ranhuras, dando muito mais vida aos modelos.

Figura 5.4.1.16

05 – Desfaça estas últimas edições e mude o pincel para o tipo Mallet. Este pincel aplica um efeito de aprofundamento às superfícies, baseado em mapas de Alpha e tipos de Strokes.

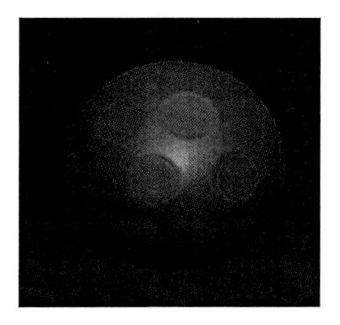

Figura 5.4.1.17

06 – Desfaça estas últimas edições e mude o pincel para o tipo Slash. Este pincel aplica efeitos de deformidade às superfícies, úteis para produzir representações de cortes em objetos. Estes efeitos são baseados em tipos de Strokes e Alphas. Na Figura 5.4.1.18 tem-se a aplicação de pincéis Slash1 e Slash2, respectivamente da esquerda para a direita.

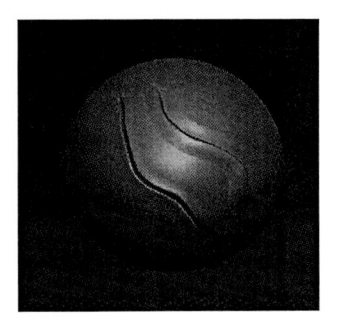

Figura 5.4.1.18

07 – Desfaça estas últimas edições e mude o pincel para o tipo Gouge. Perceba que este é mais um pincel com variação baseado no princípio de pincéis do tipo Clay.

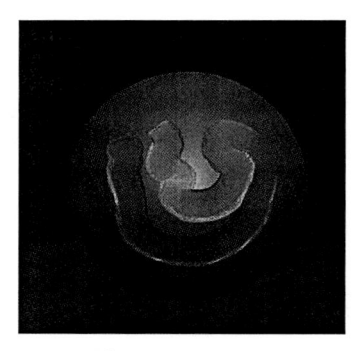

Figura 5.4.1.19

Tipos Pinch, Nudge e Layer

O pincel do tipo Pinch é usado geralmente no tratamento de partes específicas de modelos, como, por exemplo, detalhes de orelhas, dobras de roupas ou vincos em superfícies. Quando seus valores são positivos, a escultura tende a "unir" os vértices por onde a superfície é tocada, com valores negativos tende a "expulsar" os vértices. Usando controles como LazyMouse é possível criar efeitos interessantes nas superfícies. Uma atenção especial é requerida ao uso do pincel Pinch quando se for trabalhar com extração de mapas do tipo Normal Map, pois, com este pincel, move-se efetivamente a malha das superfícies, o que pode acarretar "artefatos" estranhos na geração de mapas. Não se aconselha o uso deste tipo de pincel na confecção de modelos que terão mapas de Normal Map calculados dentro do ZBrush, salvo se os modelos editados forem exportados para softwares 3D específicos na forma de modelos tridimensionais para que lá sejam trabalhados tais mapas.

Já o pincel do tipo Nudge é usado para mover vértices sobre superfícies, o que contrasta com o pincel Standard que trabalha movendo os vértices em um plano cartesiano X,Y do tipo "Screen", sem preocupação com a superfície editada.

Por fim, o tipo Layer de pincel é usado para elevar superfícies a alturas determinadas por seu Z Intensity, que cada vez que passa por uma superfície já editada, ele a eleva mais uma vez, cumulativamente.

01 – Crie uma PolySphere e habilite o pincel Pinch. Aplique algumas edições a este objeto. Perceba a figura a seguir, ela mostra o uso deste pincel para edição de superfícies.

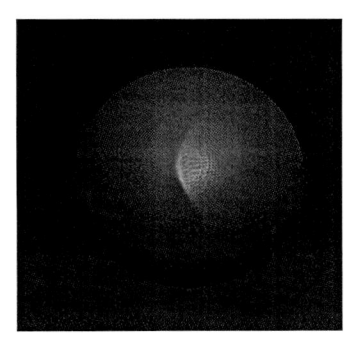

Figura 5.4.1.20

02 – Agora, mude o pincel para o tipo Nudge e perceba a diferença entre um e outro. Na Figura 5.4.1.21 tem-se uma superfície com este pincel e na figura 5.4.1.22, tem-se a mesma superfície, porém em modo wireframe (aramado) para ilustrar seu resultado na malha da superfície.

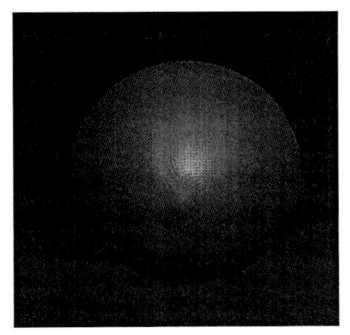

Figura 5.4.1.21

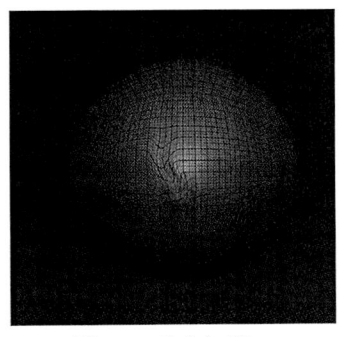

Figura 5.4.1.22

03 – Por fim, na Figura 5.4.1.23 tem-se uma aplicação do pincel Layer sobre uma superfície, onde se pode ver seu resultado cumulativo.

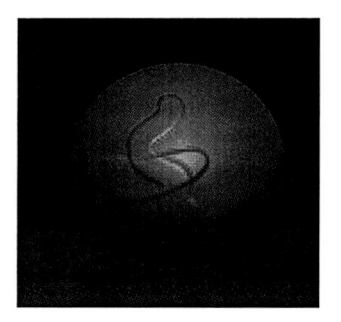

Figura 5.4.1.23

5.4.2 Alpha

Como dito anteriormente, o conceito de mapas de Alpha dentro da terminologia do ZBrush vai além de simples arquivos gravados em tons de cinza para representar superfícies elevadas (tons mais claros) ou superfícies mais aprofundadas (tons mais escuros). Porém, uma reflexão sobre seu conceito e funcionamento é oportuna neste momento.

Estes arquivos que servirão como mapas de Alpha podem ser gravados em padrões de 8, 16 ou 32 bits, sendo que, quanto mais alto o valor em bits, mais informações a respeito do arquivo serão gravadas.

A escala tonal para estes arquivos obedece a tons acinzentados que podem assumir características para mais claro (R255 G255 B255) ou mais escuro (R0 G0 B0). Na Figura 5.4.2.1, tem-se uma amostra de como podem ser os mapas de Alpha criados a partir de programas como o Photoshop.

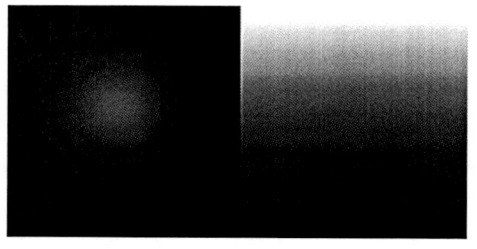

Figura 5.4.2.1

Devidamente atribuído pela paleta Alpha do ZBrush, é possível obter efeitos interessantes com um simples mapa como os mostrados na figura anterior.

Na Figura 5.4.2.2 é mostrada essa aplicação em uma PolySphere com o Stroke em tipo DragRect (explicado posteriormente).

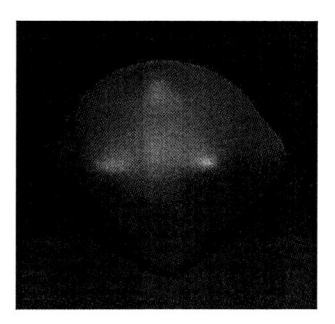

Figura 5.4.2.2

Na Figura 5.4.2.3 é mostrada uma aplicação parecida com a anterior, apenas trocando o mapa para Alpha 11 disponível com a instalação do próprio ZBrush.

Figura 5.4.2.3

Uma variedade gigantesca de possibilidades pode ser atingida quando se trabalha com Alphas, e estes ainda podem ser criados conforme a necessidade do artista. Os mapas de Alpha podem ser carregados pelo programa a qualquer tempo, se recomendado o uso de arquivos que possibilitem armazenamento de informações adequados como os formatos "*.PSD" ou "*.TIFF".

Outras possibilidades acerca de Alphas vislumbram a criação de mapas para Displacement (Deslocamento) os quais, quando criados, são salvos nesta paleta, assim como mapas de Bump (Saliência).

Com o ZBrush, as formas de utilizar os Alphas são listadas desde o uso com os Brushes, definindo seu formato de toque nas superfícies em edição, Stencils, explicados mais adiante neste capítulo. Para edição de superfícies dentro do Plugin Projection Master ou ainda para mascarar efeitos paramétricos de deformidade. Evidentemente, na paleta de Alpha encontram-se controles específicos para este tipo de arquivo os quais conferem efeitos e ajustes nestes conforme a necessidade do artista.

Aphas permitem um incrível aceleramento no processo de modelagem de superfícies complexas como escamas ou ranhuras ou rugosidades de peles. Justamente porque trabalha editando-as conforme as informações contidas em cada arquivo de Alpha, juntamente com suas configurações de ajustes no Menu Fly-Out Alpha. Permitir ajustes nas formas dos pincéis é o que torna possível uma edição tão apurada.

Experimente trocar os mapas de Alpha e veja os resultados que estes reproduzem nas superfícies em edição. Sua força de ação está ligada aos parâmetros de Z Intensity.

5.4.3 Stroke

Uma vez que se tenha entendido o que significa Alphas dentro da terminologia do ZBrush, pode-se, então, compreender o que são Strokes e para que servem.

Localizados na paleta Strokes ("golpe", segundo o Dicionário Michaelis) podem ser entendidos como as formas de toque, movimento e ações com o cursor enquanto interagem nas superfícies em edição, dentro da terminologia do ZBrush. Cada método de Stroke tem uma finalidade e uma aplicação específica. Eles subdividem-se em Escultura (3D and 2.5D Sculpting and Poly Painting Strokes), Pintura e Texturização (2.5D Painting and Texturing Strokes).

Efeitos para a escultura

Por exemplo, habilite o Stroke do tipo Dots e use o Alpha 11. Crie uma PolySphere, criando algumas edições na superfície deste objeto, deixe o Z Intensity em 40 ou 50. Para a exemplificação destes recursos do ZBrush tem se utilizado uma mesa digitalizadora Wacon Graphire 5' x 4'.

O tipo de Stroke Dots atua criando, na superfície em edição, desenhos do mapa de Alpha selecionado com diâmetro definido por Draw Size, conforme o contato com esta superfície mantido de forma ininterrupta. A velocidade de ação do cursor na superfície determina o espaço entre a criação das réplicas do mapa de Alpha usado.

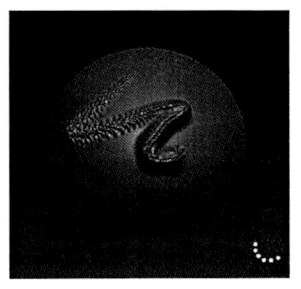

Figura 5.4.3.1

Já o tipo DragRect atua conforme um toque por vez nas superfícies em edição, onde o primeiro toque define onde será a edição, a seguir é criada a figura do mapa de Alpha nas superfícies podendo ainda ser girada ou redimensionada. Um terceiro toque termina a ação.

Figura 5.4.3.2

O tipo Freehand realiza desenhos do mapa de Alpha escolhido, com intervalos de espaço equivalente, independentes da velocidade de edição do cursor sobre a superfície. Dependendo do hardware, o ZBrush assume o controle do espaçamento entre réplicas do Alpha conforme a velocidade de movimentação sobre a superfície.

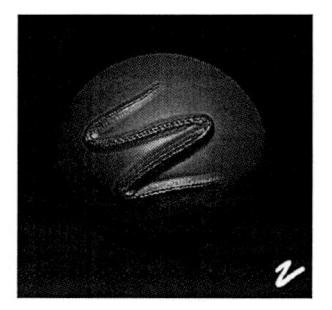

Figura 5.4.3.3

O tipo Spray aplica efeitos randômicos a cada toque na superfície editada com o Alpha atualmente selecionado.

Figura 5.4.3.4

O tipo Color Spray é semelhante ao tipo Spray, porém aplica também variações de cor enquanto este for utilizado para pintura ou confecção de texturas.

Figura 5.4.3.5

O tipo DragDot cria instâncias deste mapa de Apha baseado nas configurações de Z Intensity e Draw Size previamente ajustados.

Figura 5.4.3.6

Efeitos para a Modelagem, Pintura e Texturização

Para ver os efeitos na Pintura e Texturização, acesse o Plugin Projection Master, habilitando apenas informações de "Cor" ou "Textura". Para ver os efeitos na Modelagem, acesse o Plugin Projection Master, habilitando apenas informações de "Deformidade", mude o tipo de mapa de Alpha para o 01 e utilize os seguintes Strokes:

O tipo Line cria linhas retas, ideais para se trabalhar com superfícies inorgânicas.

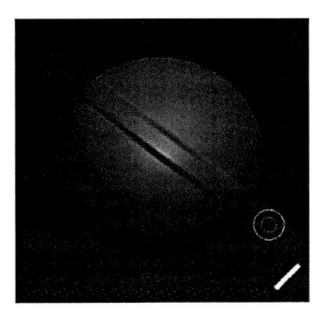

Figura 5.4.3.7

O tipo Linell cria linhas retas como o tipo Line, porém, quanto mais espaçado, maiores serão os valores das réplicas do mapa de Alpha utilizado.

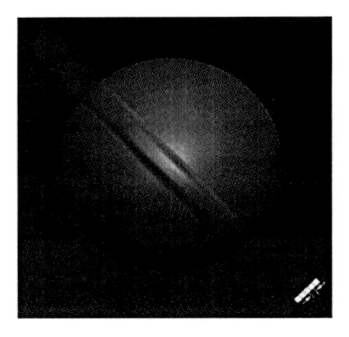

Figura 5.4.3.8

Já o tipo Conic irá determinar um ponto de direção dos objetos, onde o movimento de desenho pelo mouse ou caneta ótica terá tamanho determinado pelo parâmetro Draw Size.

O tipo PlanarDots cria elevações na superfície de acordo com os valores de Z Intensity e Draw Size.

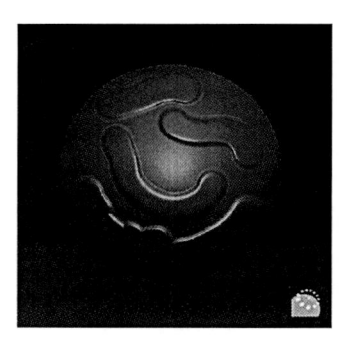

Figura 5.4.3.9

Tipo Line90 e Ray90 criam, respectivamente, linhas perpendiculares à superfície em edição.

O tipo Radial cria múltiplas cópias do Alpha selecionado e cria formas radiais a partir deste mapa e suas configurações predefinidas em Z Intensiy e Draw Size.

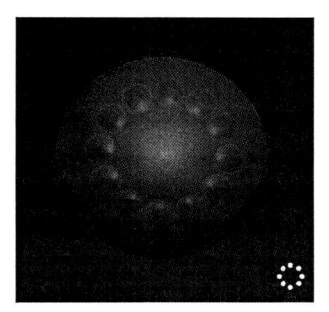

Figura 5.4.3.10

Tipo Grid cria múltiplas cópias do Alpha selecionado e cria formas dispostas em "grades" a partir deste mapa e suas configurações predefinidas em Z Intensiy e Draw Size.

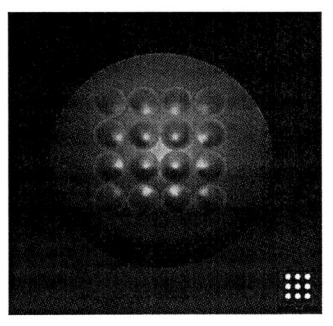

Figura 5.4.3.11

Tipo RotateDot cria elevações nas superfícies baseado na visão do Canvas, sendo deformadas posteriormente de acordo com as superfícies.

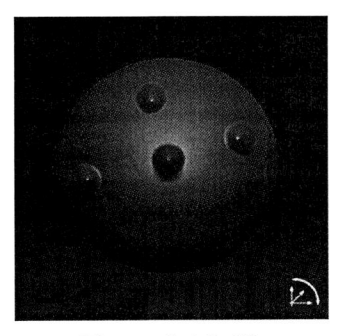

Figura 5.4.3.12

Algo interessante a se notar é que, quando se editam superfícies muito densas, os Strokes acabam por não fornecerem o devido retorno tal como se espera (tempo de resposta entre um toque e outro). É implementado, para sanar isto, um recurso que ajuda na edição de superfícies carregadas de detalhes: LazyMouse.

Quando o recurso de LazyMouse é ativado, uma linha vermelha surge rastreando o cursor, e, ao final desta linha, é que o efeito é aplicado à superfície em edição efetivamente.

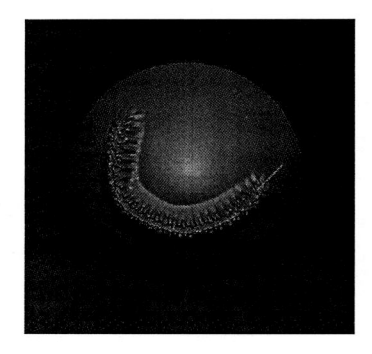

Figura 5.4.3.13

Na figura tem-se uma amostra do que acontece ao habilitar este recurso.

Para usá-lo, vá ao menu Stroke e habilite o botão LazyMouse. Pode-se ter, ainda, os seguinte controles:

LazyRadius determina a conexão do cursor com o ponto de contato na superfície (valores mais altos, maior precisão).

LazyStep aplica discretos saltos ao toque de superfícies.

LazySmooth faz com que LazyMouse tenha um efeito mais forte ou fraco.

Para desabilitar este recurso, basta clicar novamente no mesmo botão LazyMouse no menu Stroke.

5.4.4 Stencil

Stencil é uma variante da técnica de aplicação de detalhes por meio de mapas de Alpha. Este procedimento faz uso de mapas fixos no Canvas, sendo definidas as geometrias baseado no que o Canvas exibe. Na técnica de aplicação por meio de Brushes, estes mapas ainda podem ser modificados enquanto são aplicados às superfícies.

Para usar este recurso proceda da seguinte maneira:

01 – Crie um objeto PolyShpere, subdividindo o máximo possível;

02 – Defina um tipo de mapa de Alpha (neste caso, Alpha 11);

03 – No Menu Alpha (atenção para este recurso, pois se encontra disponível no menu Principal, não no menu Fly-Out), ative a opção Make St para habilitar a edição com Stencil;

Figura 5.4.4.1

04 – A seguir, o Canvas ficará esbranquiçado, com o mapa de Alpha selecionado sendo exibido à frente do objeto que será editado;

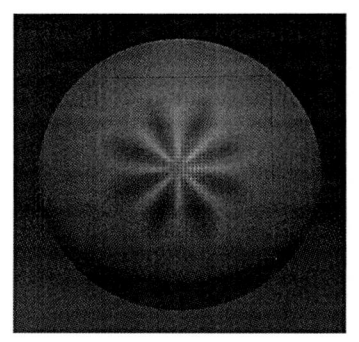

Figura 5.4.4.2

05 – Para aplicar deformidade basta ir editando (tocando) a figura na seção onde se encontra o mapa de Alpha;

Figura 5.4.4.3

06 – Para ir editando outras partes do objeto, basta ir movendo este objeto, redimensionando ou rotacionando, editando conforme a necessidade;

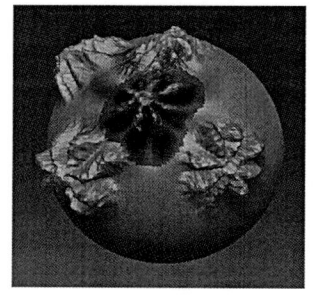

Figura 5.4.4.4

07 – Uma vez finalizada todas as edições, vá ao menu Stencil e desabilite o botão Stencil On para sair do modo Stencil. Outras opções encontram-se disponíveis neste menu, uma pausa para analisar os recursos disponíveis é oportuna;

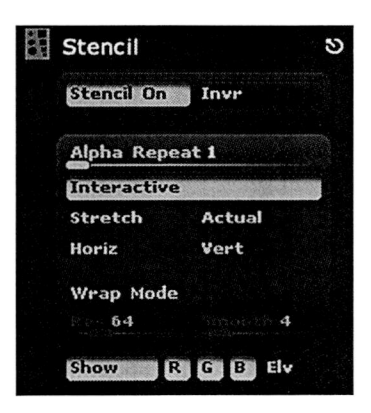

Figura 5.4.4.5

08 – Além de mover, escalar ou redirecionar o objeto, também é possível fazer isto com o mapa de Alpha usado na aplicação dos Stencils;

09 – Em modo de edição Stencil, pressione e mantenha pressionada a tecla SPACE no teclado, surgindo o Coin Controler;

Figura 5.4.4.6

10 – Para editar os mapas usando o Coin Controler, mantenha sempre pressionado a tecla SPACE no teclado, deixando-o sempre visível na tela. O

botão da parte superior deste Controler, chamado de MOV/ROT é usado para mover e rotacionar o mapa de Alpha ao longo do objeto em edição. O botão da direita SCL é usado para redimensionar o mapa proporcionalmente, junto a ele, encontram-se os botões H e V, que respectivamente redimensionam o mapa na horizontal e vertical. ROT gira o mapa de Alpha ao longo do objeto, Z e S definem pontos de rotação. A opção inferior chamada MOV permite movimentar o mapa livremente.

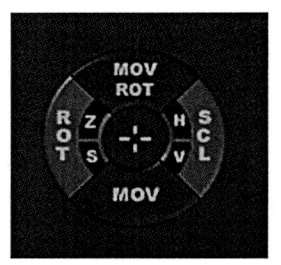

Figura 5.4.4.7

5.4.5 Brushes, Alphas, Strokes e Stencils

Brushes, Alphas, Strokes e Stencils, quando vistos individualmente, não parecem fornecer informações na medida suficiente para deixar claro o quanto estas tecnologias dão liberdade ao artista que executa seu trabalho com ZBrush. Porém, quando trabalhados em apoio um com outros, são capazes de oferecer uma liberdade incrível de criação para o artista. Poucos pacotes de edição de superfícies 3D, estariam disponíveis hoje no mercado que fornecessem tal liberdade.

Trabalhar com Brushes (pincéis) confere uma capacidade única a este software que é relacionado diretamente às técnicas tradicionais de expressão da arte milenar conhecida como "escultura".

Tradicionalmente, as técnicas de escultura consistiam em representar imagens plásticas em relevo a partir de superfícies brutas, sendo os principais materiais utilizados o bronze, mármore, argila, cera ou madeira. Eram representadas diversas figuras, e objetos, embora, na Antiguidade, predominantemente, era trabalhada a figura do corpo humano. As figuras a seguir ilustram esculturas feitas com materiais distintos (imagens cedidas por Paula Ramos).

Figura 5.4.5.1

Figura 5.4.5.2

Como ferramentas para a escultura tradicional, encontram-se as de retirar e adicionar massa, de refino de massa e diversas outras ferramentas.

Assim como os artistas tradicionais tinham e têm seu aparato de ferramentas necessárias à construção de seus modelos, os artistas digitais também dispõem de ferramentas para execução de seu trabalho. Estas ferramentas "modernas" são traduzidas como as encontradas nos principais programas de edição de malhas 3D como o ZBrush.

Hoje, dentre as diversas ferramentas que o ZBrush oferece, os Brushes, Alphas, Strokes e Stencils certamente correspondem àquelas usadas com maior frequência na produção de modelos complexos, sendo variadas as técnicas de uso e aplicação. Saber usar estes recursos, aliado a técnicas de produção artística, certamente permitiram ao artista produzir muito do que ele produz de forma tradicional, com ferramentas tradicionais. Vive-se em um período da modernidade em que o profissional precisa aliar tempo e qualidade, devendo muitas vezes descobrir meios de produzir seu trabalho da melhor forma possível, ainda que atendendo uma demanda de mercado que preze não apenas pela qualidade impecável, mas também, e igualmente importante, pelo tempo de produção reduzido.

5.5 Como definir o modelo básico

5.5.1 Modelo no 3ds Max

A seguir, serão apresentadas as técnicas de produção de escultura digital com o ZBrush, a partir de uma malha básica (Base Mesh), produzida a partir do 3ds Max, sendo que poderia ter sido feita a partir de qualquer software 3d, com suporte para o formato de exportação do tipo"*.obj".

Esta é apenas uma dentre as possibilidades de desenvolvimento deste estudo, podendo ter sido iniciado com as próprias ZSpheres do ZBrush. A escolha da técnica apresentada agora se deve ao fato apenas de exercitar outra possibilidade também viável, como uma pré-produção de uma malha básica.

Escolhe-se então um personagem que, apesar de sua complexidade, ainda assim é simples o bastante para exercitar tudo que foi visto até o momento neste livro. Em outras oportunidades, serão exercitados outros recursos.

A Figura 5.5.1.1 mostra o Model Sheet da personagem "Bull Monster", objeto de estudo nos próximos exercícios.

Figura 5.5.1.1

Tem-se sua forma frontal e lateral, informações suficientes para se gerar um modelo básico, o qual todo o processo de sua construção, do ajuste de Model Sheet, ao seu mapeamento e exportação pode ser conferido nos arquivos que acompanham este livro. Como o foco é ZBrush, não se explicará aqui todo o detalhamento deste personagem no 3ds Max.

5.5.2 Ajuste de Model Sheet

Para ajustar corretamente a figura de referência para o Model Sheet, siga os passos do vídeo incluso no material que acompanha este livro. O resultado final é o que a Figura 5.5.2.1 mostra.

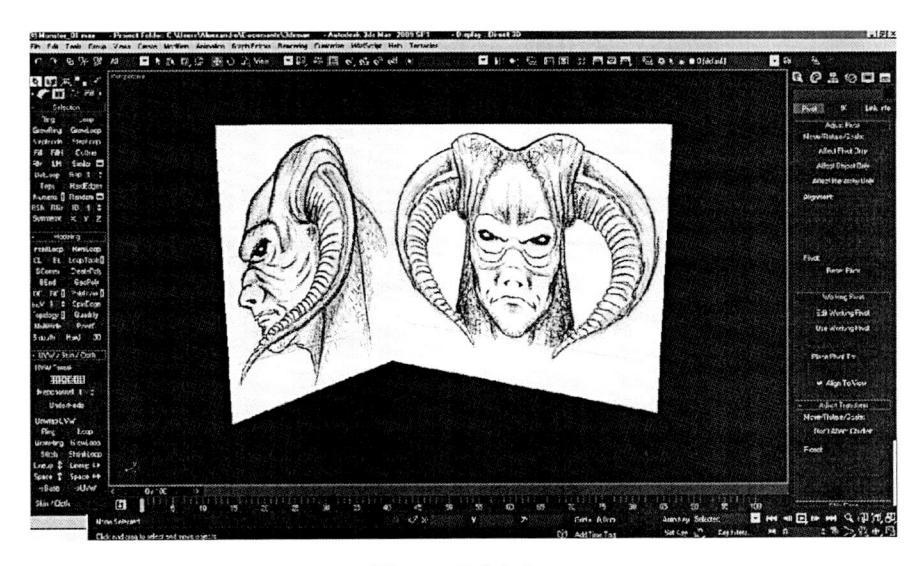

Figura 5.5.2.1

5.5.3 Como definir os volumes

Nesta etapa, definem-se os volumes em malha necessários para a confecção do modelo em 3D, que será exportado para o ZBrush. Da mesma forma, veja os vídeos inclusos no material que acompanha este livro para ter uma idéia de como produzir um modelo básico.

O resultado final se o que a Figura 5.5.3.1 mostra.

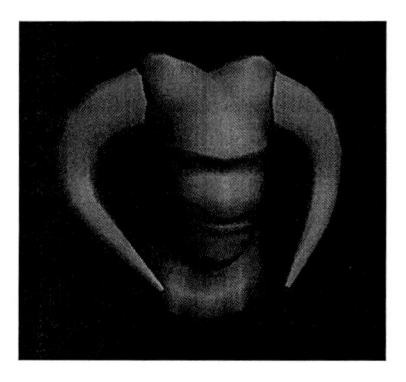

Figura 5.5.3.1

5.5.4 Como definir o mapeamento

A etapa de mapeamento neste procedimento acaba por não se tornar algo que implique mudanças nos resultados depois de esculpido o modelo, porém caso deseje produzir alguma textura para ele, já leve devidamente mapeado ao ZBrush. Inclusive, pode-se trabalhar o modelo sem estar com o Layout UV definindo e, posteriormente, defini-lo.

Para este exemplo, prefira já levar o modelo devidamente mapeado.

Figura 5.5.4.1

5.5.5 Como exportar o modelo básico

Na etapa de exportação, alguns cuidados devem ser tomados para que haja a perfeita integração entre ferramentas (3ds Max e ZBrush neste caso).

Um desses cuidados deve ser no tipo de malha que é enviada ao ZBrush: prefira sempre enviar objetos com malhas poligonais quadradas ou triângulos (ou seja, polígonos de quatro ou três lados). Qualquer polígono com cinco ou mais lados pode ser interpretado de forma inadequada pelo programa, gerando o que se costuma chamar de "artefatos", que nada mais são do que defeitos na malha durante a suavização.

A Figura 5.5.5.1 mostra duas situações: uma adequada, outra inadequada (adequada, pois se trata de um polígono com quatro lados e outra inadequada, pois se trata do caso de polígono com mais de quatro lados).

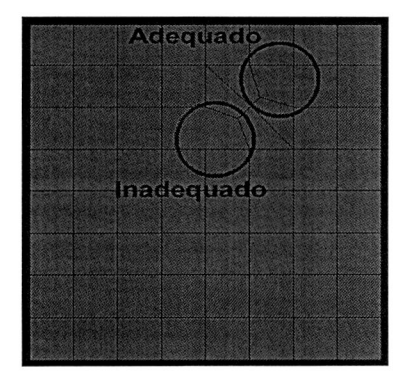

Figura 5.5.5.1

Outro ponto importante é o tratamento de "homogeneização" no tamanho dos polígonos que formam o modelo: quanto mais forem proporcionais com relação uns aos outros, melhor desempenho é obtido dentro do ZBrush.

Na Figura 5.5.5.2 é apresentada uma área editada no modelo "Monstro", para ilustrar uma região com polígonos desproporcionais, o que poderia dificultar a escultura posterior.

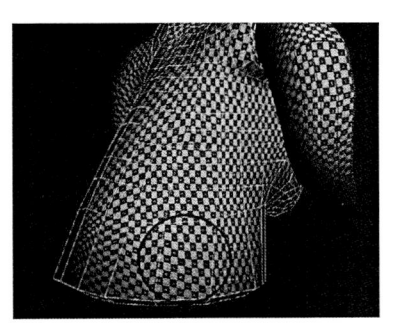

Figura 5.5.5.2

Uma terceira atenção ainda deve ser dada ao mapeamento dentro do

ZBrush: clusters não devem estar sobrepostos. Clusters são as áreas em que se tem a superfície 3D exposta sob a forma de gabarito UV, devidamente organizada.

Portanto, uma verificação antes de exportar é o ideal para se ter a certeza de que não existe nada se sobrepondo. Para tanto, dentro da janela de edição do modificador Unwrap UVW, acesse o menu Select, opção Select Overlapped Faces. Havendo qualquer vértice ou face se sobrepondo, ele acusará, facilitando a procura e ajuste por este tipo de erro.

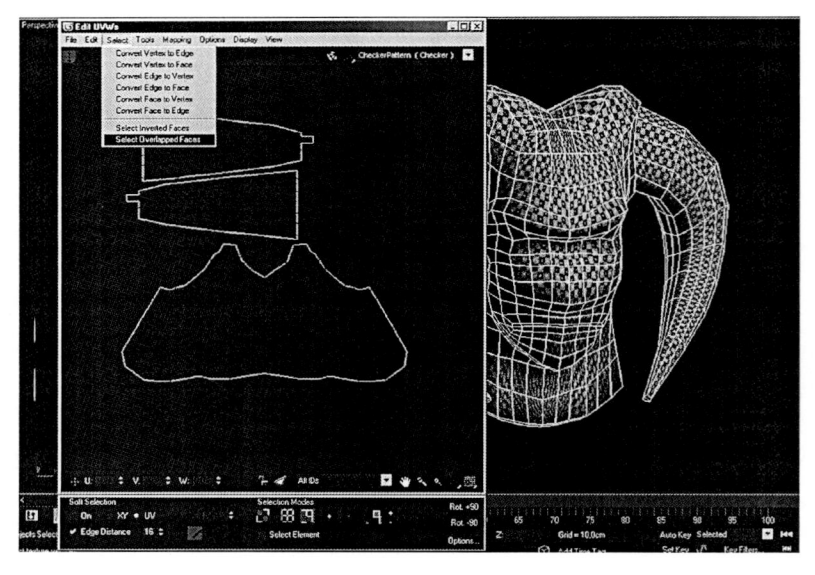

Figura 5.5.5.3

Para realizar a exportação com sucesso, siga os passos do vídeo que está disponível com o material que acompanha este livro.

Selecione o modelo, vá ao Menu File e use Export Selected, escolhendo como tipo de arquivo o "*.obj".

5.6 ZBrush: importar o modelo básico

O processo de importação de modelos dentro do ZBrush se dá através dos formatos "*.obj" (geralmente o mais usado) ou "*.dxf". No caso do exemplo a seguir, será importado um modelo em formato "*.obj" e detalhado em etapas.

O processo ilustrado a seguir consta no material de mesmo nome deste capitulo que acompanha este livro, onde é mostrado todo o processo no tempo entre 00h00min00s até 00h01min50s.

Para importar um modelo e ajustá-lo no Canvas siga as seguintes etapas:

01 – Na interface do ZBrush, acesse a caixa de diálogo de importação de objetos através do botão Import na Right Tray.

Figura 5.6.1

02 – Surgirá a caixa de diálogo para importação, a qual deve se achar o arquivo em formato "*.obj" desejado para ser importado, neste caso, procure o arquivo "Monster_Body.obj" disponível no material que acompanha este livro.

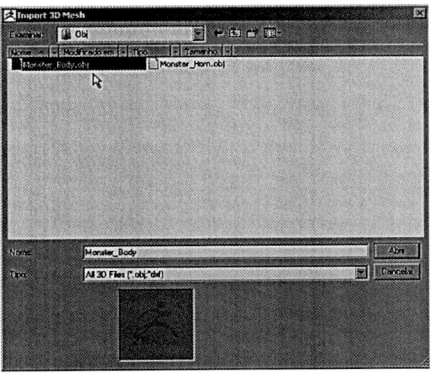

Figura 5.6.2

03 – Isto fará com que seja possível importar para dentro do ZBrush o referido arquivo e sua posterior edição.

04 – Clique com o cursor (o mais indicado seria o uso de uma caneta ótica neste processo) no centro do Canvas, mantenha pressionado e o arraste para baixo, desenhando o modelo no Canvas do ZBrush.

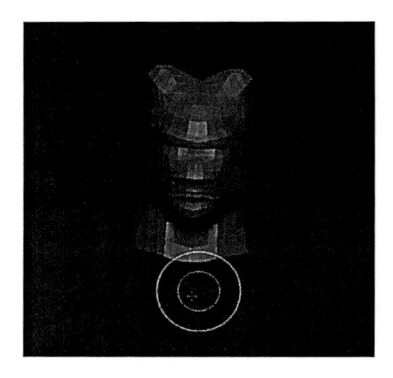

Figura 5.6.3

05 – Toque no Canvas, em uma área onde não toque no modelo, pressione o cursor, movimentando-o. Perceba que o modelo gira em seu próprio eixo de rotação, desta forma pode-se observar de diferentes ângulos e perspectivas, no intuito de corrigir, refinar ou melhorar alguma parte do modelo em edição.

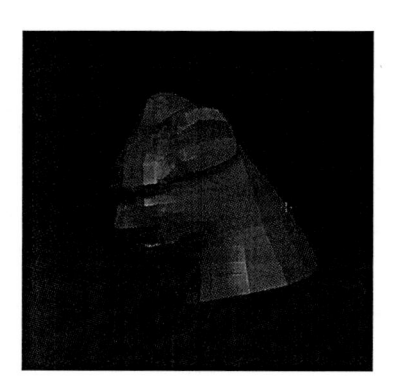

Figura 5.6.4

06 – Às vezes é preciso aproximar o modelo (deixar ele maior para poder ver ou editar melhor determinadas partes), por isto, pode-se aumentar o "zoom" do Canvas ou aplicar um efeito de redimensionamento do modelo. Independente de ter sido ou não redimensionado, sua exportação fará com que tenha o mesmo tamanho de quando foi importado para dentro do ZBrush (evidentemente, desde que o usuário não modifique sua proporção de forma manual através das ferramentas de edição).

07 – Para aumentar ou reduzir a escala do objeto em edição como um todo, pressione a tecla ALT, clique em uma área do Canvas a qual não toque no objeto em edição, libere a tecla ALT e movimente o cursor para baixo ou para cima. Isto fará com que o modelo modifique seu tamanho relativo.

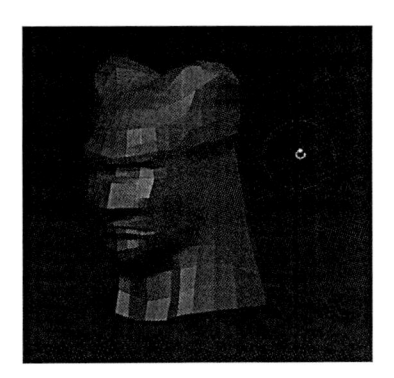

Figura 5.6.5

08 – É o momento de salvar este objeto como uma Tool para que se possa editá-lo em outro momento caso seja necessário. Isto é feito sempre salvando os objetos como uma Tool que pode ser usada mais de uma vez. Salva-se, para isto, o objeto com formato nativo do ZBrush, "*.ztl".

09 – Clique no ícone do objeto editado, disponível na Right Tray (A) ou acesse diretamente através do botão Save As. Abrirá a caixa de salvamento (B), escolha o nome de "Monster_Body.ztl", salvando-o.

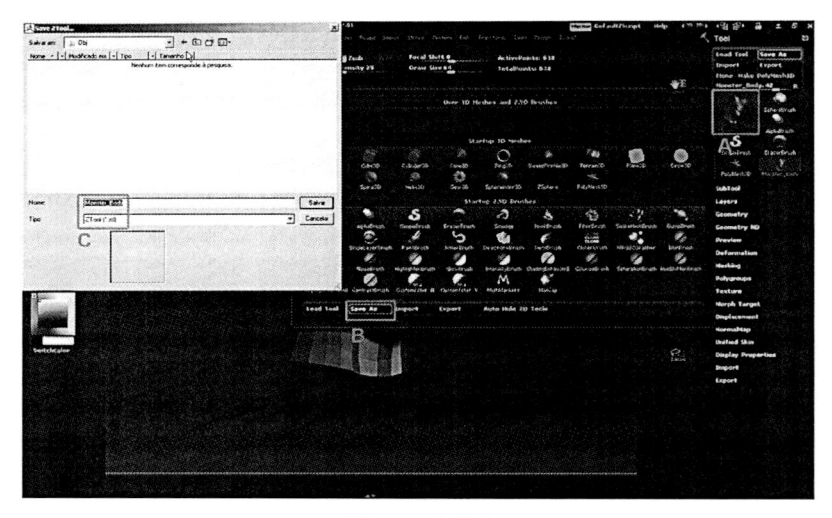

Figura 5.6.6

10 – Como o modelo possui duas partes (corpo e chifres), o melhor seria ter estes dois elementos separados em dois objetos editáveis. Evidentemente, se estivessem unidos em um único objeto não seria problema, mas, a separação favorece a sua edição posteriormente.

11 – Para se ter mais de um objeto com várias partes separadas, é preciso salvar cada uma como uma Tool, portanto importe o objeto "Monster_Horn.obj". Ele irá substituir o objeto que estava sendo editado anteriormente. Não se preocupe, o objeto não foi perdido, ele ainda consta na paleta de modelos User 3D Meshes and 2.5D Brushes, podendo ser acionado a qualquer momento.

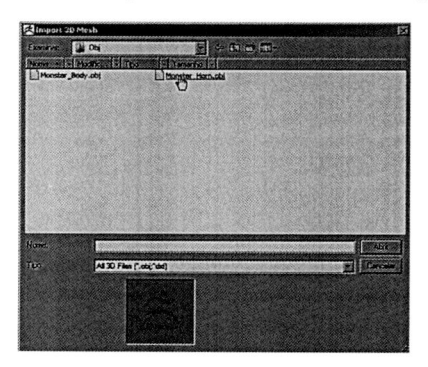

Figura 5.6.7

Trabalho em 3D (escultura digital básica) | 215

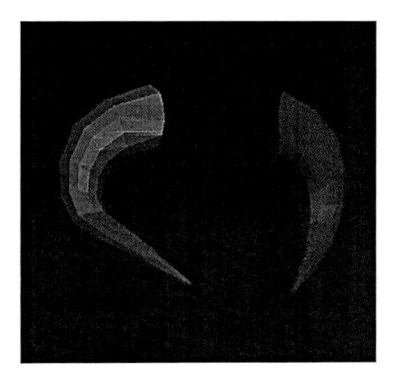

Figura 5.6.8

12 – Como feito antes, salve este objeto como uma Tool (nomeie como "Monster_Horn.ztl").

13 – Limpe o Canvas do ZBrush acessando o menu Preferences – opção Init ZBrush, marcando Sim na caixa de diálogo que se abre a seguir (esta caixa informa ao usuário que todas as configurações, materiais ou luzes serão perdidos). Neste caso isto não será um problema visto que não foi configurado nada especificamente.

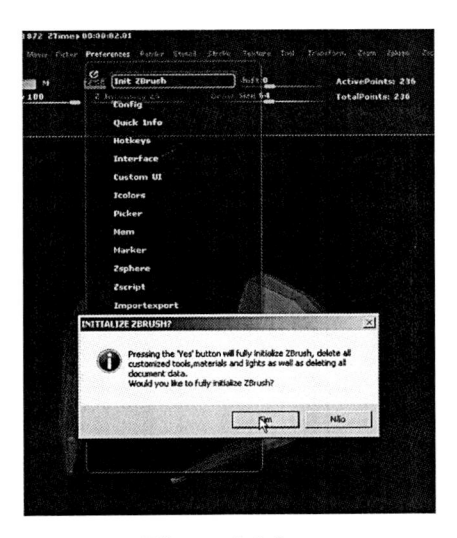

Figura 5.6.9

14 – Uma vez que se tenha a interface limpa, pode-se fazer os ajustes necessários. Para este projeto está-se utilizando um ZScript criado pelo autor do livro, como forma de agilizar a configuração de interface de trabalho.

15 – No menu Macro acesse o ZScript ConfigLayout.

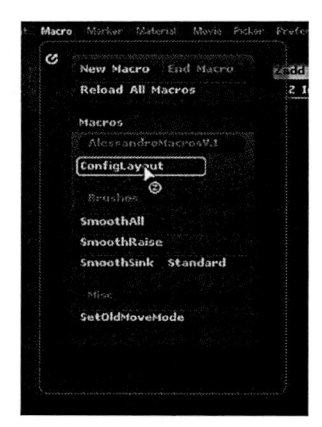

Figura 5.6.10

16 – Isto fará com a interface se ajuste conforme o ZScript.

Figura 5.6.11

17 – A partir de agora o ZBrush está pronto para receber os objetos que serão editados ("Monster_Body.ztl" e "Monster_Horn.ztl").

5.7 Definir e criar SubTools

O trabalho ilustrado neste livro procura ser o mais didático possível, dividindo as etapas em pequenos blocos de textos, ilustrados com imagens correspondentes ao processo, além de ter como apoio os vídeos de exemplo que são fornecidos com o livro. Neste momento, o conteúdo desta etapa foi extraído da continuação do vídeo anterior, pois as etapas se mesclam de tal forma que muitas vezes não se tem claro onde começa uma e termina outra. Didaticamente, separar as etapas favorece a compreensão do leitor e usuário de ferramentas digitais.

O processo ilustrado a seguir consta no material que acompanha este livro, com o mesmo nome deste capítulo para fácil localização, onde é mostrado todo o processo no tempo entre 00h01min50s até 00h02min58s.

Nesta etapa, criam-se as SubTools que irão compor o objeto a ser editado. Pode-se atribuir quantas partes forem necessárias (aconselha-se o uso comedido, em função da performance de hardware cair com superfícies muito densas).

Para iniciar o processo carregue o corpo do personagem a ser editado através do botão Load Tool localizado na parte superior da paleta Tool. Busque o local onde foi salvo este. Repita o processo para os chifres do personagem. Ao realizar este processo note que habilitando uma parte ou outra, somente a atual é exibida no Canvas. Isto está correto, pois o ZBrush irá exibir somente a Tool atualmente em edição. Para se ter mais de uma parte editável e selecionável no Canvas, deve-se criar as SubTools.

01 – Com as partes carregadas na paleta Tool, as quais irão compor o objeto a ser editado, expanda a Subpalette SubTool. Perceba que somente um objeto é exibido de cada vez no Canvas e listado na SubTools. Deve-se "incluir" nesta lista as partes que irão compor o objeto a ser editado.

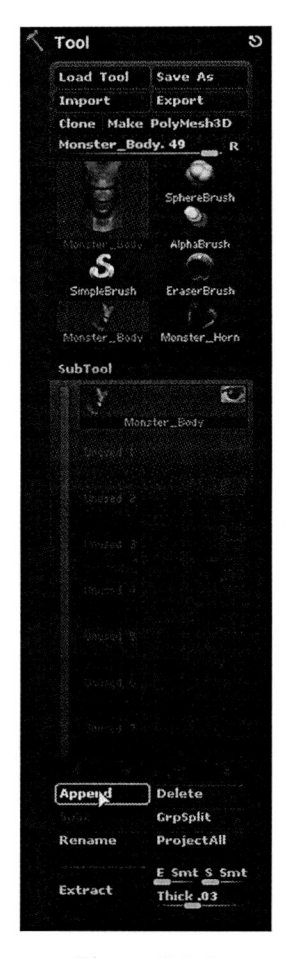

Figura 5.7.1

02 – Para compor as partes, faça uso do botão Append disponível em SubTool. Será aberto o Menu Fly-Out de objetos, busque pelas partes que deseja adicionar (neste caso, Monster_Horn.ztl").

03 – Veja que agora aparecem listados na SubTool os objetos "Monster_Body" e "Monster_Horn" e no Canvas ocorre o mesmo.

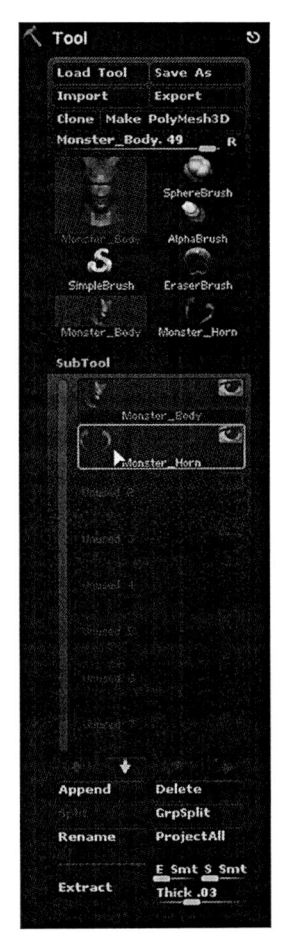

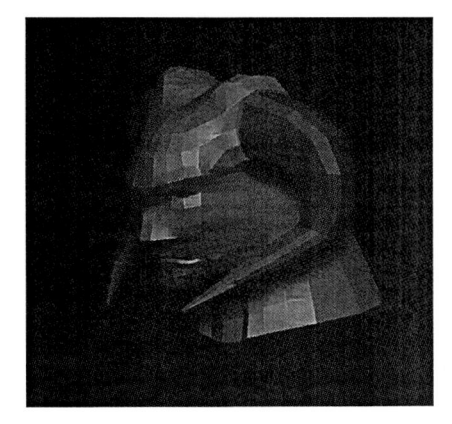

Figura 5.7.3

Figura 5.7.2

04 – Perceba que o objeto pertencente à camada de SubTool selecionada torna-se destaque no Canvas por meio de cor mais clara que as demais partes. Isto é indicativo de qual parte se pode editar atualmente. Trocando-se uma camada por outra, esta seleção no Canvas muda.

05 – É possível também apenas "ligar" ou "desligar" cada camada clicando no Icon Eye ("Ícone de Olho") de cada uma.

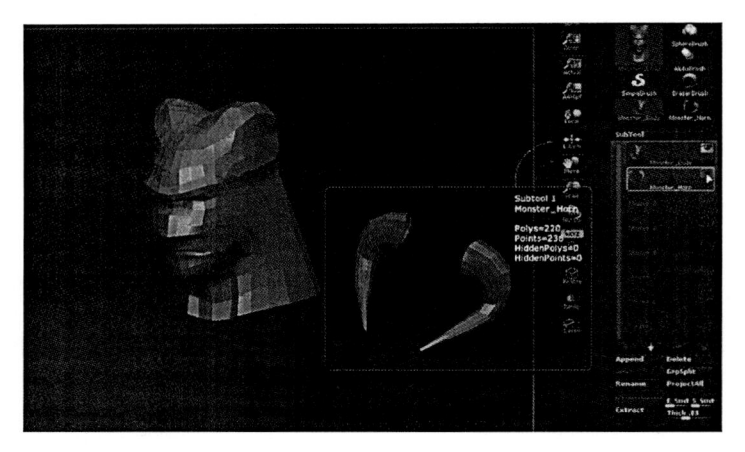

Figura 5.7.4

06 – É muito importante esta Subpalette (SubTool) não ser confundida com a Subpalette 3D Layers da paleta Tool do ZBrush. A Subpalette 3D Layers serve para guardar informações de edições em superfícies, e, exatamente por este motivo, aconselha-se seu uso apenas na última subdivisão dos modelos. Já a Subpalette SubTool serve para criar partes independentes umas das outras, mas unidas para compor um todo, como, por exemplo, personagens altamente complexos.

07 – Uma vez que todas as partes estejam devidamente ajustadas, é o momento de salvar como uma Tool para posterior edição se for necessário mais de uma sessão de escultura. Vá ao botão Save As na paleta Tool e salve como nome de "Monster_01.ztl". Feito isto, o arquivo poderá ser aberto e editado em outra oportunidade, bastando carregá-lo pelo botão Load Tool.

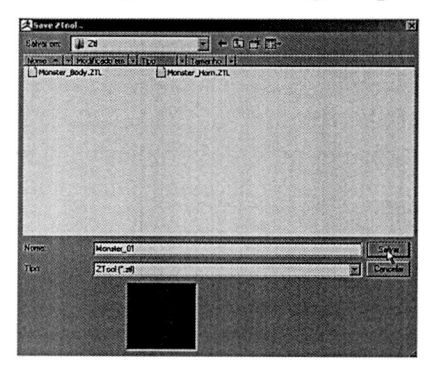

Figura 5.7.5

08 – A próxima etapa é a de blocagem de formas no modelo, em sua subdivisão mínima.

5.8 Como blocar as formas básicas

Nesta etapa é natural que se deseje ainda dar algum refino no modelo antes de iniciar sua edição, pois nada mais intuitivo do que pegar a malha e editá-la à vontade, livre da edição de vértices e "subobjetos", assim como vistas isométricas. Muitas vantagens o ZBrush oferece neste ponto, pois pode-se ter uma agilidade muito grande para se determinar que partes precisam de mais ou menos ajustes.

O processo ilustrado a seguir consta no material de mesmo nome deste capítulo, que acompanha este livro. Nele são mostrados alguns processos de blocagem inicial de um modelo.

Neste ponto é ideal se fazer qualquer acerto que os modelos venham a precisar, decorrentes de qualquer má interpretação por parte do artista na etapa de pesquisa e estudo de criação do mesmo. Antes, alguns ajustes no arquivo para dar prosseguimento.

Seria uma ótima ideia manter em mente a premissa de trabalhar sempre do "geral para o específico", bem como "trabalhar a partir de grandes partes para pequenos detalhes" (SPENCER, 2008, p. 30). Isto favorece a blocagem inicial dos personagens, pois se tem a preocupação focada nas proporções do modelo, não nos detalhes.

Durante toda a etapa de produção do modelo dentro do ZBrush, sempre procure ter em mente que este deve possuir Gesto, Forma e Proporção (SPENCER, 2008, p. 2). Deve possuir Gesto porque toda figura, para ser interessante, deve possuir movimento em sua forma, e isto é dado pelas curvas que constituem seu corpo. Deve possuir uma Forma que a faça ser facilmente identificada e reconhecida. Deve possuir também uma Proporção condizente com a qual a figura se propõe a ter ou ser, pois é a relação de tamanhos entre suas partes e o meio a qual será inserida que isto será evidenciado.

01 – Carregue o ZScript "ConfigLayout" oferecido com o material que acompanha este livro.

02 – Selecione uma camada de cada vez na paleta Tool, vá até a Subpalette Morph Target e clique na opção StoreMT. Durante as edições do modelo, é inevitável que ele vá se deformando e assumindo novas formas, mesmo que sutis. Esta opção força o modelo a retornar ao estado de origem (início das

edições), forçando-o a não mudar sua pose ou estrutura na exportação final. Para realizar a troca, basta clicar em Switch. De forma resumida, após ter o objeto no Canvas, habilita-se o StoreMT, edita-se o modelo à vontade e, se houver necessidade, por meio do botão Switch, força-se a troca para seu estado de início. Na figura a seguir vê-se a ação feita para o primeiro objeto. Repita para o outro também.

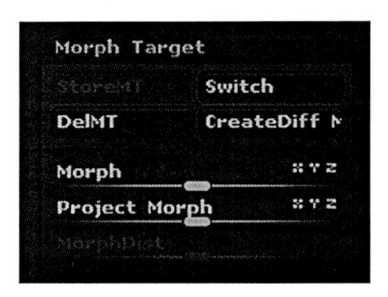

Figura 5.8.1

03 – A próxima etapa é subdividir as partes até o limite que o hardware permitir, neste caso, foi usada a subdivisão 6 para todas as partes. Para tanto, selecione uma das partes, vá à Subpalette Geometry da Paleta Tool e em Divide clique até aparecer o número desejado (ou CTRL+D). Depois retorne a subdivisão mínima. Faça este processo para todas as partes.

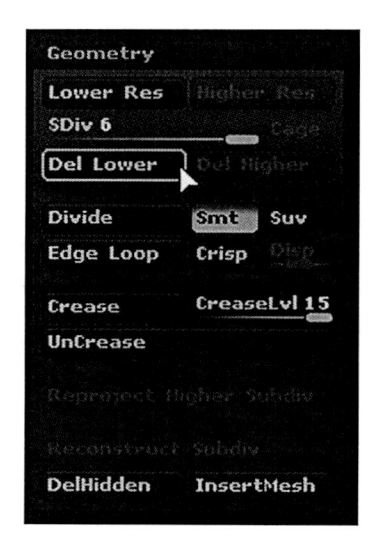

Figura 5.8.2

04 – Note que as partes onde os chifres tocam na cabeça agora se encontram mais afastadas. Isso ocorre por conta da subdivisão. Usando o Switch da Subpalette Morph Target, faça as partes retornarem a sua pose original. Na Figura 5.8.3 a figura antes da ação de Switch e, na Figura 5.8.4, depois da ação.

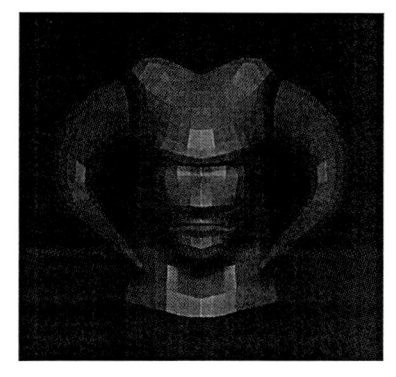

Figura 5.8.3

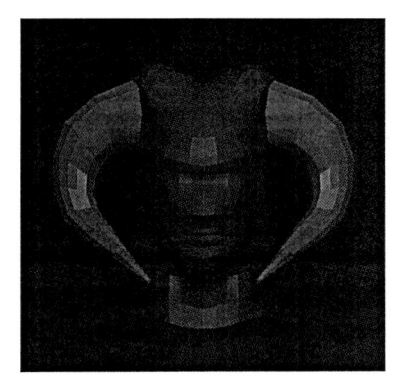

Figura 5.8.4

05 – O objeto a ser editado possui os lados iguais, logo a edição pode acontecer simultaneamente, para tanto vá ao menu Transform – habilite Active Symmetry, eixo X.

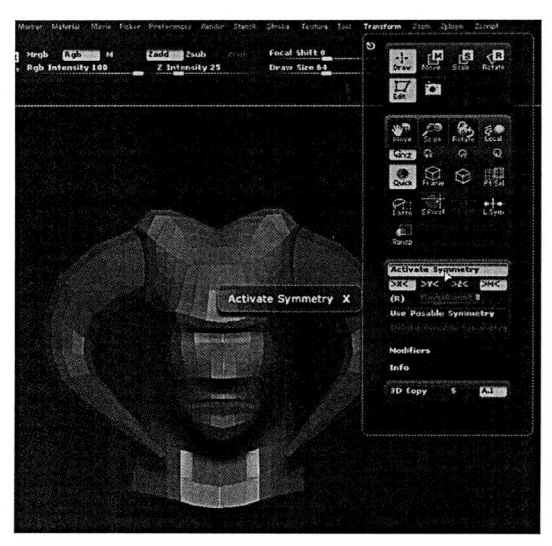

Figura 5.8.5

06 – Perceba que agora outro ponto vermelho aparece no lado oposto do cursor. É a marcação da área de atuação do eixo de simetria.

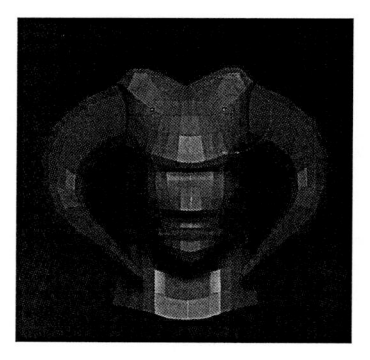

Figura 5.8.6

07 – Para realizar os devidos ajustes é necessário trocar o tipo de pincel de Standard para Move, pois com o tipo Standard não é possível mover vértices. Clique no ícone de Pincel na Left Tray e mude, no Menu Fly-Out, o tipo.

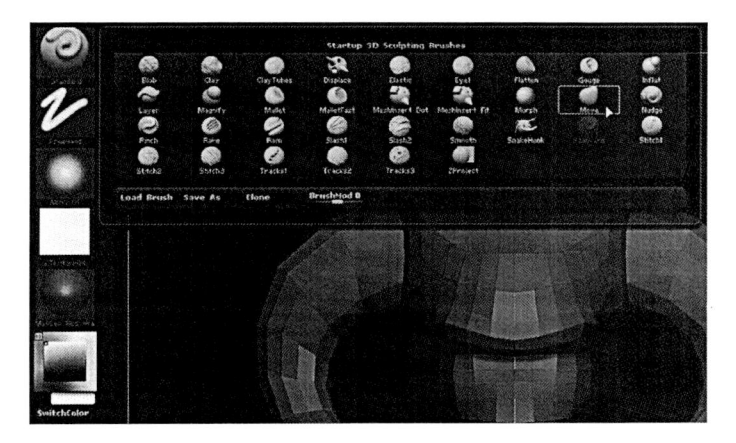

Figura 5.8.7

08 – Deixe RGB Intensity em 100, Z Intensity em 100, Focal Shift em 0 e Draw Size em 86. Isto fará com que o pincel tenha uma área de atuação grande, o que possibilita bons ajustes para áreas grandes.

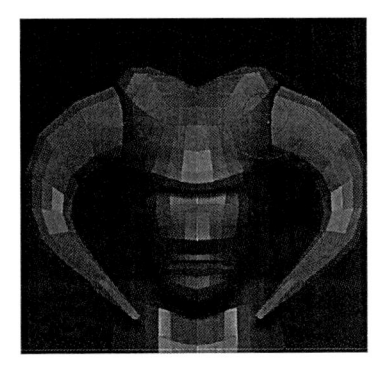

Figura 5.8.8

09 - Modifique algumas partes do modelo, não se esqueça de verificar constantemente se o modelo 3D está de acordo com a arte conceito. Edite algumas partes como na Figura 5.8.9. Para ver o vídeo com estas modificações, acesse o material de mesmo nome deste capítulo, que acompanha este livro, no tempo de 00h02min23s em diante.

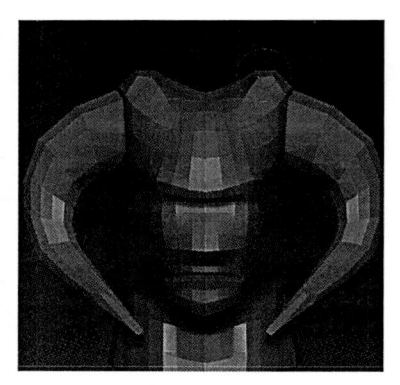

Figura 5.8.9

10 – Nas áreas em que mesmo usando o recurso de Morph Target e Switch ainda persistir o espaçamento entre áreas, edite-as manualmente. Eventualmente, pode-se desejar mudar o tamanho e a intensidade do pincel, sinta-se livre para isto. A prática levará o leitor a entender quando usar um pincel maior e um menor, assim como um de força mais intensa ou menos intensa.

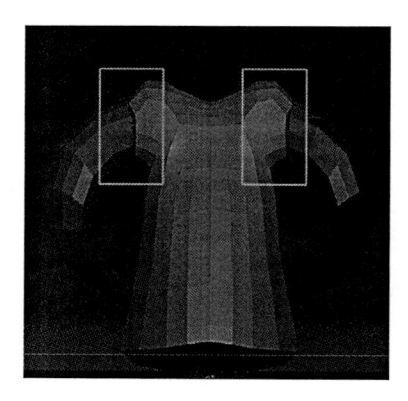

Figura 5.8.10

11 – Os ajustes podem ser feitos tanto no objeto "Monster_Body", como "Monster_Horn".

12 – Algumas partes do modelo talvez precisem ser revisadas como a protuberância da testa, conforme ilustra a Figura 5.8.11.

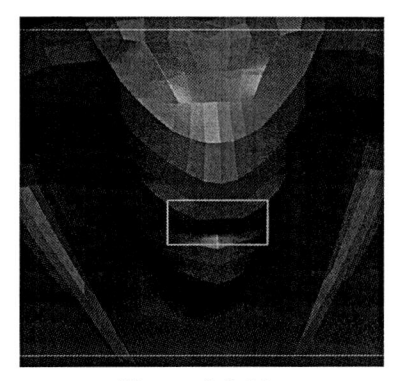

Figura 5.8.11

13 – Compare sempre o modelo em edição com o modelo definido pela arte conceitual ou Model Sheet, isto garantirá que o trabalho saia conforme o esperado.

14 – Salve o trabalho com o nome de "Monster.ztl". Na próxima sessão, serão blocados os volumes do personagem.

5.9 Como blocar os volumes

5.9.1 Como blocar os volumes (Parte1)

Nesta etapa do desenvolvimento dos modelos dentro do ZBrush, é feito o que se chama de "Blocar os volumes". Isto significa definir os volumes principais por meio de grandes pincéis e forças não muito fortes aplicadas aos volumes em edição. Assim como no desenho tradicional, essa blocagem é feita aos poucos em todo o objeto, isto garante a uniformidade de suas formas, bem como permite ao artista esculpir vendo o modelo como um todo. Lembre-se sempre de trabalhar de "grandes partes para pequenos detalhes" (SPENCER, 2008. p. 30).

Os tipos de pincéis que geralmente são usados nesta etapa são o Standard e Move, eventualmente Clay e Inflat. Evidentemente, cada artista irá desenvolver seu método, o que significa que nem sempre esta indicação de uso de pincéis será uma regra. Neste projeto será usado apenas o tipo Standard para fins de melhor compreensão.

Para esta sessão de blocagens, são fornecidos três vídeos com o material que acompanha este livro [5.9 Como blocar os volumes (Parte1), 5.9 Como blocar os volumes (Parte2) e 5.9 Como blocar os volumes (Parte3)].

A seguir, etapas iniciais de blocagens usando como exemplo o personagem "Monster.ztl" e o vídeo "5.9 Como blocar os volumes (parte 1)".

01 – Para iniciar os trabalhos carregue o modelo "Monster.ztl" salvo na sessão anterior, caso já não esteja no Canvas do ZBrush.

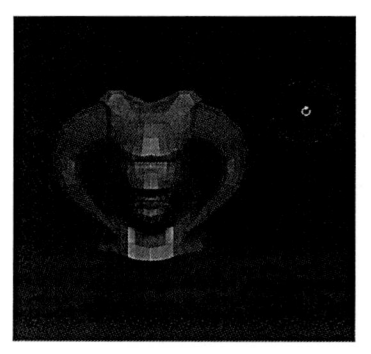

Figura 5.9.1.1

02 – Tanto o corpo como os chifres devem estar na subdivisão 3, tal como na Figura 5.9.1.2.

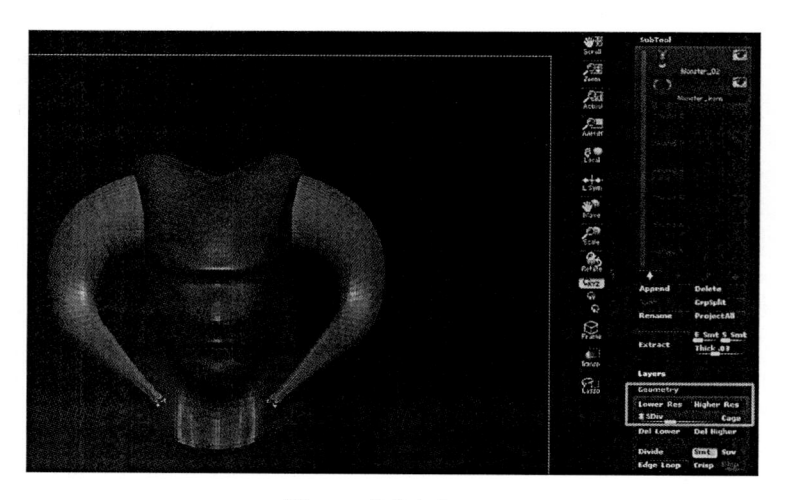

Figura 5.9.1.2

03 – Verifique que na Subpalette SubTool é possível habilitar ou não determinada camada que recebe determinada parte do modelo em edição no Canvas. No caso de "Monster.ztl", esconda seus chifres por enquanto.

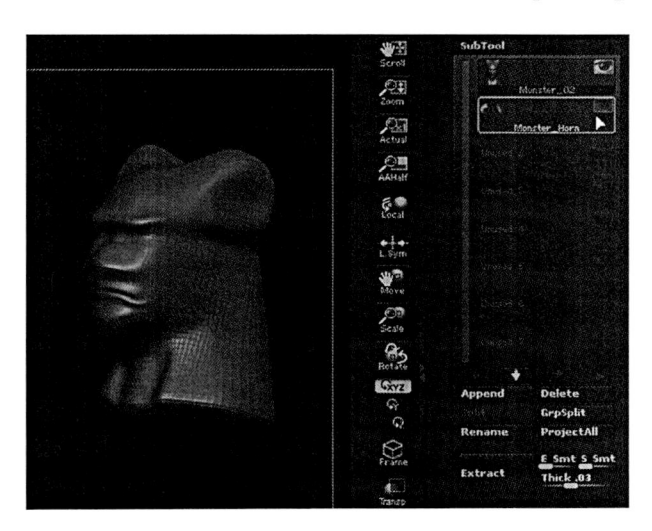

Figura 5.9.1.3

04 – Procure comparar sempre seu modelo para manter-se fiel ao conceito (arte conceitual). Na Figura 5.9.1.4 tem-se a arte conceitual expressa em Model Sheet. Verifique como o modelo é expresso com relação à figura. Verifique suas proporções, os detalhes de rugas e deformidades de pele.

Figura 5.9.1.4

05 – Carregue a Macro que auxilia na configuração do Canvas para a edição de superfícies que acompanha este livro (Macro de nome

AlessandroMacrosV.1 – ConfigLayout). Isto fará com que o método de Stroke (maneira de tocar na superfície) mude para FreeHand, além de outros ajustes descritos anteriormente.

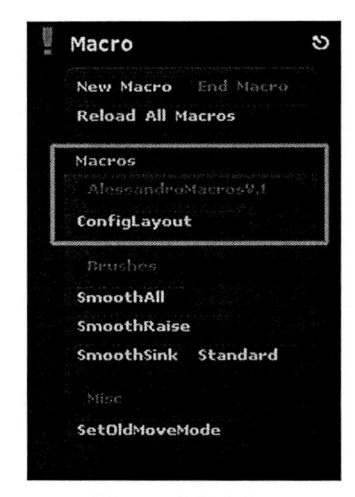

Figura 5.9.1.5

06 – Procure achar o melhor tamanho de pincel, assim como sua intensidade, por meio de experimentações. Experimente diferentes níveis de Z Intensity, assim como diferentes valores para Focal Shift e Draw Size.

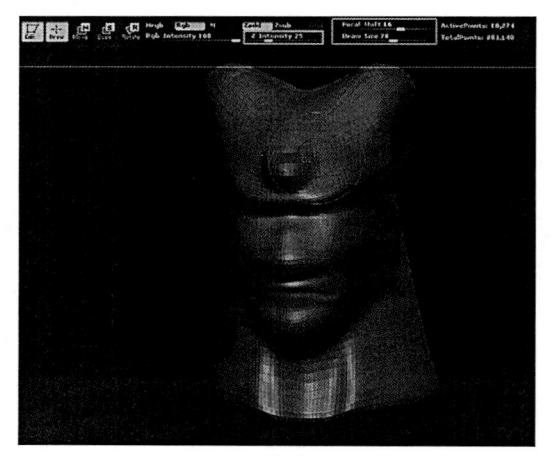

Figura 5.9.1.6

07 – Por fim, após as experimentações para este exemplo, deixe o tipo como Standard, Z Intensity em 12, Focal Shift em 51 e Draw Size em 54.

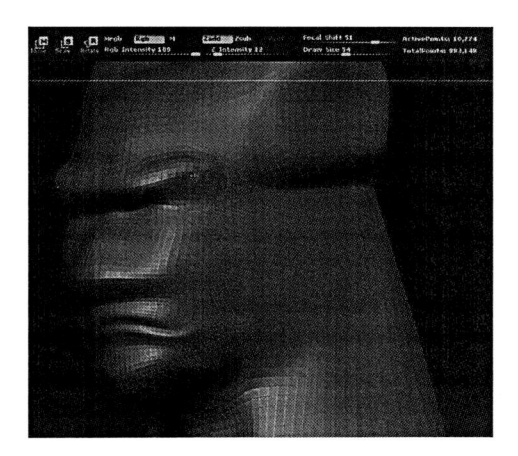

Figura 5.9.1.7

08 – Comece a editar os volumes do personagem para que assuma a forma que sua arte conceitual define. Com o pincel configurado conforme o item 07, pressionando e alternando com a tecla ALT pressionada (quando não se pressiona a tecla ALT, o toque nas superfícies tende a expulsar cada edição. Quando ALT é pressionado, ele força a edição a empurrar para dentro a superfície tocada). Inicie pela sobrancelha.

Figura 5.9.1.8

09 – Quando se está editando algumas partes, às vezes exagera-se nas edições e elas ultrapassam o limite que se gostaria que fosse atingido em

termos de blocagens. Neste caso, pode-se "suavizar" uma edição pressionando a tecla SHIFT (perceba que quando se aciona a tecla SHIFT o cursor tende a ficar na cor azul, indicando que ele irá suavizar quando tocar alguma parte da superfície em edição).

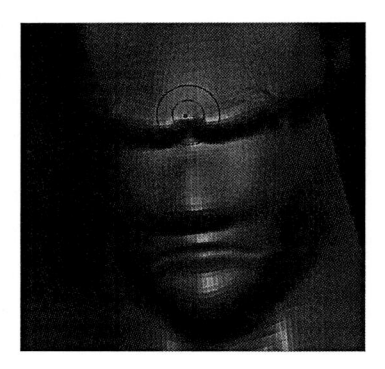

Figura 5.9.1.9

10 – Dependendo da área de edição, talvez seja melhor reduzir o tamanho do pincel, conforme a Figura 5.9.1.10 mostra.

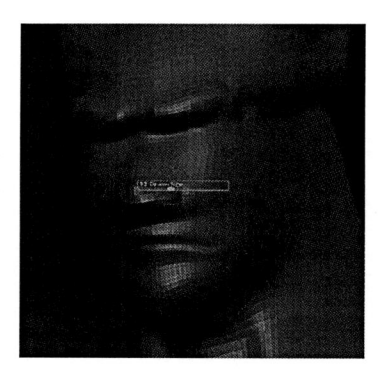

Figura 5.9.1.10

11 – Talvez algumas partes ainda tenham que receber edições com pincéis de diferentes tipos de configurações e tamanhos como na Figura 5.9.1.11. Isto é perfeitamente normal, pois, ao longo das edições, mudam-se constantemente

de configurações de Z Intensity, Focal Shift e Draw Size. Algumas vezes a prática e repetição fazem com que o artista memorize os atalhos destas ferramentas como forma de acessar mais rapidamente as mudanças no pincel que deseja para determinadas áreas.

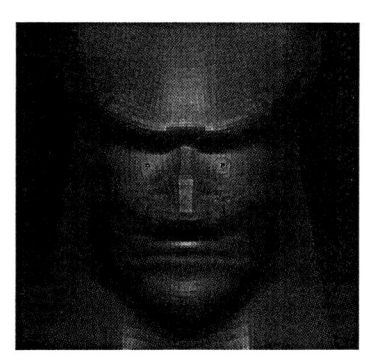

Figura 5.9.1.11

12 – Defina alguns volumes como nariz, testa e sobrancelhas. Faça uso das teclas ALT (empurra) e SHIFT (suaviza) enquanto edita.

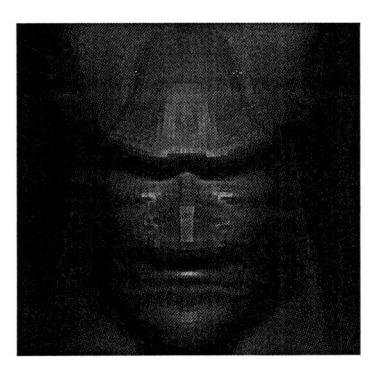

Figura 5.9.1.12

13 – Não se esqueça de habilitar Active Symmetry em X para que todas as ações feitas de um lado do modelo ocorram do outro lado, de forma espelhada.

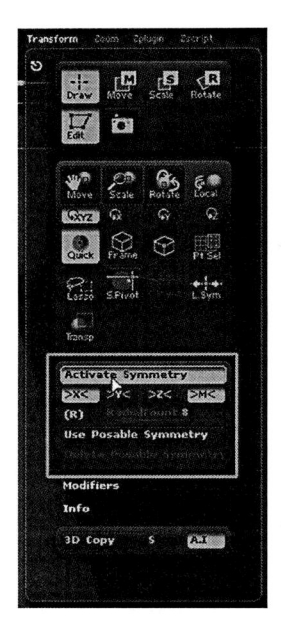

Figura 5.9.1.13

14 – Não se esqueça, também, de, ao girar a visão para melhor enquadrar o modelo para edições, pressionar a tecla SHIFT, fazendo com que o modelo se mova em vistas ortogonais.

15 – Na Figura 5.9.1.14 tem-se a parte do maxilar que não parece se deformar adequadamente, isto ocorre em função da pouca contagem poligonal ali existente. Nesta subdivisão que se está usando (subdivisão em nível 3), algumas áreas parecerão deformadas, porém, blocando de forma correta seus volumes, estas áreas serão corrigidas por si só.

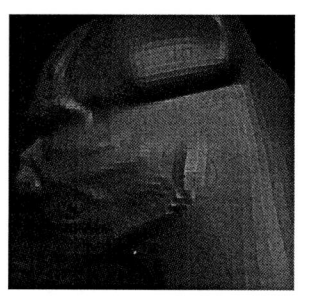

Figura 5.9.1.14

16 – Defina alguns volumes que antes não estavam totalmente evidentes como o queixo, por exemplo.

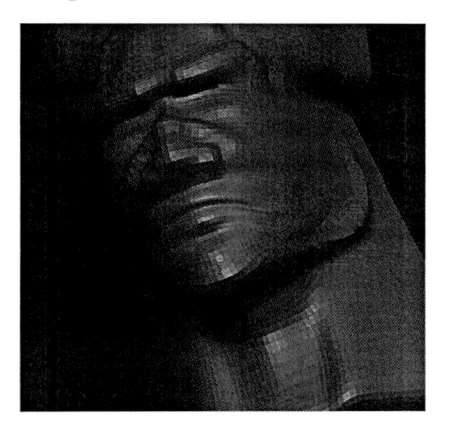

Figura 5.9.1.15

17 – Trabalhe também a parte de trás do personagem.

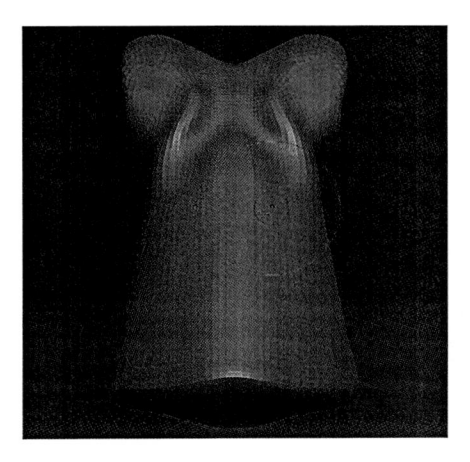

Figura 5.9.1.16

18 – Também é um bom momento para definir os volumes de alguns músculos como os do pescoço (um tipo de músculo Esternocleidomastóideo, por exemplo).

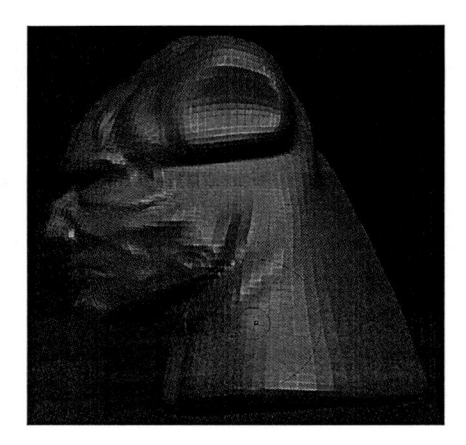

Figura 5.9.1.17

19 – Algumas áreas precisam de um reforço como a área que recebe os chifres. É possível habilitar os chifres por alguns momentos para se certificar de que a edição está sendo convincente com o modelo.

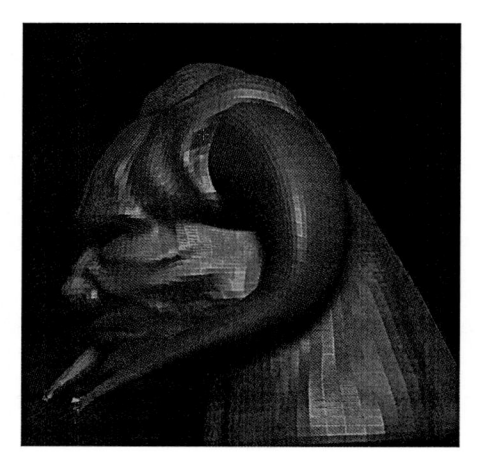

Figura 5.9.1.18

20 – Edite também a boca de "Monster".

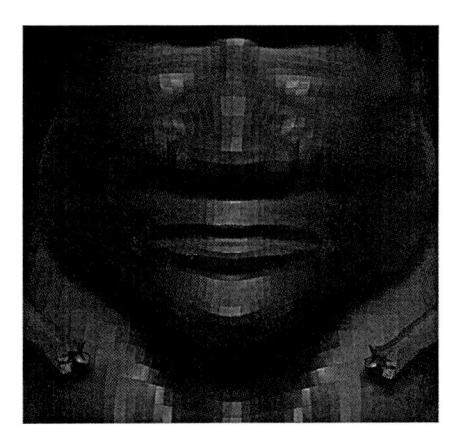

Figura 5.9.1.19

21 – No primeiro vídeo que acompanha o material deste livro [5.9 Como blocar os volumes (Parte1)] até aqui consta no tempo 00h09min50s. Deste tempo até o fim, serão editados os chifres.

22 – Oculte o corpo de "Monster" (oculte a camada "Body" de SubTool) deixando somente "Horn" ativa.

23 – Verifique que nas pontas dos chifres há imperfeições. Para corrigir isto, a sugestão feita aqui é suavizar a ponta deles, usado a tecla SHIFT pressionada enquanto as pontas são suavizadas.

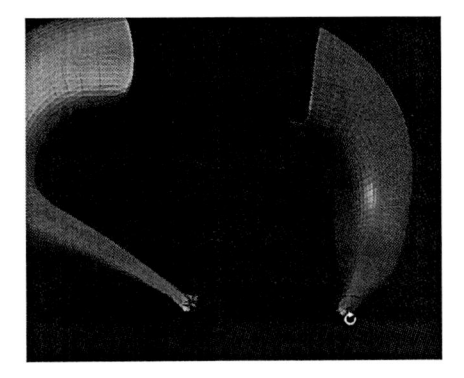

Figura 5.9.1.20

24 – Com um pincel um pouco maior, defina os volumes de algumas partes dos chifres (Z Intensity 22, Focal Shift 51 e Draw Size 80).

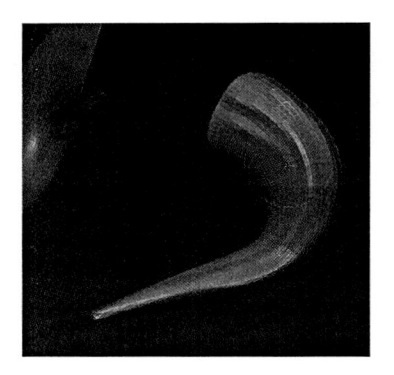

Figura 5.9.1.21

25 – Por fim, o modelo devidamente blocado nesta primeira parte do trabalho.

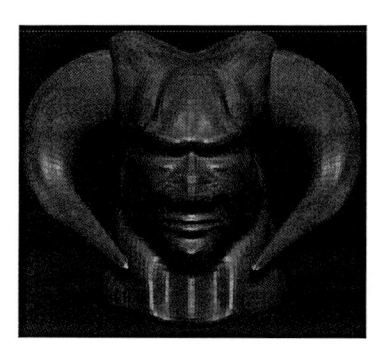

Figura 5.9.1.22

26 – Salve seu modelo através do botão Save As na paleta Tool. Salve com o nome de "Monster.ztl".

5.9.2 Como blocar os volumes (Parte2)

Dando continuidade às blocagens na personagem "Monster", nesta sessão será dado prosseguimento às definições musculares e algumas particularidades suas como as narinas e a boca.

Para esta sessão de blocagens, são fornecidos três vídeos com o material que acompanha este livro [5.9 Como blocar os volumes (Parte1), 5.9 Como blocar os volumes (Parte2) e 5.9 Como blocar os volumes (Parte3)].

A seguir, blocagens usando como exemplo o personagem "Monster.ztl" e o vídeo "5.9 Como blocar os volumes (Parte2)".

01 – Carregue o arquivo "Monstrer.ztl" salvo na sessão anterior, caso não esteja aberto no Canvas do ZBrush.

02 – Como boa prática, verifique, antes de iniciar uma nova sessão de edições, o conceito com o modelo em edição. Abra a imagem de arte conceitual e compare os resultados. Verifique os pontos que podem ser melhorados, bem como as próximas partes que receberão edições.

03 – Aumente a subdivisão do corpo para 4. Subpalette Geometry da paleta Tool, item SDiv.

04 – Deixe Z Intensity em 22, Focal Shift em 10 e Draw Size em 50 para as edições neste ponto.

05 – Edite a área da testa com estas configurações de pincel. Note que constantemente o tamanho e a intensidade do pincel serão alterados. Altere conforme sentir que pode melhorar a área em edição com estes ajustes no pincel.

Figura 5.9.2.1

06 – Perceba que neste nível as edições são feitas suavemente, com traços firmes e com baixa intensidade de força no pincel também. Perceba também que o tamanho deste, quase sempre tende a ser grande, garantindo a edição de grandes partes adequadamente. Sempre tenha em mente a edição de "grandes partes para pequenos detalhes" (SPENCER, 2008, p. 30).

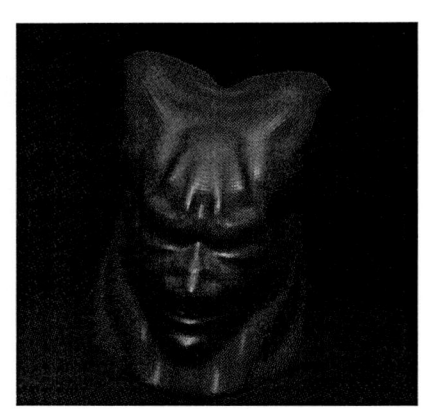

Figura 5.9.2.2

07 – Edite algumas áreas sobre a cabeça para dar mais dramaticidade ao modelo. Faça uso das teclas ALT (empurrar a edição para dentro do modelo) e SHIFT (suavizar a edição feita no modelo).

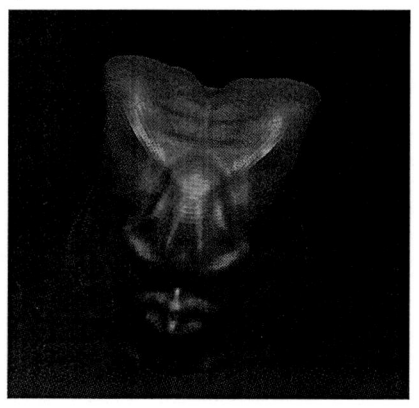

Figura 5.9.2.3

08 – Edite algumas áreas da face também.

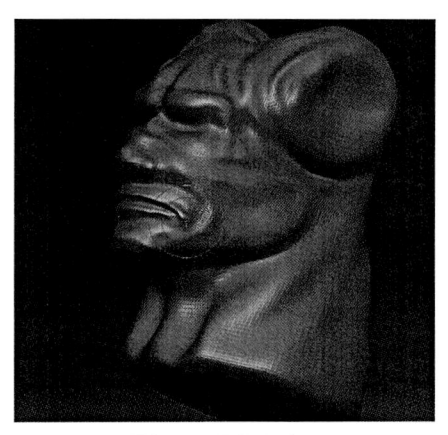

Figura 5.9.2.4

09 – Trabalhe a parte de trás com a mesma importância que as demais partes. Sempre trabalhe o modelo, nesta etapa, como um todo.

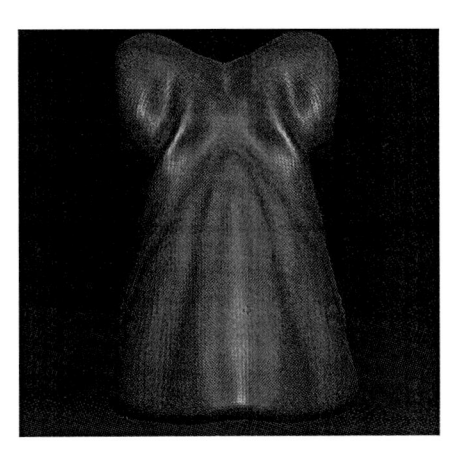

Figura 5.9.2.5

10 – Posicione o modelo de modo a melhor enquadrar suas narinas. Modifique as configurações do pincel para Z Intensity em 16, Focal Shift em -31 e Draw Size para 28. Trabalhe com ALT e SHIFT pressionados conforme a necessidade.

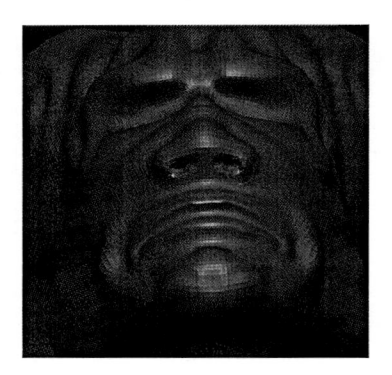

Figura 5.9.2.6

11 – Para definir a parte externa das narinas, modifique Z Intensity para 26 e Draw Size para 34.

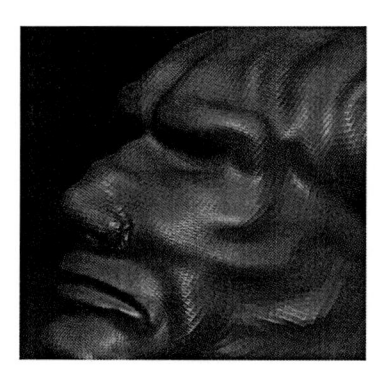

Figura 5.9.2.7

12 – Trabalhe na boca também. Use Z Intensity em 32, Focal Shift em -31 e Draw Size em 30 para aplicar algumas ranhuras.

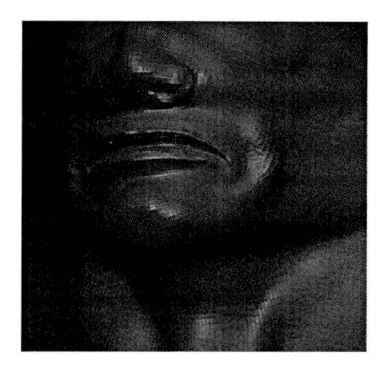

Figura 5.9.2.8

13 – Permita-se utilizar diferentes tamanhos e força no pincel. Suavize algumas áreas como a indicada na Figura 5.9.2.9. Utilize para isto Z Intensity em 32, Focal Shift em 0 e Draw Size em 140. Perceba que, quando o cursor fica na cor azul, significa que ele está em modo de suavização de edição, diferentemente da cor de edição que é vermelha.

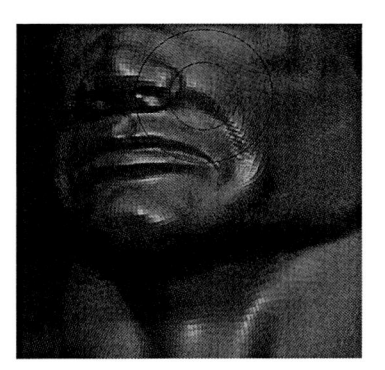

Figura 5.9.2.9

14 – Na Figura 5.9.2.10 tem-se o modelo totalmente editado até este ponto. Salve seu trabalho.

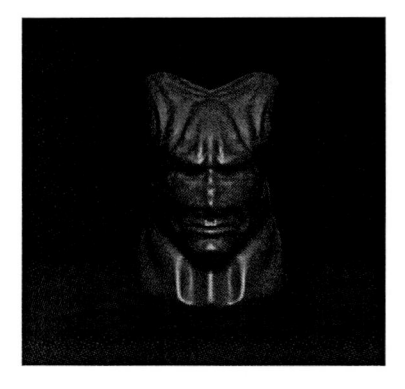

Figura 5.9.2.10

5.9.3 Como blocar os volumes (Parte3)

Dando continuidade às blocagens na personagem "Monster", nesta sessão será dado prosseguimento às últimas definições do corpo e blocagens finais para os chifres.

Para esta sessão de blocagens, são fornecidos três vídeos com o material que acompanha este livro [5.9 Como blocar os volumes (Parte1), 5.9 Como blocar os volumes (Parte2) e 5.9 Como blocar os volumes (Parte3)].

A seguir, blocagens usando como exemplo o personagem "Monster.ztl" e o vídeo "5.9 Como blocar os volumes (Parte3)".

01 – Oculte o corpo da personagem na Subpalette SubTool da Paleta Tool, deixando visível no Canvas do ZBrush somente os chifres.

02 – Como boa prática, verifique antes de iniciar uma nova sessão de edições, o conceito com o modelo em edição. Abra a imagem de arte conceitual e compare os resultados. Verifique os pontos que podem ser melhorados, bem como as próximas partes que receberão edições.

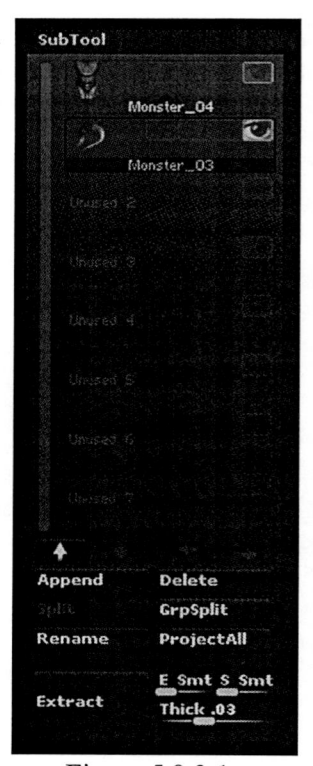

Figura 5.9.3.1

03 – Aumente a subdivisão dos chifres para 4 na Subpalette Geometry da paleta Tool, item SDiv.

04 – Deixe Z Intensity em 32, Focal Shift em -31 e Draw Size em 45. Defina alguns volumes da parte superior-frontal dos chifres, conforme a Figura 5.9.3.2 mostra.

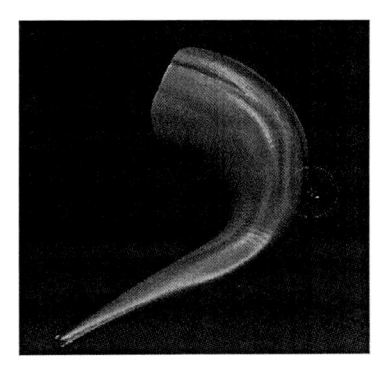

Figura 5.9.3.2

05 – Perceba que aumentando o número de subdivisões, o defeito na ponta dos chifres torna a surgir. Em modo de suavização (pressione e mantenha pressionada a tecla SHIFT), edite as pontas para que o defeito seja corrigido por meio de suavizações. Estando com a simetria ativada, a correção é feita em ambos os chifres.

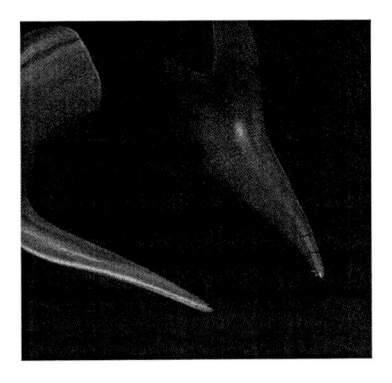

Figura 5.9.3.3.

06 – Trabalhe a parte interna também. Utilize Z Intensity em 32, Focal Shift em -31 e Draw Size em 70.

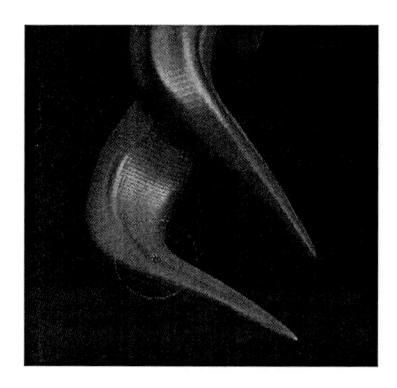

Figura 5.9.3.4

07 – A parte de trás também deve ser editada. Utilize Z Intensity em 32, Focal Shift em -31 e Draw Size em 125.

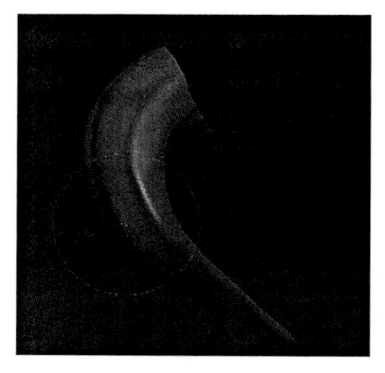

Figura 5.9.3.5

08 – Verifique se os chifres foram editados de forma homogênea, verificando se determinada parte não faltou ser editada. Na Figura 5.9.3.6 o modelo devidamente editado para este ponto.

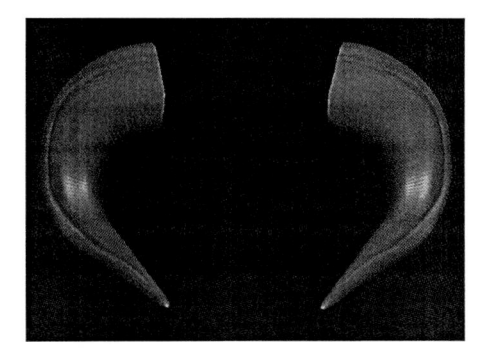

Figura 5.9.3.6

09 – Na Figura 5.9.3.7, o modelo completo editado. Salve-o com o nome de "Monster.ztl".

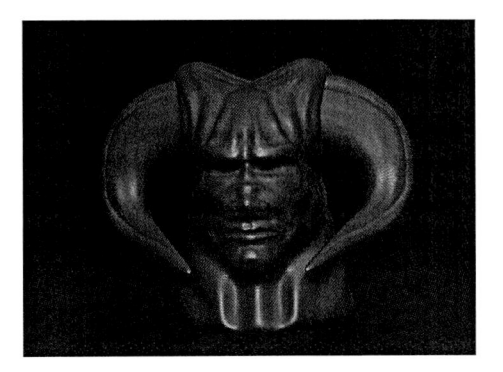

Figura 5.9.3.7

10 – Na próxima etapa do trabalho, será feito um maior e melhor detalhamento do modelo, bem como trabalhos com geometrias densas no Canvas do ZBrush com eficiência.

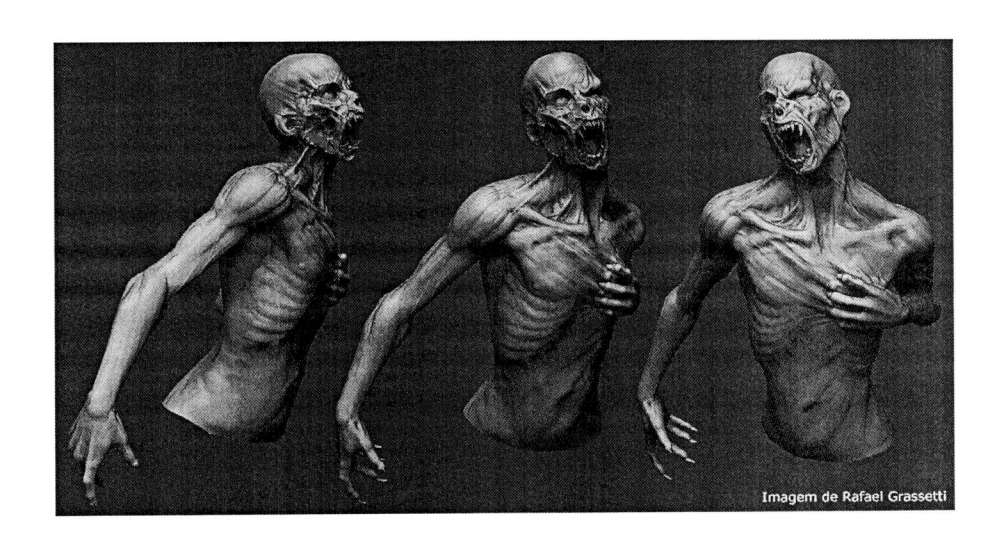

CAPÍTULO 6: TRABALHO EM 3D (ESCULTURA DIGITAL AVANÇADA)

Imagem de Rafael Grassetti

CAPÍTULO 6

Trabalho em 3D
(escultura digital avançada)

6.1 Introdução

O capítulo que segue é focado em escultura digital em nível avançado, pois com ZBrush, pode-se atingir um número incrível de detalhes através dos conceitos de esculturas tradicionais.

A seção que segue é destinada a atribuir o maior número possível de detalhes à estrutura de malha física dos modelos em edição no ZBrush. Nesta serão adicionados pequenos detalhes que fazem toda a diferença nos modelos, novas ferramentas serão exploradas, permitindo rápidas edições com excelentes resultados.

Editar um modelo a ponto de obter todos os detalhes que possam deixá-lo mais realista possível requer paciência e senso de observação, características próprias de todo bom artista. Manter o foco em cada etapa pode ser uma boa ideia.

6.2 Escultura digital avançada

Nesta etapa do trabalho, deve-se buscar a maior quantidade possível de detalhes aplicáveis ao modelo, com base nas imagens conceituais e possíveis pesquisas de referências adicionais que tenham sido necessárias realizar previamente.

Como forma didática e organizacional, cada etapa do trabalho na qual foram usados determinados recursos do ZBrush está documentada separadamente. Existe, como apoio, o registro em vídeos separados destes recursos, bem como imagens que ilustram o processo no material que acompanha este livro.

6.2.1 Como ajustar os pincéis

01 - Neste ponto serão editados alguns Brushes (pincéis) de modo a se adaptarem à necessidade da edição atual.

02 - Carregue o modelo editado no capítulo anterior, caso já não esteja no Canvas do ZBrush. Carregue a macro que acompanha o material deste livro que reorganiza as definições de documento (ConfigLayout). Feito isto, desenhe "Monster.ztl" no Canvas.

03 – Deixe somente o corpo visível para um melhor aproveitamento de memória RAM. Utilize para isto a Subpalette SubTool.

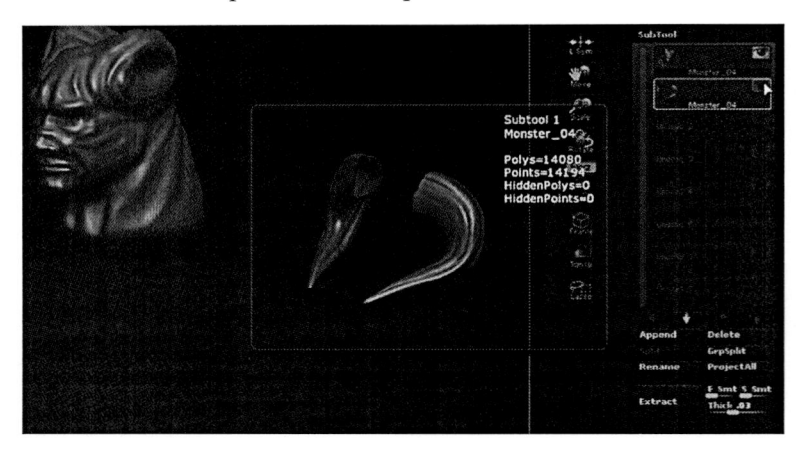

Figura 6.2.1.1

04 – Posicione o modelo de modo a enquadrar muito bem a boca. Edite os lábios com um pincel tipo Standard com Z Intensity em 25, Focal Shift em 0 e Draw Size em 41.

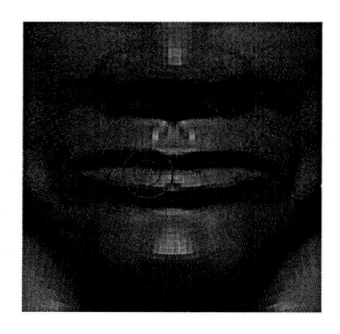

Figura 6.2.1.2

05 – As partes editadas salientam-se. Neste ponto, devem-se definir as formas e, em seguida, suavizar as edições. Em ZBrush isso é feito trocando de tipo de

pincel de Standard por Smooth, ou, em qualquer pincel sendo usado, pressionar a tecla SHIFT fazendo com que seja trocado pelo pincel alternativo definido por padrão pelo sistema (neste caso, será sempre o Smooth). Perceba que, ao entrar no Brush secundário, o cursor automaticamente ficará na cor azul.

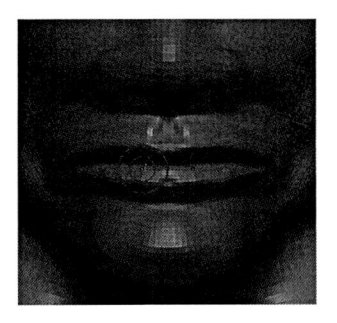

Figura .6.2.1.2

06 – Perceba que a suavização acontece de forma muito forte, isto porque o ZBrush está assumindo, para este Brush secundário, as configurações padrões de qualquer Brush que são Rgb Intensity em 100 e Z Intensity em 100.

07 – Para que, ao se acessar o Brush secundário, este esteja definido com valores adequados à edição que se deseja fazer, antes se faz necessária sua configuração prévia.

08 – Mude o tipo de pincel para Smooth e altere o Z Intensity para 15. Teste em alguma parte do modelo (pode ser nos lábios).

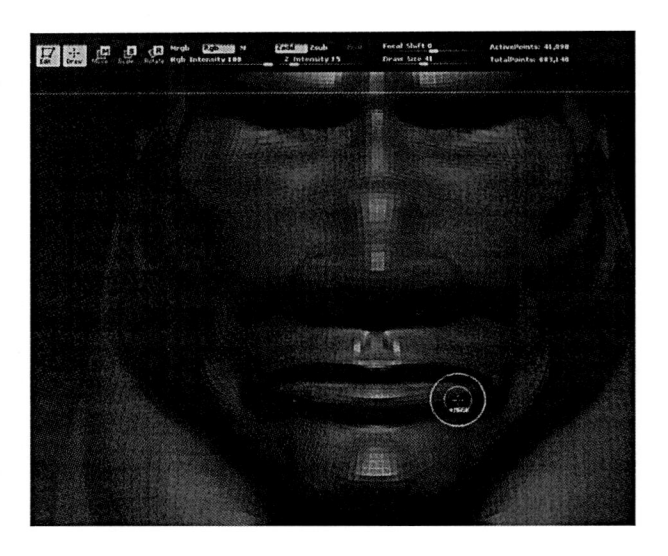

Figura 6.2.1.3

09 – Uma vez satisfeito com a força de suavização, volte ao pincel Standard anterior para continuar as edições.

10 – Realize algumas edições e, em seguida, suavize com o Brush secundário. Perceba que agora a suavização acontece de modo mais suave, devido aos ajustes anteriores.

11 – É possível também trocar o tipo de Brush secundário de Smooth por qualquer outro que se deseje. Por padrão, o ZBrush define que este recebe o tipo Smooth.

6.2.2 Como ocultar a geometria

01 – Carregue o modelo editado anteriormente, caso já não esteja no Canvas. Neste ponto deve-se seguir com as edições, adicionando detalhes convincentes com a ideia do modelo, porém, com o acréscimo destes detalhes, mais recursos de hardware são necessários para a correta exibição e trabalho do modelo. Por esta razão, é aconselhável ocultar partes da geometria em edição. É possível também, por meio do Brush tipo Move, mover partes do modelo para um melhor ajuste.

02 – Na Figura 6.2.2.1 tem-se um detalhe de uma ação de mover algumas partes da narina, para um melhor ajuste, com o pincel Move.

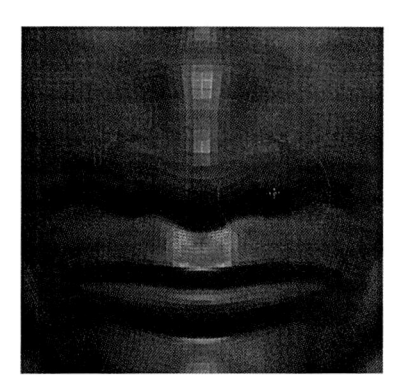

Figura 6.2.2.1

03 – A ação de ocultar partes da geometria de um modelo difere da ação de ocultar partes do modelo (SubTool), pois estas, embora agrupadas para constituir um único modelo, não necessariamente pertencem à mesma geometria, de modo que sua separação é mais lógica. Ocultar partes da geometria consiste em esconder todas as partes não necessárias à edição de uma única parte (SubTool) do modelo.

04 – Uma ótima tecla de atalho para enquadrar o modelo no Canvas é a tecla F. Ela faz o modelo ser enquadrado dentro do Canvas do ZBrush e, ao mesmo tempo, centraliza-o.

05 – Realize as edições que julgar necessárias, como na parte superior da narina, por exemplo. Utilize pincéis do tipo Move e Standard para deixar como na Figura 6.2.2.2

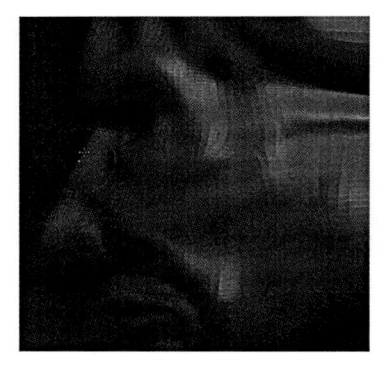

Figura 6.2.2.2

06 – Aumente ou diminua o tamanho do pincel para atingir áreas de edição maiores ou menores.

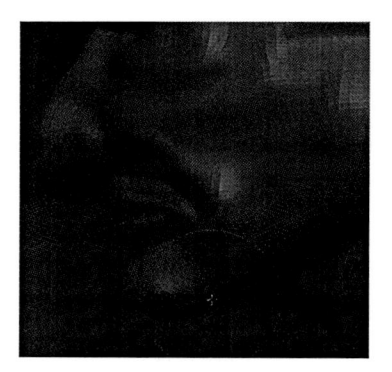

Figura 6.2.2.3

07 - Um bom atalho de teclado para se aumentar ou diminuir o tamanho do pincel é usando a tecla S.

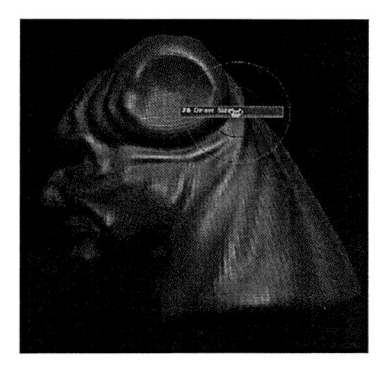

Figura 6.2.2.4

08 – Outra boa dica na navegação no Canvas do ZBrush é tocar neste, segurar a tecla SHIFT e realizar ações de movimento com o cursor. Veja que o objeto passa a se mover em vistas ortogonais, facilitando seu enquadramento e a própria navegação.

09 – É o momento de se trabalhar ocultando partes da geometria em edição no ZBrush.

10 – Enquadre o modelo de frente. Posicione o cursor acima da sombrancelha direita do modelo. Pressione e mantenha pressionadas as teclas CTRL+SHIFT e desenhe um retângulo até a porção inferior do olho esquerdo. Perceba que é desenhado um retângulo na cor verde. A cor indica que tudo que estiver dentro deste retângulo verde será exibido, e o restante será ocultado assim que o cursor for liberado. Outra forma de criar seleções de isolamento é pelo uso da ferramenta Lasso.

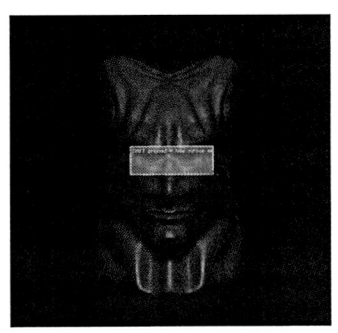

Figura 6.2.2.5

11 – O resultado desta ação é visto na Figura 6.2.2.6.

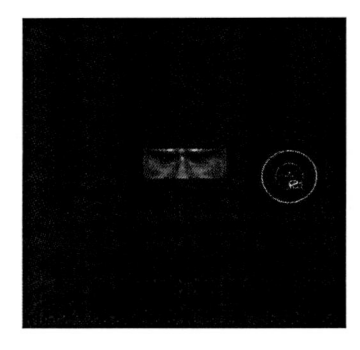

Figura 6.2.2.6

12 – Perceba que esta ação de ocultar a geometria é aplicada tanto na parte da frente, como na parte de trás do modelo.

Figura 6.2.2.7

13 – É o momento de ocultar algumas partes que não foram ocultadas corretamente, como a de trás, por exemplo. Seguindo o exemplo do desenho de retângulo anterior, proceda da mesma forma: pressione as teclas CTRL+SHIFT, desenhe um retângulo em torno da área que deseja ocultar, porém pressione a tecla SHIFT, inicie o movimento de desenho do retângulo de seleção e libere a tecla SHIFT assim que iniciar o movimento (mantenha a tecla CTRL pressionada). Perceba que agora o retângulo de seleção muda a cor de verde para vermelho (vermelho indica que toda a geometria que estiver dentro deste retângulo de seleção ficará oculta assim que o cursor for liberado).

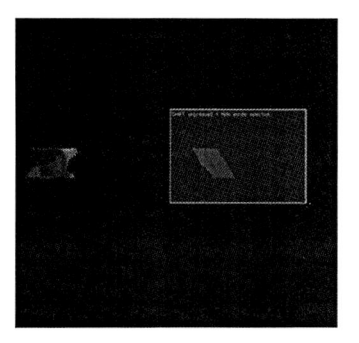

Figura 6.2.2.8

14 – Na Figura 6.2.2.9 o resultado desta ação.

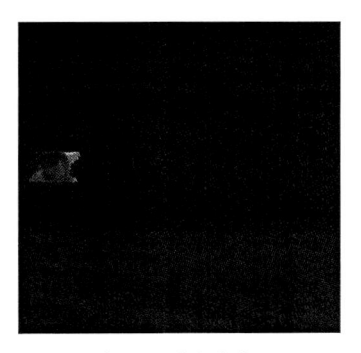

Figura 6.2.2.9

15 – Para trazer de volta ao Canvas todas as partes da geometria ocultada, pressione CTRL+SHIFT no teclado e toque no Canvas uma vez.

16 – É importante lembrar que se o modelo for simétrico e estiver sendo editado com a opção Symmetry ativada, as partes que são simétricas devem estar visíveis no Canvas, do contrário, somente um dos lados receberá a edição feita.

17 – Enquadre a parte dos olhos, oculte a geometria desnecessária neste momento e defina alguns volumes para os olhos. Utilize o pincel Standard com pouca intensidade.

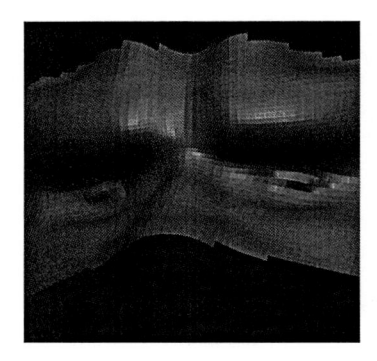

Figura 6.2.2.10

18 – Quando satisfeito, edite algumas áreas em torno dos olhos.

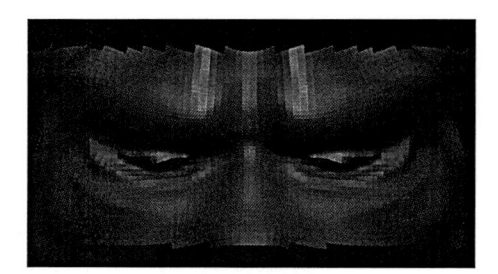

Figura 6.2.2.11

19 – Na Figura 6.2.2.12 o modelo editado até o momento.

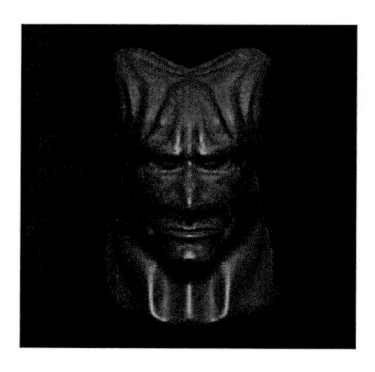

Figura 6.2.2.12

6.2.3 Como ajustar as máscaras de seleção

01 – Carregue o modelo editado anteriormente, caso já não esteja no Canvas. Assim como em outras ferramentas digitais, com ZBrush é possível definir máscaras de seleção personalizáveis.

02 – Isole uma parte do modelo para criar uma máscara. Algo importante a ser notado na criação de máscaras com ZBrush é o fato de que para criá-las se faz necessário que o modelo não tenha textura difusa aplicada (Texture Off na paleta Texture), conforme a Figura 6.2.3.1 mostra.

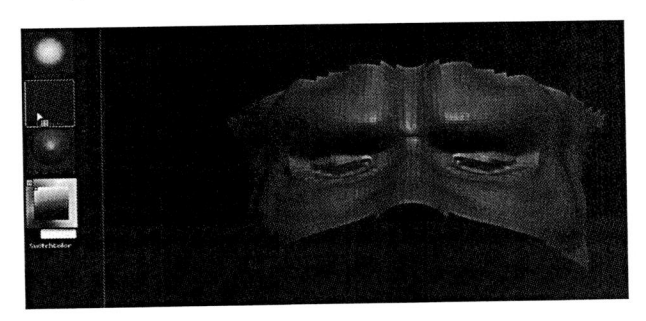

Figura 6.2.3.1

03 – Pressione a tecla CTRL e mantenha-a pressionada enquanto toca a superfície de geometria exibida no Canvas. Perceba que o cursor assume a cor amarela para mostrar que entrou na função de máscara (perceba também que a expressão em texto "+ MASK" aparece junto ao cursor). Teste a confecção de máscaras em alguma parte do modelo antes de realizar uma efetivamente. Deixe o Rgb Intensity definido com o valor 100 para a confecção da máscara de seleção.

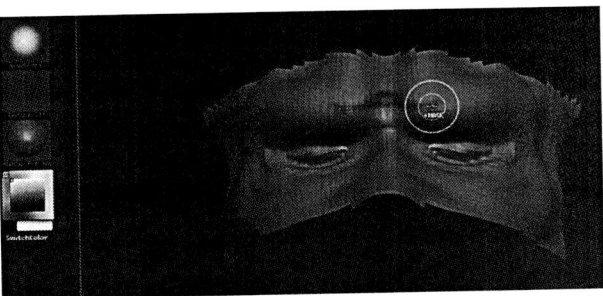

Figura 6.2.3.2

04 – Quando satisfeito, crie uma máscara de seleção para os olhos.

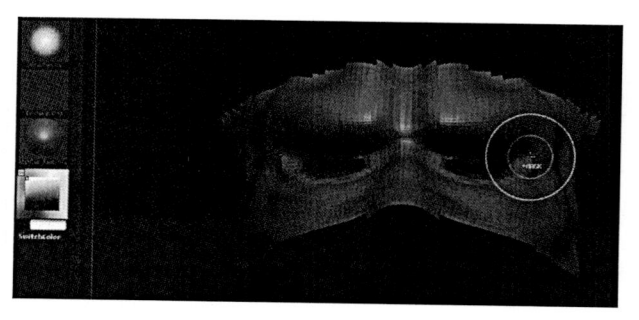

Figura 6.2.3.3

05 – A máscara de seleção serve para isolar partes que serão editadas daquelas que não serão. Tudo que for pintado dentro da máscara de seleção não é editável, e tudo que estiver fora é. Em determinados momentos é mais fácil pintar uma máscara de uma área pequena, depois inverter essa seleção para termos acesso a áreas maiores, como é o caso dos olhos. Deseja-se então editar apenas o globo ocular, mas seria muito trabalhoso criar uma máscara de toda uma grande área, por isso faz-se uma máscara nos olhos e inverte-se a máscara para ser possível, então, editar o globo ocular.

06 – Depois de definir a máscara nos olhos, vá até a Subpalette Masking da paleta Tool e clique no botão Inverse para inverter a seleção conforme a Figura 6.2.3.4

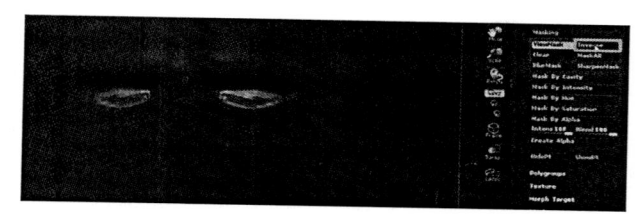

Figura 6.2.3.4

07 – Desta forma é mais fácil trabalhar em áreas onde se precisa de um ajuste mais definido entre áreas.

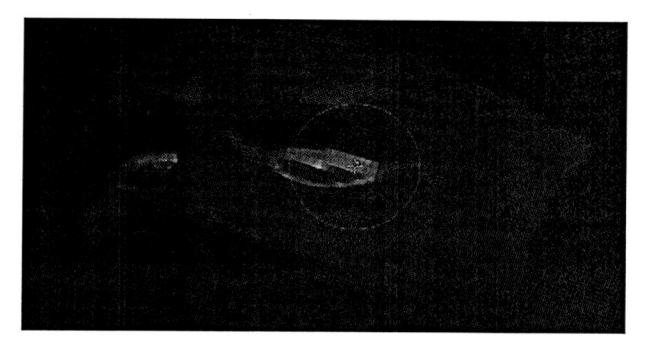

Figura 6.2.3.5

08 – A máscara pode ser criada com tons de gradiente de intensidade, ou seja, podem ser criadas áreas com Z Intensity em 100 e outras com valores diferenciados, fazendo com que a máscara respeite essa força como forma de permitir edições com resultados variados.

09 – Na Figura 6.2.3.6 a parte dos olhos completada. Utilize suavizações se achar necessário.

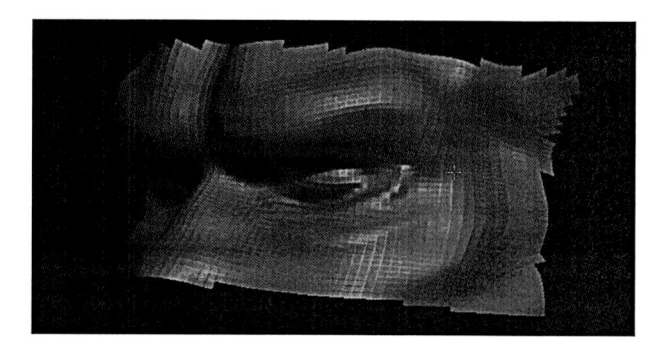

Figura 6.2.3.6

10 – Para trazer de volta ao Canvas todas as partes da geometria ocultada, pressione CTRL+SHIFT no teclado e toque no Canvas uma vez.

11 – Se por acaso alguma parte do modelo estiver com o desenho de alguma máscara de seleção, retire-a através do botão Clear na Subpalette Masking da paleta Tool.

12 – Sempre revise o modelo, talvez sejam necessários ajustes no corpo todo para melhor se adequar à figura de arte conceitual. Utilize um pincel do tipo Move com um tamanho grande para mover as partes e realizar este ajuste. Na Figura 6.2.3.7, à esquerda, está o modelo antes deste ajuste e, à direita, o modelo devidamente ajustado. Perceba as diferenças de forma nos dois exemplos.

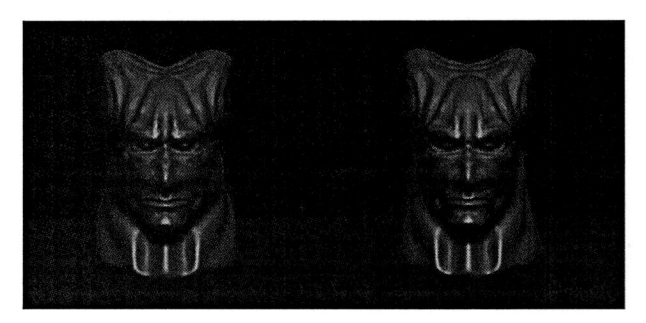

Figura 6.2.3.7

6.2.4 Definição de rugas

01 - Carregue o modelo editado anteriormente, caso já não esteja no Canvas. Será feito agora a definição de detalhes menores, como algumas rugas e imperfeições de pele.

02 – Aumente a subdivisão de malha do modelo através da Subpalette Geometry da paleta Tool. Usando o botão Higher Res faz-se com que o modelo seja elevado a mais uma subdivisão, previamente feita. Neste caso, o modelo está agora com seis níveis de subdivisão. Logicamente, se desejar voltar a outros níveis de subdivisão, basta clicar no botão Lower Res.

03 – É possível ver a contagem poligonal dos modelos, bastando deixar o cursor sobre o ícone do modelo na paleta Tools, que será exibido um resumo estatístico dele.

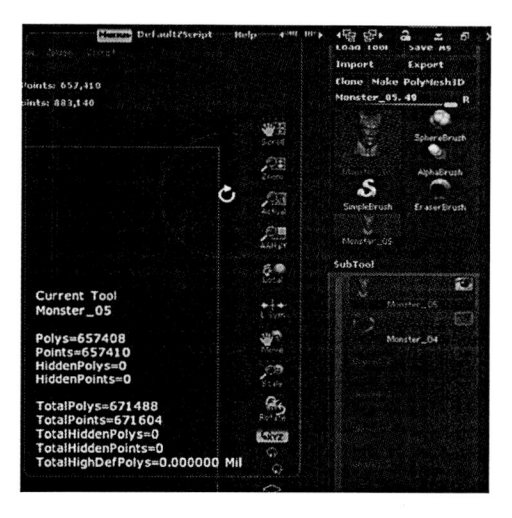

Figura 6.2.4.1

04 – É um bom momento alternar para outro tipo de Material. Dependendo do tipo de modelo que se edita, determinados Materiais tendem a melhor exibir suas partes, possibilitando localizar áreas que necessitem de maior atenção. Alterne o material para o tipo MatCap White Cavity.

Figura 6.2.4.2

05 – Trabalhe na parte de trás do modelo. Sempre edite seus modelos como um todo, nunca procure trabalhar muito em uma área específica, veja o modelo como um bloco inteiro e vá editando o máximo possível de partes simultaneamente.

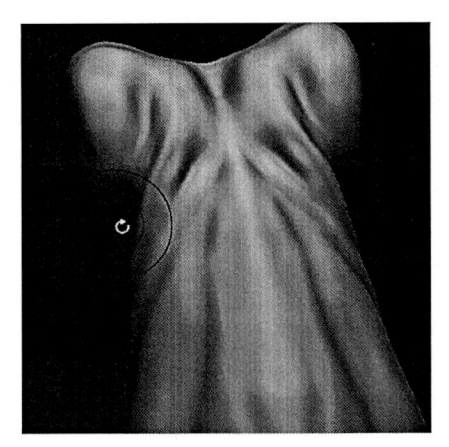

Figura 6.2.4.3

06 – Como o modelo deve ter uma quantidade considerável de geometria, talvez o hardware comece a não exibir corretamente o modelo ou, ainda, a "travá-lo" na sua movimentação, dificultando a verificação no Canvas por parte do usuário. Para evitar isto, devem-se ocultar algumas partes que momentaneamente não são necessárias, deixando somente o essencial em exibição.

07 – Oculte algumas partes do modelo com a ferramenta Lasso para criar seleções mais robustas como na Figura 6.2.4.4. Faça uso dos comandos explicados na seção "6.2.2 Como ocultar a geometria" deste mesmo capítulo.

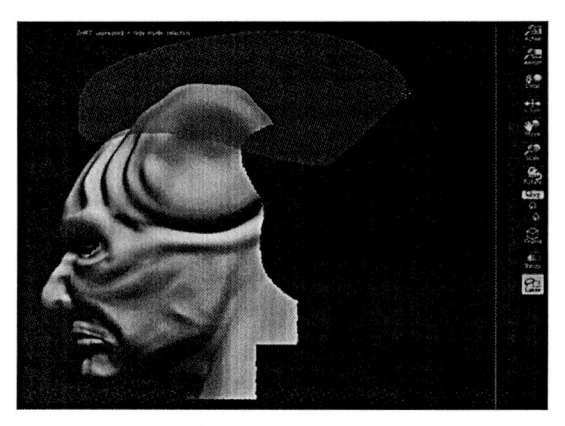

Figura 6.2.4.4

08 – Como método de Stroke, deixe o tipo FreeHand, trabalhe com Z Intensity baixo como 25, Focal Shift em 16 e Draw Size em 31 para definir os sulcos das rugas. Trabalhe os aprofundamentos antes com um pincel menor, depois as saliências com um pincel maior. É possível também definir tanto sulcos como saliências em alternância e suavizar conforme a necessidade.

Figura 6.2.4.5

09 – Desenvolva as saliências paralelas aos sulcos para dar a impressão correta de rugas.

Figura 6.2.4.6

10 - Como uma forma ainda mais realista, é possível incluir informação de aceleração de gravidade a estas aplicações de deformidades de pele, expressa sob a forma de "Peso Gravitacional", pois a gravidade "puxa" o peso dos corpos para baixo, nada mais lógico que as ondulações "tendam" para

baixo. Neste exemplo do livro não se está trabalhando na gravidade para não confundir o leitor, deixando este aprendizado à parte. Para usar a gravidade aplicada aos pincéis, acesse o menu Brush – opção Gravity Strength. Veja que, por padrão, está em 0, ou seja, nenhum efeito é aplicado. Aumentando este valor, aplica-se informação gravitacional às edições [em termos reais, a aceleração da gravidade na Terra trabalha em torno de 9,80665 m/s² (fonte: Wikipédia)] fazendo que as deformidades tenham aspecto "caído", tal como se existisse alguma força puxando-as para baixo.

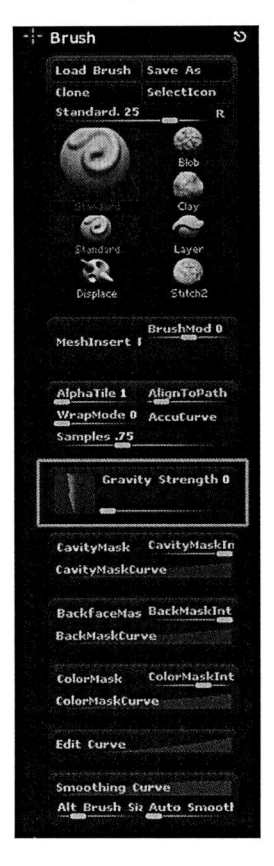

Figura 6.2.4.7

11 – Edite algumas partes do modelo como a narina, a porção inferior dos olhos e outras em torno da boca. Prefira trabalhar sempre com valores não muito altos de intensidade para os pincéis.

Figura 6.2.4.8

12 – Trabalhe também a parte sobre os olhos.

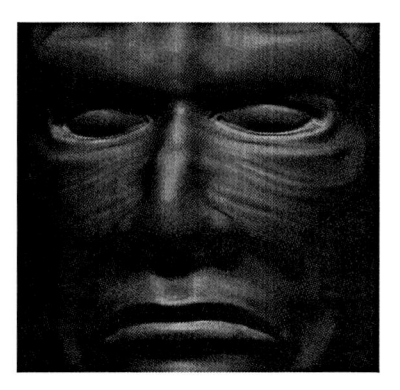

Figura 6.2.4.9

6.2.5 Como ajustar luzes interativas

01 - Carregue o modelo editado anteriormente, caso já não esteja no Canvas. Traga as partes que estavam escondidas na edição anterior.

02 – Uma ferramenta interessante do ZBrush é a InteractiveLight (luz interativa) que possibilita manipular rapidamente uma luz dinâmica como forma de melhor evidenciar certas partes ou para simplesmente posicionar mais confortavelmente uma luz no Canvas para a edição de algum modelo.

03 – Primeiramente deve-se trocar o Material por um que funcione com este recurso, pois os materiais do tipo MatCap não funcionam com esta luz interativa. Troque pelo tipo FastShader.

04 – Acesse o menu Zplugin – clique na opção InteractiveLight e mova o cursor, veja que a luz muda dinamicamente.

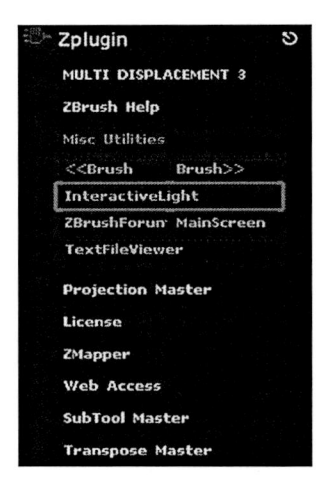

Figura 6.2.5.1

05 – Perceba na Figura 6.2.5.2 que o modelo posicionado na esquerda, a luz está do seu lado direito e que o modelo posicionado na direita, a luz está do seu lado esquerdo.

Figura 6.2.5.2

Trabalho em 3D (escultura digital avançada) | 271

06 – Na figura a seguir, a luz foi posicionada abaixo do objeto em edição.

Figura 6.2.5.3

07 – É possível também usar as luzes do Menu Light e posicionar onde se desejar o ponto de luz que ilumina todo o Canvas. Para isto, basta clicar no ícone de esfera neste menu e mover com o cursor para onde se deseja que a luz incida no Canvas. É possível adicionar outros pontos de luz também, conforme a necessidade.

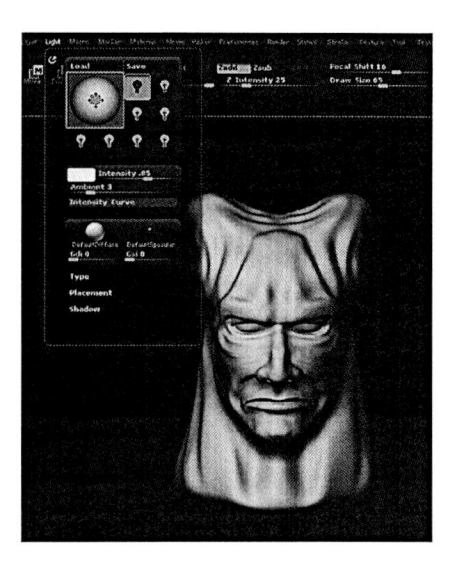

Figura 6.2.5.4

6.2.6 Ajustes finais no corpo

01 - Carregue o modelo editado anteriormente, caso já não esteja no Canvas.

02 – Nesta etapa aplicam-se os conceitos apreendidos anteriormente e tem-se liberdade para aplicar todo tipo de informação à superfície de malha que se está editando atualmente. Aplica-se reforço em saliências, evidenciam-se musculaturas ou deformidades de pele e todo e qualquer ajuste que possibilite ao modelo tornar-se coeso com seu conceito. A seguir, algumas imagens dos passos desta edição.

Figura 6.2.6.1

Figura 6.2.6.2

Figura 6.2.6.3

Figura 6.2.6.4

Figura 6.2.6.5

Figura 6.2.6.6

03 – Salve seu modelo.

6.2.7 Ajustes nos chifres com pincel tipo Pinch

01 - Carregue o modelo editado anteriormente, caso já não esteja no Canvas.

02 – Traga para o Canvas as partes do modelo ocultas, como os chifres. Perceba que as SubTools não selecionadas ficam em tom de cor mais escuro. Selecione a SubTool dos chifres e oculte o corpo para esta sessão.

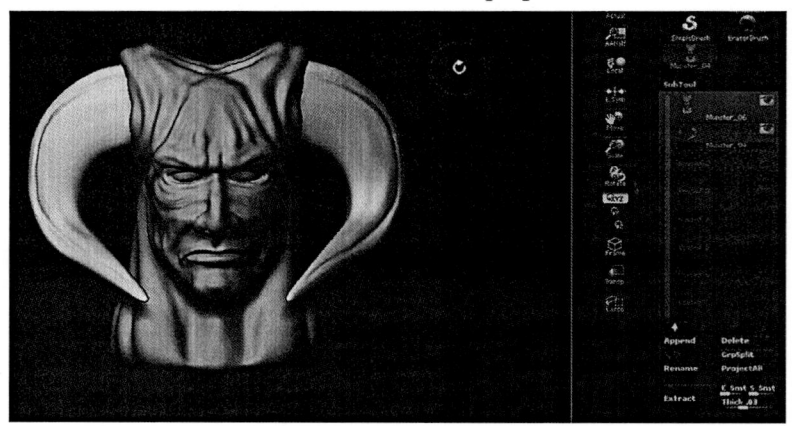

Figura 6.2.7.1

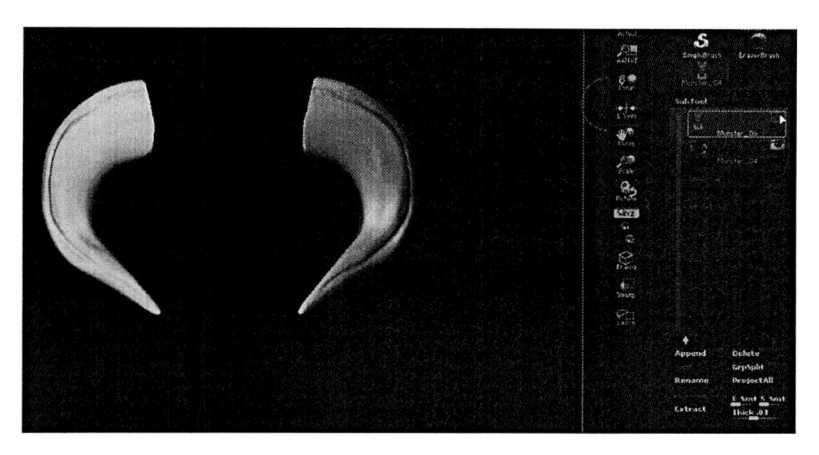

Figura 6.2.7.2

03 – É importante que os dois chifres fiquem visíveis ao Canvas, pois como eles são simétricos, ocultar um dos dois fará com que a edição seja aplicada somente a um deles, no caso, o visível.

04 - Mude o tipo de pincel para Inflat, o método de Stroke para FreeHand e escolha um tipo de Alpha como Alpha 01. Deixe Z Intensity em 20, Focal Shift em 0 e Draw Size em 53. Saliente a porção superior do modelo. Use essa mesma configuração de pincel para realizar sulcos e saliências.

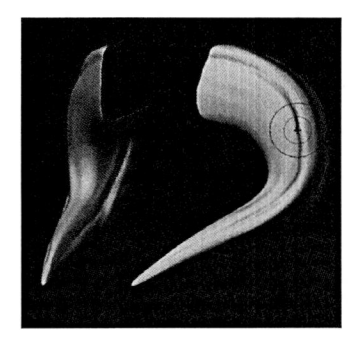

Figura 6.2.7.3

05 – É oportuno verificar o recurso de LazyMouse, discutido mais à frente, porém, aqui, se mostra esta ferramenta. No menu Stroke – habilite a opção LazyMouse para utilizá-lo ou use o atalho de teclado L.

Figura 6.2.7.4

06 – Será criada uma "corda" com um retardo de toque na superfície, talvez seja necessário também elevar a força de aplicação de Z Intensity com este recurso.

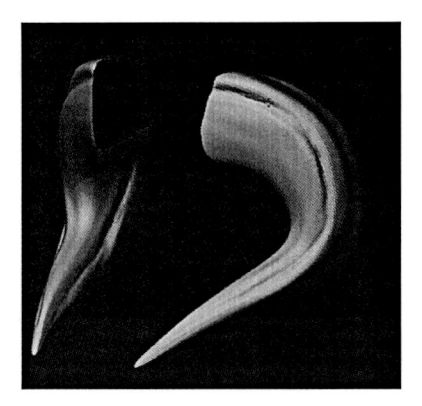

Figura 6.2.7.5

07 – Faça mais algumas edições na parte superior externa.

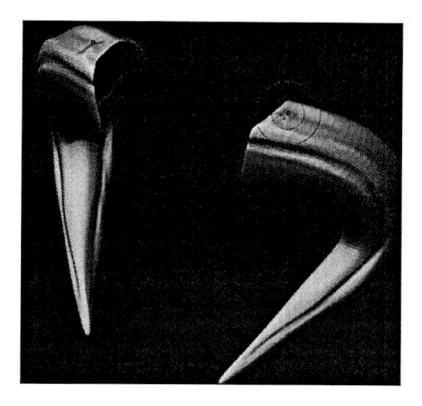

Figura 6.2.7.6

08 – Mude o tipo de pincel para Pinch, porque este fará um tipo de "aproximação" de partes da superfície em edição. Aplique este recurso à parte superior que se estende ao longo da parte externa dos chifres.

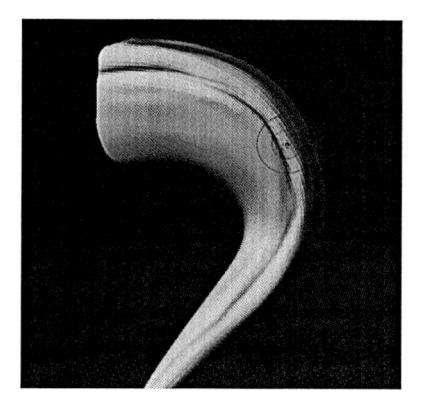

Figura 6.2.7.7

09 – Aplique este tipo de pincel a todas as áreas onde julgar necessária uma aproximação de superfícies.

6.2.8 Ajustes com LazyMouse

01 - Carregue o modelo editado anteriormente, caso já não esteja no Canvas.

02 – Aumente o nível de subdivisão dos Chifres para 5 através da paleta Tool – Subpalette Geometry – opção Higher Res.

03 – É o momento de trabalhar as ranhuras dos chifres que criam um tipo de "sistema sanfona" na porção interior deles. Para tanto será utilizado o recurso de LazyMouse que possibilita uma melhor edição para este tipo de detalhe. Evidentemente, esta é uma das maneiras de se produzir este efeito, cabendo à imaginação do artista, desenvolver técnicas ou maneiras de realizar com agilidade seu trabalho.

04 - No menu Stroke – habilite a opção LazyMouse para utilizá-lo ou use o atalho de teclado L.

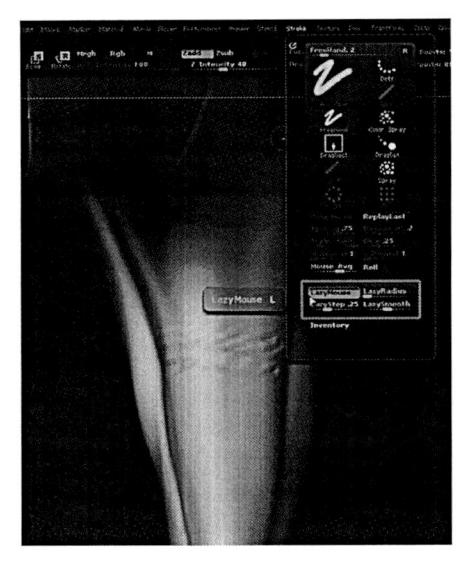

Figura 6.2.8.1

06 – Será criada uma "corda" com um retardo de toque na superfície, talvez seja necessário também elevar a força de aplicação de Z Intensity com este recurso.

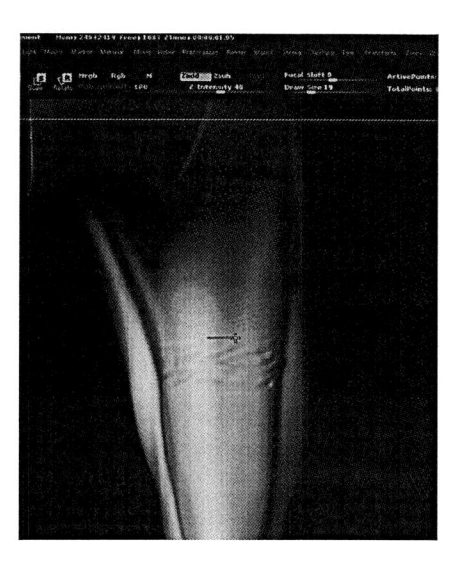

Figura 6.2.8.2

07 – Aumente a intensidade de Z Intensity caso o resultado do toque na superfície com este recurso não seja evidente. LazyMouse produz saliências, mas, quando se pressiona a tecla ALT, faz-se com que ele realize sulcos na superfície em edição. Alterne entre um modo e outro para criar os detalhes desta área do modelo.

08 – Na Figura 6.2.8.3 as saliências e os sulcos evidenciando-se, com Z Intensity definido em 100.

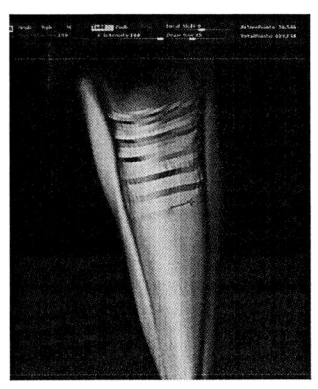

Figura 6.2.8.3

09 – Realize esta atividade ao longo de toda a parte interna dos chifres.

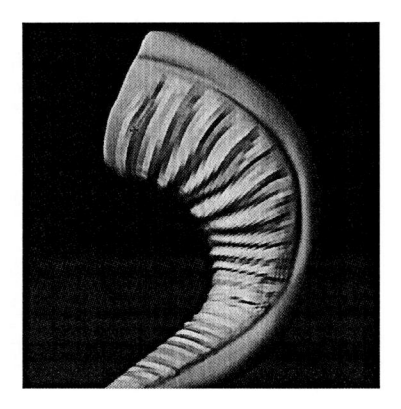

Figura 6.2.8.4

10 – Na figura a seguir o modelo finalizado até esta etapa.

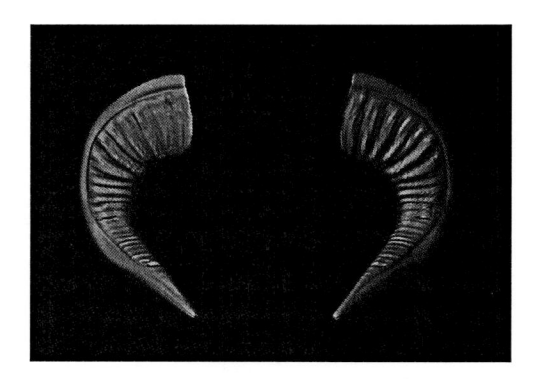

Figura 6.2.8.5

6.2.9 Ajustes finais com eixo tipo Local

01 - Carregue o modelo editado anteriormente, caso já não esteja no Canvas.

02 – Nesta etapa devem-se realizar todos os ajustes de detalhes que devam ainda ser feitos, pois, na próxima etapa, serão trabalhados os microdetalhes.

Trabalho em 3D (escultura digital avançada) | 281

03 – Utilize os pincéis e recursos apreendidos anteriormente nesta etapa.

04 – Utilize o sistema de coordenadas Local do ZBrush para que, a cada local editado, o sistema o torne como o ponto em que o objeto deve ser usado como ponto de rotação (um tipo de eixo local). Habilite este recurso conforme a Figura 6.2.9.1 mostra.

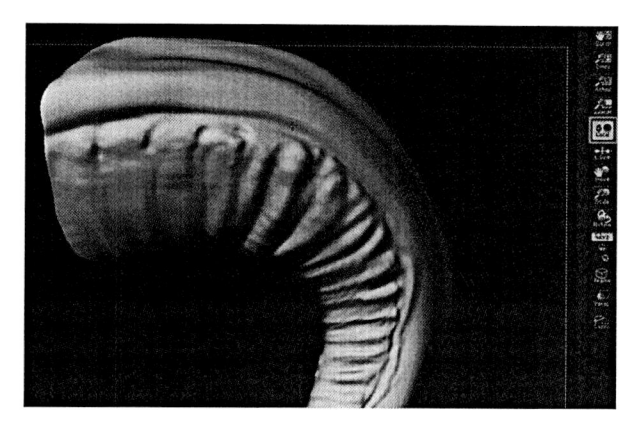

Figura 6.2.9.1

05 – A seguir, algumas imagens desta edição de refinamento.

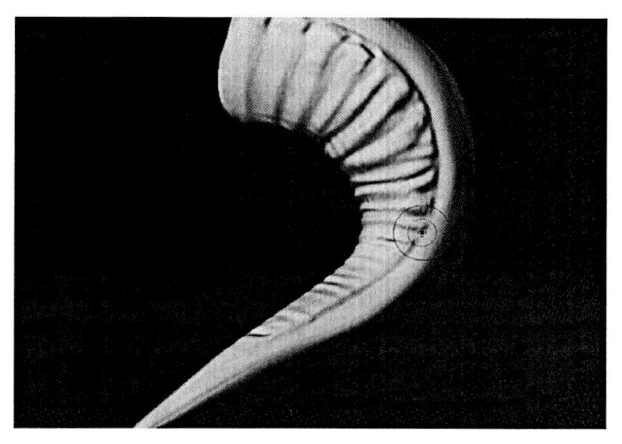

Figura 6.2.9.2

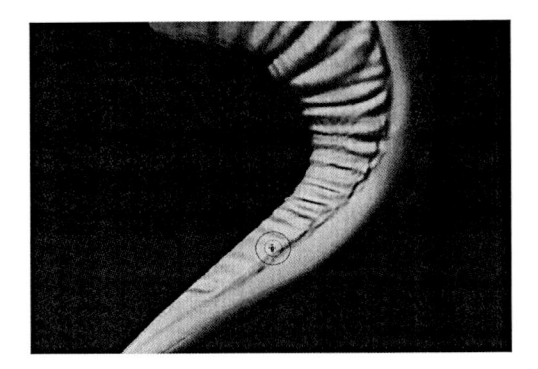

Figura 6.2.9.3

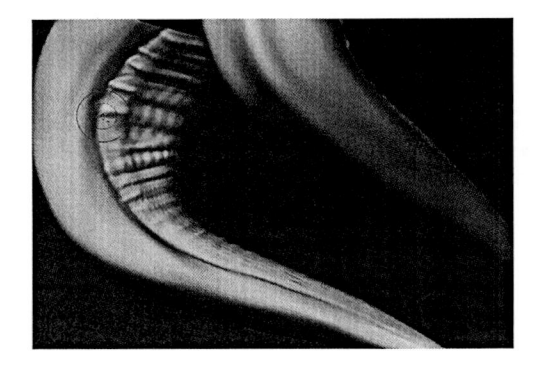

Figura 6.2.9.4

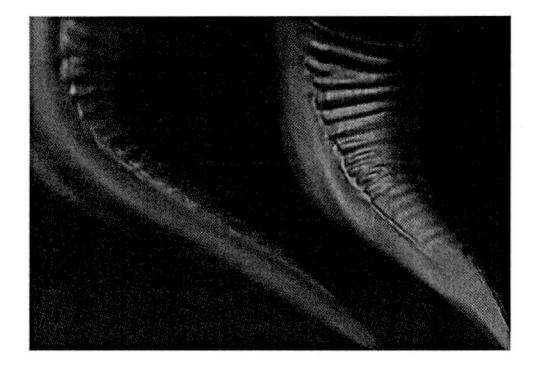

Figura 6.2.9.5

Figura 6.2.9.6

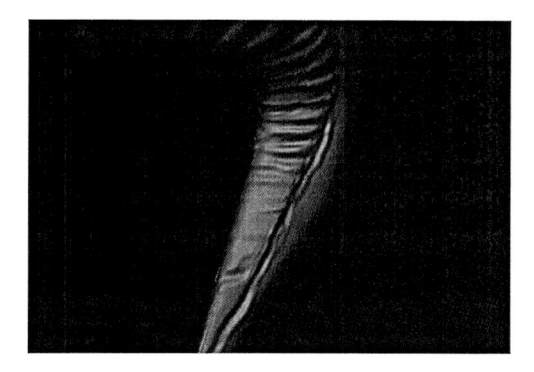

Figura 6.2.9.7

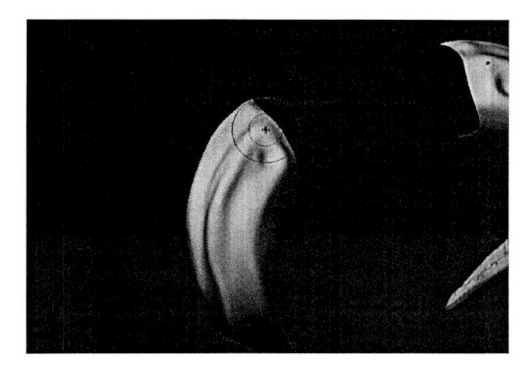

Figura 6.2.9.8

284 | ZBrush para Iniciantes

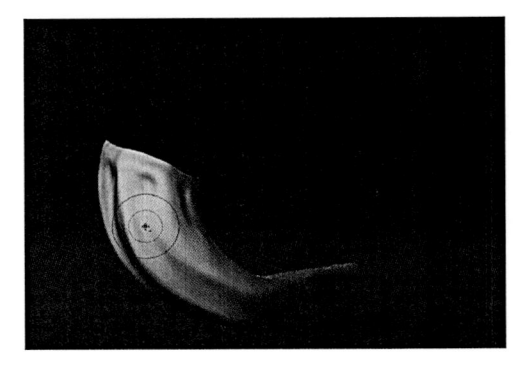

Figura 6.2.9.9

06 – Na figura a seguir, o modelo finalizado até esta etapa. Salve seu modelo através da paleta Tool, opção Save As.

Figura 6.2.9.10

6.2.10 Como importar arquivos de textura Alpha

01 - Carregue o modelo editado anteriormente, caso já não esteja no Canvas.

02 – Deixe ativa apenas uma SubTool de cada vez, neste caso, o corpo primeiramente.

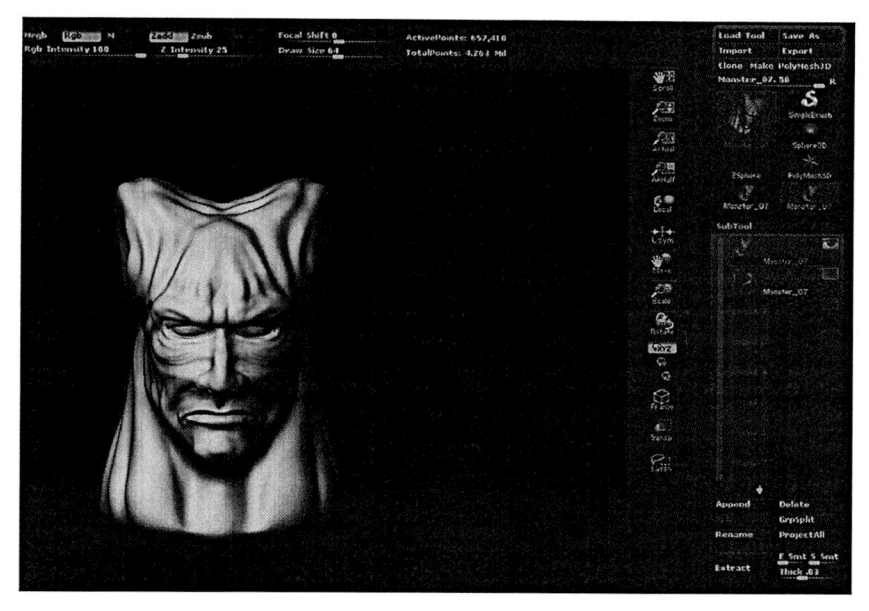

Figura 6.2.10.1

03 – Por padrão, o ZBrush já possui alguns mapas de Alpha, porém pode-se acrescentar outros mapas construídos para modelos específicos, garantido a particularidade de cada um, ou ainda, mapas que agilizam o processo de modelagem digital.

04 – Para se acrescentar à paleta Alpha novos mapas, clique no ícone de Alpha na paleta esquerda (Left Shelf). Abrirá o menu Fly-Out de Alphas. Clique no botão Import e navegue até sua pasta de texturas ou utilize as disponíveis com ZBbrush 3.1 no caminho (geralmente a partir da pasta de instalação do programa):
"\\Pixologic\ZBrush3\GnomonAlphaLibrary"

Figura 6.2.10.2

05 – Existem três pastas dentro de "GnomonAlphaLibrary", acesse uma de cada vez, selecione todos os arquivos que estiverem dentro e clique em Abrir. Automaticamente todos os arquivos selecionados irão se encontrar na parte superior do menu Fly-Out Alphas, na seção User Alphas.

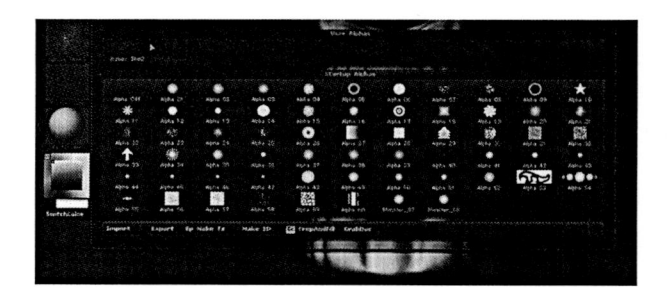

Figura 6.2.10.3

06 – Faça o mesmo com as outras pastas e verifique que agora todos os arquivos importados se encontram na paleta Alphas em User Alphas, podendo ser utilizados neste projeto.

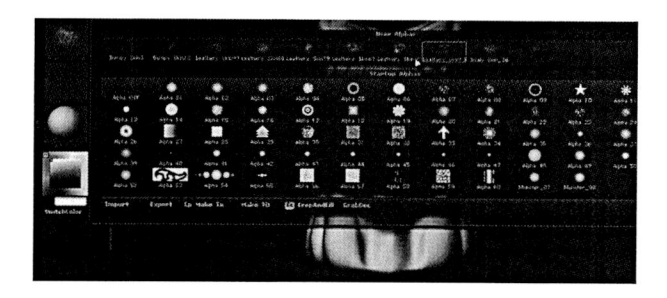

Figura 6.2.10.4

6.2.11 Como criar Layers (3D Layers)

Criar camadas como as 3D Layers não é o mesmo que criar camadas do tipo SubTool. Na primeira, criam-se camadas com as quais se armazenam dados de deformidade de cada parte do modelo, já as SubTools armazenam partes inteiras de modelos que, juntas, criam os modelos completos. É verdadeiramente importante não confundir a utilidade de uma com a da outra durante a execução de trabalhos com ZBrush.

01 - Carregue o modelo editado anteriormente, caso já não esteja no Canvas.

02 – É ideal que, ao se trabalhar com 3D Layers, isso seja feito com o modelo em seu nível máximo de subdivisão. Neste modelo de exemplo, está-se trabalhando com sete subdivisões. Segundo a "Ajuda Online" do ZBrush, recomenda-se que a criação de 3D Layers seja feita somente no último nível de subdivisão do modelo. Evita-se desse modo, criar camadas em outros níveis, possibilitando também ao sistema um melhor gerenciamento das informações do arquivo.

03 – Uma vez subdivido o modelo de forma adequada, criam-se tantas camadas quantas forem necessárias para o seu refino.

04 – Para criar a primeira camada, vá até a Subpalette Layers da paleta Tool. Clique em New, depois renomeie através do botão Rename (defina um nome, procurando usar nomes coesos como "Rugas" para edições que se referem às rugas do modelo), feito isto, clique em OK.

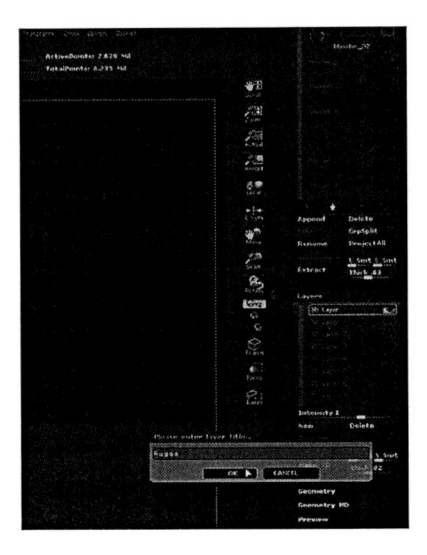

Figura 6.2.11.1

05 – Pronto. Cada edição feita nesta SubTool será atribuída a esta camada 3D Layers.

6.2.12 Detalhamento com Alphas (refinando o modelo 1 e 2)

A etapa de criação de detalhes com Alphas é uma das etapas que, para uns, funciona como "terapia", pois se pode passar tanto tempo quanto for possível trabalhando neles e os microdetalhes. E, para outros, pode consistir em uma tarefa "árdua e entediante". Independentemente disto, a etapa de criação de detalhes com mapas de Alpha possibilita um acréscimo de realismo muito superior a simples confecção de texturas em arquivos tipo 2D apenas. Com a resolução que o ZBrush oferece, pode-se interagir com os resultados de forma instantânea e em tempo real a qualquer mudança ou melhoria feita no modelo.

O vídeo que demonstra a explicação a seguir, é "6.2.12 Detalhamento com Alphas 1.mov" que está disponível com o material que acompanha este livro.

01 - Carregue o modelo editado anteriormente, caso já não esteja no Canvas.

02 – Mude o tipo de Stroke para DragRect, selecione algum mapa de Alpha para iniciar as edições, como, por exemplo, o mapa "Leathery Skin99" para a parte frontal da cabeça (testa).

03 – Enquadre adequadamente o modelo no Canvas, trabalhe com valores baixos em Z Intensity, toque na superfície do modelo, segure o cursor e arraste para alguma direção até ver o mapa de Alpha ser desenhado sobre a superfície.

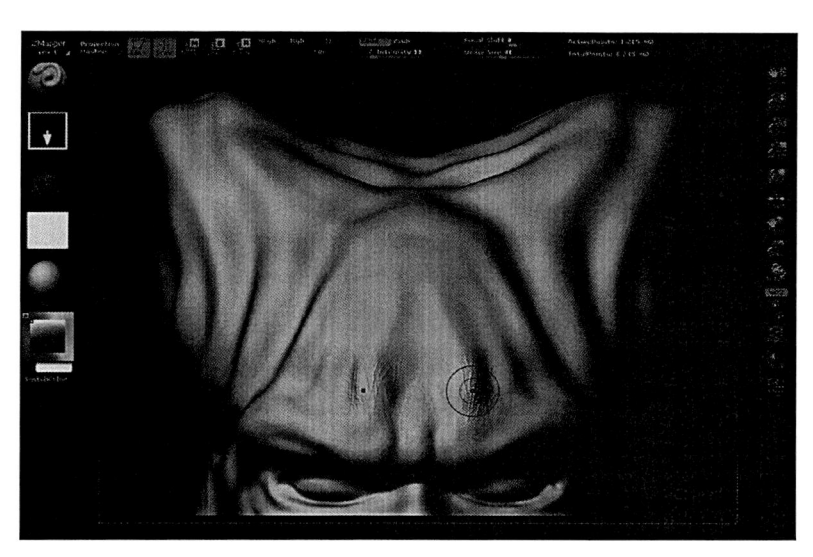

Figura 6.2.12.1

04 – Perceba que é possível mudar o tamanho do mapa enquanto se aplica à superfície. É possível girar também.

05 – Quando se deseja causar sulcos e não saliências com mapas de Alpha nas superfícies em edição, pressiona-se a tecla ALT e, então, se toca na superfície, causando os sulcos. Ou ainda pode-se usar o recurso de Zsub.

06 – Ative o eixo de simetria através do menu Transform – Active Symmetry – Ative eixo X. Isto faz com que as edições sejam aplicadas de forma espelhada a ambos os lados (não oculte um dos lados espelhados em edição, apenas as partes que não receberão edição, pois, ao se ocultar partes espelhadas, apenas um dos lados recebe a ação).

07 – Varie a intensidade das aplicações dos mapas para garantir uma não uniformidade na superfície do modelo.

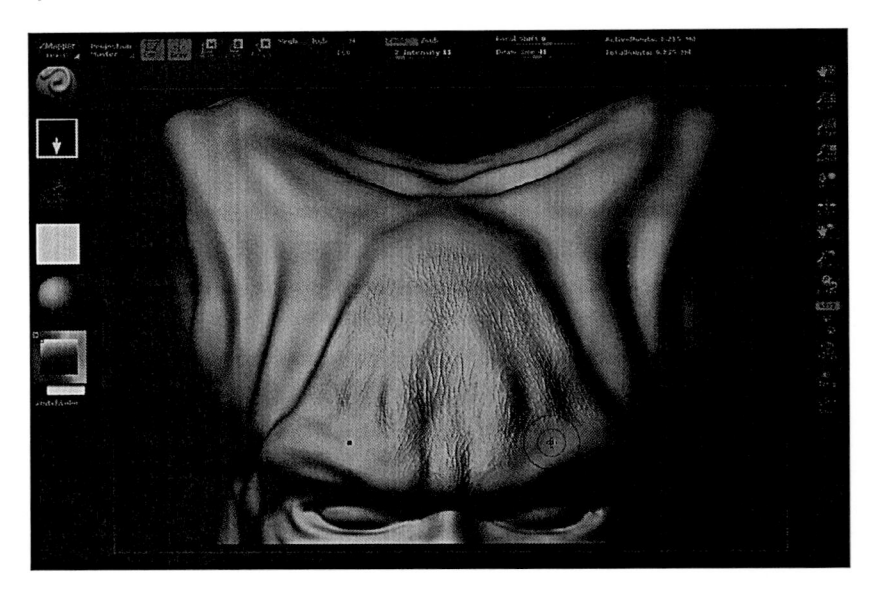

Figura 6.2.12.2

08 – A seguir, algumas amostras da edição do modelo com mapas de Alpha.

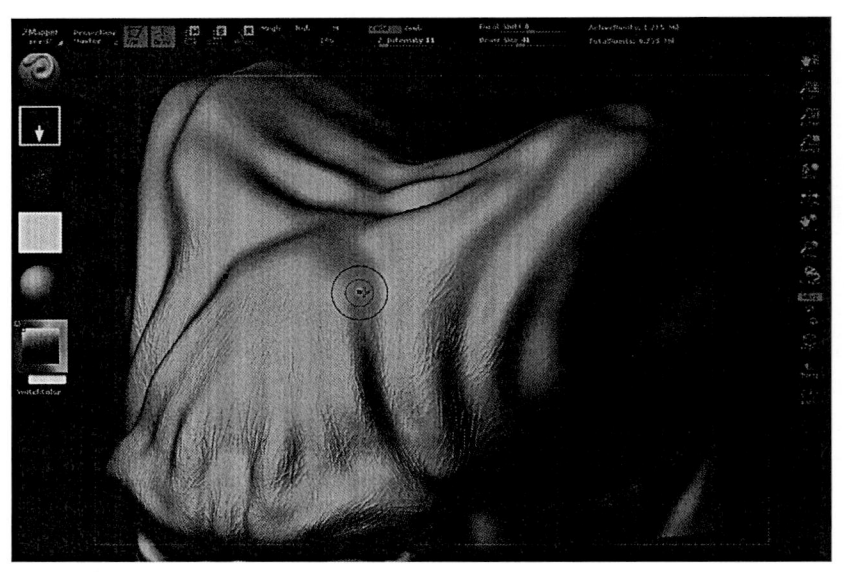

Figura 6.2.12.3

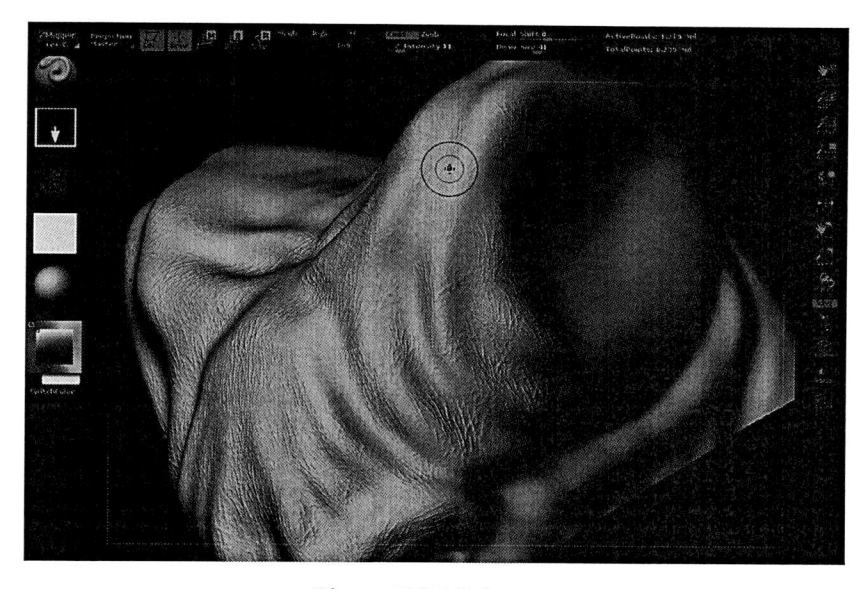

Figura 6.2.12.6

09 – Até a figura 6.2.12.6 é usado como referência o vídeo de nome "6.2.12 Detalhamento com Alphas 1.mov" da pasta "Capítulo 6: Trabalho em 3D (escultura digital avançada)". A seguir, é usado como referência o vídeo de nome "6.2.12 Detalhamento com Alphas 2.mov".

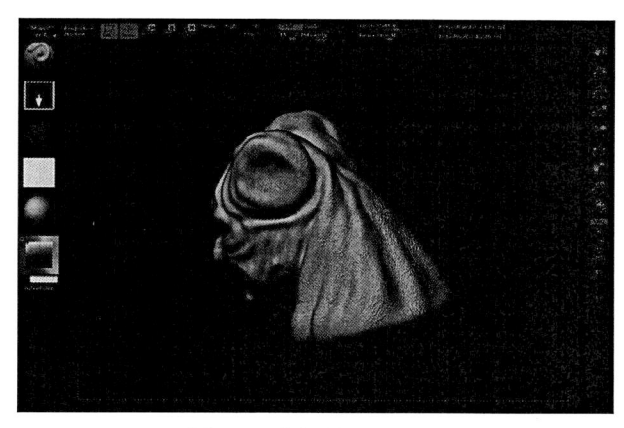

10 – Mais algumas imagens da evolução do trabalho.

Figura 6.2.12.7

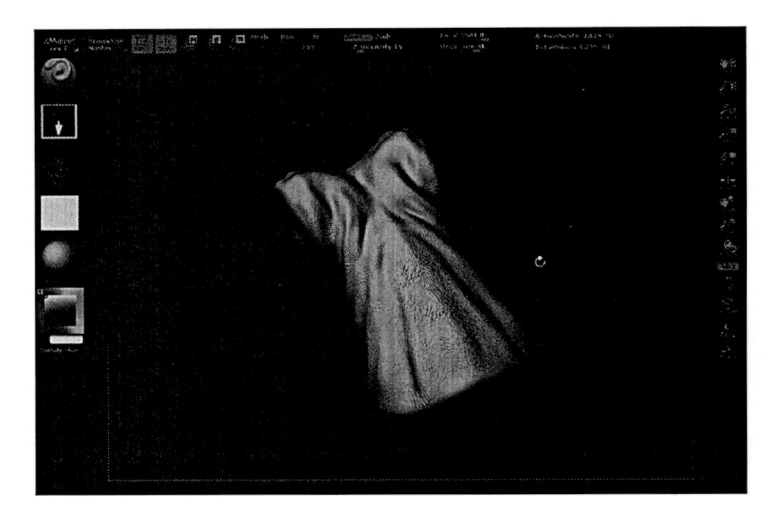

Figura 6.2.12.8

11 – Trabalhe com Z Intensity em 15 nas partes maiores como no pescoço, pela parte de trás.

Figura 6.2.12.9

12 – Em algumas regiões, diminua o tamanho do Stroke e a força de Z Intensity.

Figura 6.2.12.10

13 – Em algumas partes do corpo, como na região da boca e dos olhos, a direção das rugas é oposta à dos músculos, ou seja, enquanto estes realizam uma direção que envolve essas áreas em tipo de círculo fechado, as rugas tendem a ser definidas pelo organismo em direção oposta, perpendicular.

Figura 6.2.12.11

Figura 6.2.12.12

14 – Isole a região dos lábios de Monster. Mude o mapa de Alpha para o tipo "Leather Skin 13". Continue com a mesma intensidade de Z Intensity. Detalhe algumas partes dos lábios. Trabalhe com saliências e sulcos.

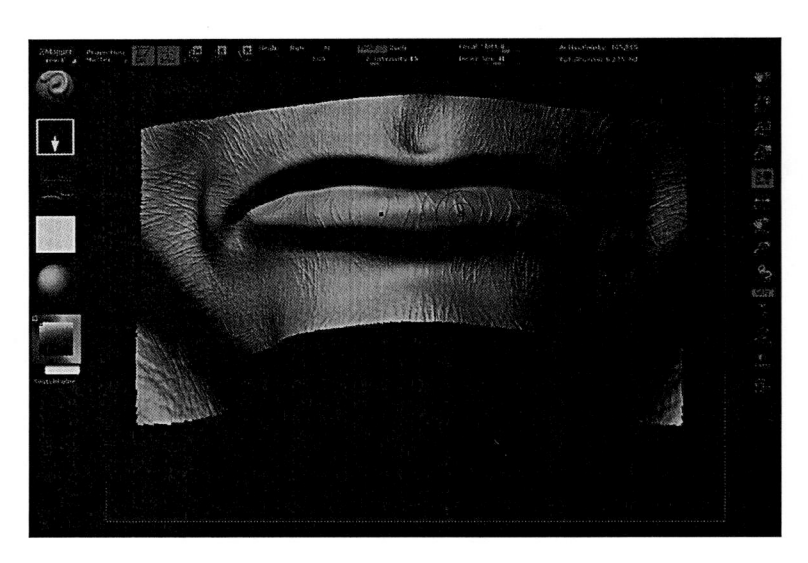

Figura 6.2.12.13

15 – Trabalhe variando as intensidades de força também.

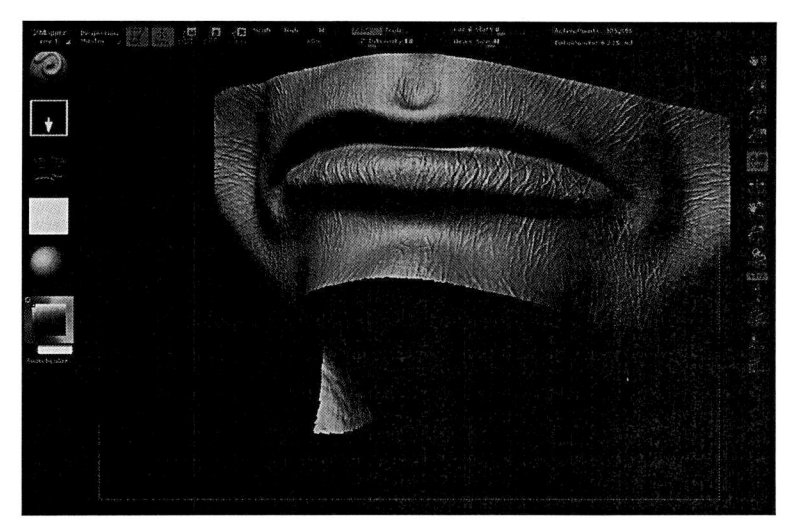

Figura 6.2.12.14

16 – Salve seu modelo. Na figura 6.2.12.15. o modelo finalizado.

Figura 6.2.12.15

17 – O trabalho do artista consiste em reproduzir o número máximo de detalhes que conseguir captar, desde que com "permissão" de seu hardware. Evidentemente, um maior nível de detalhamento no modelo de exemplo deste livro pode ser feito. Para os fins didáticos aos quais este modelo se destina, julga-se que está de acordo com a proposta de sua Arte Conceitual, não necessitando de maiores detalhes. Cabe ao leitor decidir se continua trabalhando na produção destes, ou se continua com as próximas etapas.

6.2.13 Ativar e desativar a simetria

01 - Carregue o modelo editado anteriormente, caso já não esteja no Canvas.

02 – Crie a segunda camada de detalhamento. Vá à Subpalette Layers da paleta Tool. Clique em New, depois renomeie através do botão Rename (defina um nome, procure usar nomes coesos como "Veias" para edições que se referem às veias do modelo), feito isto, clique em OK.

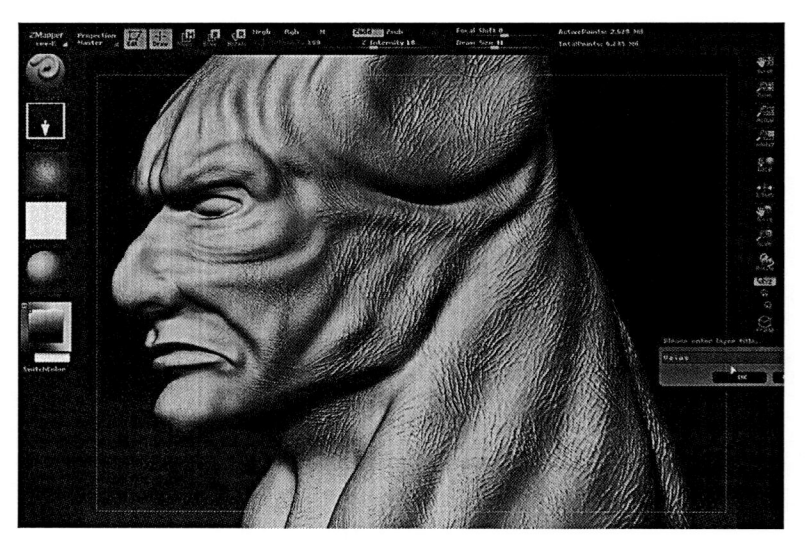

Figura 6.2.13.1

03 – As veias geralmente se formam em determinadas regiões, como nos braços, por exemplo, em função da frequente carga de força que os músculos realizam no dia a dia. Assim como em regiões onde ocorre um fluxo sanguíneo acima do normal como, por exemplo, na fronte, testa ou pescoço, as veias costumam salientar-se com bastante vigor.

04 – Mude o mapa de Alpha para o tipo "Alpha 22", deixe Z Intensity em 15. Deixe o método de Stroke como DragRect também. Vá definindo algumas veias nas regiões da testa e fronte.

Figura 6.2.13.2

05 – É um bom momento para desativar a simetria para que se possa detalhar o modelo o mais verossímil quanto possível. Para tanto, acesse o menu Transform, na seção Activate Symmetry, desmarque a opção em X.

06 – Vá definindo mais áreas de veias ao longo do corpo do Monstro. Perceba que agora não mais ambos os lados recebem a mesma edição: somente um lado é trabalhado, o outro não.

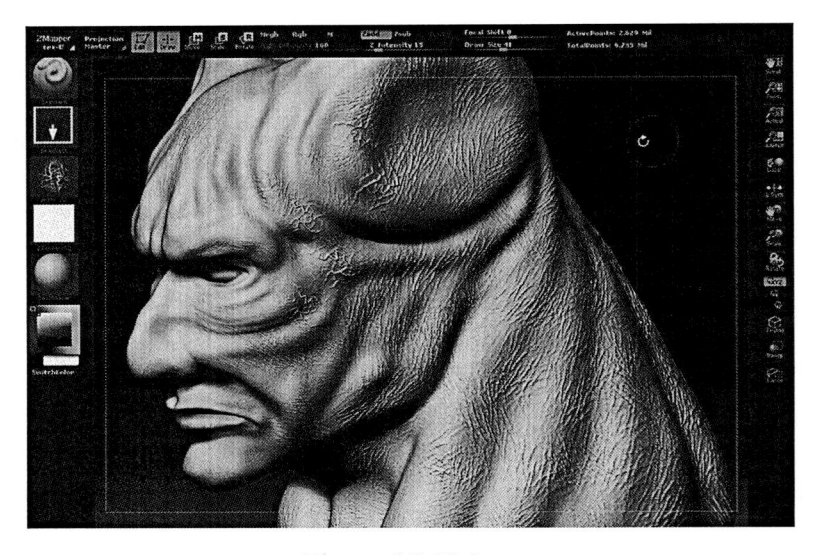

Figura 6.2.13.3

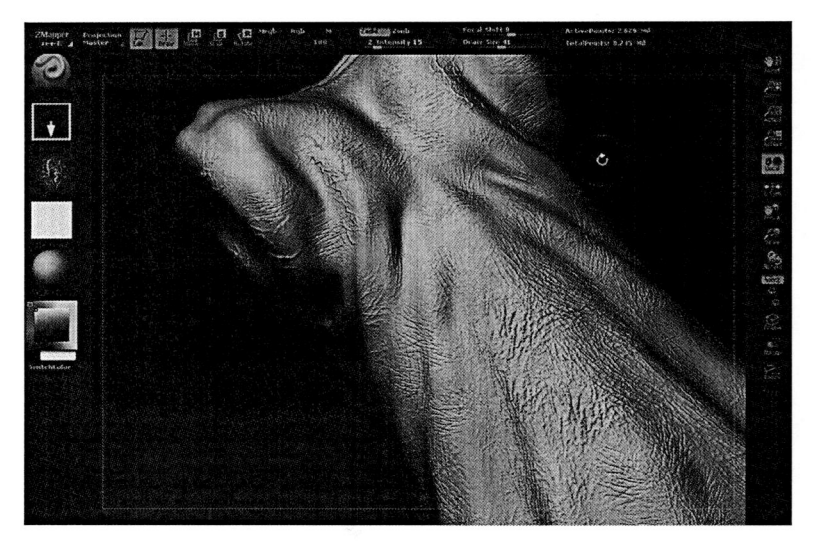

Figura 6.2.13.4

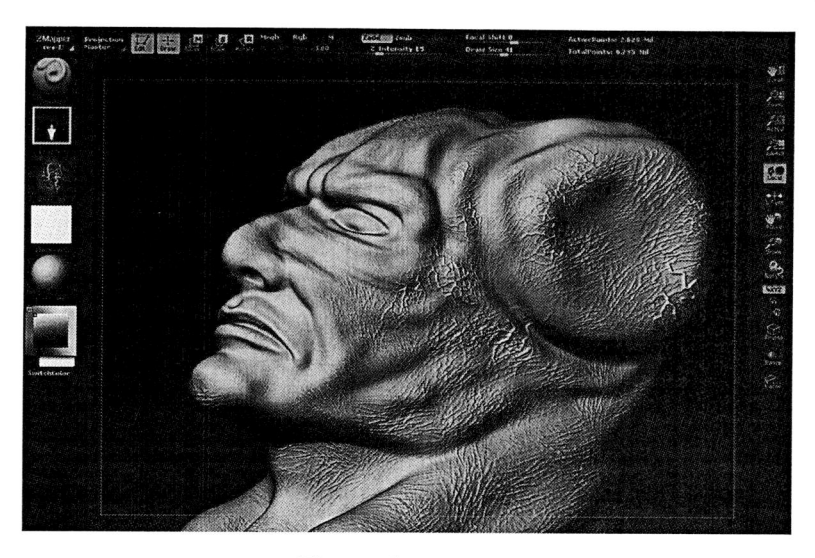

Figura 6.2.13.5

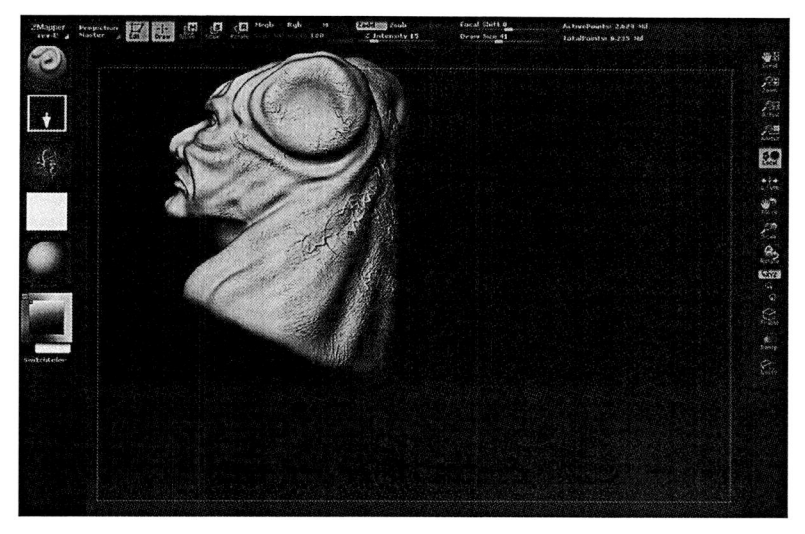

Figura 6.2.13.6

07 – Continue trabalhando na construção das veias.

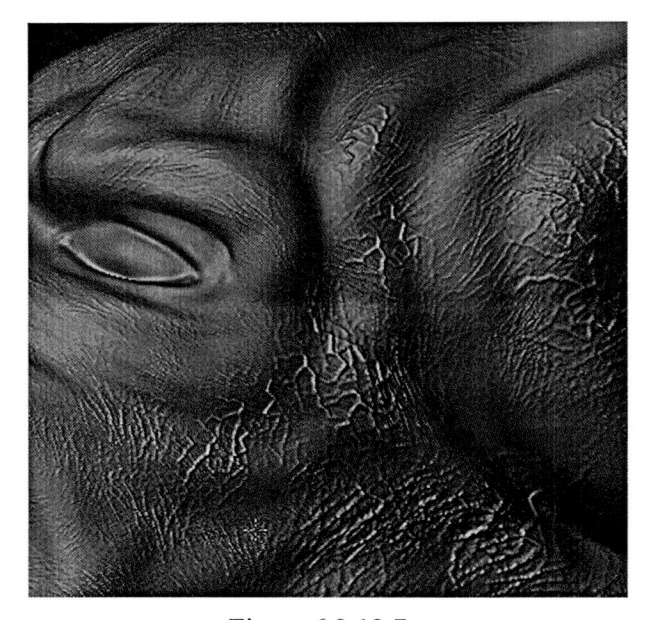

Figura 6.2.13.7

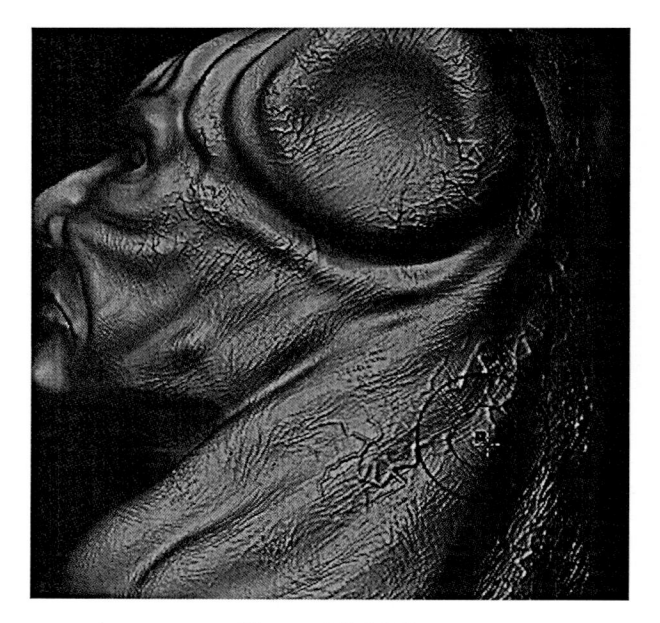

Figura 6.2.13.8

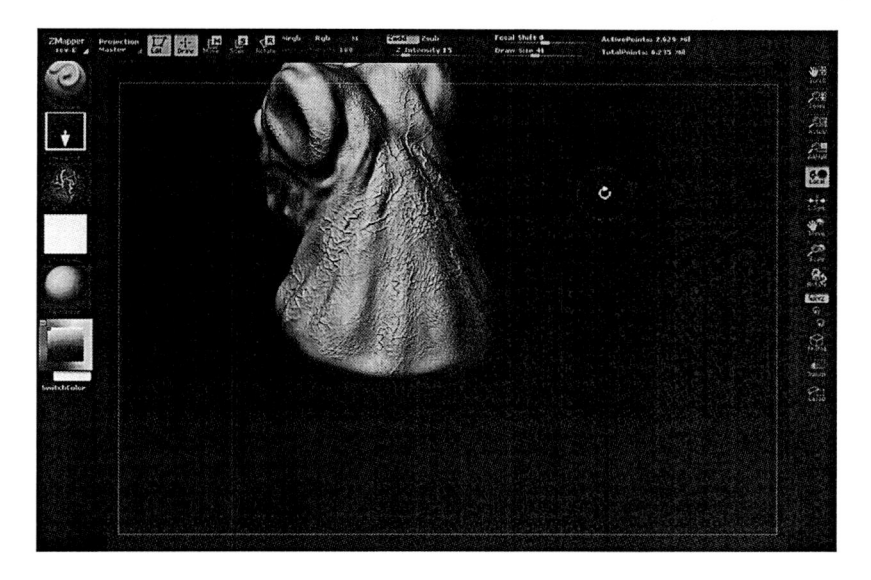

Figura 6.2.13.9

08 – Trabalhe na parte da testa também.

Figura 6.2.13.10

09 – Continue editando o modelo, aplicando Alphas com valores moderados de intensidade. Analise sempre os resultados a cada edição.

Figura 6.2.13.11

10 – Salve seu modelo. Nesta etapa, a quantidade de aplicação de detalhes pode ser definida conforme o "olho clínico" do artista. Compare a suas referências, o seu conceito e seus resultados. Vejam se são satisfatórios, se compreendem a mesma linguagem. Caso esteja satisfeito, passe para as próximas etapas, ou continue com mais edições tanto quanto sentir necessidade.

6.2.14 Ajuste dos olhos

01 - Carregue o modelo editado anteriormente, caso já não esteja no Canvas.

02 – Isole a região dos olhos para editá-los.

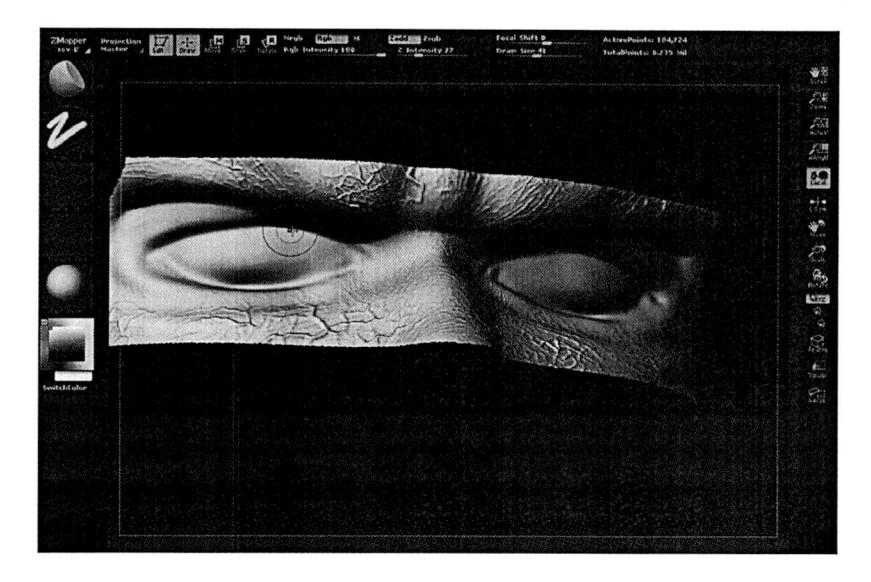

Figura 6.2.14.1

03 – Mude o tipo de pincel para Flatten, aumente o Z Itensity para 27 e procure deixar um pouco reta a região frontal dos olhos, que virão a ser as córneas. Use um tamanho de pincel que possa ser usado dentro da abertura dos olhos.

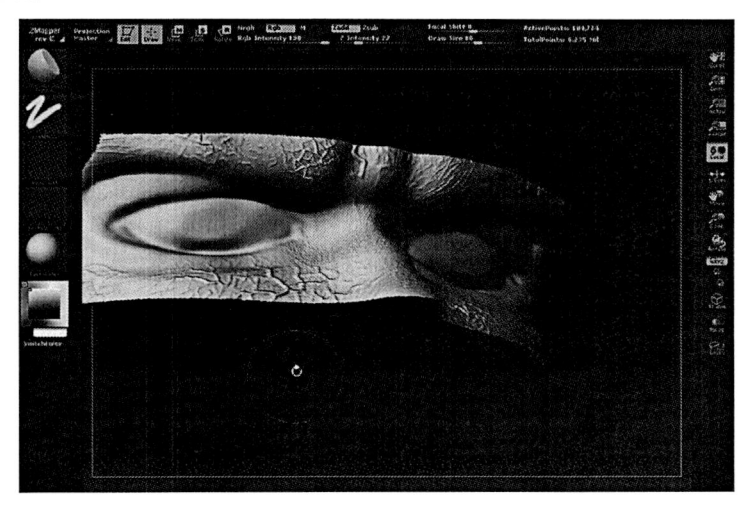

Figura 6.2.14.2

04 – Agora mude novamente o tipo de pincel para Displace, o método de Stroke defina para Dots, aumente Z Intensity para 25, deixe Focal Shift em 0 e Draw Size em 29. Crie o que vem a ser o sulco em que se encontra a retina do globo ocular (um pequeno orifício).

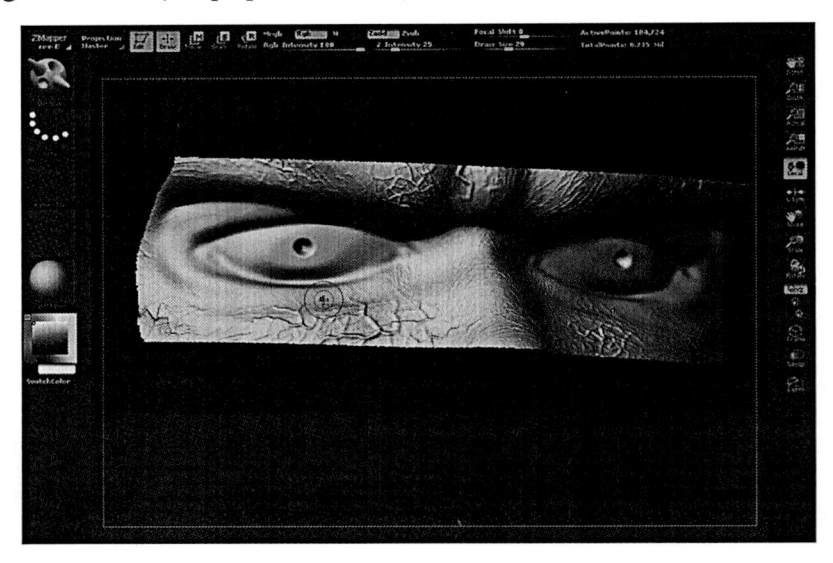

Figura 6.2.14.3

05 – Mude para um pincel do tipo Move e ajuste a sobrancelha. Procure deixar um pouco mais expressivo e em qualquer outra parte de seu rosto que julgar necessário, faça ajustes. Na Figura 6.2.14.4, à esquerda, está o modelo sem este ajuste e, à direita, com ele. A diferença é mínima, mas existe, e o cérebro humano consegue registrar. E é neste registro que o artista deve estar atento, pois o cérebro assimila muitas coisas, coisas até que não são entendidas ou compreendidas por nós, mas o cérebro "capta" a informação, para depois processarmos.

Figura 6.2.14.4

06 – Salve seu modelo.

6.2.15 Aplicação de Alphas aos chifres

01 - Nesta sessão seguem-se passos muito parecidos com os usados na sessão "6.2.12 Detalhamento com Alphas (Refinando o modelo 1 e 2)".

02 – A partir de agora serão feitos ajustes de pincéis e movimentação no Canvas. Utilize o vídeo "6.2.15 Aplicação de Alphas aos chifres.mov", disponível no material que acompanha este livro, como guia de referência.

03 - Carregue o modelo editado anteriormente, caso já não esteja no Canvas.

04 – Deixe exibido no Canvas apenas os chifres, não deixe de analisar a Arte Conceitual antes de prosseguir.

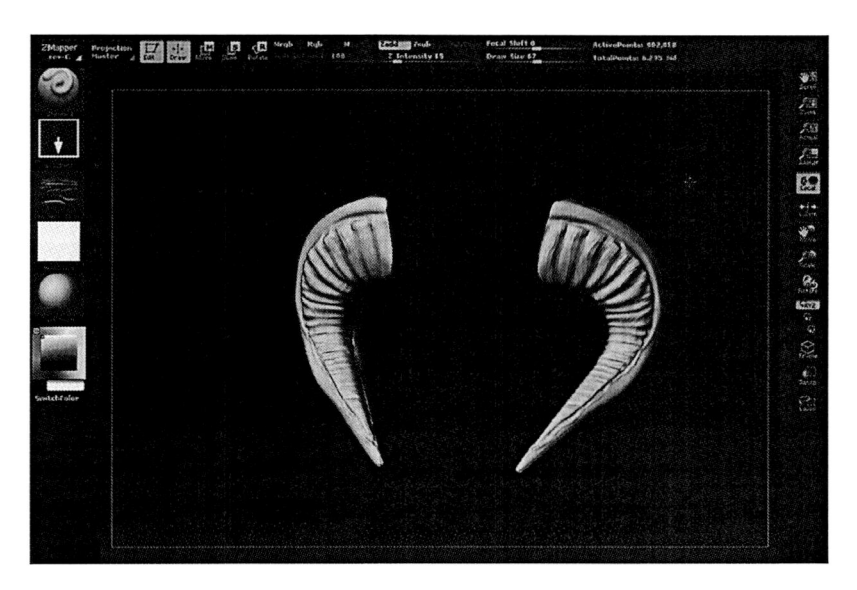

Figura 6.2.15.1

05 – Mude o tipo de Alpha para "Leathery Skin 3", deixe o método de Stroke para DragRect e Z Intensity em 15, procure trabalhar com valores baixos. Comece aplicando na parte de trás dos chifres.

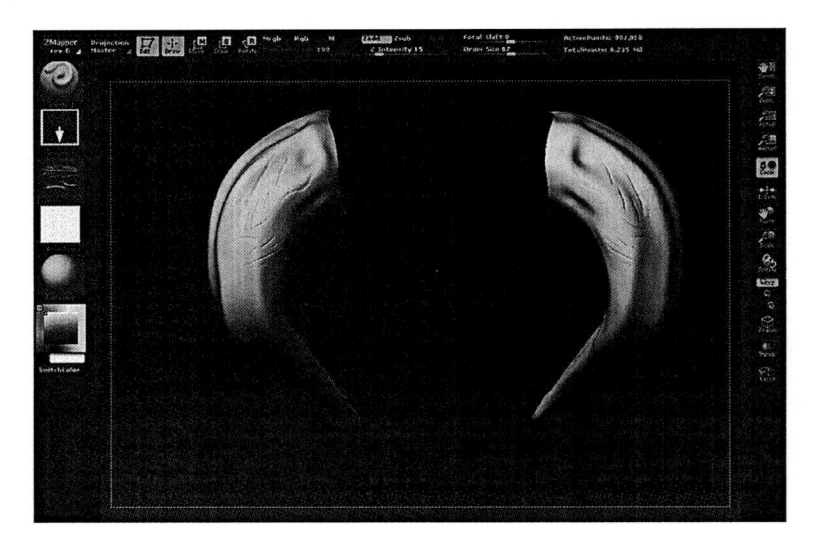

Figura 6.2.15.2

05 – Procure aplicar sempre na direção longitudinal dos chifres, de modo a reproduzir alguns "filetes" de ranhura em uma única direção.

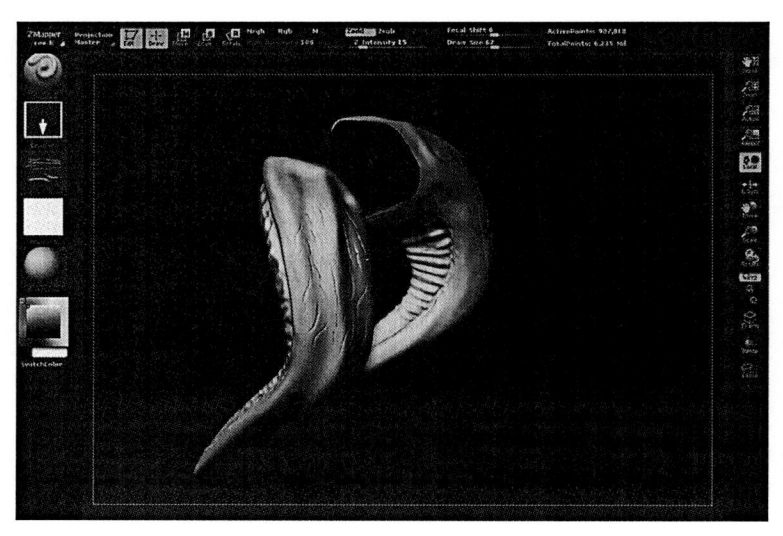

Figura 6.2.15.3

Trabalho em 3D (escultura digital avançada) | 307

06 – Alterne para o mapa "Alpha 58", reproduzindo mais filetes, mas, com este mapa, serão ainda menores e mais definidos.

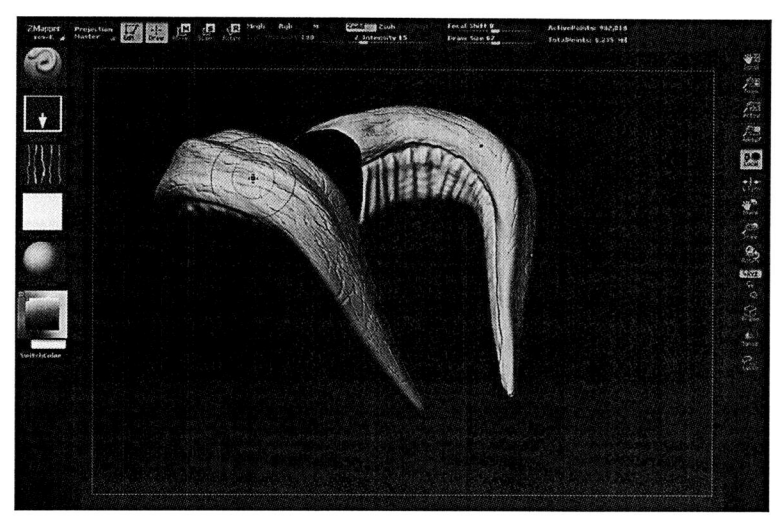

Figura 6.2.15.4

07 – Trabalhe na parte frontal também conforme a Figura 6.2.15.5 mostra. Como são ranhuras, geralmente elas são produzidas dentro das superfícies, se desejar, mude de Zadd para Zsub, ou, a cada toque na superfície, pressione a tecla ALT para produzir sulcos e não saliências.

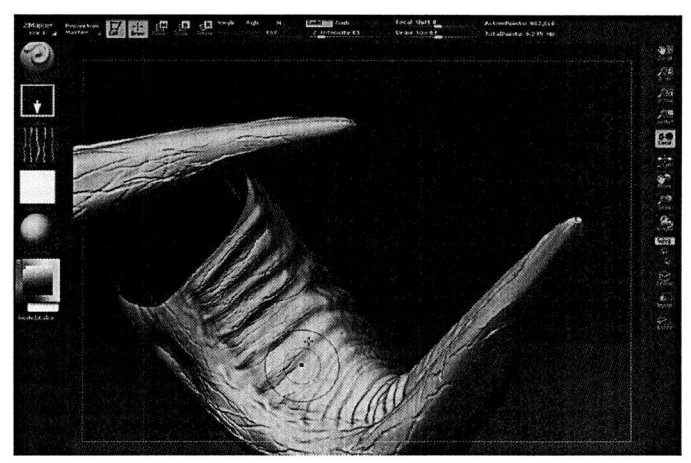

Figura 6.2.15.5

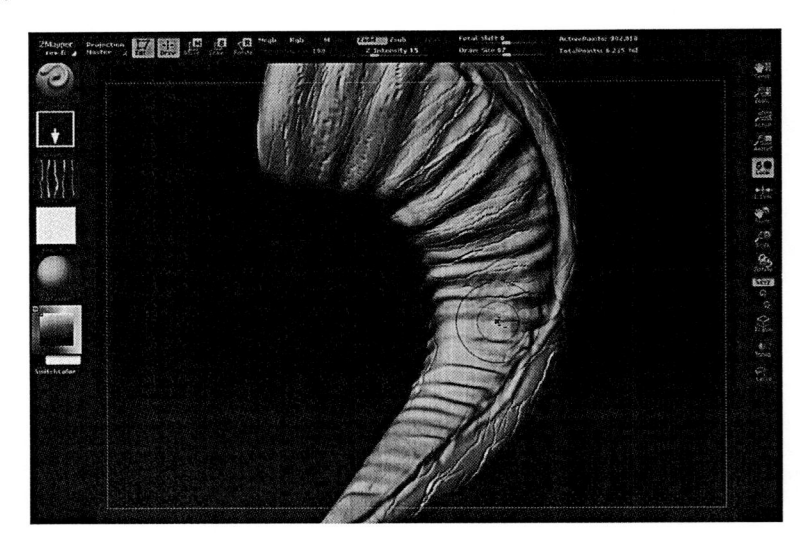

Figura 6.2.15.6

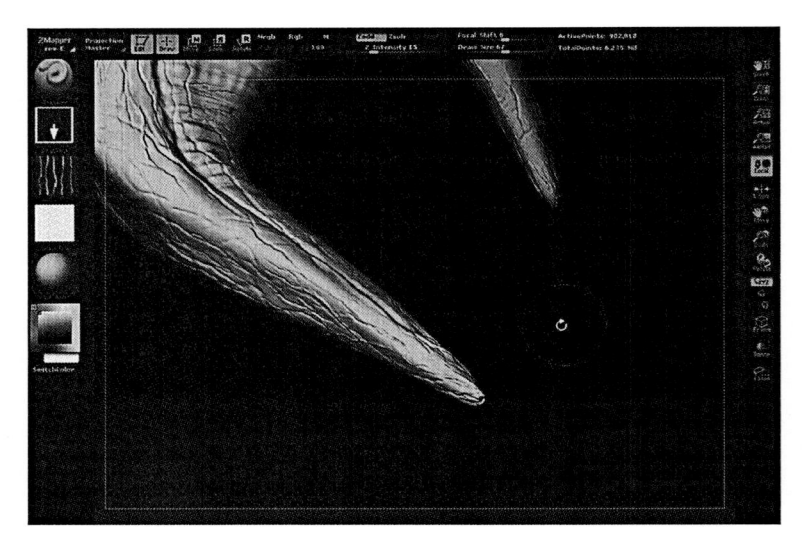

Figura 6.2.15.7

08 – Salve seu modelo. Caso deseje, prossiga com o detalhamento. Para os propósitos deste livro, o presente detalhamento já é o suficiente.

6.2.16 Últimos ajustes

01 - Carregue o modelo editado anteriormente, caso já não esteja no Canvas.

02 – Será feito um último ajuste, uma pequena adição de relevos como um tipo de camada sobre a pele deste Monster.

03 – Mude o mapa de Alpha para "Alpha 25", defina Z Intensity para 20 e mantenha o método de Stroke em DragRect. Crie uma 3D Layers para esta edição chamada "Placas".

04 – Crie algumas saliências em torno das costas deste personagem e um pouco a seu lado. Talvez seja interessante trabalhar habilitando ora uma camada 3D, ora outra das que já existem.

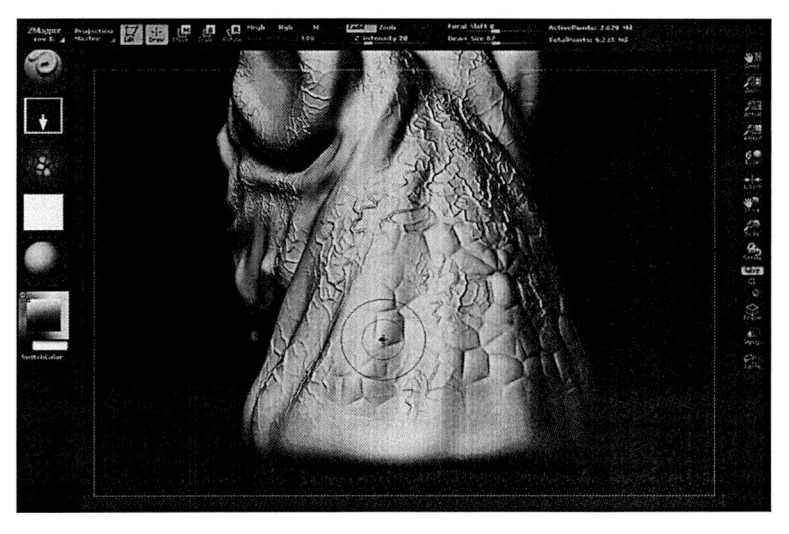

Figura 6.2.16.1

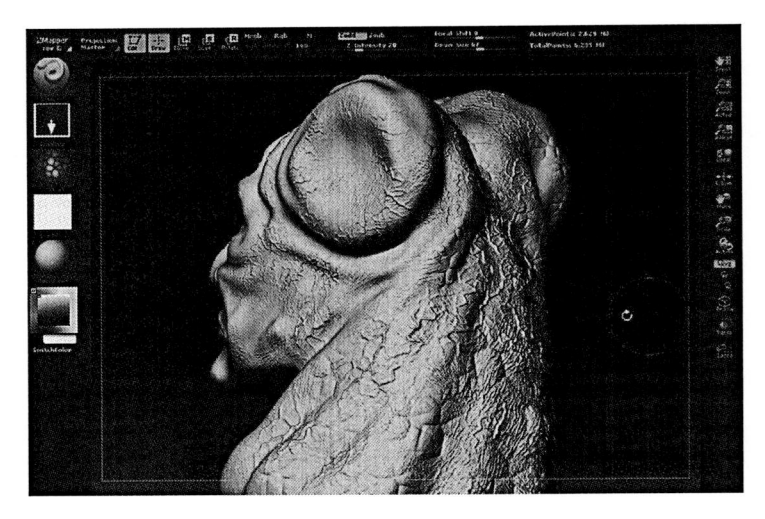

Figura 6.2.16.2

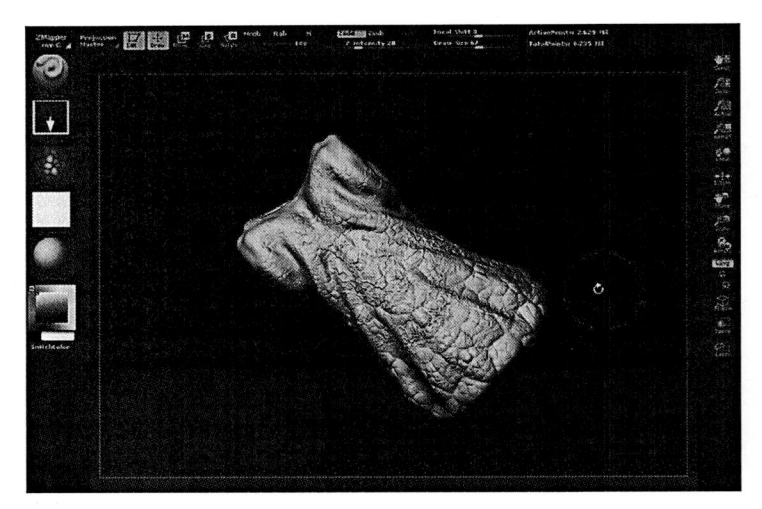

Figura 6.2.16.3

05 – Na Figura 6.2.16.4 o modelo finalizado com todas as suas partes.

Figura 6.2.16.4

06 – Como boa prática, sempre salve seus modelos finalizados com o menor nível de subdivisão, pois assim evita-se salvar arquivos grandes demais, economizando espaço físico no seu disco rígido, forçando um carregamento mais rápido quando solicitados no Canvas do ZBrush. Evidentemente, elevar até a subdivisão máxima de cada SubTool, depois de estar no Canvas, é demorado, mas é preferível um carregamento mais rápido no Canvas ao chamar um modelo, do que carregá-lo já com todas as suas subdivisões.

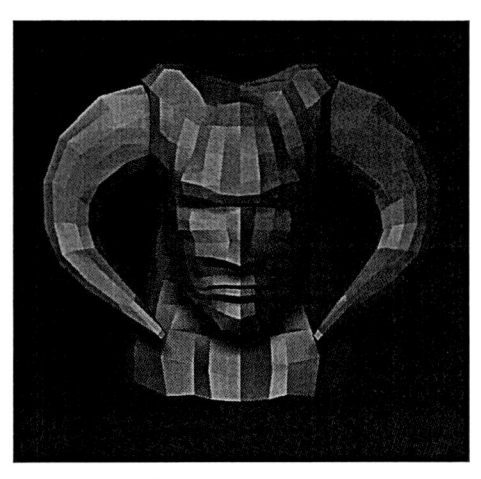

Figura 6.2.16.5

07 – Salve seu trabalho.

6.3 Bump, Displacement e Normal Mapping

6.3.1 Bump Map

A técnica de Bump Map ou mapa de saliência é usada para simular o efeito de saliências ou sulcos nas superfícies. Em realidade, este efeito é ótico, não físico. Ou seja, a aplicação de mapas de saliência em superfícies faz com que estas simulem uma informação de deformidade, mas, em certos ângulos de inclinação, haverá denúncia de que não existem tais saliências e, sim, uma simulação delas. Observe a Figura 6.3.1.1, à esquerda tem-se o objeto com informações de deformidade vistas de frente. Parece muito convincente, mas, ao se virar o objeto, fazendo com que estas saliências sejam vistas na silhueta dele, conforme o objeto à direita mostra, elas não se "salientam" mais, pois não são informações de deformidades reais, porém simulações.

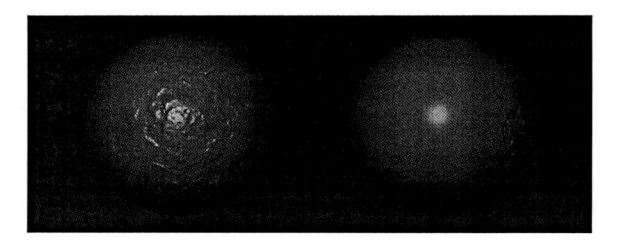

Figura 6.3.1.1

Como forma de melhor aproveitar a capacidade deste tipo de mapa, deve-se criá-lo a partir de um arquivo de textura com fundo em cinza puro (algo como R128 G128 e B128) e pintar as saliências em cores mais claras e os sulcos em cores mais escuras. A Figura 6.3.1.2 ilustra o que seria um mapa ideal de saliência.

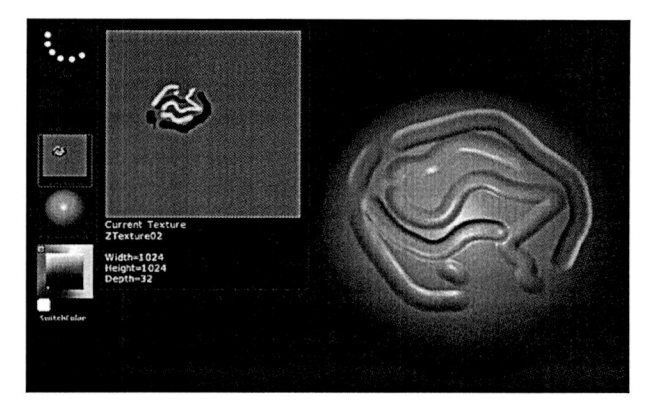

Figura 6.3.1.2

Perceba que existem três tons distintos neste mapa e que as informações de deformidades são definidas por estes tons. Veja na Figura 6.3.1.3 outro exemplo de mapa de saliência, agora relativo ao corpo do modelo de exemplo usado neste livro.

Figura 6.3.1.3

Este mapa geralmente é criado em sistema de 8-bit, sendo muito eficaz como forma de proporcionar às superfícies um aspecto possuidor de mais detalhes do que realmente possuem.

Para criar mapas de Bump no ZBrush proceda conforme a seguir, ou, se preferir, acesse os vídeos de exemplo disponíveis no material que acompanha este livro.

01 - Carregue uma versão do modelo editado anteriormente que não tenha nenhuma informação de microrranhuras, como as armazenadas em suas camadas 3D, caso já não esteja no Canvas.

02 – Carregue o arquivo de macro que configura a interface de trabalho (ConfigLayout).

03 – Deixe exposto no Canvas somente o corpo de Monster.

04 – Mude o material aplicado a este modelo para BumpViewerMate, isso faz com que o sistema do ZBrush interprete as pinturas no modelo como informações de deformidade para mapas de saliência (Bump Maps).

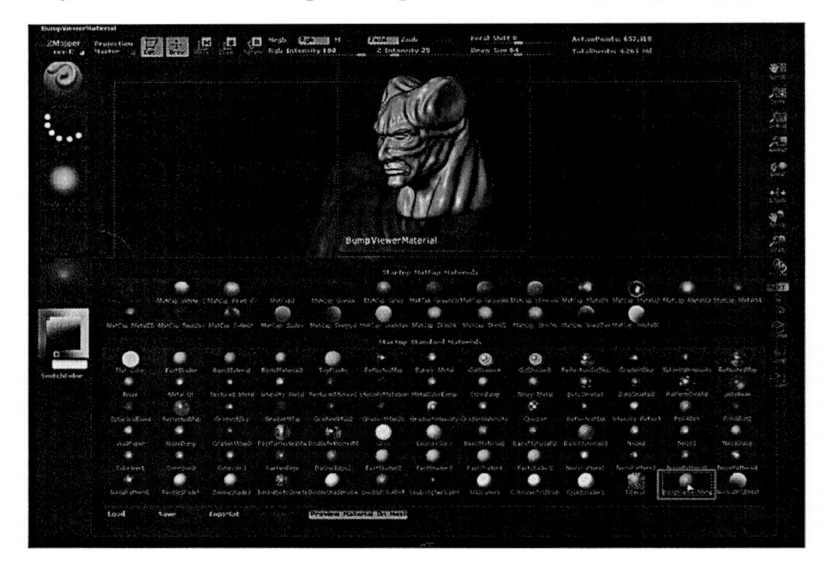

Figura 6.3.1.4

05 – Automaticamente o modelo muda o tipo de material para o que for selecionado, neste caso, BumpViewerMate.

Figura 6.3.1.5

06 – É o momento de definir a cor do objeto, que utiliza este material. No menu Color, acesse a seção RGB e mude o valor de todos os campos de RGB para 128. Isto faz com que o objeto receba cor de cinza puro.

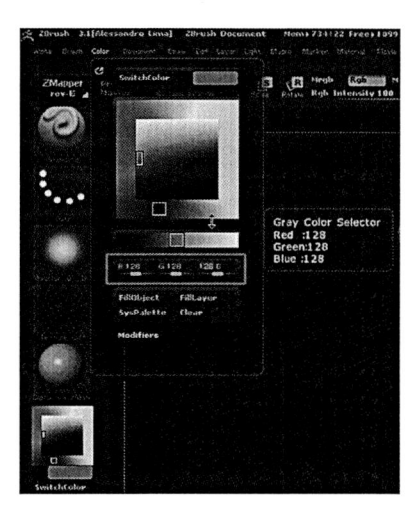

Figura 6.3.1.6

07 – Salve o modelo para continuar o trabalho.

08 – Para obter o máximo resultado possível, é aconselhável subdividir

ainda mais uma vez o modelo, ou o máximo que seu hardware permitir.

09 – Vá ao menu Texture, nas opções de Width e Height, ponha 2048, clicando em New, isso fará com que o ZBrush crie um arquivo de textura com estas dimensões e na cor especificada anteriormente.

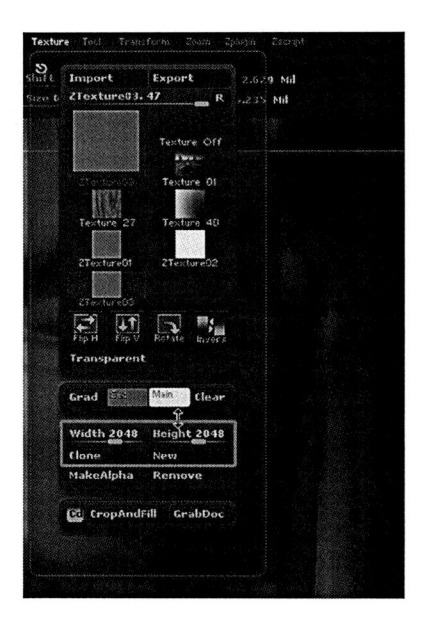

Figura 6.3.1.7

10 – Deve-se agora acessar o recurso Projection Master, que, por meio de congelamento do objeto, permite edições que afetem saliências e não deformidades. Através de um comando, toda a edição feita no objeto é passada a ele por meio de projeções. Considere esta "projeção" de pinturas e efeitos, como algo que aconteça perpendicularmente à visão de câmera no objeto em edição no Canvas do ZBrush. Clique no botão Projection Master na interface do ZBrush, deixe apenas as opções Colors e Fade assinaladas. Feito isto, clique em DROP NOW para ir para a edição de projeção do modelo.

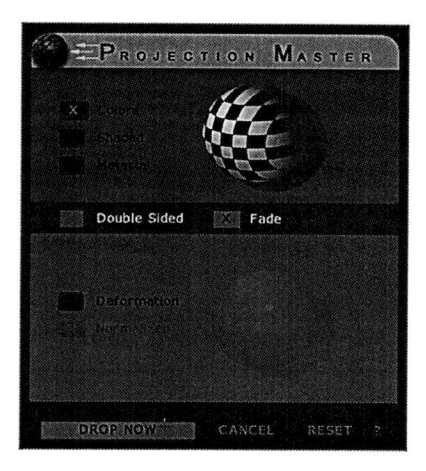

Figura 6.3.1.8

11 – Perceba que não é mais possível trocar de tipo de pincel na paleta Brushes, à esquerda. Agora, os tipos de pincéis que se pode usar na projeção são aqueles destinados às edições 2D e 2.5 D, disponíveis à direita na paleta Tool.

12 – Mude o tipo de Stroke para FreeHand, defina o mapa de Alpha como "Alpha 01", deixe Texture em Texture Off.

13 – Na seção Color é possível trocar rapidamente de cores em SwitchColor, com este serão definidos os detalhes (na alternância de cores, entre tons escuros e claros).

14 – Pinte algumas vezes sobre o modelo para sentir o efeito. Use as cores escuras primeiramente. Para apagar uma edição, mude para o tom de cinza original e passe sobre a edição feita. Perceba que o ZBrush devolve assim ao estado original a área editada.

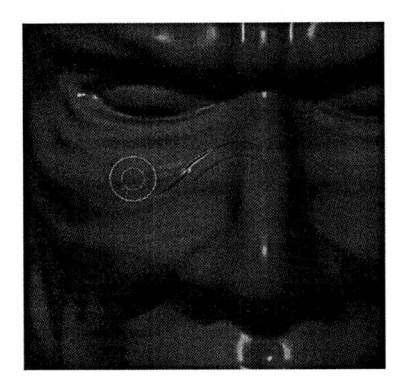

Figura 6.3.1.9

15 – Mude também Rgb Intensity para ver os resultados, assim como a variação dos tamanhos do pincel para ver os resultados.

16 – Aplique pinceladas de modo a definir as áreas de rugas que se acumulam no rosto.

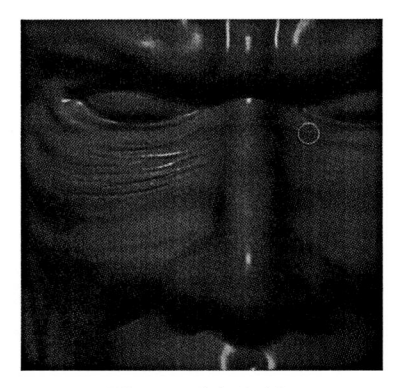

Figura 6.3.1.10

17 – Trabalhe em várias partes do modelo, nunca se esquecendo de que as rugas obedecem à orientação oposta à da musculatura do rosto, como, por exemplo, na boca, as rugas se apresentam em sentido radial e a musculatura em sentido circular.

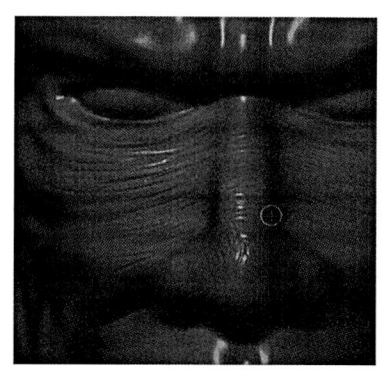

Figura 6.3.1.11

18 – Uma vez satisfeito com os resultados das edições na vista atual, clique em Projection Master na interface do ZBrush e clique em DROP NOW para aplicar, ao modelo, todas as edições feitas.

19 – Verifique no modelo como ficaram os resultados.

Figura 6.3.1.12

20 – Mude de material para ver a diferença. Perceba que outros materiais não exibem corretamente as saliências como o material BumpViewerMate exibe. Na figura a seguir, o material aplicado é o MatCap White.

Figura 6.3.1.13

21 – Reaplique o material BumpViewerMate e reduza o nível de subdivisões. Perceba que com este material, mesmo no nível mais baixo, ainda assim, as saliências são reproduzidas.

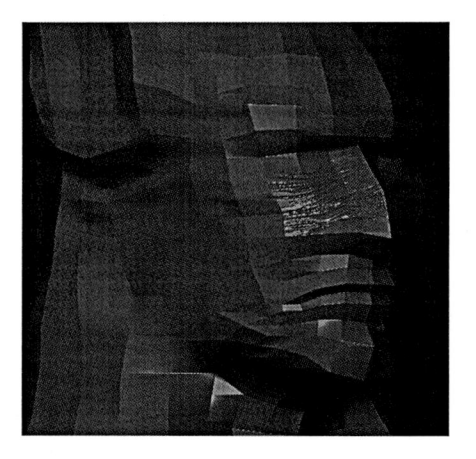

Figura 6.3.1.14

22 – Troque de material mais uma vez, escolhendo agora o tipo FastShader. Perceba que, na subdivisão mais baixa, apenas se pode ver as ranhuras pintadas neste mapa de saliência.

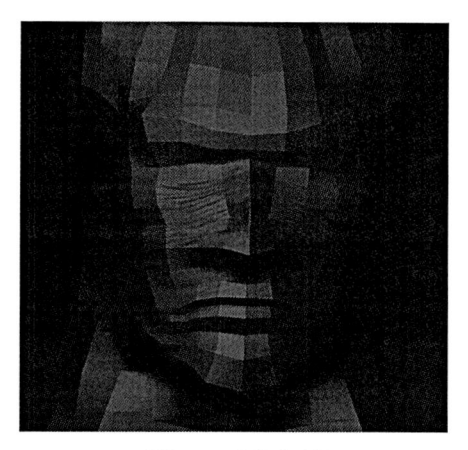

Figura 6.3.1.15

23 – Deixe aplicado o material BumpViewerMate ao modelo e salve-o.

24 – Prossiga editando este mapa até ter criado todo o corpo. A seguir, algumas imagens da criação das deformidades para o corpo todo.

Figura 6.3.1.16

Figura 6.3.1.17

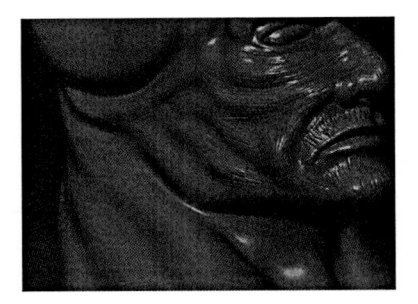

Figura 6.3.1.18

25 – Entre na projeção, realize todas as edições necessárias, saia, mude o modelo de posição no Canvas. Entre na projeção, trabalhe, saia da projeção, mude a posição do modelo no Canvas e, assim, sucessivamente, até sentir-se satisfeito com os resultados.

Figura 6.3.1.19

Figura 6.3.1.20

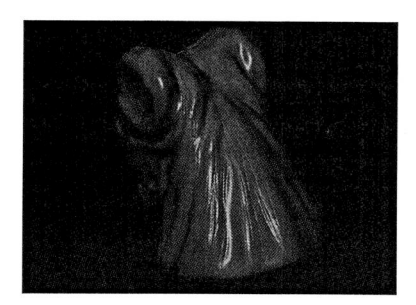

Figura 6.3.1.21

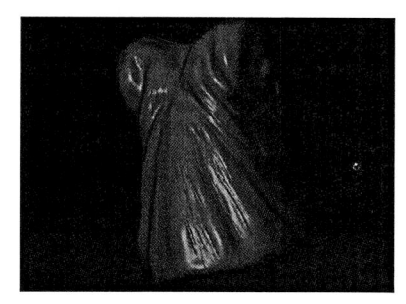

Figura 6.3.1.22

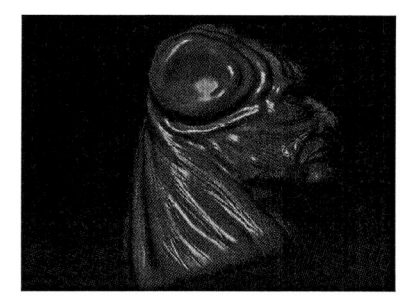

Figura 6.3.1.23

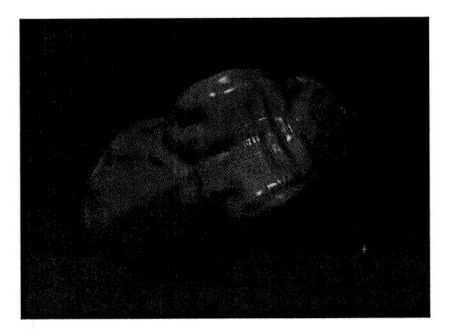

Figura 6.3.1.24

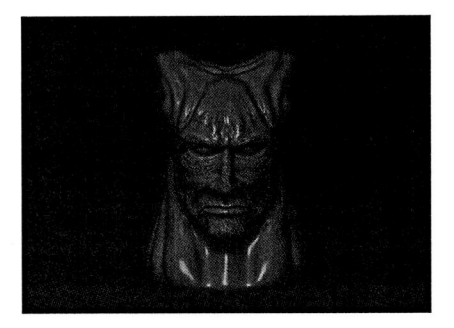

Figura 6.3.1.25

26 – Outra maneira de se criar Bump Maps é através da Subpalette Texture na paleta Tool. Crie uma textura com uma cor em cinza puro. Deixe somente Rgb ativo e baixe a intensidade de Rgb Intensity. Se desejar continuar o trabalho em outra ocasião, clique na paleta Tool, Subpalette Texture, Txr>Col. Isto fará com que a textura seja criada na paleta Alpha, podendo ser exportada. Quando desejar editar novamente, clique em Col>Txr.

27 – Salve seu modelo.

6.3.2 Displacement Map

A técnica de Mapa de Deslocamento ou Displacement Map é muito parecida com a de Bump Map, porém, enquanto esta não provoca modificações físicas na estrutura de malha dos modelos, Displacement Map provoca modificações. Usar mapas de deslocamento faz com que a malha seja deformada conforme a orientação desta textura, que age pelos mesmos princípios de Bump Map (em um mapa em tom de cinza R128 G128 e B128 é neutro, enquanto tons escuros provocam sulcos e tons claros, saliências). Evidentemente, este mapa pode ser tratado como de 8, 16 ou 32-bit, entretanto este último oferece maior gama de armazenamento de informação de deformidade que os demais modos, porém seu tamanho e formato de arquivo são maiores.

Uma de suas grandes utilidades é simular uma alta geometria em uma baixa geometria, que recebe deformação com base na textura de deslocamento. Esta é a forma como geralmente este mapa é aplicado dentro de softwares renderizadores como o Mental Ray e VRay Render.

Na Figura 6.3.2.1 têm-se dois exemplos: à esquerda, a deformidade é aplicada ao modelo e vista de frente; à direita, tem-se a mesma deformidade agora vista pela silhueta do modelo. Vê-se nitidamente que a saliência deforma de fato o modelo.

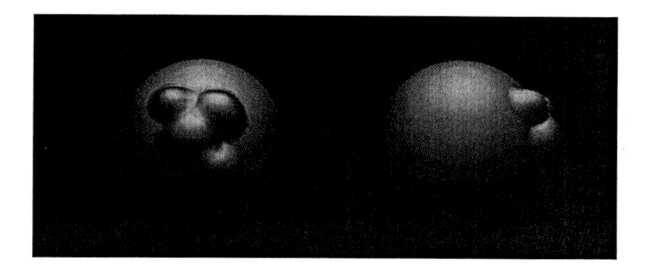

Figura 6.3.2.1

Em ZBrush é possível extrair o mapa de Displacement de duas maneiras: através da Paleta Tool, opção Displacement, ou através do Plugin Multi Displacement 3.

Para se trabalhar com a produção de mapas desta natureza no ZBrush se faz necessário que se tenha um modelo devidamente mapeado e editado, tal como o modelo trabalhado na primeira parte deste capítulo.

Siga os próximos passos para a criação de seus mapas de deslocamento através da opção na paleta Tool. Ambas as técnicas podem ser vistas nos arquivos de vídeo que acompanham o material deste livro.

Mapa de Displacement pela paleta Tool

01 - Carregue o modelo editado anteriormente com suas rugas e microdetalhes, caso já não esteja no Canvas. Deixe apenas o corpo ativo no Canvas.

02 – Deixe-o com o nível de subdivisão mais baixo.

03 – Acesse a paleta Tool, opção Displacement. Em DPRes ponha 2048. Clique em Create DispMap. Em DPSuPix deixe em 0. Este campo define o quão acurado será o mapa gerado, para o exemplo deixe em 0.

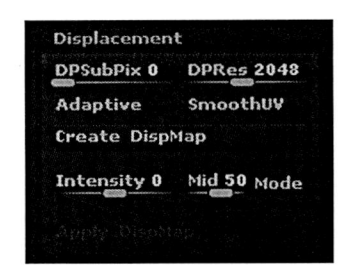

Figura 6.3.2.2

04 – Para salvar o mapa gerado, ele deve ser localizado na paleta Alpha, selecionado, depois deve-se clicar no botão Export. Salvando o arquivo em algum formato que possa ser editado posteriormente como PSD (geralmente arquivos neste formato, além da vantagem de poderem ser editados posteriormente, ainda armazenam o maior número possível de informações do mapa, sendo, portanto, os mais recomendados).

05 – Na figura a seguir, o mapa gerado com esta configuração.

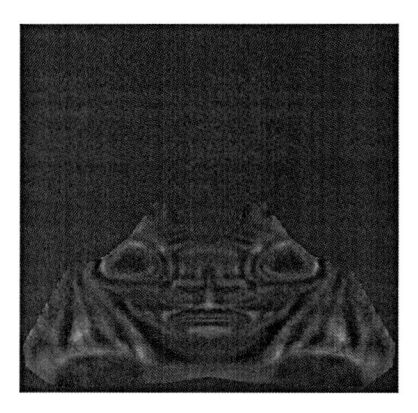

Figura 6.3.2.3

05 – Faça o mesmo com os chifres. Na Figura 6.3.2.4 o mapa para esta parte do modelo.

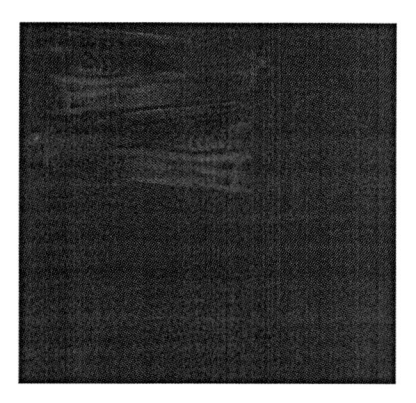

Figura 6.3.2.4

Mapa de Displacement pelo plugin MULT DISPLACEMENT 3

Trabalhar com este plugin proporciona mais opções e liberdade do que oferece a técnica anterior. Com esta ferramenta é possível armazenar perfis de uso que podem ser reusados a qualquer momento, sem necessidade de reconfiguração.

01 - Carregue o modelo editado anteriormente com suas rugas e microdetalhes, caso já não esteja no Canvas. Deixe apenas o corpo ativo no Canvas.

02 – Deixe-o com o nível de subdivisão mais baixo.

03 – Acesse o plugin pelo menu Zplugin, opção MULTI DISPLACEMENT 3.

04 – Em seu painel, clique no botão Export Options. Marque as seguintes opções (veja a Figura 6.3.2.5 a seguir):

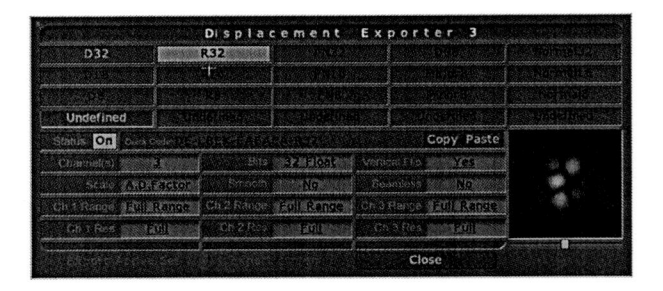

Figura 6.3.2.5

R32
Status: On
Quick Code: DE-LBEK-EAEAEA-R32 (este código indica uma determinada configuração a ser usada com este plugin, que se refere à configuração mais indicada para uso no 3ds Max ou Maya. Outros códigos podem ser inseridos, podendo-se, inclusive, criar um perfil de configuração, salvá-lo e carregá-lo posteriormente).
Channel(s): 3
Bits: 32 Float
Vertical Flip: Yes
Scale: A. D. Factor
Smooth: No
Seamless: No
Ch 1 Range: Full Range
Ch 2 Range: Full Range
Ch 3 Range: Full Range
Ch 1 Res: Full
Ch 2 Res: Full
Ch 3 Res: Full

05 – Depois disto, configure o painel de MULTI DISPLACEMENT 3 como a figura seguinte mostra.

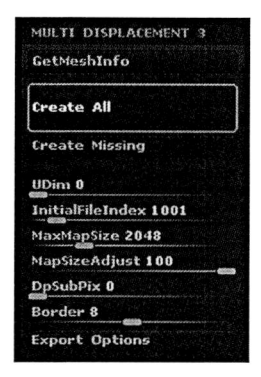

Figura 6.3.2.6

UDim: 0
InitialFileIndex: 1001
MaxMapSize: 2048
MapSizeAdjust: 100
DpSubPix: 0 (Este campo define o quão acurado será o mapa gerado, para o exemplo deixe em 0)
Border: 0

06 – Feito isto, clique em Create All, defina um local para salvar o mapa gerado e clique em Salvar. O plugin irá processar as configurações definidas e começará a gerar o mapa.

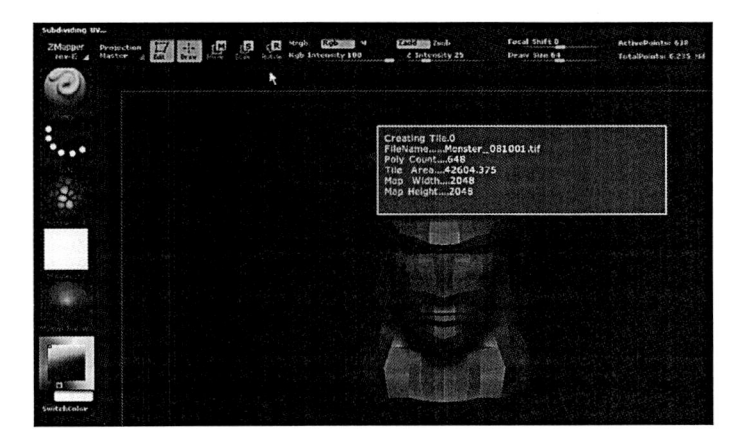

Figura 6.3.2.7

07 – Na Figura 6.3.2.8, o mapa gerado com estas configurações para o corpo do modelo.

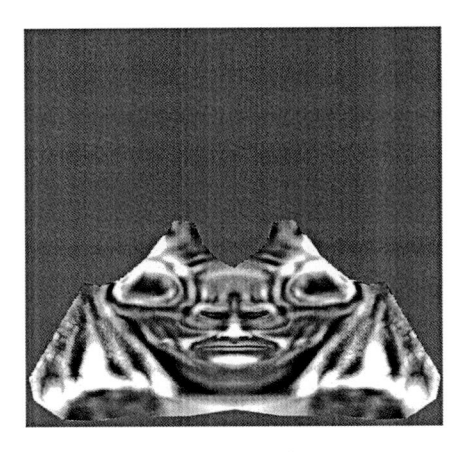

Figura 6.3.2.8

08 – Repita este processo para os chifres também.

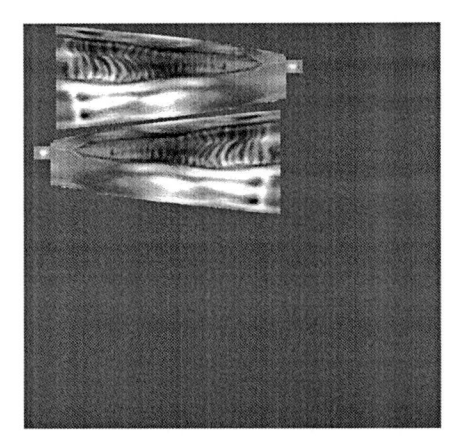

Figura 6.3.2.9

09 – Salve seu modelo.

6.3.3 Normal Mapping

Conceitos básicos

Normal Mapping é uma técnica recente que foi apresentada à indústria de computação gráfica a partir de um estudo baseado no trabalho de Krishnamurthy e Levoy no trabalho chamado "Fitting Smooth Surfaces to Dense Polygon Meshes" apresentado no SIGGRAPH de 1996. Posteriormente, no SIGGRAPH de 1998, Cohen et al. em seu trabalho "Appearance Preserving Simplification" e Cignoni et al. com seu trabalho "A general method for recovering attribute values on simplified meshes" apresentaram a ideia de transferir detalhes na forma de um mapa de superfícies normais de malhas densas para pouco densas (Fonte: Wikipédia).

Hoje esta técnica é amplamente utilizada na indústria de games e filmes. Os resultados com este tipo de mapa oferecem um alto grau de realismo a um custo não tão elevado, comparado ao que o método de mapa de Displacement oferece. O mapa de Normal Map pode ser visto como a saída para games para usar mapas que produzam saliências.

Evidentemente, existem hoje mais estudos sobre o assunto e novas tecnologias emergentes baseadas nestes tipos de mapas, como são os casos dos mapas de Paralax Map, Relief Map e Height Map, não abordados neste livro por não participar do seu escopo.

Toda a superfície possui lados que são vistos pelo sistema (o sistema apresenta somente as faces Normais) e lados não vistos (o sistema não apresenta as faces Normais não vistas por ele). Na figura têm-se três setas que ilustram a direção das faces normais do objeto cubo.

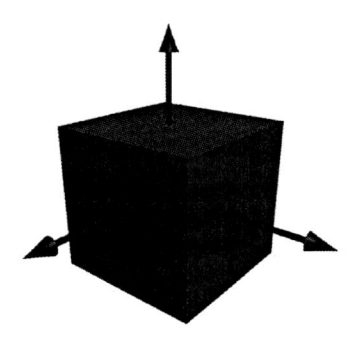

Figura 6.3.3.1

Todo raio (seta amarela) que incidir perpendicularmente em uma superfície dita Normal (seta cinza escuro) é rebatido na mesma direção, com intensidade reduzida (seta amarelo escuro) de acordo com a reflexão.

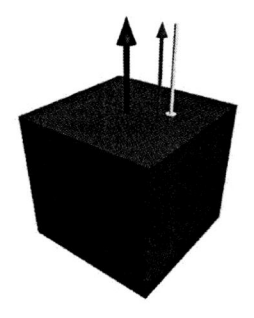

Figura 6.3.3.2

Agora, observe: quando o raio (seta amarela) não é perpendicular, mas posto diagonalmente em relação à superfície Normal (seta cinza escuro). A sua reflexão (seta amarelo escuro) ocorre de forma a se propagar.

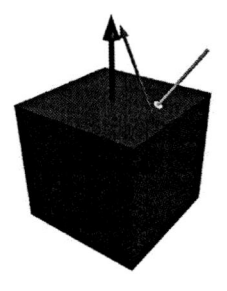

Figura 6.3.3.3

Analise a figura a seguir. É um típico mapa de Normal Map gerado através do método Tangent. Existem dois tipos de mapas de Normal: Tangent Space (que é usado geralmente para objetos dinâmicos e que se movimentam) e World Space (que é usado geralmente para objetos não dinâmicos ou que não se movem nas cenas).

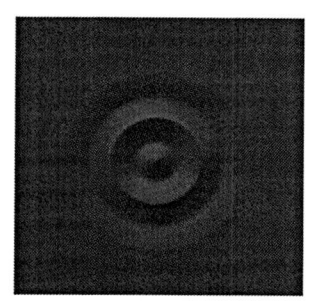

Figura 6.3.3.4

O mapa de Normal possui três canais (Red, Green e Blue), e cada um controla um dos três vetores de direção (X, Y e Z, respectivamente). Blue está para o vetor que é perpendicular à superfície (Z), Green (Y) e Red (X) controlam os vetores que são paralelos ao plano. Geralmente um controla a direção esquerda, o outro a direita, dependendo do software em que o mapa está sendo usado. Evidentemente, o controle desta direção de vetores se dá conforme a orientação do espaço UV.

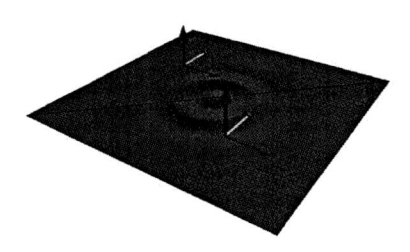

Figura 6.3.3.5

Na figura a seguir, o canal Red para o mapa visto anteriormente

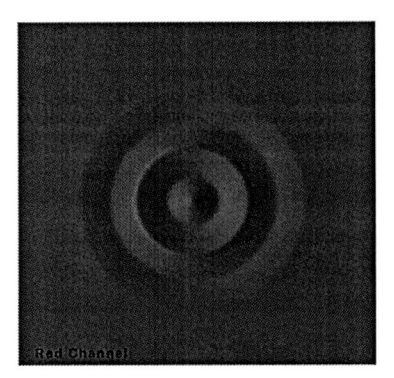

Figura 6.3.3.6

Na figura a seguir, o canal Green para o mapa visto anteriormente

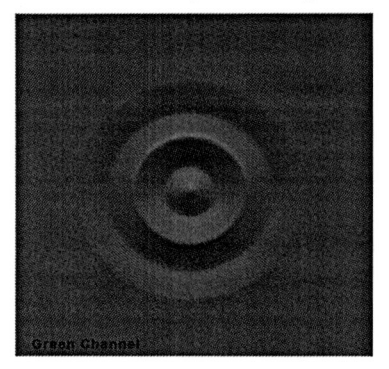

Figura 6.3.3.7

Na figura a seguir, o canal Blue para o mapa visto anteriormente

Figura 6.3.3.8

Veja a próxima figura. Ela ilustra de forma típica a projeção dos raios das superfícies. Em uma vista de forma ortogonal, depois, abaixo, de forma em perspectiva para melhor entendimento.

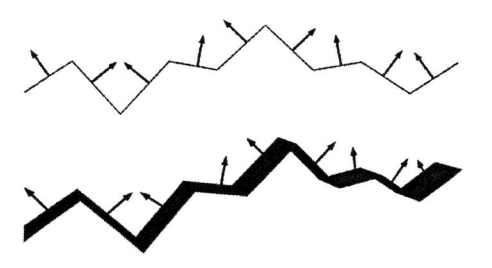

Figura 6.3.3.9

A figura anterior ilustra o que acontece com as superfícies que estão projetando suas normais. A ação de criar mapas de Normal Mapping, a partir do princípio de transferência de objetos de alta contagem poligonal para objetos de baixa contagem, obedece à direção destas faces normais. Por esta razão, a configuração correta da direção das "normais" de superfícies é importantíssima. No 3ds Max, ao se extrair Normal Mapping de superfícies, deve-se deixar todo o objeto Lowpoly com grupo de suavização em 1, deixando que o objeto Highpoly se encarregue de criar a divisão entre superfícies.

Como um caso prático de criação de mapas de Normal Mapping no 3ds Max, por exemplo, observe a Figura 6.3.3.10. Na parte superior uma vista ortogonal de um conjunto de faces onde cada uma está com um grupo de suavização diferente das demais, na parte inferior a mesma figura mas vista em perspectiva. Veja que cada face orienta os vetores em direções perpendiculares entre si.

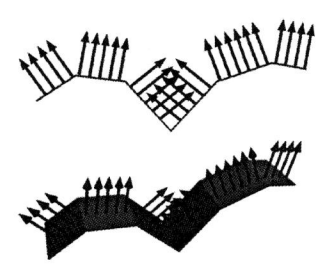

Figura 6.3.3.10

Analise agora a figura 6.3.3.11. Verifique que foram determinados conjuntos de faces para compartilhar o mesmo grupo de suavização. Agora a direção das normais não descreve uma direção que parte apenas perpendicular à face normal, mas, sim, ao conjunto de faces normais.

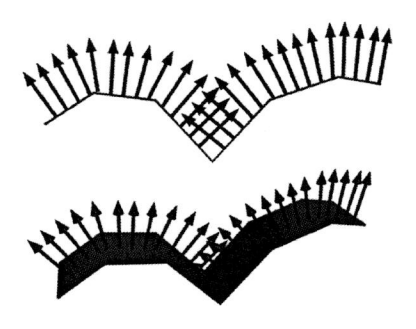

Figura 6.3.3.11

Este é o conceito por trás da projeção de mapas do tipo Normal Mapping: a projeção é feita do objeto de baixa contagem poligonal para o de alta contagem poligonal. Por usa vez, o de baixa contagem obedece a marcação de detalhes baseados na orientação das faces do modelo de alta contagem poligonal.

Extração de Normal Mapping do modelo de exemplo

Uma vez que se tenha entendido o conceito por trás do funcionamento de mapas do tipo Normal Mapping, é possível executar sua extração. Esta pode ser feita de diversas maneiras, todas elas possuem seus pontos positivos e negativos. É possível extrair este tipo de mapa dentro do ZBrush, a partir de softwares 3D com recursos para isso por meio da importação e exportação de modelos tal como ocorre com o 3ds Max, ou ainda usando softwares específicos, como é o caso do software xNormal.

Neste livro abordaremos a extração de mapas de Normal Mapping através do ZBrush, conforme descrito a seguir.

01 – Carregue o arquivo de macro ("ConfigLayout") disponível no material que acompanha este livro. Isto faz com que todo o documento atual do ZBrush seja redefinido, inclusive, com esta macro, já é gerado um mapa de textura novo de dimensões 2048x2048 pixels, que será usado para definir a resolução dos mapas a serem exportados nesta seção.

Trabalho em 3D (escultura digital avançada) | 337

02 - Carregue o modelo editado anteriormente com suas rugas e microdetalhes, caso já não esteja no Canvas. Deixe apenas o corpo ativo no Canvas.

03 – Deixe-o com o nível de subdivisão mais baixo.

04 – Clique no botão ZMapper rev-E na interface do ZBrush. Automaticamente o modelo entra na interface deste Plugin. Se o modelo ficar alternando entre formas, desligue a opção Morph 3D disponível na seção Morph Modes da janela do Plugin.

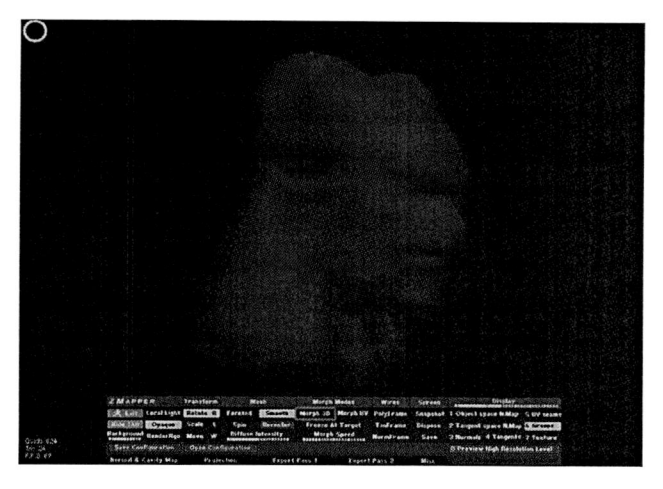

Figura 6.3.3.12

05 – Clique em Open Configuration para abrir o navegador do Windows Explorer. Busque pelo arquivo "3DS Max7_TangentSpace_BestQuality.zmp".

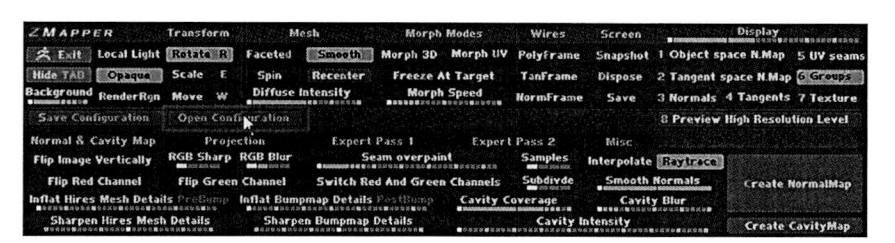

Figura 6.3.3.13

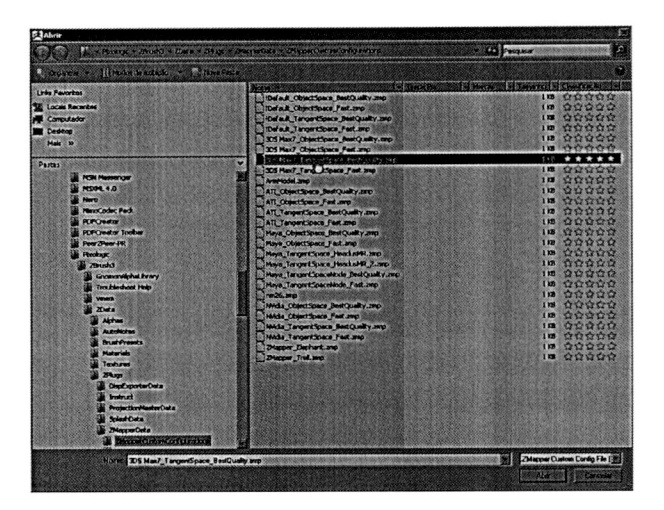

Figura 6.3.3.14

06 - Na instalação do ZBrush, são disponibilizados arquivos para serem usados com o programa, inclusive arquivos de configuração. Nesta pasta, "ZMapperCustomConfigurations" se encontram todas as opções de pré-configurações oferecidas na instalação. Seleciona-se a mais adequada (neste caso, foi escolhido o arquivo de nome "3DS Max7_TangentSpace_ BestQuality.zmp"). É possível criar arquivos customizados tal como estes para uso posterior.

07 – Feito isto, clique no botão Create NormalMap para iniciar a geração do mapa. Perceba que, no lado superior à esquerda, é exibido um tipo de relógio que, conforme o andamento da geração deste mapa, vai se completando. Perceba também que no modelo são desenhadas "malhas" que representam o modelo de alta contagem poligonal sendo traçado.

Trabalho em 3D (escultura digital avançada) | 339

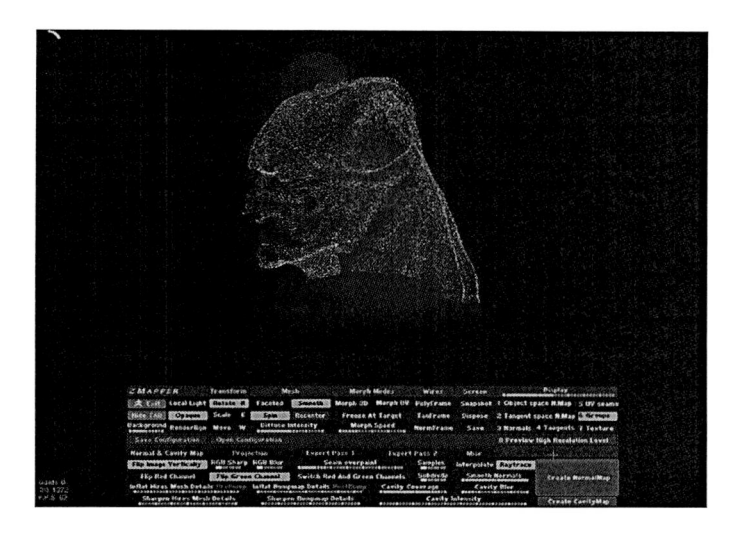

Figura 6.3.3.15

08 – Perceba que depois de finalizada a extração, o modelo de baixa contagem poligonal é exibido, e seu mapa de Normal Mapping é aplicado a este, como forma de visualizar o resultado. Perceba também que o indicador superior à esquerda é completado e que, a seu lado, são exibidas informações relativas ao mapa gerado.

Figura 6.3.3.16

09 – Analise com mais atenção o modelo. Perceba que a extração de Normal Mapping não foi perfeita: existem artefatos estranhos que não estão de acordo com o modelo de alta contagem poligonal.

Figura 6.3.3.17

10 – Isto será corrigido aumentando o valor de Raycasting Max Scan Distance na aba Projection. Deixe conforme a Figura 6.3.3.18

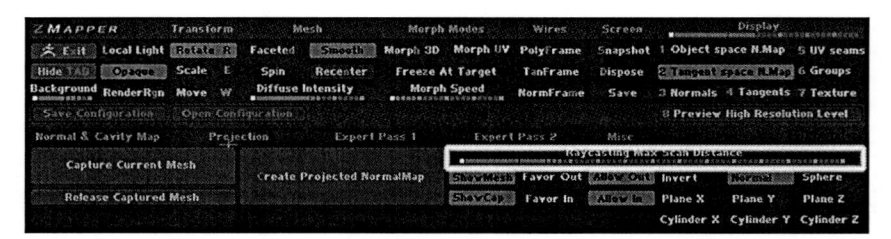

Figura 6.3.3.18

Trabalho em 3D (escultura digital avançada) | 341

11 – Execute novamente o comando de Create NormalMap para gerar um novo mapa.

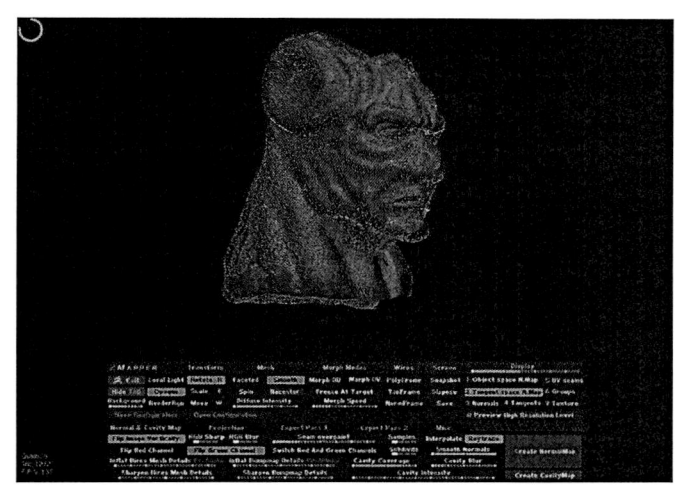

Figura 6.3.3.19

12 – Verifique que agora o modelo está correto quanto à geração de mapa de Normal Mapping.

Figura 6.3.3.20

13 – Na Figura 6.3.3.21 tem-se o mapa do corpo devidamente extraído. Algum ajuste talvez seja necessário ainda, mas poderá ser feito em algum software de edição de imagens 2D como o Photoshop, por exemplo.

Figura 6.3.3.21

14 – Para sair da interface do ZMapper rev-E, basta pressionar a tecla ESC do teclado ou clicar em qualquer área fora do Canvas do ZBrush.

15 - Para exportar este mapa, acesse a paleta Texture, selecione o mapa de normal, clique em Export, defina um nome, tipo de arquivo (geralmente o tipo "*.PSD" é o mais recomendado por armazenar maior número de informações) e um local para salvar. Clique em Salvar.

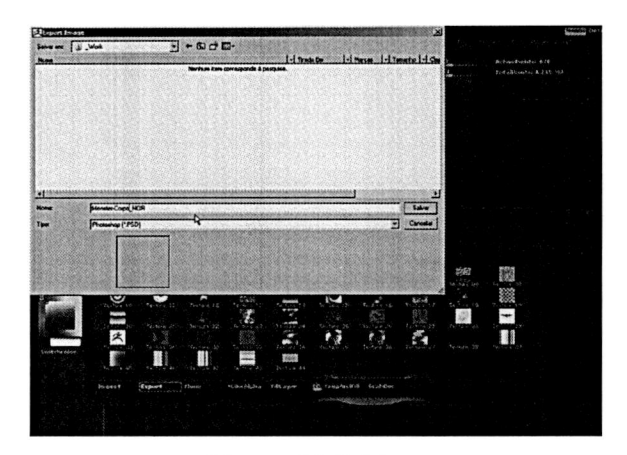

Figura 6.3.3.22

16 – Oculte o corpo e exiba os chifres agora. Faça o mesmo com eles. Utilize as mesmas configurações utilizadas anteriormente. Talvez o objeto se apresente com alguma textura que não corresponda a seu Layout UV, não se preocupe, quando finalizar a extração de mapas pelo Plugin ZMapper rev-E, o novo mapa se ajustará ao modelo conforme seu Layout UV.

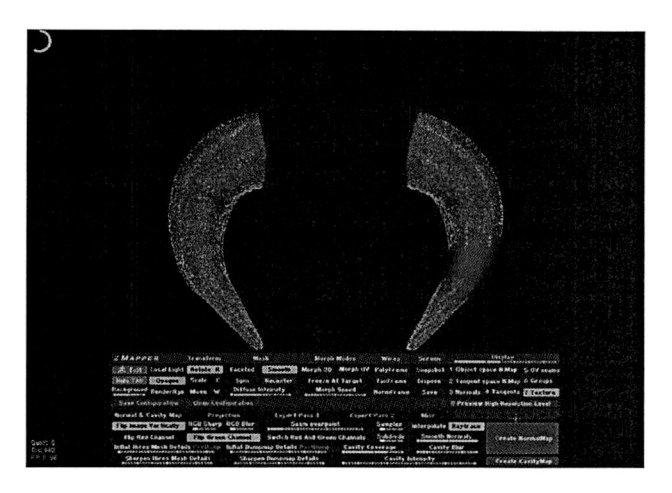

Figura 6.3.3.23

17 – Na Figura 6.3.3.24, o modelo com seu mapa devidamente extraído, sendo exibido na interface do ZMapper rev-E.

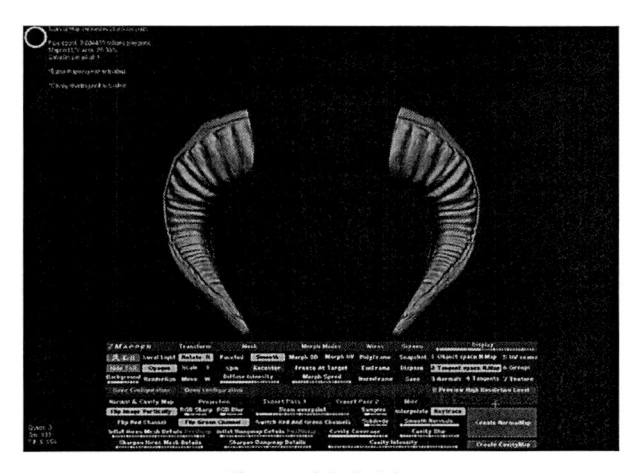

Figura 6.3.3.24

18 – E na Figura 6.3.3.25, o mapa extraído em si.

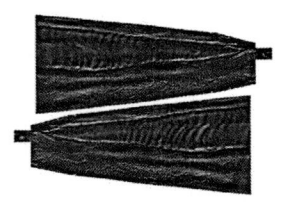

Figura 6.3.3.25

18 – Exporte o mapa conforme descrito anteriormente.

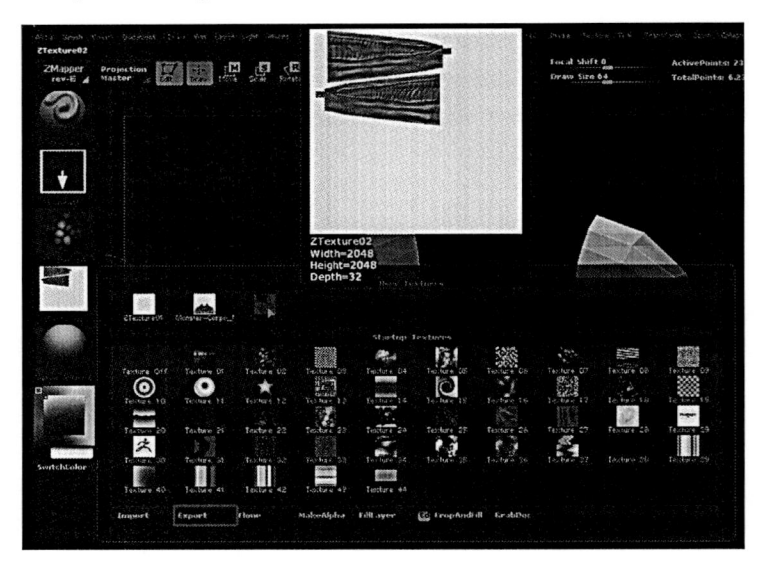

Figura 6.3.3.26

19 – Salve seu modelo.

6.3.4 Cavity Map

Conceitos básicos

Cavity Map é um método de implementar um "mapa de marcação de deformidades" aos objetos através do Plugin ZMapper rev-E. Existe também o tipo de mapa Ambiente Occlusion Map (Mapa de Oclusão de Ambiente) que é um tipo de mapa que busca criar o efeito de sombreamento de superfícies, através de cálculo matemático por aproximação de faces, baseado em amostras, tamanhos e distâncias, percorrendo uma determinada área.

A Figura 6.3.4.1 apresenta uma amostra do cálculo de oclusão básico. Verifique que é uma amostra do tipo esférica, que possui um raio. Tudo que estiver dentro deste raio será calculado e o sombreamento por meio de oclusão de superfícies será gerado. Tudo que estiver fora, obviamente, não entrará no cálculo, logo não receberá sombras.

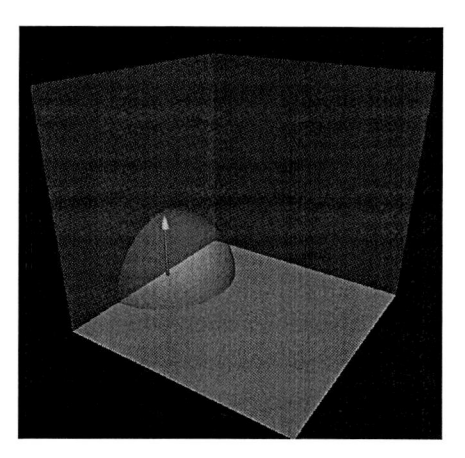

Figura 6.3.4.1

O que acontece é que quanto maior o número de amostras, mais preciso é o cálculo de mapas desta natureza (mapa de oclusão).

Já o mapa de cavidade ou Cavity Map possui uma implementação que varia um pouco com relação ao mapa de oclusão. Em realidade, o mapa de cavidade tende a reforçar as áreas onde ocorreram deformidades, conforme a Figura 6.3.4.2 mostra.

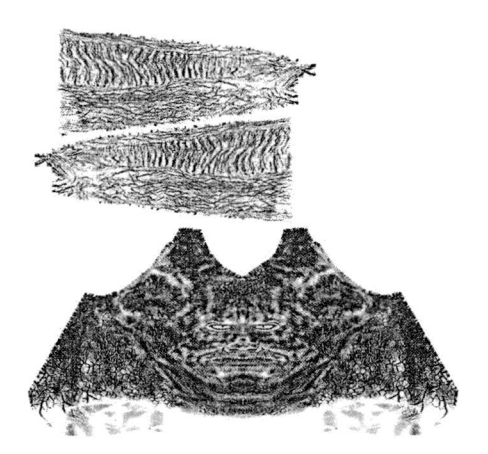

Nesta figura, aparece o mapa de cavidade devidamente calculado das partes de corpo e chifres do modelo de exemplo usado neste livro. Como pode ser visto, as áreas que foram editadas estão em contraste bem elevado entre tons claros e escuros.

Extração de Cavity Mapping do modelo de exemplo

Uma vez que os conceitos que agem por trás da criação de mapas tipo Cavity ou Occlusion tenham sido entendidos, é possível criar o mapa Cavity através do ZBrush, fazendo uso do mesmo Plugin utilizado anteriormente, ZMapper rev-E.

Proceda como explicado a seguir.

01 – Carregue o arquivo de macro ("ConfigLayout") disponível no material que acompanha este livro. Isto faz com que todo o documento atual do ZBrush seja redefinido, inclusive, com esta macro, já é gerado um mapa de textura novo de dimensões 2048x2048 pixels, que será usado para definir a resolução dos mapas a serem exportados nesta seção.

02 - Carregue o modelo editado anteriormente com suas rugas e microdetalhes, caso já não esteja no Canvas. Deixe apenas o corpo ativo no Canvas.

03 – Deixe-o com o nível de subdivisão mais baixo.

04 – Clique no botão ZMapper rev-E na interface do ZBrush. Automaticamente o modelo entra na interface deste Plugin. Se o modelo ficar alternando de formas, desligue a opção Morph 3D disponível na seção Morph Modes da janela do Plugin.

05 – Clique em Open Configuration para abrir o navegador de Explorer. Busque pelo mesmo arquivo "3DS Max7_TangentSpace_BestQuality.zmp" utilizado anteriormente.

06 – Clique em Create CavityMap para gerar o mapa de cavidade do modelo.

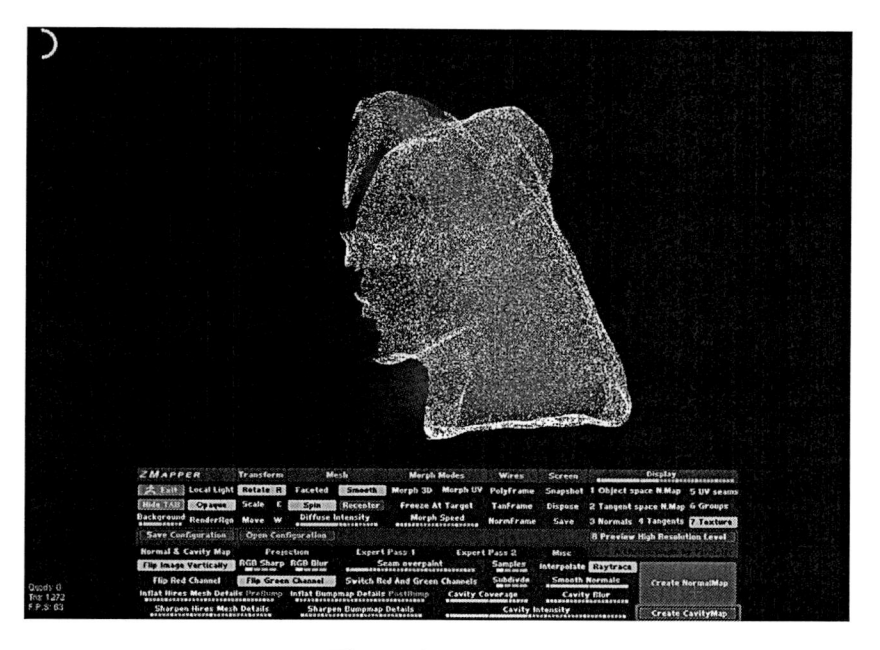

Figura 6.3.4.3

07 – Aumente um pouco as configurações dos campos Sharpen Hires Mesh Details, Sharpen BumpmapDetails e Cavity Intensity para deixar mais evidentes as ranhuras no mapa a ser gerado. Depois, clique em Create CavityMap.

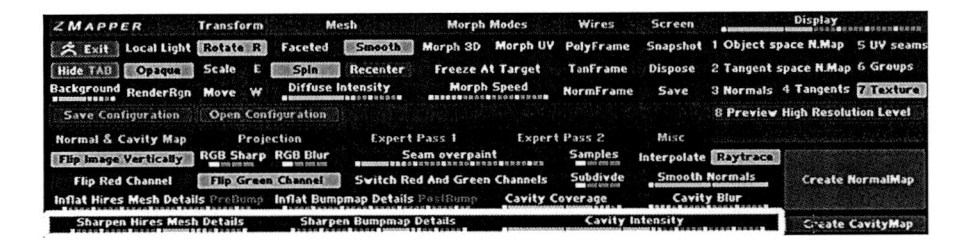

Figura 6.3.4.4

08 – Feito isto, o Plugin inicia o processo de criar o mapa de cavidade com base nas novas especificações.

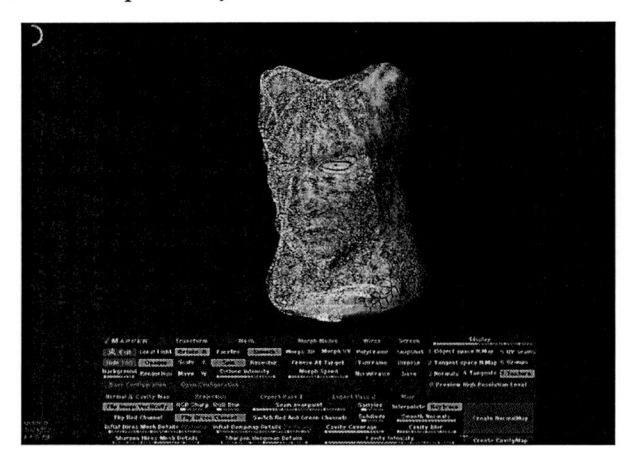

Figura 6.3.4.5

09 – O resultado é um mapa com detalhamento mais intenso e definido.

Figura 6.3.4.6

10 – Para sair da interface do ZMapper rev-E, basta pressionar a tecla ESC do teclado ou clicar em qualquer área fora do Canvas do ZBrush.

11 - Para exportar este mapa, acesse a paleta Texture, selecione o mapa de cavidade, clique em Export, defina um nome, tipo de arquivo (geralmente o tipo "*.PSD" é o mais recomendado por armazenar maior número de informações) e um local para salvar. Clique em Salvar.

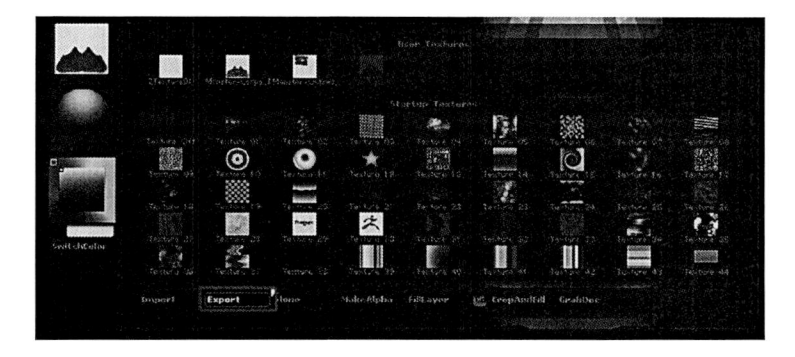

Figura 6.3.4.7

12 – Oculte o corpo e exiba os chifres agora. Faça o mesmo com eles. Utilize as mesmas configurações usadas anteriormente. Talvez o objeto se apresente com alguma cor e orientação de textura não correspondente a seu Layout UV, não se preocupe, quando finalizar a extração de mapas pelo Plugin ZMapper rev-E, o novo mapa se ajustará ao modelo conforme seu Layout UV.

13 – Nas Figuras 6.3.4.8 e 6.3.4.9, têm-se os mapas de corpo e chifres respectivamente.

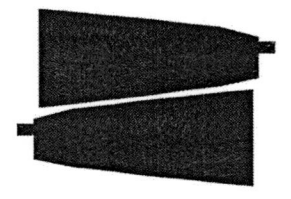

Figura 6.3.4.8

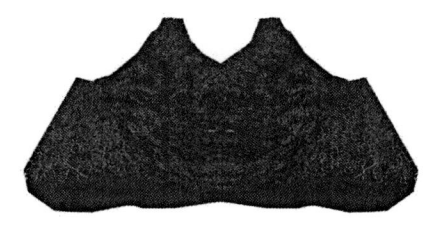

Figura 6.3.4.9

14 - Repare que a cor que apresentam é com um fundo em tom rosa. Para se acessar o mapa de forma adequada, deve-se abrir o arquivo em um editor de imagens 2D como o Photoshop, por exemplo, acessar a paleta de Canais (Channels), selecionar e copiar o canal Vermelho (Red) com CTRL + A (geralmente este é o canal a ser usado) e colar o que foi copiado da área deste canal para um arquivo novo, de mesma resolução em pixels que o original. Feito isto, o arquivo pode ser usado em composição com outros arquivos de textura como a textura difusa, por exemplo.

15 – Salve seu arquivo.

CAPÍTULO 7: PINTURA E TEXTURIZAÇÃO

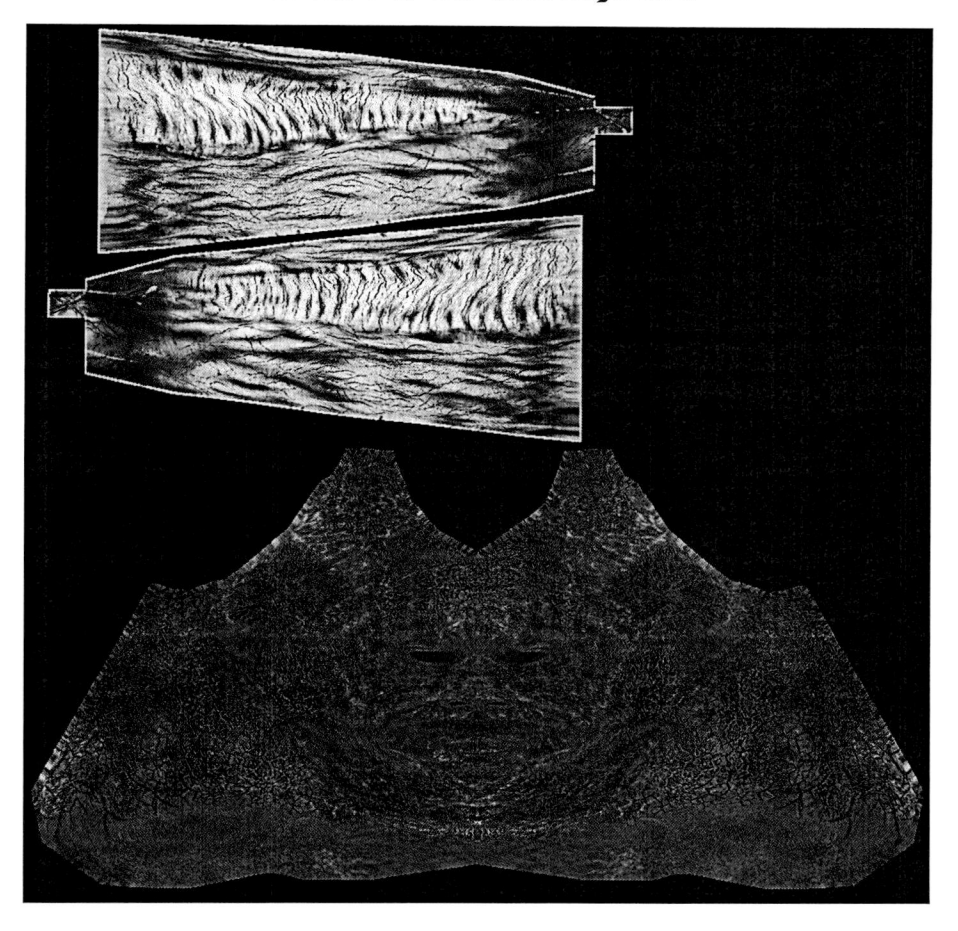

CAPÍTULO 7

Pintura e texturização

7.1 Conceitos de pintura

A partir deste momento, entra-se na etapa em que se deve revestir os objetos produzidos digitalmente com alguma informação de cor ou textura. Antigamente, pela limitação técnica que existia no início da Computação Gráfica (CG), apenas a colorização de objetos era viável. Embora os modelos fossem simplórios, a exigência de processamento para apresentar tais modelos devidamente revestidos era absurdamente elevada.

Hoje, com as pesquisas e desenvolvimento que o setor de Tecnologia da Informática tem feito, muitos limitantes técnicos não são mais relevantes para se produzirem objetos bem acabados. Os processadores com tecnologia nanômetra, as elevadas capacidades de processamento de GPUs gráficas (placas de vídeo) e o aumento significativo do uso de memória RAM (excedendo de forma não mais rara os 4 Gb por máquina), favorecem o uso de efeitos e recursos cada vez mais complexos, que, em termos digitais, conseguem simular com praticamente perfeição absoluta, elementos existentes na natureza, o que, outrora, sequer era pensado.

Efeitos e tecnologia à parte, o momento é o de refletir sobre o revestimento de um personagem, tentando, ao máximo, fazer com que ele pareça convincente dentro do âmbito computacional e ainda em nível de arte. Para isto, lance mão de alguns conceitos listados a seguir, lembrando que, hoje, a tecnologia está a favor dos artistas e estes devem saber usá-la com primazia.

7.2 Cor

A cor é um dos elementos cativantes em uma imagem, pois nada mais monótono do que uma imagem com paleta de cores monocromática (uma imagem que obedece a uma gama pouco variada de tons, geralmente oscilando entre gradientes de mesmo tom). Em contrapartida, uma imagem extremamente colorida pode causar "náusea" em quem a vê. Então, como deve ser vista a aplicação de cor em superfícies? A resposta para esta questão está incutida no próprio objeto a ser feito, ou no próprio "Projeto" (sim porque todo trabalho deve ser encarado como um projeto sério). Se o objetivo for produzir um personagem sombrio que habita as cavernas da montanha, não faria sentido que ele fosse revestido de cores tal como uma arara? Não, ele estaria mais para um rinoceronte. O contexto no qual este personagem é inserido já fornece dicas de como deve ser seu visual e isto deve ser levado em conta pelo artista.

Para entender a cor, é preciso lembrar que ela é um elemento que "exerce uma ação tríplice: a de impressionar, a de expressar e a de construir" (AZEVEDO, 2003, p. 181).

Ela impressiona porque aos olhos do observador, a constituição de uma imagem (entenda-se aqui que a palavra "imagem" não se refere estritamente a uma imagem estática digital ou impressa de algum motivo artístico, mas, sim, toda e qualquer forma de motivo, que pode ser traduzido como uma escultura tridimensional, um vídeo em movimento, um lugar, uma peça de teatro ou variações) é feita observando seu todo. Muitas imagens de artistas consagrados fazem as pessoas terem sentimentos inexplicáveis apenas ao olhar para elas.

A cor expressa um sentimento, uma ação ou reação, assim como uma intenção. Quantas vezes já não se ficou corado por uma situação constrangedora, denunciando seu sentimento? Ou quantas vezes já se pensou em pôr uma cor de forma mais concentrada e evidente, mais azulada, no corpo de um personagem em alguma imagem para que o público entenda que ali existe dor? Isto expressa sentimentos.

A cor constrói também principalmente quando se quer definir uma "identidade visual" para alguma entidade em que se esteja trabalhando. Evidentemente está-se falando aqui em estereótipos. Dentro do imaginário popular, quais as roupas que caracterizam um vampiro? Roupas pretas, possivelmente sociais, cabelos com gel puxado para trás, e a lista é longa... Agora, veja os vampiros de Stephenie Meyer em seu livro "Crepúsculo", usam roupas claras e limpas. Não é o tipo que se espera de um vampiro, mas o seu contexto define seu visual, a "identidade visual" dos vampiros desta autora é construída desta forma. Do mesmo modo, procure uma linha visual para seus objetos ou personagens, para que façam todo o sentido dentro do contexto.

Do ponto de vista técnico, é importante ressaltar que o estudo das cores primárias (cores puras como o vermelho, amarelo e azul), secundárias (são criadas misturando duas cores primárias: vermelho com azul resulta púrpura, amarelo com azul resulta verde) e terciárias (são criadas misturando as cores primárias com secundárias como azul e verde ou amarelo e laranja) ajuda muito na escolha do método de pintura de objetos, pois elas possuem diferentes sistemas de cor e cada um reage de uma maneira distinta.

7.3 Textura

Conforme a Wikipédia, "Textura é o aspecto de uma superfície, ou seja, a "pele" de uma forma, que permite identificá-la e distingui-la de outras formas. Quando tocamos ou olhamos para um objeto ou superfície, sentimos se a sua superfície é lisa, rugosa, macia, áspera ou ondulada. A Textura é, por isso, uma sensação visual ou táctil". Por essa explicação, podem-se inferir inúmeras coisas, como, por exemplo, que a textura de um pneu de borracha é muito diferente da textura de um pneu de plástico rígido. A sua característica de brilho é muito diferente nas duas superfícies citadas, logo, os materiais são diferentes, as texturas não são as mesmas.

Um objeto pode não apenas ser revestido de cor, mas de textura também, aumentando drasticamente seu realismo com o contexto do qual participa. Neste projeto de exemplo no livro, está se trabalhando com um personagem que aparenta ser de pele rugosa, quase como um elefante ou rinoceronte, pois ele parece o tipo de "monstro" que precisa se proteger das intempéries da natureza, logo uma pele áspera lhe cai bem.

7.4 Temperatura

A temperatura na cor é identificada como sendo o parâmetro que define que um tom é mais "quente" ou mais "frio", conforme a intenção para o contexto. Por exemplo, uma cena arquitetônica com iluminação amarelada é mais convidativa e aconchegante do que a mesma cena com iluminação azulada que passa a idéia de que ali é um ambiente frio e rigoroso.

Esta relação pode ser observada em superfícies de objetos ou personagens. Quando se está criando ou definindo a "identidade visual" da personagem, já se está imaginando como será sua "temperatura" em termos de cor ou textura, porque novamente ele precisa se encaixar perfeitamente no contexto ao qual irá pertencer. Trabalhar na constituição da pele de um personagem, de forma a equilibrar a temperatura e ainda assim obter um bom contraste é definido como "Contraste de Temperatura" segundo Spencer (SPENCER, 2008, p. 156).

Na prática, trabalhar com cores quentes e depois neutralizar essas cores de forma estratégica com cores frias oferece o melhor caminho para equalizar esta balança.

7.5 Saturação

A saturação, dentro da teoria das cores, é a proporção de cor em relação a seu brilho ou luminosidade, segundo o dicionário online Wikipédia (fonte: Wikipédia).

Em ZBrush, a saturação pode ser anulada trazendo para a esquerda, após selecionar uma determinada cor, o picker do Color Picker.

7.6 Matiz

Segundo a Wikipédia, "Matiz é a variação da cor pelo acréscimo de outra cor e formada de cor primária". Ela se dá de modo que adicionando uma determinada cor, produz-se um determinado efeito. Por exemplo, ao se criar uma superfície muito avermelhada para a intenção inicial, pode-se ir aplicando um pouco de cor azulada para ir "neutralizando" esta "saturação", garantindo que o "matiz" desejado seja mantido.

7.7 Luz

A luz é o elemento pelo qual a cor ganha vida aos olhos humanos, pois é na reflexão desta que é possível, para a retina do olho humano, perceber as cores do ambiente que o rodeia.

Através das reflexões dos raios de luzes, vários pigmentos de cor são carregados, forçando um rebatimento nas superfícies. Logo, estas acabam por alterar (em termos de cor) sua aparência, assumindo muitas vezes as cores do ambiente.

Trabalhar com luz e, consequentemente com as sombras que esta produz, faz com que os objetos atinjam um alto grau de realismo.

7.8 Mistura ótica

Mistura ótica se refere à pintura de poucas cores primárias juntas, com as quais é possível produzir outras cores apenas com seu efeito ótico de mistura. Mais adiante, ainda neste capítulo, quando estiver pintando a superfície de seu modelo, lembre-se de que nem sempre é preciso pintar cada parte com todas as cores que ele possa ter. Em determinados momentos, a simples aplicação de duas cores e sua forma de aplicação já serão o suficiente para produzir o efeito desejado.

7.2 PolyPainting

7.2.1 O que é PolyPainting

A técnica de criação de texturas por meio de PolyPainting é feita por meio de aplicações de cores sólidas nas superfícies em edição no Canvas do ZBrush.

Geralmente esta técnica dispensa Layout UVs, pois se pode pintar diretamente nas superfícies, e, posteriormente, gerar um Layout UV com as ferramentas do software. Pode-se ainda exportar um modelo em baixa resolução poligonal, trabalhar no seu Layout UV em algum software externo como o 3ds Max, por exemplo, depois importar de volta para o ZBrush, devidamente mapeado. Evidentemente, pode-se levar o modelo já com Layout UV definido previamente.

A técnica de pintura em PolyPainting é aplicada aos Pixols do modelo, de forma que, quanto maior sua resolução poligonal, maior sua precisão e definição de pintura, enquanto que menor a sua resolução, menos precisa e definida é sua pintura.

Observe a Figura 7.2.1.1, os riscos pintados foram feitos com o objeto em resolução poligonal definido com 1.572.864 Polys. Veja o quanto preciso e definido é o traçado.

Figura 7.2.1.1

Agora, veja a Figura 7.2.1.2. Ela foi feita com o objeto no seu nível poligonal mais baixo, definido com 1.536 Polys. Veja o quão imprecisa é a pintura em uma superfície como esta, com poucos polígonos.

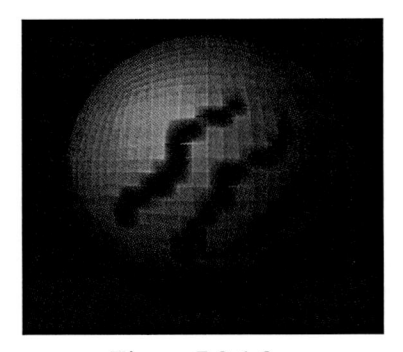

Figura 7.2.1.2

Assim como a pintura com PolyPainting é dependente de malha para que seja feita de modo correto, a criação e a exportação de mapas também são atreladas à resolução poligonal do objeto em edição. Segundo a ajuda online do ZBrush (www.zbrush.info), para que se possa criar um mapa de textura com resolução de 2048 x 2048 pixels é necessário que o objeto em questão possua 4 milhões de polígonos. Seguindo este raciocínio, Spencer comenta também em seu livro que, para se ter um mapa de 4096 x 4096 pixels, é necessário que o modelo possua 16 milhões de polígonos em sua subdivisão poligonal (SPENCER, 2008, p. 154).

Um sistema básico de pintura utilizando PolyPainting, é definido por:

1 – Importar algum modelo para o Canvas do ZBrush;
2 – Subdividir o máximo possível (entendendo-se, aqui, que este modelo já foi devidamente modelado em todos os seus detalhes);
3 – Pintar a textura com a técnica de PolyPainting, utilizando sistema de Bake da textura para superfície em edição;
4 – Usar ferramentas de pintura digital do ZBrush para cobrir a superfície do objeto com cores;
5 – Transpor as informações de cores feitas na superfície por meio de sistema de Bake para uma textura passível de exportação.

7.2.2 Técnicas de pintura

A técnica de pintura com PolyPainting ilustrada neste livro toma por referência a ajuda Online de ZBrush (www.zbrush.info) e os processos explicados por Spencer em seu livro "ZBrush Character Creation: Advanced

Digital Sculpiting" (SPENCER, 2008, p.155) que fazem uso de pintura que simula a técnica de Airbrushes.

Airbrushes

A pintura com sistema de Airbrush nasceu em 1876 com Francis Edgar Stanley, tendo sido registrada a patente de criação por ele. A técnica consiste em utilizar um jato de spray (Airbrush) que lança pequenos jatos de tinta sobre as superfícies até cobri-las totalmente. A técnica é utilizada nas pinturas automotivas e em superfícies planas, assim como é usada pela indústria cinematográfica no revestimento de superfícies que simulam criaturas.

A técnica de Airbrush é transposta para o ZBrush de forma muito semelhante à técnica original, veja a Figura 7.2.2.1, onde se tem uma amostra de pintura simples em uma superfície subdividida.

Figura 7.2.2.1

Agora veja a Figura 7.2.2.1.2, que foi pintada com um sistema de Airbrush definido pelas ferramentas do ZBrush.

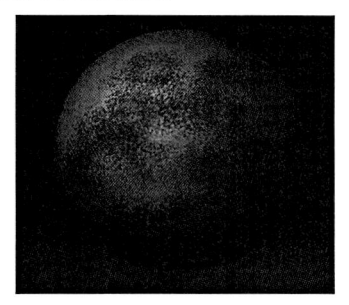

Figura 7.2.2.2

Utilizando esta técnica, é possível obter uma variação impressionante de cores e tons, que se mesclam conforme a aplicação de cores é feita.

Zonas de temperaturas

É interessante trabalhar com zonas de temperaturas quando se está produzindo texturas para personagens, pois com elas pode-se conseguir aspectos mais realistas. Estas áreas podem ser divididas pela estrutura muscular ou óssea, as quais definem a cor predominante de cada zona. Assim como as cores, a iluminação pode ser realçada nesta subdivisão. Verifique a Figura 7.2.2.3 (imagem cedida por www.3d.sk), ela foi reforçada em seus níveis de iluminação para que realce os pontos de luz mais fortes e os mais escuros.

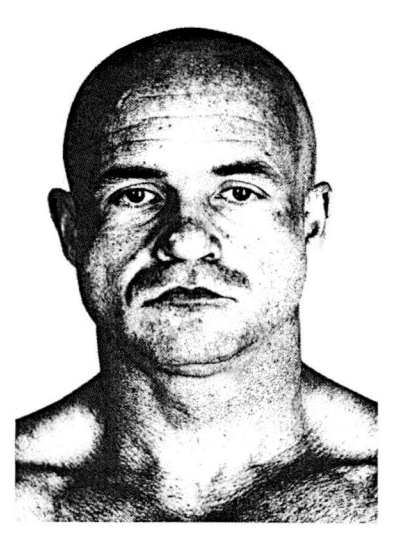

Figura 7.2.2.3

Com esta relação estabelecida de iluminação, pode-se compreender que as áreas da face humana que mais recebem luz intensa se localizam na testa, nariz, queixo e bochecha, predominantemente.

Agora, analise a questão das cores na Figura 7.2.2.4. Veja que, na região superior da cabeça, o amarelo predomina, enquanto que, nos olhos e base do pescoço, predomina o vermelho, já o azul está na área do maxilar.

Pintura e texturização | 363

Figura 7.2.2.4

Tenha em mente esta relação, pois ela se verifica em uma grande variedade de seres. Procure essa relação de cores sempre que desejar buscar o realismo.

7.2.3 PolyPainting na prática

7.2.3.1 Conceitos básicos

Começam aqui as aplicações práticas do recurso de PolyPainting. Inicie com um arquivo novo no ZBrush, ou se este já estiver aberto, clique no menu Preferences, opção Init ZBrush. Feito isto, clique em DefaultZScript e selecione a PolySphere. Inicie com um objeto simples, para entender o funcionamento da ferramenta.

Lembrando que as etapas ilustradas neste capítulo podem ser acessadas na forma de vídeo, disponibilizado no material que acompanha este livro.

01 – Uma vez com o objeto no Canvas do ZBrush, mude seu material para FastShader.

02 – Na janela Tool, Subpalette Geometry, subdivida o objeto algumas vezes, talvez seis níveis de subdivisão sejam suficientes. Teste seu hardware para ver se ele suporta essa quantidade de subdivisão.

03 – Mude a cor na paleta de cores para um azul claro. Veja se o objeto inteiro reage à troca. Deixe na cor branca por fim.

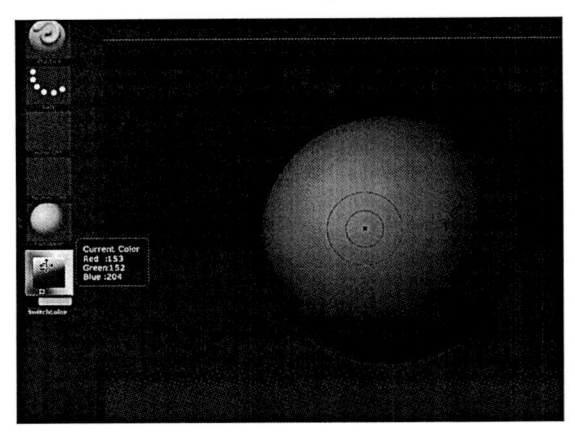

Figura 7.2.3.1.1

04 – Deixe ativo apenas Rgb, desativando Mrgb, M, Zadd e Zsub.

05 – Na Subpalette Texture da paleta Tool, habilite Colorize. Isto faz com que o objeto receba pintura com cores. Pode-se habilitar algum tipo de mapeamento que o ZBrush oferece nesta seção, caso o objeto ainda não tenha um.

06 – No menu Color, clique em FillObject com Mrgb habilitado, repita posteriormente com M habilitado.

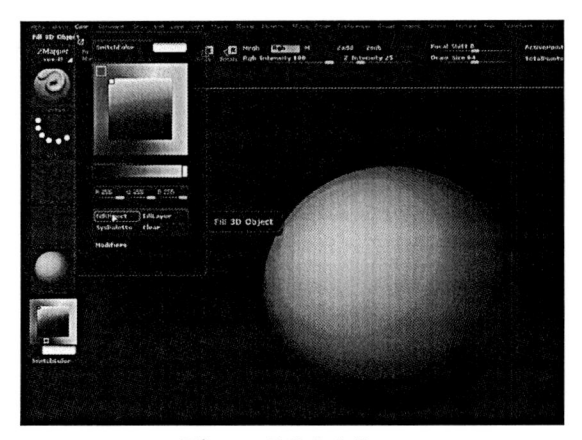

Figura 7.2.3.1.2

07 – Diminua a intensidade de Rgb Intensity, pois é com ele que se define a força com a qual as superfícies receberão pinturas. Clique em SwitchColor para mudar a cor selecionada (a maior amostra representa a cor que será aplicada atualmente). Defina como um azul. Toque a superfície do objeto no Canvas com o cursor. Veja se é aplicado um "jato de tinta" enquanto é pressionado o cursor.

Figura 7.2.3.1.3

08 – Desfaça esta ação pelo menu Edit, opção Undo (CTRL + Z).

09 – Retorne o objeto à forma de sua subdivisão mínima. Pinte um novo traço sobre ele e veja o resultado: ocorre a indefinição do traço no objeto, justamente pela ausência de malha poligonal adequada para se produzir esta pintura

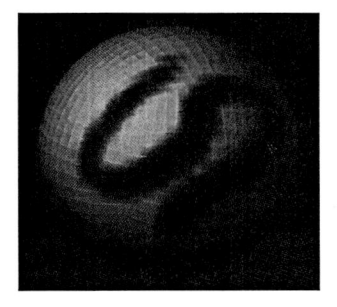

Figura 7.2.3.1.4

10 – Mantendo a pintura feita, eleve para o nível de subdivisão mais alto. Perceba que a indefinição continua agora pelo motivo de que a imperfeição pintada com poucos polígonos é levada até o último nível de subdivisão.

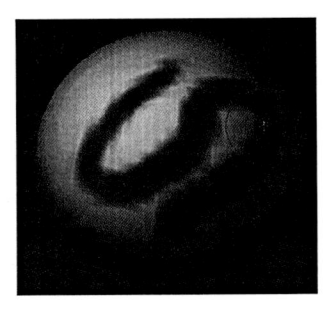

Figura 7.2.3.1.5

11 – Na Figura 7.2.3.1.6 apenas uma demonstração lado a lado dos dois casos explicados anteriormente.

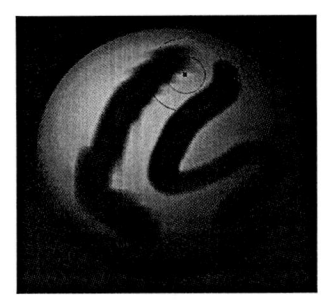

Figura 7.2.3.1.6

12 – Para se "apagar" uma parte da cor aplicada, basta trocar para a cor básica do objeto, alterar o valor de Rgb Intensity e "pintar" sobre a área que se deseja "apagar". Caso se deseje "apagar" para recomeçar a pintura do objeto inteiro, deixe Rgb Intensity em 100 e clique no menu Color, opção FillObject. A figura seguinte é ilustrada com valor de Rgb Intensity definido em 34.

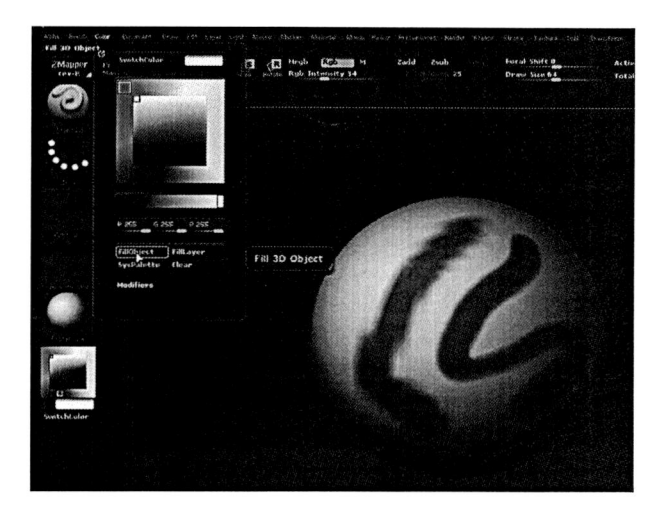

Figura 7.2.3.1.7

13 – Em termos de conceitos básicos, eles cobrem o suficiente para se colorir o personagem que se está produzindo neste livro.

7.2.3.2 Como ajustar o pincel Airbrush

Neste ponto, será ajustado o tipo de pincel que será usado para revestir com cor a superfície do personagem. Antes é testada a configuração na mesma esfera usada anteriormente. Algo interessante a se notar, na técnica de PolyPainting, é o fato de se poder utilizar diferentes Brushes, Strokes e Alphas para se definirem os tipos de "aplicações de cor", podendo gerar "pincéis" complexos de pintura tal como em outros softwares de edição de imagens como o Photoshop, por exemplo.

01 – Defina o azul como a cor principal. Mude o método de Stroke para Spray. Deixe Rgb Intensity em 100. Perceba como é intenso o toque na superfície.

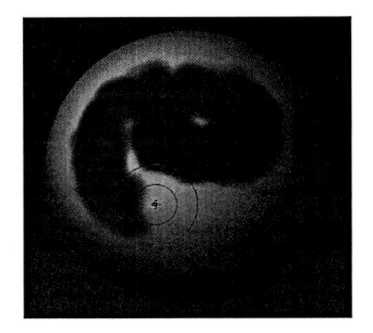

Figura 7.2.3.2.1

02 – No menu Fly-Out de Stroke, diminua o Color Intensity Variance para algo em torno de .05. Teste para ver o resultado. Perceba que agora o toque é menos intenso e se mescla entre si de melhor modo.

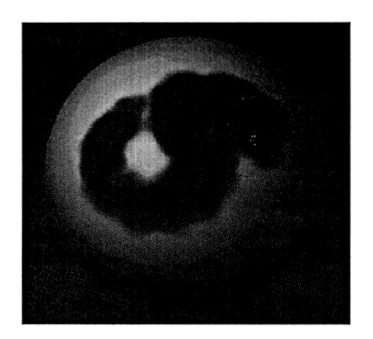

Figura 7.2.3.2.2

03 – Na Figura 7.2.3.2.3, o outro extremo, Color Intensity Variance definido em 1. Por fim, deixe em 0.36 este campo.

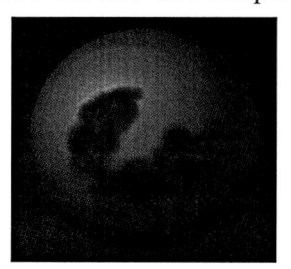

Figura 7.2.3.2.3

Pintura e texturização | 369

04 – Mude o tipo de Alpha para "Alpha 07", deixe Rgb Intensity em 39 e faça alguns toques na superfície para "borrifar" cor nela.

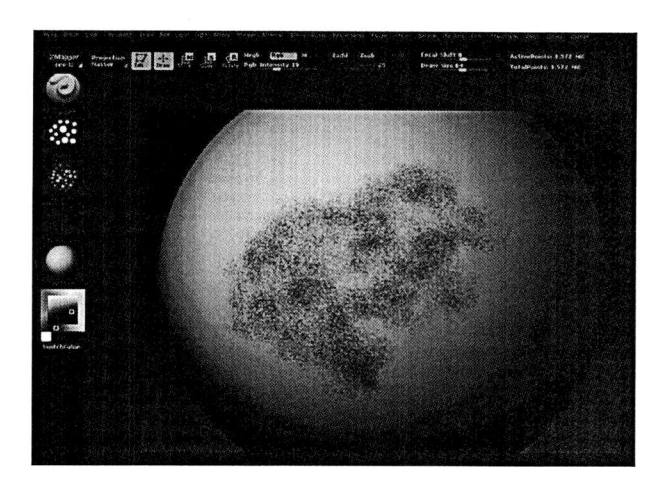

Figura 7.2.3.2.4

05 – Troque pela cor vermelha e pinte sobre o azul. Perceba que, além de pintar sobre a cor azul, a cor vermelha mescla-se a azul, formando um novo tom.

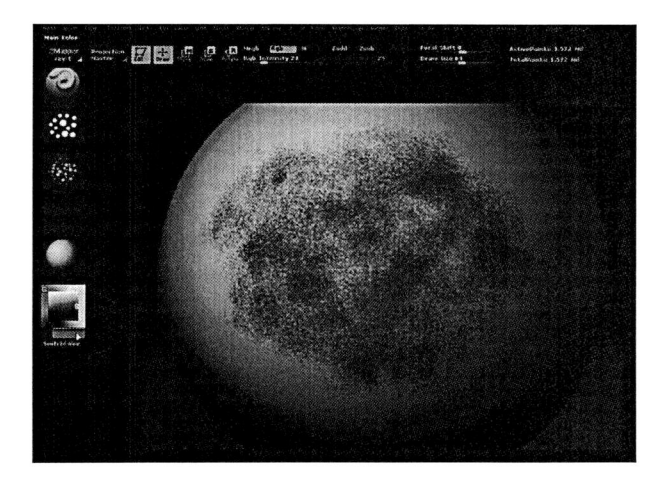

Figura 7.2.3.2.5

06 – Experimente, em uma área limpa deste objeto, pintar na cor amarela um lado e o outro de azul. Tente mesclar as duas cores como uma forma de gradiente entre elas. Perceba que o "pincel", configurado como está, facilita esta mistura (entenda-se aqui, que "pincel" se refere ao conjunto de definições feitas em Rgb Intensity, tipo de Brush, Stroke, Alpha e cor para este).

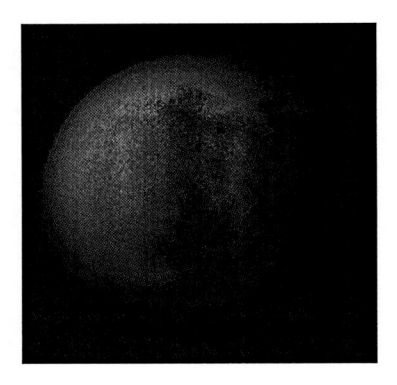

Figura 7.2.3.2.6

07 – É realmente muito simples trabalhar com PolyPainting, desde que sejam bem entendidos os princípios que agem sobre seu uso, que se baseiam amplamente em como é feita a pintura na realidade por meio de Airbrushes reais.

7.2.3.3 Como ajustar a interface para pintura

Nesta etapa, procura-se definir uma interface que facilite o trabalho, de forma que dispor adequadamente dos recursos nela facilite o trabalho.

01 – O ZBrush permite alterar a sua interface conforme a necessidade do artista. Como uma primeira maneira de fazer isso, expanda os Dividers da esquerda, como forma de criar uma nova Tray (Left Tray neste caso). Feito isto, clique no menu Color e o arraste para a Left Tray (clique no ícone circular superior para mover, na verdade o menu Color não é movido, mas, sim, é feita uma cópia para o local de destino).

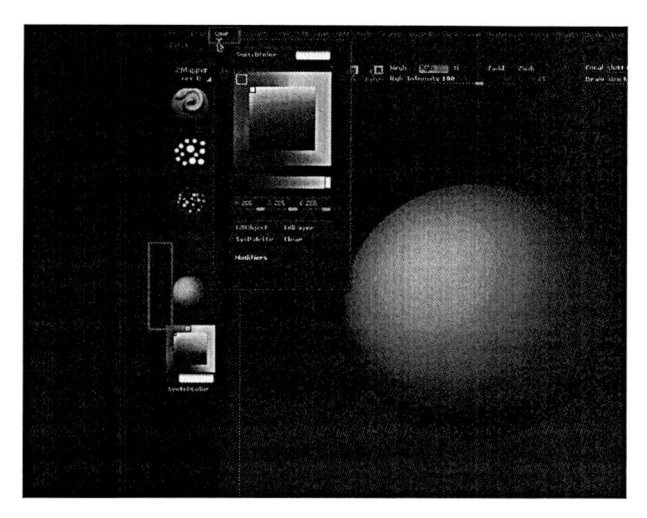

Figura 7.2.3.3.1

02 – A interface passa a assumir a aparência mostrada na figura a seguir. Em Modifiers, é possível obter outras formas de organização de paleta de cores.

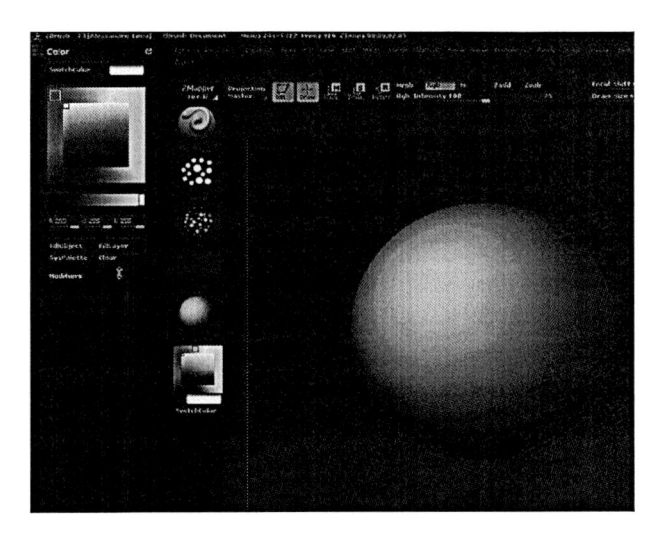

Figura 7.2.3.3.2

03 – É possível trabalhar com a paleta disposta no menu Color apenas, mas é mais prático tê-la visível enquanto se precisa alternar as cores frequentemente no trabalho de pintura.

04 – Clicando em SysPalette surge a caixa de diálogo Cor, onde se pode definir as cores que serão usadas com frequência na atual pintura.

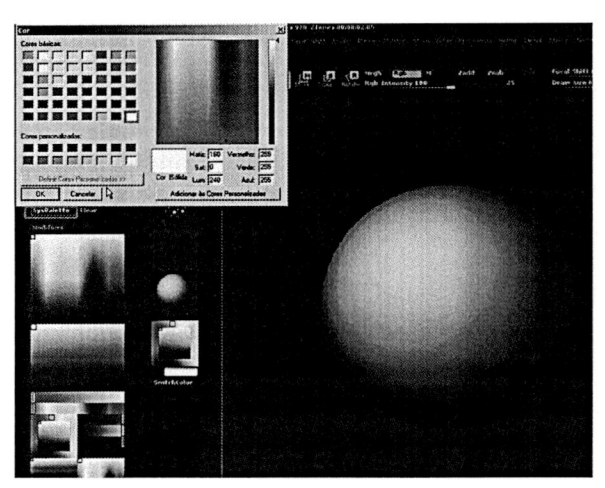

Figura 7.2.3.3.3

05 – Ou pode-se usar na Right Tray com igual desempenho.

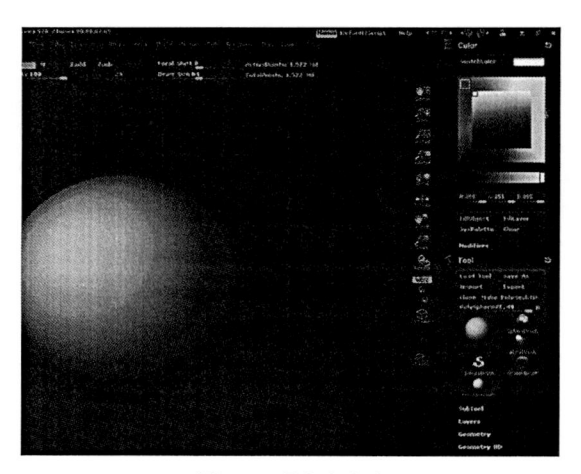

Figura 7.2.3.3.4

06 – Retire a paleta Color de qualquer Tray. Neste caso, não será usada a paleta toda, mas, sim, SysPalette apenas.

07 – É adicionado um botão de rápido acesso à paleta de Cor através do botão SysPalette, portanto é preciso habilitar a configuração de interface do ZBrush. No menu Preferences, expanda Custom UI, clicando logo em seguida em Enable Customize para habilitar a customização da Interface.

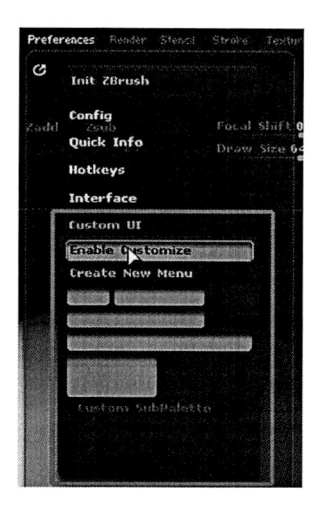

Figura 7.2.3.3.5

08 – Uma vez que Enable Customize esteja habilitado, todo e qualquer botão ou menu pode ser movido e disposto onde se desejar. Para tanto, pressione e mantenha pressionada a tecla CTRL enquanto clica e arrasta qualquer item da interface ou menu, para qualquer lugar. Veja que isto move de fato alguns itens, enquanto em outros são criadas cópias dos recursos.

09 – Por fim, defina um atalho para SysPalette. Expanda o menu Color, pressione e mantenha pressionada a tecla CTRL enquanto clica e arrasta a opção SysPalette para baixo de SwitchColor. Verifique que o ZBrush vai indicando as áreas que podem ser usadas para se posicionar algum atalho, por meio de "retângulos evidentes".

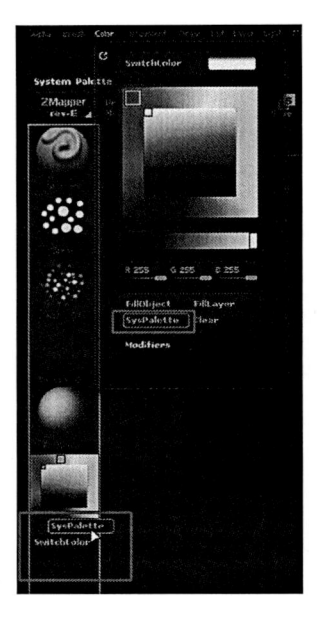

Figura 7.2.3.3.6

10 – Uma vez feito isto, a paleta Cor pode ser acessada diretamente da interface. Desligue a opção Enable Customize para sair do modo de edição e customização de interface.

7.2.3.4 Imagens de referência

Nesta etapa é imprescindível uma nova pesquisa sobre o tipo de pele que se deseja para revestir a personagem ou objeto em edição. Neste trabalho, foram usadas, como referências, algumas imagens de animais, como elefante, rinoceronte e cobra, fazendo-se uso da biblioteca 3D.SK, disponível em www.3d.sk sob contrato de direito de uso. Por ser uma biblioteca com direitos autorais, não é possível disponibilizar todo o material utilizado na confecção deste livro, mas inclui-se algumas amostras deste material, disponibilizadas pela 3D.SK para uso exclusivo com este material. Deixa-se indicado aqui, ao leitor, que faça a compra pelo referido site para que possa usufruir das bibliotecas completas de imagens.

Eis algumas imagens que foram usadas como referência no trabalho.

Pintura e texturização | 375

Figura 7.2.3.4.1

Figura 7.2.3.4.2

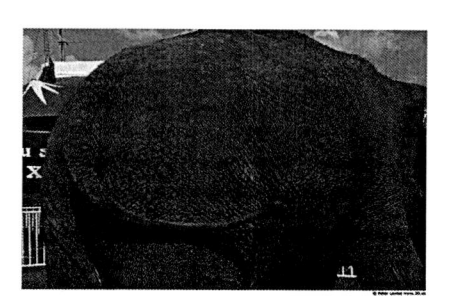

Figura 7.2.3.4.3

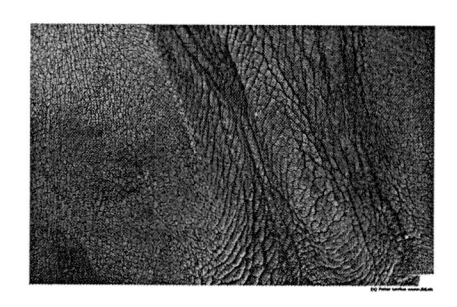

Figura 7.2.3.4.4

Figura 7.2.3.4.5

Figura 7.2.3.4.6

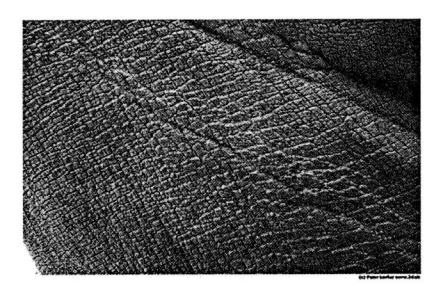

Figura 7.2.3.4.7

Figura 7.2.3.4.8

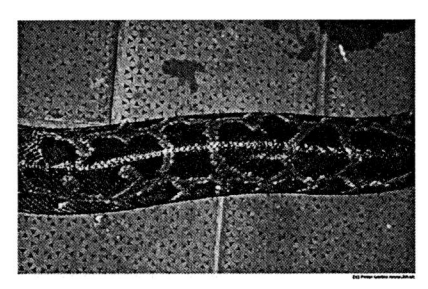

Figura 7.2.3.4.9

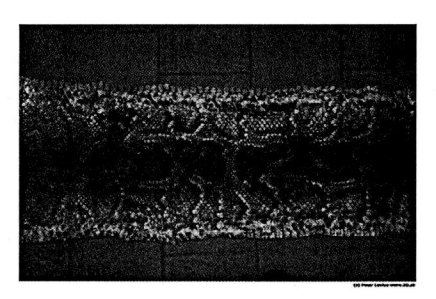

Figura 7.2.3.4.10

Figura 7.2.3.4.11

7.2.3.5 Definição de cores básicas

Neste ponto, já existem todos os recursos necessários para iniciar a pintura com PolyPainting efetivamente. Esta operação deve ser realizada em três momentos distintos, a saber:

Basic Color

Deve-se em um primeiro momento definir uma "Basic Color" ("Cor Básica") para revestir todo o modelo, tendo assim, um ponto de partida para todo o trabalho, além de estabelecer a "temperatura" da pele da personagem ou superfície do objeto em edição.

Mottling Pass

Em outro momento, é definido o que Spencer chama de "Mottling Pass" ("Coloração em Passos") ou "Nodling Pass" (SPENCER, 2008, p. 161), que se refere à aplicação de áreas de cor por meio de "sprays" tal como na técnica de pintura em Airbrush. Segundo o dicionário online "The Free Dictionary", a palavra "motle" significa "definir áreas com toques ou blocagens de diferentes cores". Neste contexto, entende-se que é a ação de definir áreas de cores diferentes em uma camada básica, como forma de colorir superfícies. Nesta etapa, exageros nas aplicações de cores são permitidos, uma vez que posteriormente serão redefinidos os tons.

Color Washes

A próxima etapa é a de "Color Washes" (literalmente traduzindo, "Lavagem de Cor"), que se refere ao momento de equilibrar os tons pintados para que entrem em harmonia, colaborando para a eficácia do projeto em execução (no que se refere à etapa de pintura do modelo). Este, em ZBrush, pode ser identificado sob a forma de se trabalhar com a troca de material adequado ao modelo, juntamente com ajustes na textura pintada.

Aplicação de "Basic Color"

01 – Inicie uma sessão nova no ZBrush, carregue o modelo "Monster.ztl" que já está trabalhando, deixe somente seu corpo ativo no Canvas.

02 – Disponha o atalho de SysPalette visível na interface, como explicado anteriormente.

03 – Eleve-o ao nível máximo de subdivisão possível. No caso deste livro, foi elevado ao nível 7, mas, dependendo do seu hardware, talvez seja possível ir além ou não, teste para ver.

04 – Mude seu material para o tipo FastShader.

05 – Na Paleta Tool, Subpalette Texture, habilite Colorize para informar ao ZBrush que será usado seu modo de pintura.

06 – Feito isto, no menu Texture, defina o tamanho de uma nova textura em Width e Height com 2048. Clique em New para criar um novo arquivo com estas dimensões e cores selecionadas.

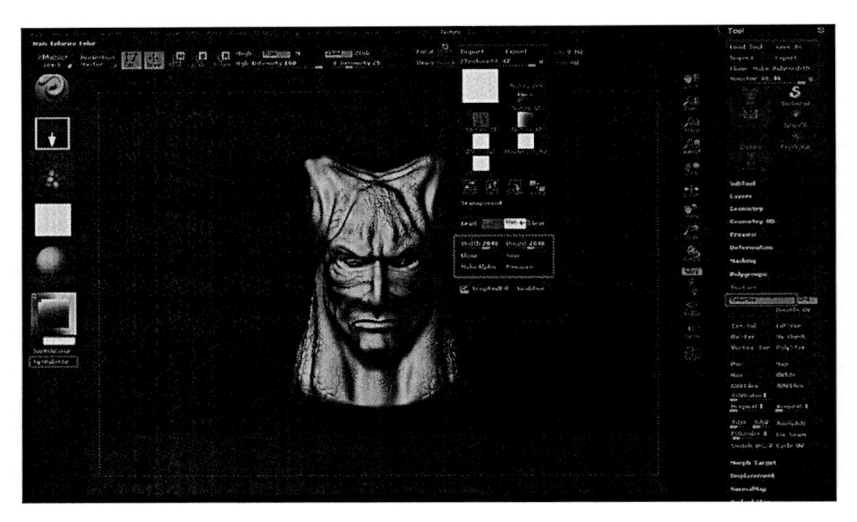

Figura 7.2.3.5.1

07 – Verifique que a cor atribuída ao objeto em edição é a mesma definida na paleta de cores (neste caso, o ZBrush inicia a sessão com a paleta definida em branco (cor primária) e preto (cor secundária)).

08 – Na cor primária defina um tom que seja o mesmo das imagens de referências predominantemente (neste caso, foi atribuída à cor em R166, G156 e B124), como base para se iniciar a pintura. Sempre defina uma cor como base para um ponto de partida na pintura digital.

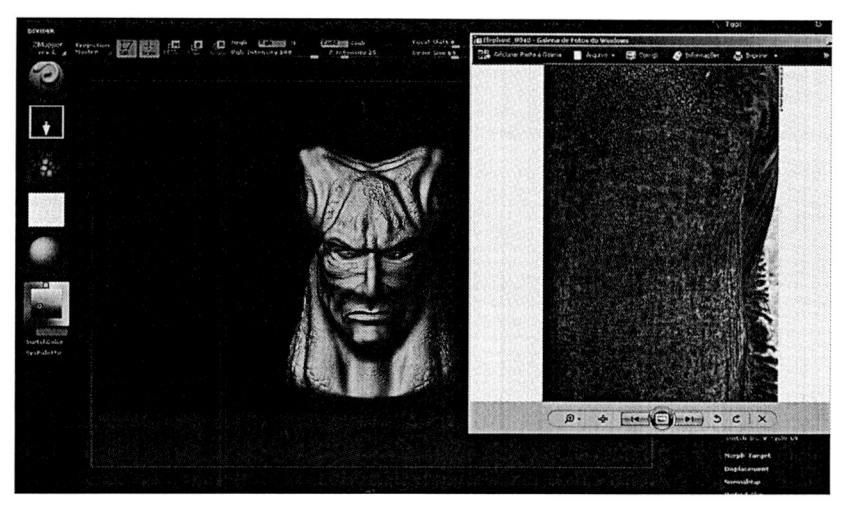

Figura 7.2.3.5.2

09 – Atribua esta cor a uma nova textura ao objeto em edição no Canvas do ZBrush. Em Texture da paleta Tool, deixe Colorize ativo. Desmarque Txr>Col [("Textura para Coloração") esta opção informa ao ZBrush para que volte ao modo de pintura], deixando Col>Txr ativo [esta opção define que o ZBrush deve enviar, sob a forma de uma textura, todas as informações de cor que o objeto recebeu ("coloração para textura")]. Feito isto, um último passo é requerido: no menu Color, clique em FillObject para informar ao ZBrush que este deve "preencher" o objeto com a cor selecionada (deixe, neste caso, Rgb Intensity em 100 para ele cobrir o objeto em sua totalidade).

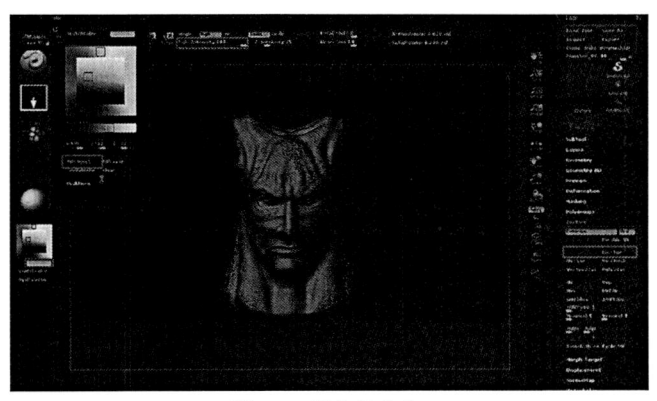

Figura 7.2.3.5.3

10 – Faça FillObject tanto em Mrg como em M.

11 – Mude a cor primária para preto com SwithColor (tecla de atalho V). Defina como método de Stroke, o tipo Spray, com Color Intensity Variance em .09 e Alpha com o Alpha 07. Deixe Rgb Intensity em 43. Teste para ver os efeitos. Depois, deixe limpa a superfície do objeto, desfazendo qualquer pintura por enquanto. Apenas teste.

12 – Feito isto, defina as cores básicas que serão usadas:

Vermelho (R30 G8 B9)
Azul Escuro (R3 G13 B233)
Azul Claro (R62 G118 B166)
Lilás (R26 G127 B180)
Amarelo Claro (R233 G234 B132)
Verde Petróleo (R71 G128 B129)

Estas cores podem ser acessadas diretamente das amostras padronizadas do ZBrush, ou customizadas como na Figura 7.2.3.5.4.

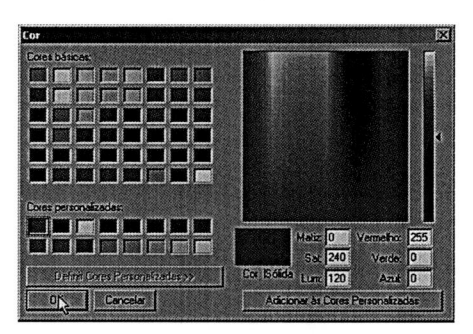

Figura 7.2.3.5.4

13 – Faça testes na superfície, verifique se está tudo de acordo para passar para a próxima etapa: "Mottling Pass".

7.2.3.6 Como blocar a cor vermelha

Nesta etapa serão definidas as cores que revestirão a superfície do modelo, configurando a etapa que se pode chamar de "Mottling Pass". Para esta sessão de pintura, não deixe habilitados os campos Zadd ou Zsub, pois não se trabalhará com deformidades de malha, mas, sim, com textura.

01 – Defina como cor primária um vermelho (R230 G8 B9). Defina também, como método de Stroke, o tipo Spray, com Color Intensity Variance em .09 e Alpha com o Alpha 07. Deixe Rgb Intensity em 30. Inicie pintando áreas como testa, olhos, nariz, boca, orelhas, encaixe de chifres na cabeça e pescoço.

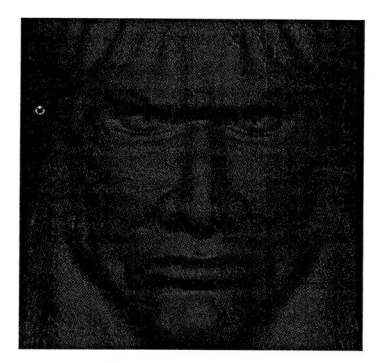

Figura 7.2.3.6.1

Figura 7.2.3.6.2

02 – Trabalhe a parte de trás e superior também.

Figura 7.2.3.6.3

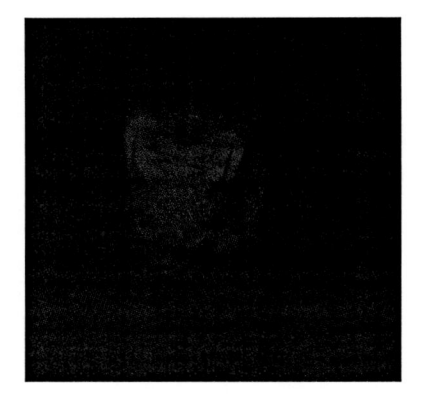

Figura 7.2.3.6.4

03 – O modelo com sua pintura em andamento.

Figura 7.2.3.6.5

04 – Pode-se diminuir o contraste entre a cor de fundo e a cor aplicada, trocando a cor primária do SwitchColor de vermelho para a cor de base e retocando as áreas em excesso de cor.

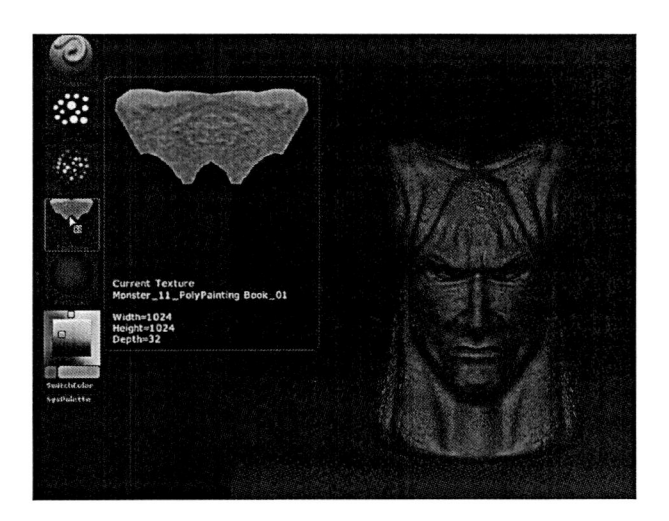

Figura 7.2.3.6.6

7.2.3.7 Como blocar a cor azul

01 – Defina como cor primária um azul claro (R62 G118 B166). Defina também como método de Stroke o tipo Spray, com Color Intensity Variance em

.09 e Alpha com o Alpha 07. Deixe Rgb Intensity em 25. Inicie pintando áreas como a dos glóbulos oculares, lábios, pescoço, queixo e interior de orelhas. Para esta sessão de pintura, não deixe habilitados os campos Zadd ou Zsub, pois não se trabalhará com deformidades de malha, mas, sim, com textura.

Figura 7.2.3.7.1

02 – Perceba que, conforme a pintura avança com este método, as cores vão se fundindo, criando novas cores secundárias.

Figura 7.2.3.7.2

03 – O modelo com seus tons em azul devidamente pintado.

Figura 7.2.3.7.3

7.2.3.8 Como blocar a cor amarela

01 – Defina como cor primária um amarelo claro (R233 G234 B132). Defina também como método de Stroke o tipo Spray, com Color Intensity Variance em .09 e Alpha com o Alpha 07. Deixe Rgb Intensity em 20. Inicie pintando áreas como testa, bochecha, pescoço, coluna e partes expostas. Para esta sessão de pintura, não deixe habilitados os campos Zadd ou Zsub, pois não se trabalhará com deformidades de malha, mas, sim, com textura.

Figura 7.2.3.8.1

02 – Continue pintando de forma suave.

Figura 7.2.3.8.2

03 – O modelo finalizado.

Figura 7.2.3.8.3

7.2.3.9 Retoques e ajustes de luz

Nesta etapa, é antecipado o próximo conteúdo (luzes), mas não explorado na sua totalidade. Neste ponto, já se inicia a etapa de "Color Washes", e, a partir de agora, os tons serão mais bem equilibrados.

01 – No Menu Light, defina o campo Ambient com valor 16. Isto fará com que o objeto seja mais bem iluminado no Canvas.

Pintura e texturização | 387

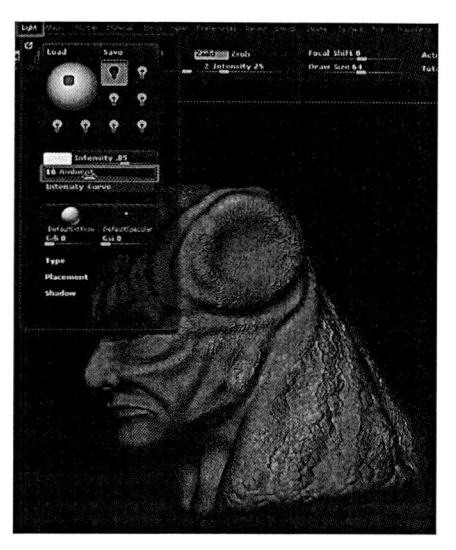

Figura 7.2.3.9.1

02 – Em Zoom reduza para que possa enquadrar bem o modelo no Canvas. Faça isso sempre que julgar necessário ou confortável.

03 – Usando o Color Picker do SwitchColor (clique e mantenha pressionado o botão esquerdo do mouse ou caneta ótica na cor primária e arraste para a área que deseja capturar uma amostra de cor), pegue uma amostra de cor do objeto no Canvas para iniciar o nivelamento. Neste caso, pegue uma amostra da testa da personagem.

Figura 7.2.3.9.2

04 – Com Rgb Intensity definido em 44, vá retocando a superfície até equilibrar os tons.

Figura 7.2.3.9.3

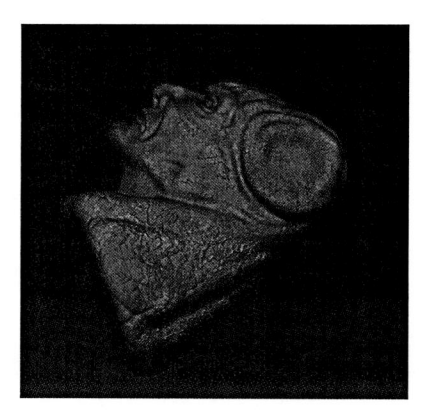

Figura 7.2.3.9.4

05 – O modelo finalizado.

Figura 7.2.3.9.5

7.2.3.10 Como definir veias

Neste ponto são definidos alguns detalhes extras como veias, protuberâncias ou sulcos ao longo da superfície do modelo. Para esta sessão de pintura, não deixe habilitados os campos Zadd ou Zsub, pois não se trabalhará com deformidades de malha, mas, sim, com textura.

01 – Defina como cor primária um branco gelo (R183 G192 B198). Defina também como método de Stroke o tipo FreeHand, com Color Intensity Variance em .09 e Alpha com o Alpha 01. Deixe Rgb Intensity em 32. Inicie pintando áreas onde existam veias salientes. Trabalhe com calma e paciência, pois a construção de detalhes requer trabalho.

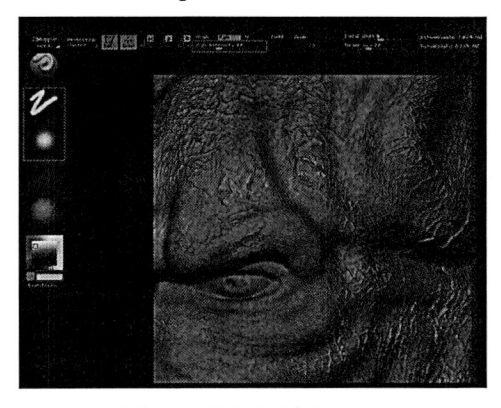

Figura 7.2.3.10.1

02 – Continue definindo as veias.

Figura 7.2.3.10.2

03 – Evolução do trabalho conforme as figuras a seguir.

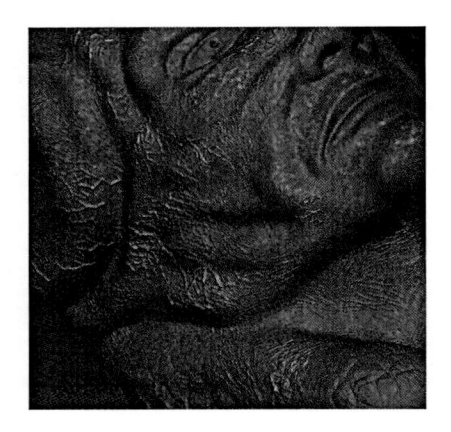

Figura 7.2.3.10.3   Figura 7.2.3.10.4

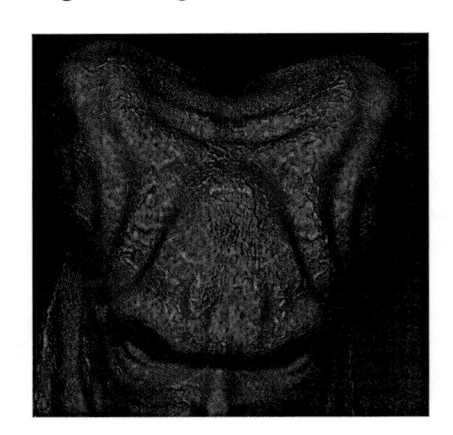

04 – Modelo finalizado até o momento.

Figura 7.2.3.10.5

7.2.3.11 Como definir veias com Alphas

É possível definir as veias de forma mais "abrangente" e "genérica" com o uso de mapas e Alpha. Para esta sessão de pintura, não deixe habilitados os campos Zadd ou Zsub, pois não se trabalhará com deformidades de malha, mas, sim, com textura. Para tanto, proceda da seguinte forma:

01 – Defina como cor primária um branco gelo (R183 G192 B198). Defina também como método de Stroke o tipo DragRect, com Color Intensity Variance em .09 e Alpha com o Alpha 22. Deixe Rgb Intensity em 40. Inicie pintando áreas que possuam veias salientes maiores como nas costas, por exemplo. Trabalhe com calma e paciência, pois a construção de detalhes requer trabalho.

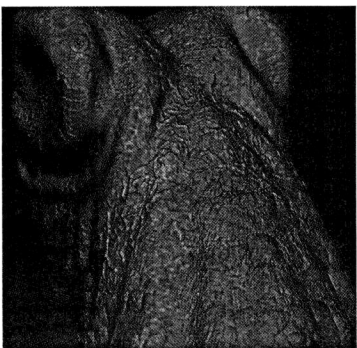

Figura 7.2.3.11.1

02 – Perceba que a aplicação é sutil apesar da intensidade definida em Rgb Intensity. O movimento é o mesmo tal como na modelagem, mas apenas afetará a textura do modelo.

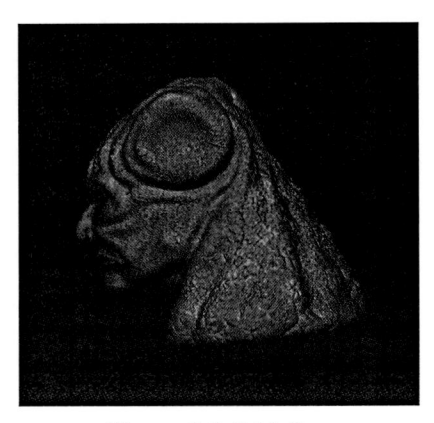

Figura 7.2.3.11.2

03 – Verifique como está sendo projetada a textura. Uma maneira rápida para ver isto é acessando o menu Render e mudar o modo de visualização de Preview para Flat (o modo Flat retira toda e qualquer informação de luz e sombra, deixando somente a cor ou textura em evidência no modelo, visto pelo Canvas do ZBrush).

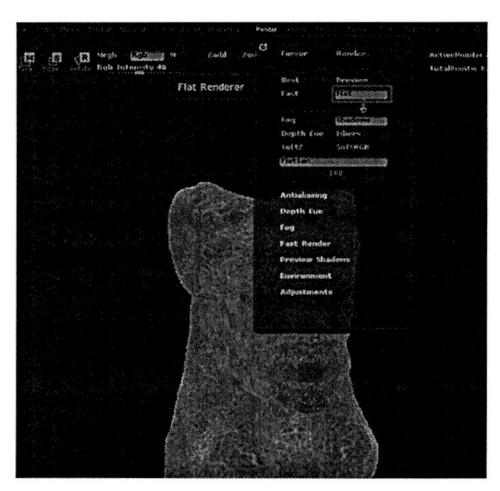

Figura 7.2.3.11.3

04 – O modelo finalizado até o momento.

Figura 7.2.3.11.4

7.2.3.12 Como equilibrar os tons no ZBrush

Esta é mais uma etapa de equalização entre tons, portanto ela servirá ao propósito de tão somente balancear ainda mais as cores aplicadas à confecção da textura do modelo. Para esta sessão de pintura, não deixe habilitados os campos Zadd ou Zsub, pois não se trabalhará com deformidades de malha, mas, sim, com textura.

01 – Defina como cor primária um marrom claro (R174 G131 B103). Defina também como método de Stroke o tipo Spray, com Color Intensity Variance em .45 e Alpha com o Alpha 07. Deixe Rgb Intensity em 40. Inicie pintando áreas como a dos glóbulos oculares, lábios, pescoço, queixo e interior de orelhas.

03 – Procure aplicar esta correção de tons a áreas contrastantes.

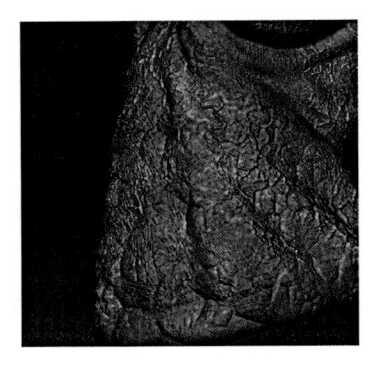

Figura 7.2.3.12.1

04 – Utilize diferentes modos de visualização no Canvas para obter o melhor resultado no trabalho.

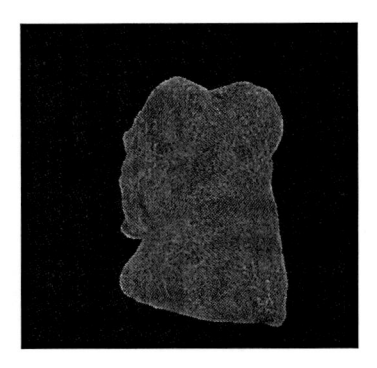

Figura 7.2.3.12.2

05 – O modelo finalizado, seguido de uma amostra de sua textura na Figura 7.2.3.12.4.

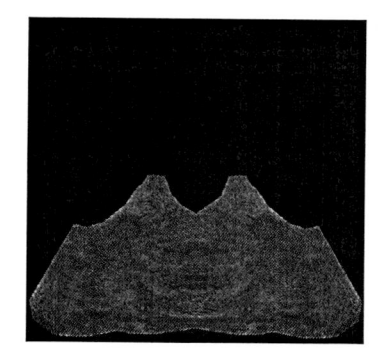

Figura 7.2.3.12.3   Figura 7.2.3.12.4

06 – Salve seu modelo e exporte a sua textura. Primeiro, na Paleta Tool, acesse a Subpalette Texture, clique em Col>Txr para que o ZBrush crie, na paleta Texture, a textura pintada no objeto. Depois disto, acesse-a através da paleta Texture, selecionando a textura a ser exportada e clicando em Export. Defina um nome, tipo e local para salvamento.

7.2.3.13 Como equilibrar os tons no Photoshop

Esta etapa permitirá uma integração entre softwares, muito comum em produções de cinema ou jogos. Pode ser usado qualquer software de edição de imagens 2D como o Photoshop ou Gimp. Neste caso, está sendo usado o Photoshop.

01 – Abra a textura produzida pelo ZBrush no Photoshop. Abra também um dos arquivos de imagens de referência utilizados anteriormente para a produção da textura da personagem. Inicie o processo de "ajustar" a textura produzida, com a referência em mãos. Duplique a camada de textura e abra a caixa de diálogo Hue/Saturation (menu Image, opção Adjustments) e reduza Saturation para -46.

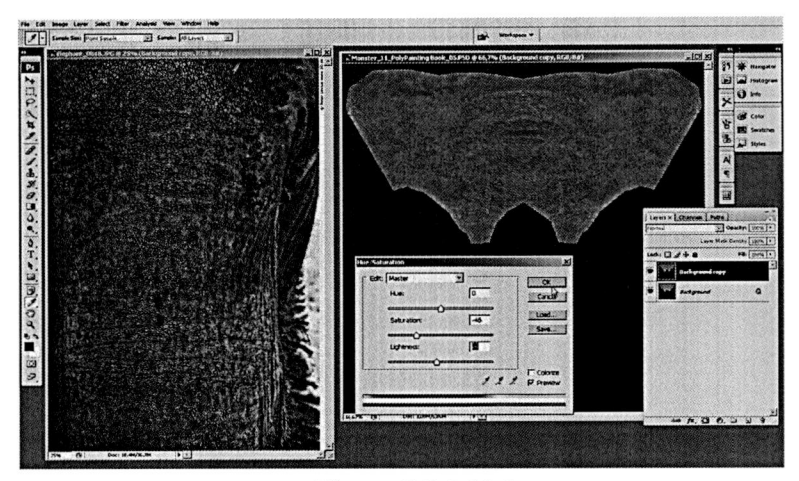

Figura 7.2.3.13.1

02 – Depois trabalhe na sintonia de cor da textura. Abra a caixa de diálogo Color Balance através do menu Image, opção Adjustments, mude as cores conforme a figura a seguir.

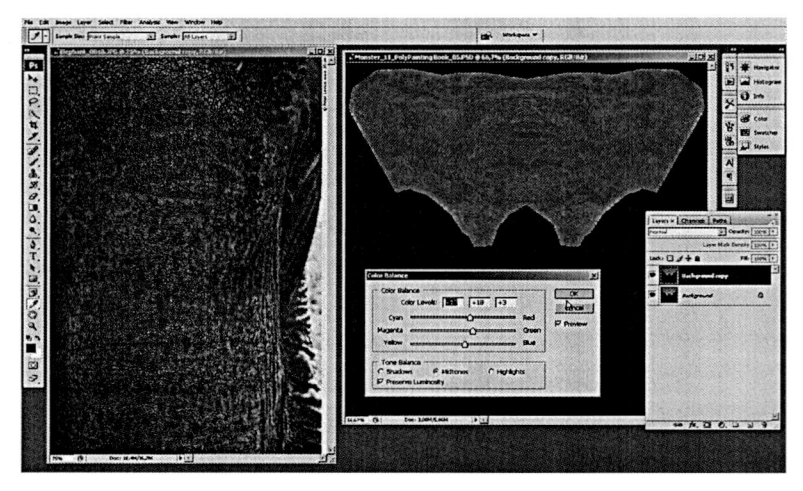

Figura 7.2.3.13.2

03 - Depois trabalhe na sintonia de contraste da textura. Abra a caixa de diálogo Brightness/Contrast através do menu Image, opção Adjustments, mude Brightness para -26 e Contrast para +58.

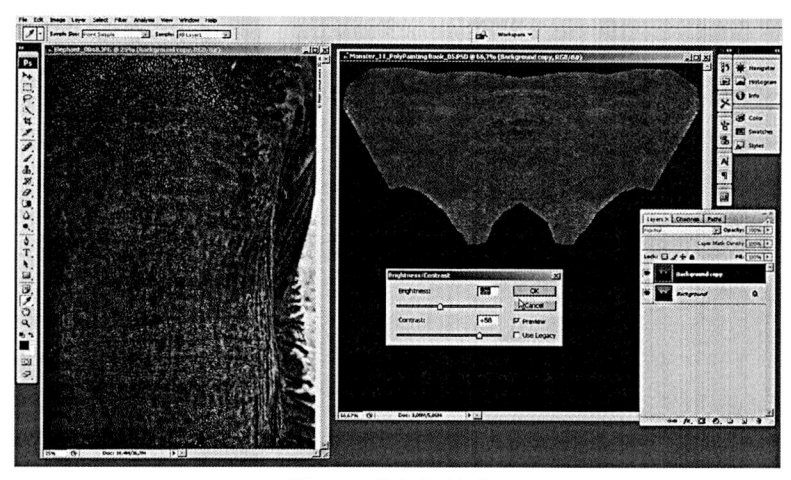

Figura 7.2.3.13.3

04 – A partir deste ponto, segue-se uma sequência de ajustes entre Saturação, Cor, Contraste e Luminosidade da textura trabalhada nas caixas de diálogo Hue/Saturation, Color Balance e Brightness/Contrast.

05 – Na Figura 7.2.3.13.4 tem-se a textura devidamente ajustada conforme descrito anteriormente. No material que acompanha este livro, podem ser vistos vídeos que acompanham esta seção.

Figura 7.2.3.13.4

7.2.3.14 Ajuste de temperatura no personagem

01 - Inicie o trabalho com um arquivo novo no ZBrush.

02 - Importe a textura editada anteriormente para o ZBrush através da paleta Texture, opção Import. Isto fará com que a textura seja aplicada automaticamente ao modelo. Caso ela seja exibida invertida, vá ao menu Texture e procure a opção Flip V (isto faz com que a textura seja girada no sentido vertical no objeto ao qual está aplicada).

Figura 7.2.3.14.1

02 – Aqui está sendo antecipado um assunto posterior, Materiais, mas não visto em sua totalidade. Mude para o material do tipo MatCap WedClay. Perceba como o objeto se comporta no Canvas.

Figura 7.2.3.14.2

03 – Abra a paleta Material, na Subpalette Modifiers mude o valor de Opacity para 61.

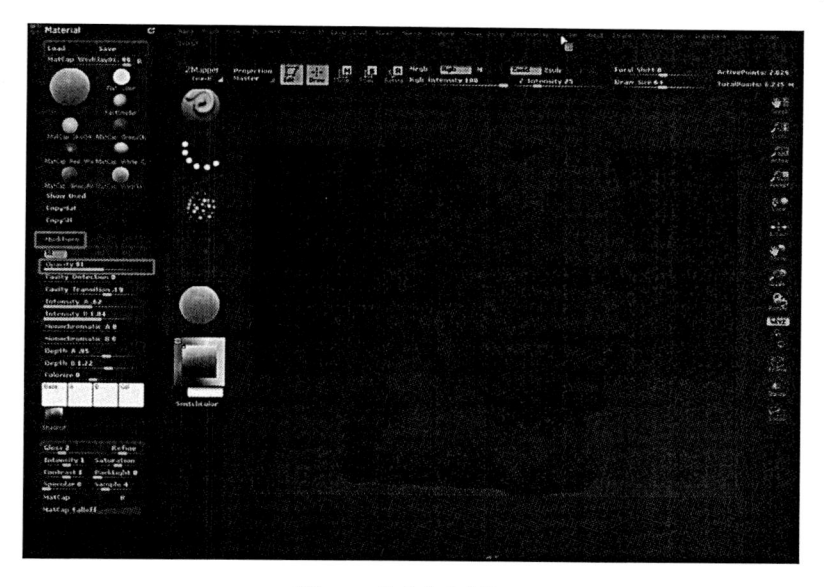

Figura 7.2.3.14.3

04 – Mudando na paleta Render o modo de visualização para Fast, é possível ver um tímido brilho do objeto.

Figura 7.2.3.14.4

05 – Não é um passo necessário, mas, se o leitor desejar, pode acessar a paleta Light e configurar conforme a figura a seguir para obter uma visualização ainda melhor.

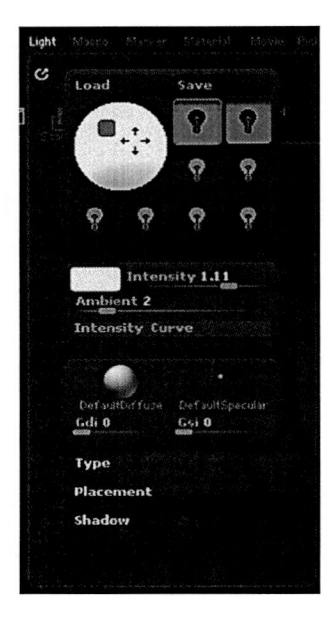

Figura 7.2.3.14.5

06 – Compare o resultado no Canvas do ZBrush com as imagens de referências para verificar se estão correspondendo na questão da tonalidade.

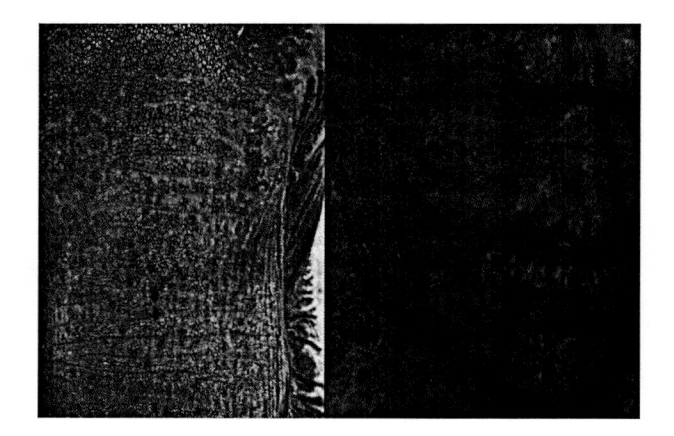

Figura 7.2.3.14.6

07 – Salve o modelo depois de finalizados todos os ajustes.

7.2.3.15 Como pintar os chifres

É o momento de pintar também os chifres da personagem. Trabalha-se uma parte de cada vez de modo a garantir a extrema eficácia do método de pintura, pois, enquanto se pinta, é possível que, acidentalmente, algumas partes recebam pinturas indevidas, se não estiverem ocultas.

01 - Em um arquivo novo do ZBrush, carregue "Monster.ztl" e deixe ativo no Canvas apenas os chifres com sua máxima subdivisão.

Figura 7.2.3.15.1

02 – Na Paleta Tool, Texture Subpalette, habilite Colorize para iniciar o processo de PolyPainting, tal como foi explicado anteriormente com o corpo da personagem.

03 - Defina como cor primária um bege (R173 G162 B141), depois vá ao menu Color e clique em FillObject para que este assuma a cor predefinida tanto com Rgb como M.

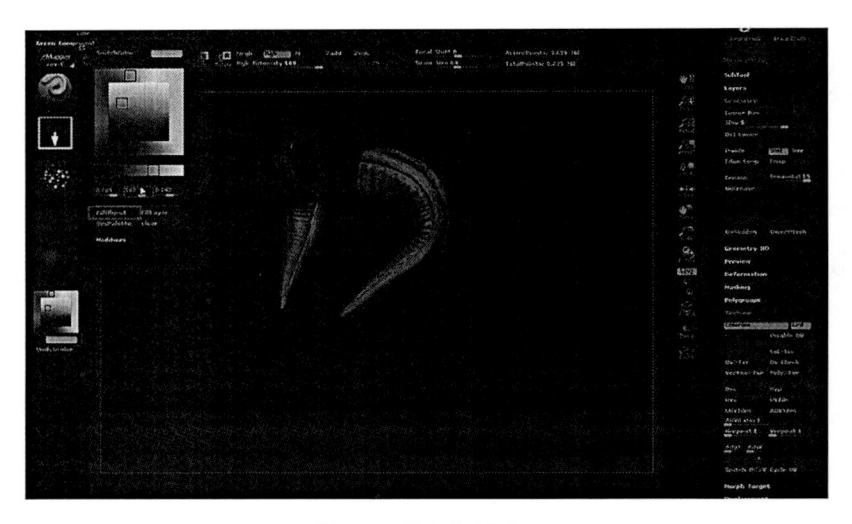

Figura 7.2.3.15.2

04 - Feito isto, defina também, como método de Stroke, o tipo Spray, com Color Intensity Variance em .50 e Alpha com o Alpha 07. Deixe Rgb Intensity em 29. Para esta sessão de pintura, não deixe habilitados os campos Zadd ou Zsub, pois não se trabalhará com deformidades de malha, mas, sim, com textura.

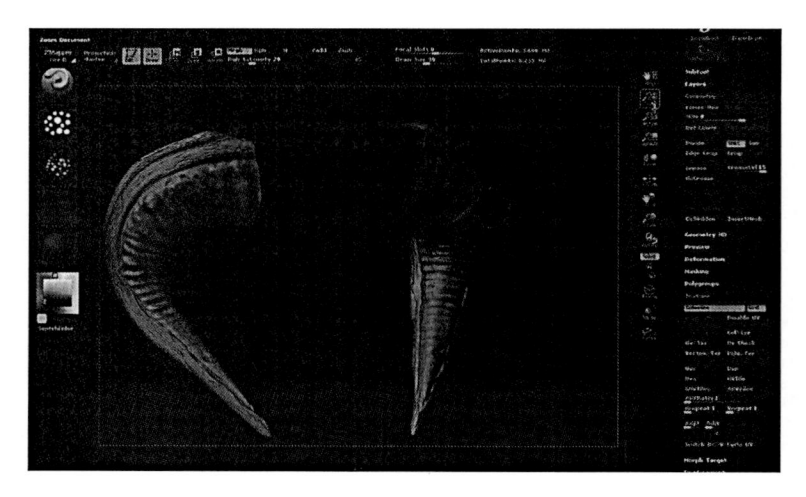

Figura 7.2.3.15.3

05 – Depois, faça SwitchColor para ter uma segunda cor nesta nova pintura. Utilize um marrom que tenha um pouco de verde como, por exemplo, R56 G56 B53. Trabalhe com Rgb Intensity em 29, deixe ativo apenas Rgb.

06 – A ideia é que se pintem áreas mais escuras com uma cor mais densa, como, por exemplo, partes que se conectam ao corpo, pontas dos chifres e algumas reentrâncias.

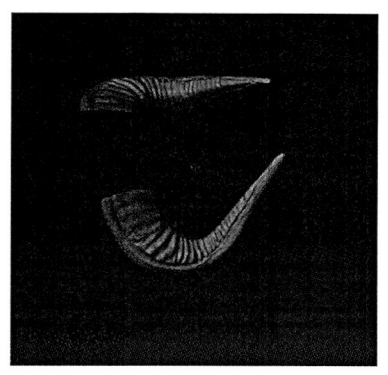

Figura 7.2.3.15.4

07 – É aconselhável trocar o tipo de visualização no Canvas para sempre se ter ideia de como anda o trabalho.

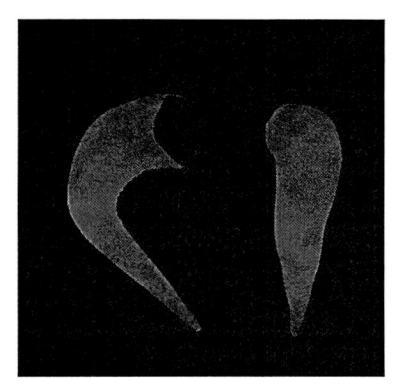

Figura 7.2.3.15.5

08 – Na figura a seguir, o modelo finalizado até o momento.

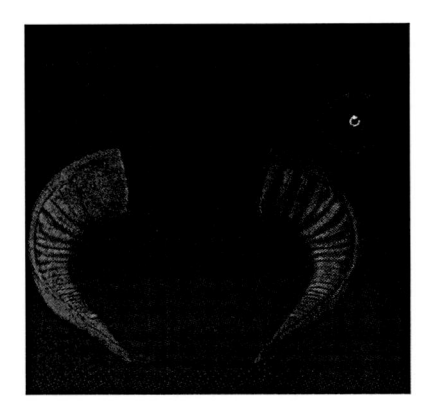

Figura 7.2.3.15.6

09 – Salve o modelo e exporte esta textura para futuras aplicações.

7.2.3.16 Cavity Mask

O recurso de Cavity Mask neste projeto de livro será mostrado, mas seu resultado não será usado pelo simples motivo de que, ao se gerar o mapa, ele não tem resolução o suficiente para produzir todos os detalhes. A falta de resolução em textura e a baixa contagem poligonal explicam a sua falta de precisão quanto a sua extração. Todavia, ele é produzido através do já explicado Plugin ZMapper rev-E.

Na prática, este é um mapa que acrescenta incrível nível de detalhamento. Justamente por este motivo, o ZBrush precisa que tanto malha, quanto textura sejam correspondentes em quantidade de informações para que ele possa gerar os devidos mapas adequadamente. Isto pode demandar muitos recursos de hardware, forçando o artista a muitas vezes fazer upgrade ou trocar de máquina. O objetivo deste livro é o de fornecer conhecimento geral sobre o uso de ZBrush e suas ferramentas. Por este motivo, opta-se por não forçar o leitor a desenvolver tarefas que não possam ser executadas em função da possível falta de hardware adequado. Procura-se, aqui, equalizar qualidade com recurso, como forma de proporcionar o melhor aprendizado ao leitor.

Para se extrair um mapa do tipo Cavity Mask, é possível utilizar o Plugin ZMapper rev-E, explicado nesta seção.

01 – Em um arquivo novo no ZBrush, carregue "Monster.ztl", deixe no Canvas apenas o corpo.

02 – Na Paleta Tool Subpalette Masking, veja que existem algumas opções para a máscara do ZBrush.

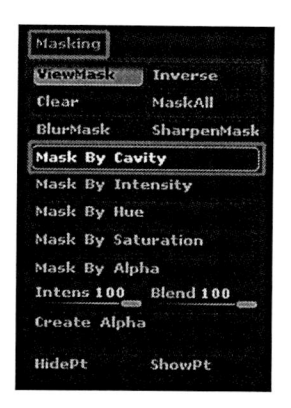

Figura 7.2.3.16.1

03 – Dentre as opções, existem as de mascarar um objeto por:

Mask by Cavity – cria máscaras baseadas em cavidades nas superfícies em edição no Canvas do Zbrush.

Mask by Intensity – cria máscaras baseadas em tons de cor das texturas aplicadas às superfícies em edição no Canvas do ZBrush.

Mask by Hue – cria máscaras baseadas em cores nas superfícies em edição no Canvas do ZBrush.

Mask by Saturation – cria máscaras baseadas nas cores saturadas nas superfícies em edição no Canvas do ZBrush.

Mask by Alpha – cria máscaras baseadas em mapas de Alpha disponíveis na paleta Alpha do ZBrush.

04 – Clique em Mask by Cavity para que seja criada a máscara. Ela é vista diretamente no modelo.

Figura 7.2.3.16.2

05 – Existem alguns recursos para refinar esta máscara como, por exemplo, Inverse que inverte a máscara, possibilitando pintar determinadas áreas e, em outro momento, outras. BlurMask é eficiente pois ele aplica um borrão à máscara (funciona com o atalho CTRL ao se clicar em uma superfície mascarada).

06 – Na Figura 7.2.3.16.2 tem-se a superfície com a máscara definida. Na Figura 7.2.3.16.3, tem-se a superfície mascarada de forma invertida. Uma permite trabalhar em superfícies elevadas, outra nas não elevadas.

Figura 7.2.3.16.3

07 – Uma vez criada a máscara e definido se as áreas salientes ou aprofundadas serão editadas, pode-se pintar áreas com cores mais escuras (se forem sulcos) ou mais claras (se forem elevações).

08 – Outra opção é criar uma pintura homogênea a partir de uma cor sólida, aplicada de uma única vez. Para isto, defina uma cor mais escura que o tom da personagem para cobrir os sulcos. Depois defina um valor para Rgb Intensity. No menu Color, clique em FillObject para que o ZBrush preencha a superfície não mascarada com a cor e intensidade configuradas.

09 – Na figura a seguir uma visualização em modo Flat para que se evidencie o resultado da técnica aplicada à personagem.

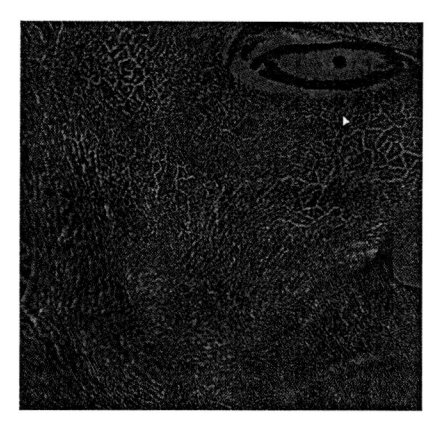

Figura 7.2.3.16.4

10 – Quando finalizada a pintura, vá a paleta Tool, Subpalette Texture, clique em Col>Txr para que o ZBrush gere o mapa na paleta Texture. Exporte este mapa para que seja utilizado posteriormente.

11 – Salve seu modelo.

7.3 Projection Master

O recurso chamado Projection Master é uma das ferramentas únicas dispostas no ZBrush que o tornam tão eficaz em textura e modelagem de superfícies orgânicas. O que confere grande destaque a esta ferramenta, Projection Master, é seu modo de trabalhar com os modelos enquanto são editados no Canvas. Enquanto se trabalha com os modelos 3D, geralmente com alta contagem poligonal, além das ferramentas disponíveis fora do modo Projection Master, outras são habilitadas para esculpir o modelo ou texturizá-lo quando neste modo.

Quando se ativa o modelo em modo Projection Master, é convertido na parte visível no Canvas, na forma de Pixols, toda a área enquadrada do objeto. Uma explicação mais simples: a área vista do modelo, quando se entra no modo Projection Master, entra em estado de "congelamento", no qual toda e qualquer edição no modelo por meio dos pincéis disponíveis, gera um deslocamento de pixels perpendiculares à visão, criando o efeito de profundidade. Uma vez que se saia deste modo, todas as edições são fixadas no modelo.

7.3.1 Conceitos básicos

O conceito que age por trás da ferramenta é bastante simples, porém muito eficaz, como explicado anteriormente: em uma ação, congela-se o objeto em edição no Canvas do ZBrush, a seguir, são disparadas ações tanto de modelagem, como de textura na superfície do objeto e, de forma perpendicular à visão do Canvas, são jogados "raios de projeção" daquilo que se tem em mente "projetar" na superfície congelada. Assim, sucessivamente, até se construir o modelo ou textura.

Para entender na prática como a ferramenta funciona, são mostrados alguns procedimentos.

7.3.1.1 Para modelar superfícies

01 – Em um arquivo novo do ZBrush, carregue uma PolySphere, mude seu material para FastShader para melhor visualizar os efeitos.

02 – Na interface do programa, clique no botão esquerdo superior com o nome do Plugin Projection Master. Surgirá sua caixa de diálogo, deixe marcados apenas Deformation e Normalized.

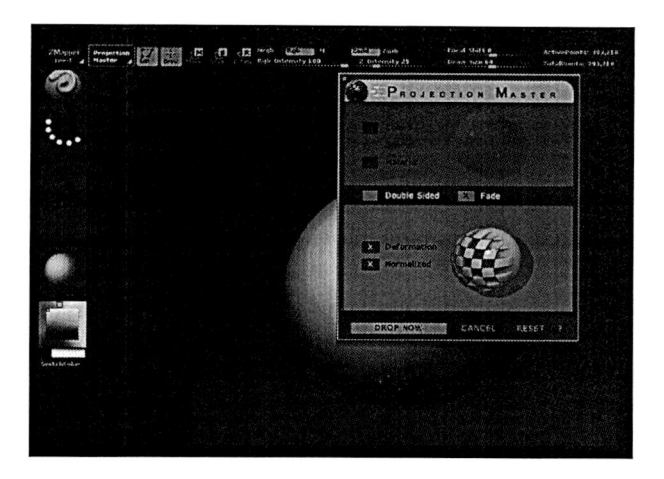

Figura 7.3.1.1.1

03 - Caso haja dúvidas a respeito da caixa de diálogo, verifique o Capítulo "3.10.2 – Projection Master":

Colors – as edições feitas com os pincéis são transferidas ao modelo na forma de cores.

Shaded – usado para produzir sombreamento nas texturas produzidas dentro de Projection Master.

Material – similar à opção Colors, porém as edições afetam o material do objeto.

Double Sided – afeta os dois lados do objeto (boa opção para se usar quando o modelo possui lados idênticos).

Fade – quando usada para pintar o modelo, faz com que a pintura dele tenha um gradiente de tons da cor aplicada. Quando desligada esta opção, a cor pura é aplicada ao modelo. Se usado para esculpir, faz com que o modelo tenha deformações com transições suaves.

Deformation – aplica deformações 3D feitas no objeto através dos pincéis disponíveis.

Normalized – opção usada quando são feitas transformações no modelo que afetem sua posição.

DROP NOW – aplica as edições e transformações feitas no modelo dentro do modo Projection Master.

CANCEL – cancela a chamada para a edição.

RESET – cancela a edição feita.

04 – Verifique que agora a Paleta de Brushes não está mais acessível. Porém, na paleta Tool, todos os Brushes para edição 2.5D podem ser usados, além dos 3D. O mesmo pode ser verificado com relação à paleta Strokes.

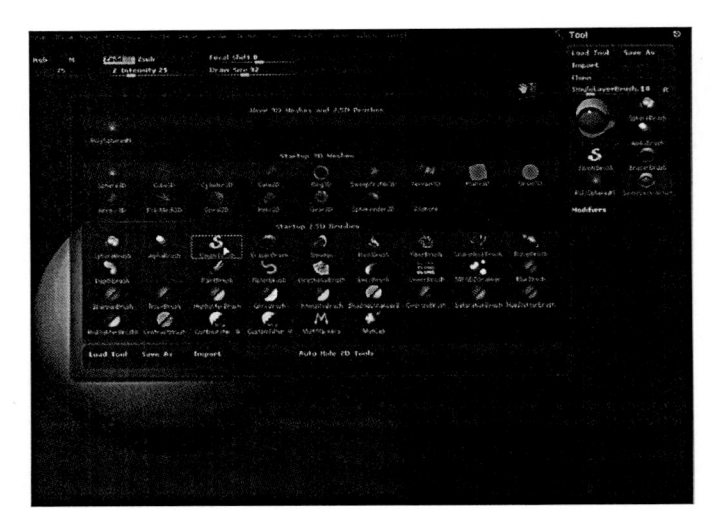

Figura 7.3.1.1.2

05 – Experimente com Stroke definido em DragRect, Alpha 25 e Rgb Intesity em 25 para ver os resultados. Não se preocupe se o mapa "sair" para fora do objeto, ao retornar da projeção, somente a superfície do objeto é afetada.

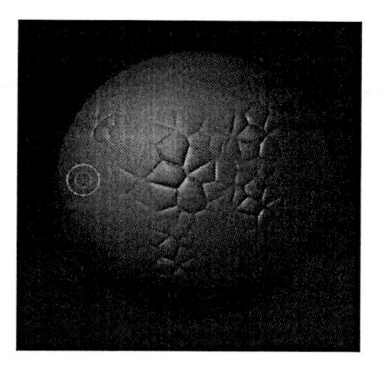

Figura 7.3.1.1.3

06 – Depois de finalizadas todas as edições necessárias, clique novamente no botão esquerdo superior com o nome do Plugin Projection Master. Surgirá sua caixa de diálogo, deixe marcados apenas Deformation e Normalized tal como antes. Clique OK.

07 - Gire o objeto, veja que ele foi deformado seguindo a orientação das projeções enquanto dentro da ação do Projection Master.

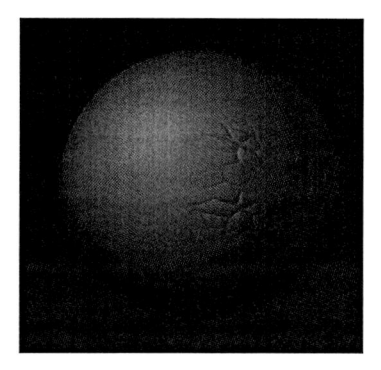

Figura 7.3.1.1.4

08 – Veja que onde o mapa não alcança, a projeção apresenta-se "esticada". Isto é normal, pois a projeção ocorre perpendicular à visão no Canvas do ZBrush. A maneira mais fácil de corrigir isto é evitar projetar mapas muito próximos dos limites do objeto, ou, em caso inevitável, aos poucos, projetar, nas áreas defeituosas, correções graduais.

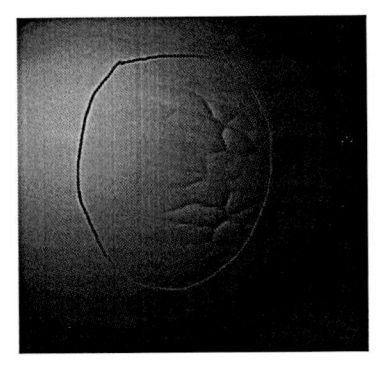

Figura 7.3.1.1.5

09 – Realize testes, modifique as intensidades e os mapas de Alpha, assim como tipos de Strokes para ver os resultados. Alterne entre Zadd e Zsub para ver que variação consegue obter. Ao finalizar, clique em DROP NOW para passar as informações de projeção para o objeto editado.

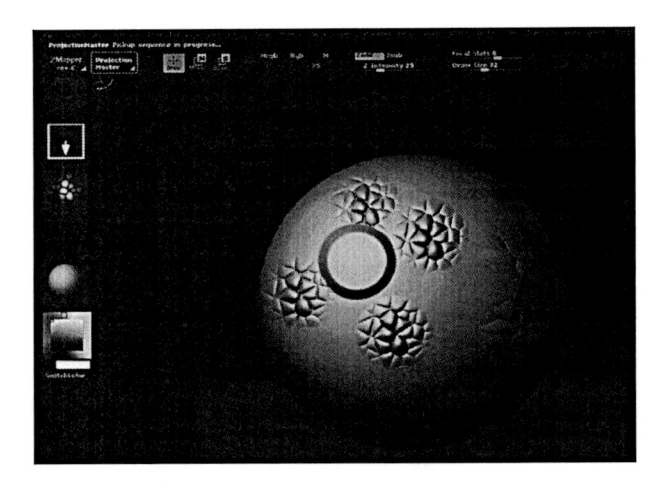

Figura 7.3.1.1.6

10 – Entre novamente para o modo Projection Master com um objeto PolySpehere novo. Mude o tipo pincel, pegue o tipo DecoBrush. Verifique que cada tipo de pincel possui sua Subpalette Modifiers dentro da paleta Tool, que pode ser acessada e mudada conforme a necessidade.

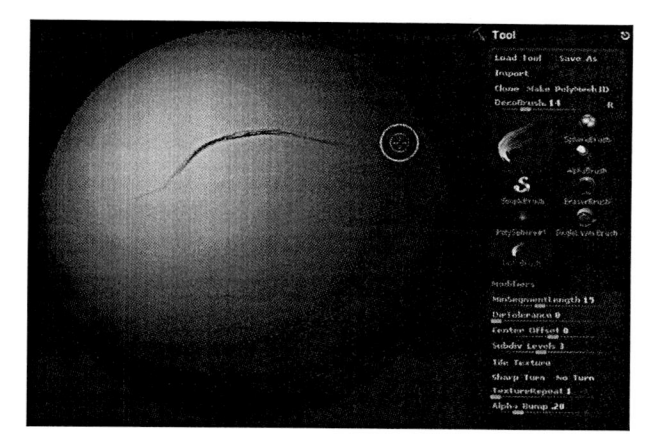

Figura 7.3.1.1.7

11 – Mude para o Stroke do tipo DragRect, Alpha para Alpha 01, deixe a textura desligada (Texture Off), deixe Zadd ativo, Z Intensity em 37 e aumente o tamanho do pincel. Toque a superfície, verifique que este pincel produz um tipo de "onda", muito favorável à construção de rugas faciais ou rugas de tecidos.

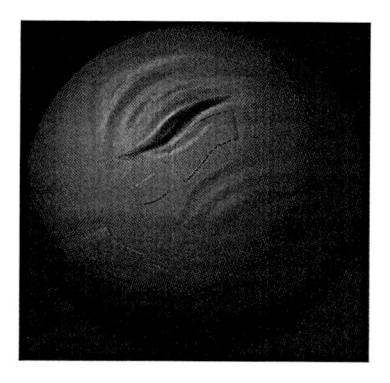

Figura 7.3.1.1.8

12 – Faça alguns testes. Depois, crie uma nova PolySphere ou, a cada aplicação, desfaça a ação para ter sempre um objeto limpo. Uma vez dentro da projeção, pode-se realizar tantas ações se desejar, depois volte ao Canvas. Basta uma ação de desfazer (CTRL + Z) para que tudo seja desfeito.

13 – Entre novamente na projeção, selecione agora um pincel do tipo SnakeHookBrush para ver sua ação nas superfícies.

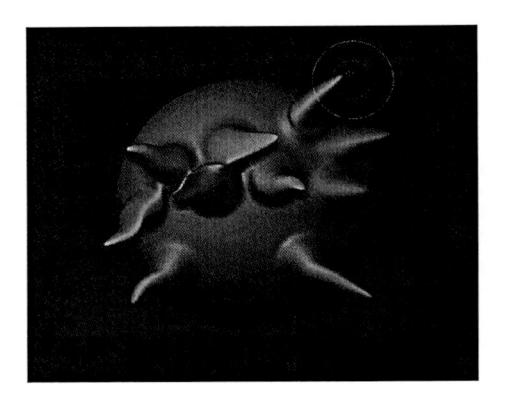

Figura 7.3.1.1.9

14 – O resultado fora da projeção pode ser visto na figura a seguir: a projeção é feita, mas não da maneira como esperada. Prática e experimentação farão com que o uso desta técnica para moldar superfícies seja cada vez mais aprimorada.

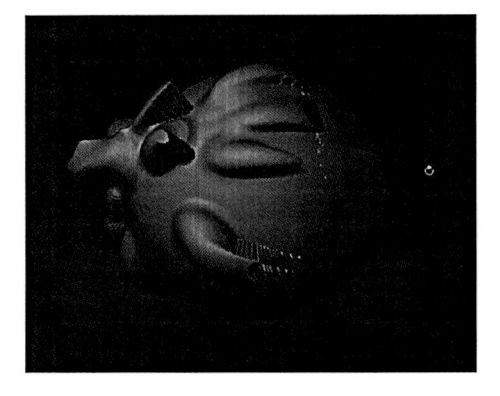

Figura 7.3.1.1.10

7.3.1.2 Para texturizar superfícies

01 – Em um arquivo novo do ZBrush, carregue uma PolySphere, mude seu material para FastShader para melhor visualizar os efeitos.

02 – Clique em Projection Master e deixe marcado apenas Colors e Fade, clicando em OK. Verifique que o ZBrush pede para que seja criada uma nova textura, pois, nesta modalidade, editam-se as informações pertinentes à textura associada ao objeto. Se não existir nenhuma textura associada ao objeto, justamente este aviso será dado.

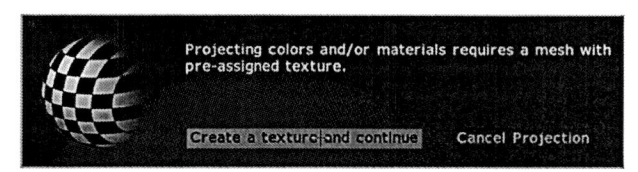

Figura 7.3.1.2.11

03 – Clique para cancelar, pois primeiro define-se a textura. No menu Texture, defina em Width e Height o valor 2048, respectivamente. Clique em New. Isto cria uma textura básica com estas dimensões e com a cor definida na paleta de cores.

04 - Clique em Projection Master e deixe marcado apenas Colors e Fade, clicando em OK. Mude a cor no Color Picker para amarelo, por exemplo, e pinte na superfície. A partir de agora toda a edição feita ocorrerá somente na textura do objeto, mesmo que opções de edição de superfícies estejam ativas, tais como Zadd ou Zsub, ou ainda pincel para edições 3D.

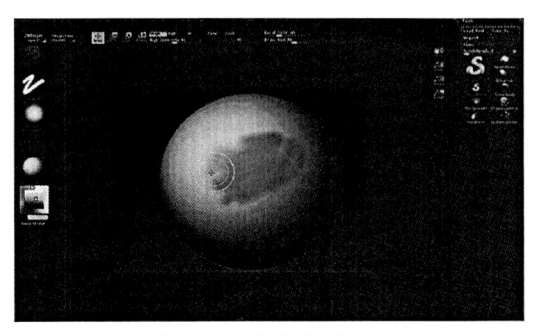

Figura 7.3.1.2.12

05 – Veja que é possível mudar de cor, pintar sobre a original e ainda mesclar duas cores.

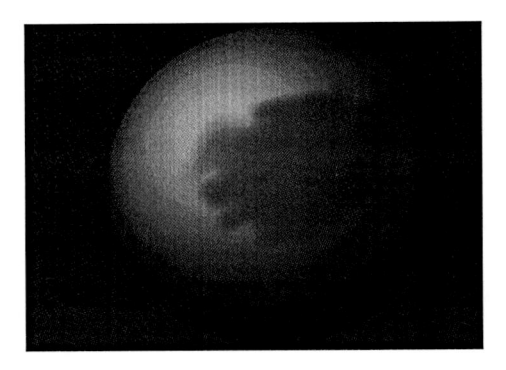

Figura 7.3.1.2.13

06 – Experimente o pincel DecoBrush. Veja o efeito que ele oferece. Modifique sua textura, sua cor e seus parâmetros. Veja as possibilidades que cada recurso possa oferecer.

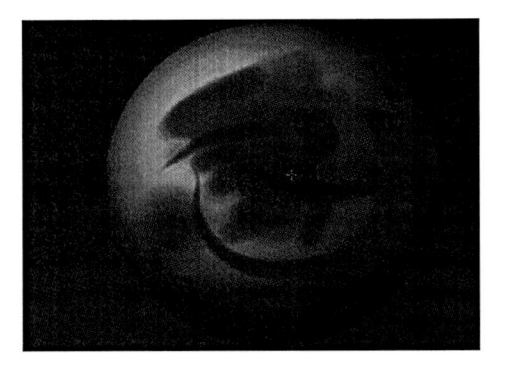

Figura 7.3.1.2.14

07 – Ao terminar sua edição, saia da projeção e verifique como a textura está sendo composta. Evidentemente, se o objeto estiver previamente mapeado, a confecção da textura por parte do software é feita de modo mais intuitivo ao nosso entendimento. Basicamente, o ZBrush atribui, a cada região de malha, um espaço de mapeamento, baseado nos tipos de mapeamento que ele nos

disponibiliza (para acessá-los basta ir à Texture Subpalette da Paleta Tool e localizar os tipos de mapeamento disponíveis).

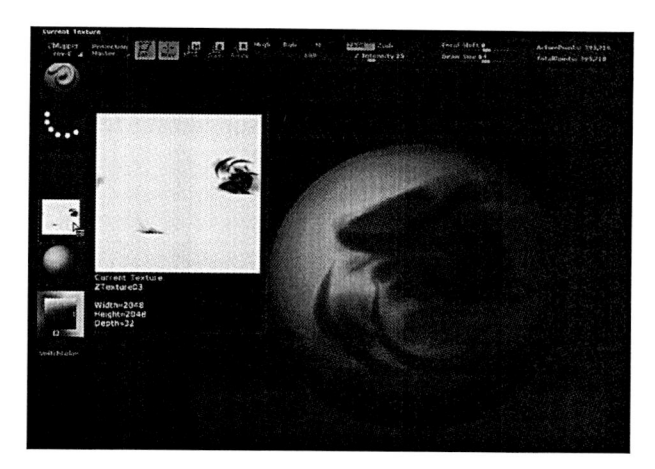

Figura 7.3.1.2.15

08 – Experimente marcar apenas Colors e Shaded. Isso afetará qualquer edição somente nas cores e sombreamentos. Alterne entre os tipos de Strokes e Alphas. Na figura a seguir à esquerda, dentro da projeção, à direita, a projeção feita. Cor e sombreamento foram trabalhados juntos.

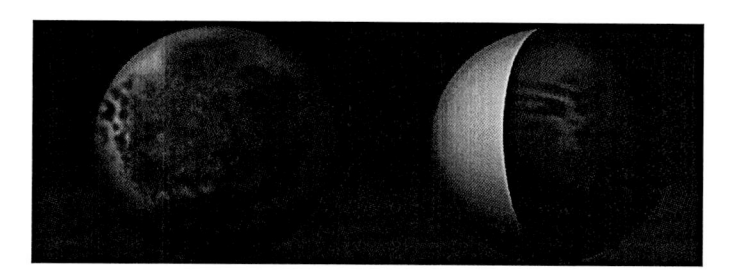

Figura 7.3.1.2.16

7.3.1.3 Para criar materiais

01 – Em um arquivo novo do ZBrush, carregue uma PolySphere, mude seu material para FastShader para melhor visualizar os efeitos.

02 – Entre na projeção do Projection Master habilitando apenas Material. Nesta opção, apenas os materiais são afetados na projeção. É possível revestir um objeto inteiro com um material, ou secioná-lo com quantos materiais se desejar.

03 – Na figura a seguir, o objeto foi pintado de forma seccionada com vários materiais (esquerda) e a seguir seu resultado no Canvas do ZBrush (direita).

Figura 7.3.1.3.17

04 – A seguir, o Projection Master é aplicado à personagem de estudo deste livro.

7.3.2 Projection Master na prática

01 – Comece pelos chifres. Deixe-os visíveis no Canvas do ZBrush. Quando se trabalha com objetos simétricos, é uma boa dica trabalhar com as partes simétricas visíveis, pois, ao se ocultar uma delas, a parte editada recebe a edição, e a outra, que foi oculta, não. Prefira sempre, ao trabalhar com objetos simétricos, manter as partes em edição visíveis.

02 – Enquadre de uma maneira confortável para edição uma das partes dos chifres. Será dado um reforço nas partes rebaixadas.

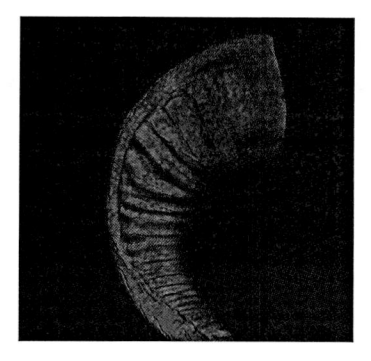

Figura 7.3.2.1

03 – Entre no Projection Master. Habilite apenas Colors e Fade, clicando em DROP NOW. Não será necessário criar uma textura nova, pois este objeto já possui sua própria textura, sendo automaticamente carregada.

04 – Selecione o pincel DecoBrush, com Stroke definido em DragRect, Alpha 01, Texture Off, pegue uma amostra de cor escura da superfície em edição com o Color Picker (clique na cor primária de SwitchColor, mantenha pressionado o cursor e arraste para a área na qual deseja pegar uma amostra de cor). Deixe marcado apenas Rgb, trabalhando com Rgb Intensity em 49. Na Modifiers Subpalette da paleta Tool, para este pincel (dentro da projeção), defina Alpha Bump em .29.

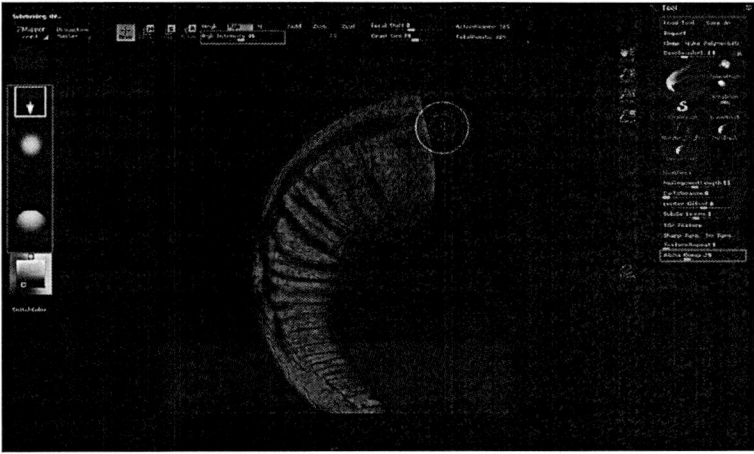

Figura 7.3.2.2

05 – Usando este mesmo tipo de pincel, aplique algumas pinturas com variações de tamanho e intensidade a Rgb Intensity. Trabalhe nas reentrâncias.

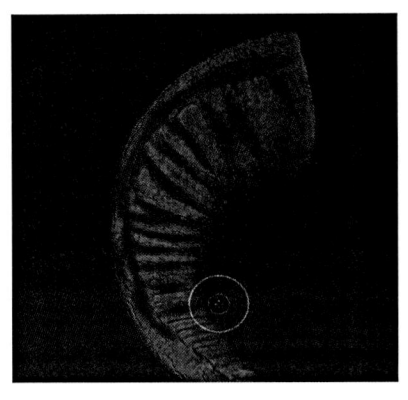

Figura 7.3.2.3

06 – Quando estiver satisfeito com a edição de uma parte do modelo, ajuste-o no Canvas do ZBrush para uma nova posição e edite-o. Se desejar, oculte um dos chifres e trabalhe individualmente para manter o maior grau de realismo possível, pois, na natureza, nem todas as coisas são simétricas. Utilize o recurso de simetria como apoio.

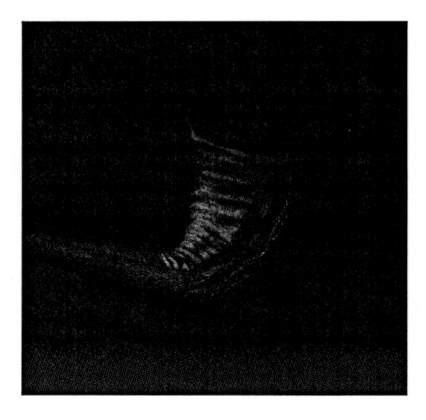

Figura 7.3.2.4

07 – Trabalhe outras partes do modelo.

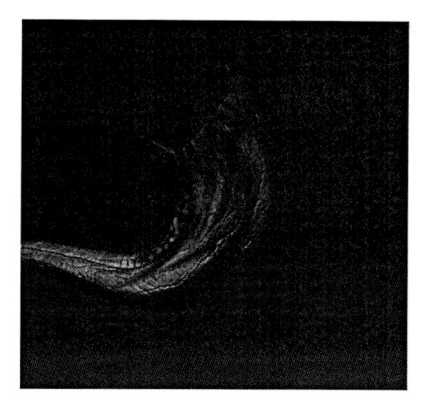

Figura 7.3.2.5

08 – O andamento do trabalho pode ser visto na próxima figura. Modifique as intensidades e tamanhos de pincel conforme a necessidade.

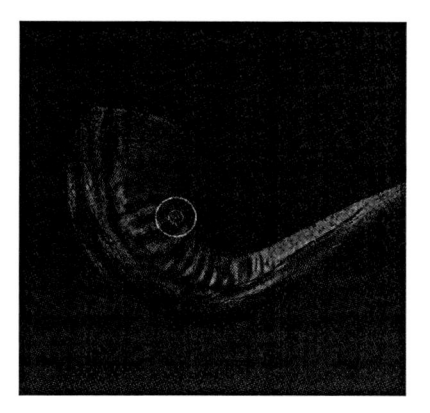

Figura 7.3.2.6

09 – A seguir, uma sequência de imagens que ilustra a evolução do trabalho, usando somente os recursos já explicados anteriormente, que podem ser vistos nos vídeos que ilustram esta etapa, no conteúdo que acompanha este livro.

10 – Procure deixar mais escuras as pontas dos chifres.

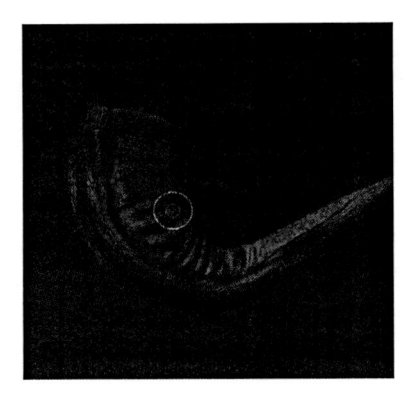

Figura 7.3.2.7

11 – Na figura a seguir, o trabalho no chifre oposto.

Figura 7.3.2.8

Figura 7.3.2.9

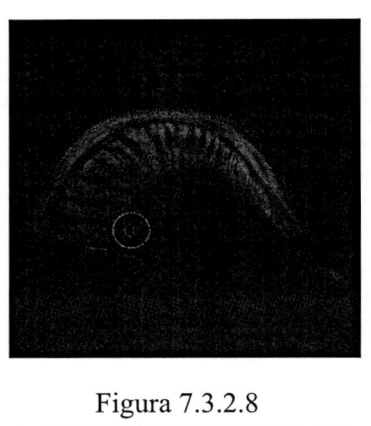

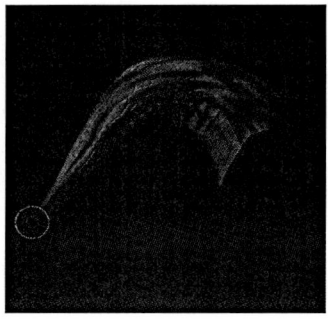

Figura 7.3.2.10

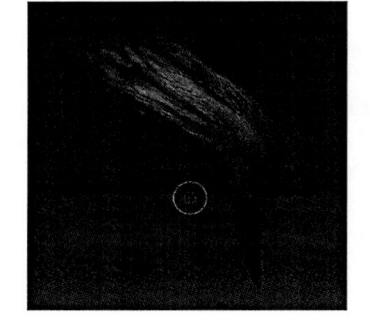

Figura 7.3.2.11

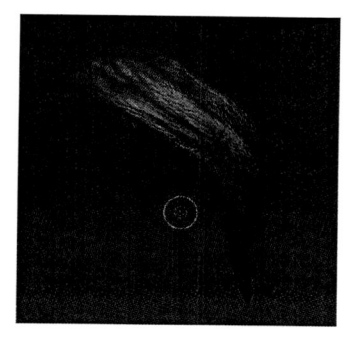

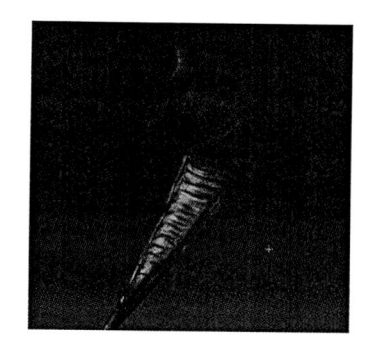

Figura 7.3.2.12   Figura 7.3.2.13

12 – Troque também o material para ver mais detalhes.

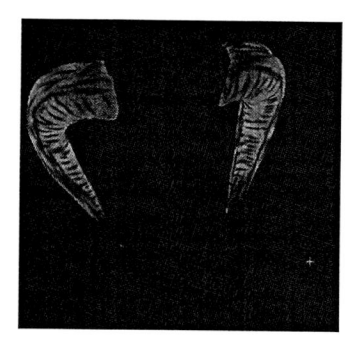

Figura 7.3.2.14

13 – Salve o seu modelo como uma nova Tool e exporte esta textura através da paleta Texture.

7.4 ZAppLink

O ZAppLink é um dos novos Plugins que facilitam o trabalho do artista que procura texturizar seus modelos. Dentre as habilidades deste maravilhoso recurso, estão a capacidade de conexão entre o ZBrush e qualquer ferramenta de edição de imagens 2D da preferência do artista para a confecção de texturas complexas.

Antes de tudo, é necessário entender os procedimentos de uso desta ferramenta, havendo dúvidas sobre sua interface, verifique o item "3.10.3 ZAppLink" ou veja a seguir.

A – A – Com algum modelo no Canvas, entra-se no modo Edit, posicionando adequadamente para edição. Clica-se no botão ZAppLink (ou tecla de atalho CTRL + SHIFT + S) dentro do Menu Document, surgindo a caixa de diálogo ZAppLink Projection [é possível entrar primeiramente no modo Projection Master (G) para depois entrar no ZAppLink];

B – Clicando em DROP NOW, vai-se para este editor de imagens, onde, previamente através do botão Set Target App desta mesma caixa de diálogo, se define qual software será usado nesta edição;

C – Vai-se então para o software de edição de imagens definido, para que se edite a imagem (snapshot). Pode-se pintar, acrescentar texturas ou aplicar efeitos, mas, no final, a estrutura, que deverá ser mantida no editor de imagens, deve ser a mesma que foi enviada primeiramente;

D – Fazendo-se todos os ajustes necessários, salva-se o arquivo e se retorna ao ZBrush. Ao retornar, o ZAppLink perguntará se deseja mesmo voltar e aplicar a textura modificada (Re-enter ZBrush) ou se deseja voltar ao editor de imagens e ajustar mais alguma coisa (Return to external editor).

Por fim, o ZAppLink possui ainda mais um painel logo abaixo da paleta Document, chamado ZAppLink Properties, onde pode-se criar rápidas visualizações de personagens nas vistas Frontal (Front), Costas (Back), Direita (Right), Esquerda (Left), Superior (Top) e Inferior (Botm), podendo-se salvar estas visualizações para posterior uso.

É importante lembrar que assim como todo o trabalho com ZBrush requer quantias de malhas poligonais adequadas, o mesmo vale para este Plugin. É possível trabalhar com quantidades pequenas ou moderadas de polígonos, porém, os resultados tendem a não ser os melhores. Aconselha-se o uso de subdivisões adequadas ao tamanho das texturas dos modelos a serem texturizados através do ZAppLink.

7.4.1 Conceitos básicos

Com projeção

01 – Inicie uma nova sessão no ZBrush. Clique em DefaultZScript, selecione "DemoHead" como exemplo ou carregue algum modelo de sua preferência (não é necessário que este possua mapeamento predefinido ainda).

02 – Faça com que o modelo fique com seu nível mínimo de subdivisão através da Subpalette Geometry, na Paleta Tool, pois será gerado um mapeamento automático para ele.

03 – Na Subpalette Texture da Paleta Tool, desmarque Colorize e clique em AUVTiles, gerando um mapeamento automático. Evidentemente, se o modelo já estiver mapeado, este passo não será necessário.

04 – Feito isto, deixe o modelo com seu nível máximo de subdivisão, pois o seu mapeamento já foi construído.

05 – Mude o material para FastShader.

06 – Mude a cor do objeto para R190 G180 B155. Crie uma textura nova com dimensões de 2048x2048 em Width e Height na paleta Texture.

07 – Enquadre o objeto no Canvas de modo a obter a melhor posição para uma pintura.

Figura 7.4.1.1

08 – É possível acessar o ZAppLink por meio da projeção do Projection Master, ou fora dele, diretamente na interface do ZBrush. Para este exemplo, utilize o mecanismo que força o uso através de Projection Master.

09 – Clique no botão de Projection Master, fazendo com que o modelo seja "congelado" no Canvas. Depois, vá ao menu Document e clique no botão ZAppLink (é possível definir uma tecla de atalho para este recurso tal como ZMapper rev-E ou Projection Master).

10 – Se for a primeira vez que executa o Plugin, ele pedirá para que seja definido algum aplicativo de edição de imagens 2D tal como Photoshop ou Gimp, por exemplo. Navegue até a pasta de instalação do software 2D desejado para uso, e aponte para seu "executável".

11 – Utilizar este Plugin, através do menu Document, fará com que sempre seja aberta a caixa de diálogo a seguir, onde:

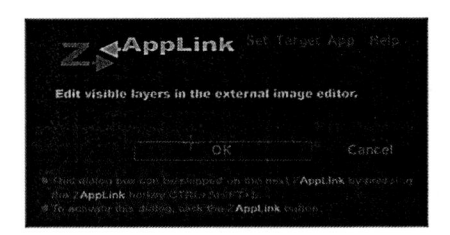

Figura 7.4.1.2

Set Target App – define que aplicativo de edição de imagens 2D será usado.

Help – abre o arquivo de ajuda do Plugin.

OK – para ser direcionado ao aplicativo de edição de imagens 2D.

Cancel – cancela a ação.

Para não precisar abrir esta caixa de diálogo sempre que acessar o ZAppLink, pode-se utilizar atalhos para o Plugin, tal como CTRL + SHIFT + S, como é sugerido pelo ZBrush.

12 – Verifique que automaticamente a aplicação direciona para o software indicado, neste caso, o Photoshop.

13 – Verifique também se o arquivo que é aberto dentro do Canvas do Photoshop possui três camadas.

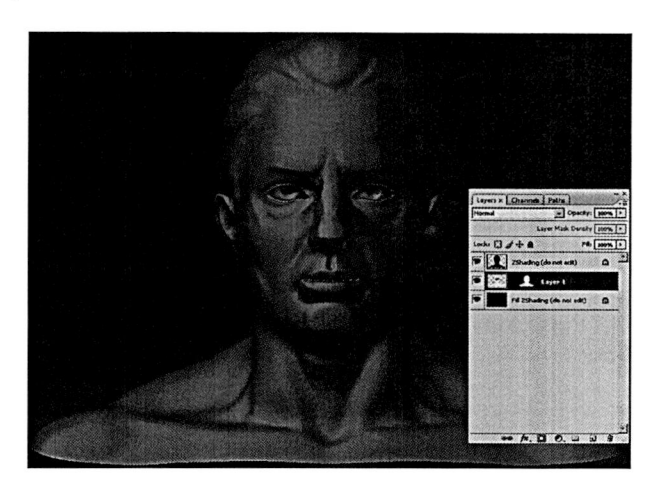

Figura 7.4.1.3

ZShading (do not edit) – representa o sombreamento visto no Canvas do ZBrush. Esta camada pode ser ligada e desligada à vontade enquanto se edita o modelo, porém, ao retornar ao ZBrush, ela deve estar ativa.

Layer 1 – esta é uma camada que pode ser editada à vontade, assim como acrescentar quantas camadas necessárias para a edição do modelo, porém, ao retornar ao ZBrush, ela deve ser única e com o respectivo mapa de transparência aplicado.

Fill ZShading (do not edit) – esta é simplesmente a camada de fundo, que reveste com cor ou textura o modelo. Esta camada pode ser ligada e desligada à vontade enquanto se edita o modelo, porém, ao retornar ao ZBrush, ela deve estar ativa.

Sempre que finalizar alguma edição, ao salvar o documento, a estrutura de camadas que deve ser enviada de volta ao ZBrush, deve ser a mesma de origem, que corresponde às três camadas explicadas anteriormente (ZShading (do not Edit), Layer 1 e Fill ZShading (do not Edit) .

14 – Na Figura 7.4.1.4 é visto somente o fundo, na Figura 7.1.4.5 é vista a camada editável com seu canal de transparência e na Figura 7.4.1.6 é visto o modelo com sua camada de sombreado.

Figura 7.4.1.4

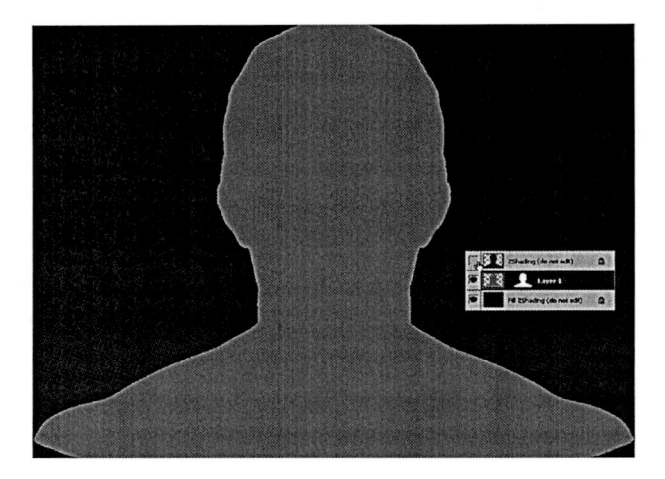

Figura 7.4.1.5

Pintura e texturização | 429

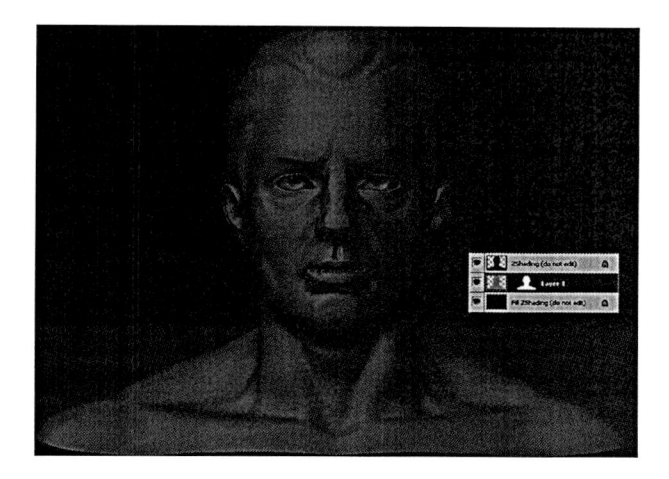

Figura 7.4.1.6

15 – Use um pincel e pinte o objeto. Utilize para isto a camada de nome Layer 1. Escolha uma cor diferente da cor do objeto. Pinte os olhos e o cabelo. Verifique que no thumbnail de camadas é mostrada a edição também.

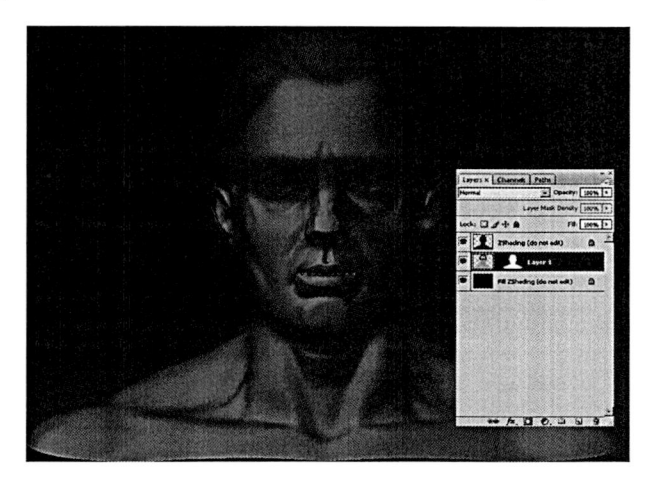

Figura 7.4.1.7

16 – Salve o arquivo (isso mesmo, simplesmente salve) e volte à seção do ZBrush. Será exibida a seguinte caixa de diálogo.

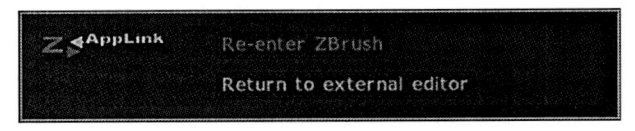

Figura 7.4.1.8

17 – Na opção Re-enter Zbrush, as edições feitas são passadas para a textura do modelo no Canvas e, na segunda opção, Return to external editor, as atuais edições não são passadas ao modelo e este é direcionado novamente ao software de edição de imagens 2D. Escolha Re-enter ZBrush.

18 – Mais uma caixa de diálogo surge, desta vez, questionando sobre as alterações feitas nas camadas (toda vez que se cria, edita, mescla, adiciona ou retira camadas antes de deixar as três camadas obrigatórias para o ZAppLink trabalhar corretamente, esta caixa de diálogo surge. Caso esta lhe seja exibida, escolha Accept All Edits).

Figura 7.4.1.9

19 – Saia da projeção de Projection Master e verifique que os olhos não receberam a edição correta (isto porque eles pertencem a outra Subtool). Posicione o objeto para uma pose em que possa prosseguir a edição em áreas não editadas ainda.

20 – Posicione lateralmente o objeto, entre em Projection Master, ative o ZAppLink através do atalho CTRL + SHIFT + S. Pinte o restante do cabelo.

Pintura e texturização | 431

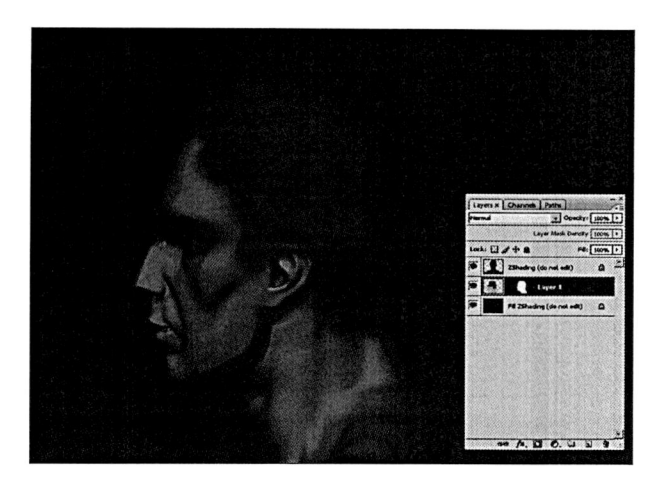

Figura 7.4.1.10

21 – Salve o arquivo e retorne ao ZBrush para continuar a edição. Talvez haja um pouco de confusão ao escolher as opções que o ZAppLink oferece. Com o tempo e a prática, ficará mais ágil na seleção destas opções.

22 – Mude de pose, acesse a projeção de Projection Master, habilite o ZAppLink e edite o restante do objeto no software de edição de imagens 2D.

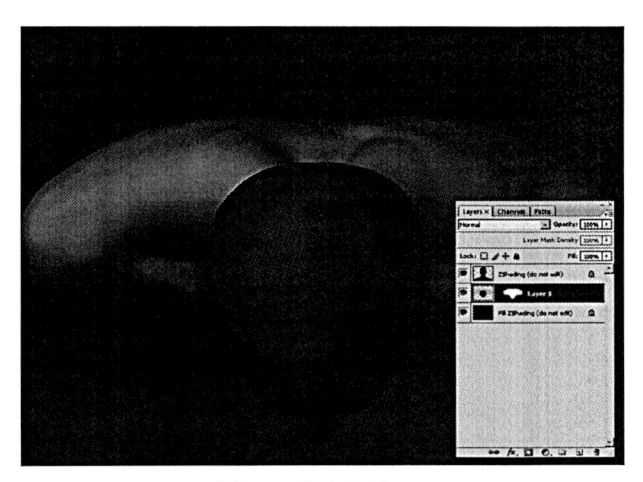

Figura 7.4.1.11

23 – Edite o restante do objeto, utilize Brush ou Clone Stamp para que fique adequada a edição.

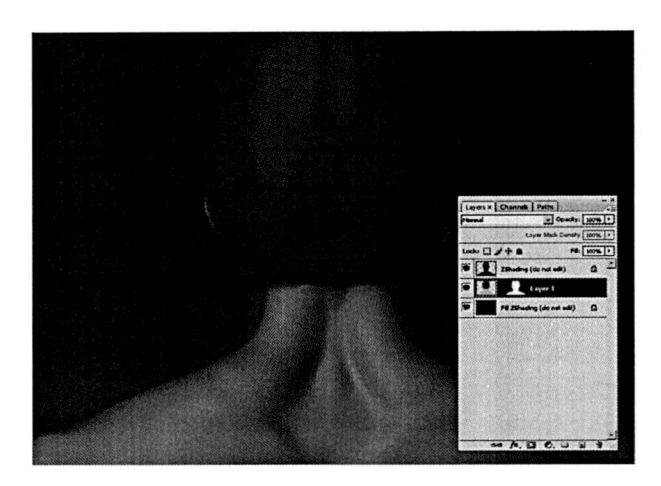

Figura 7.4.1.12

24 – Salve a edição feita e volte ao ZBrush. Verifique o modelo e o resultado obtido.

Sem Projeção

01 – Com o mesmo modelo editado anteriormente e ativo no Canvas do ZBrush, vá ao Menu Texture e clique em New, fazendo com que uma nova textura seja criada.

02 – É possível realizar esta operação sem passar pela projeção de Projection Master, para tanto, posicione o objeto diretamente no Canvas do ZBrush e clique em ZAppLink da paleta Document, fazendo surgir a seguinte caixa de diálogo.

Figura 7.4.1.13

Os itens a seguir se referem a recursos de:

Double Sided – edição em lado duplo.

Fade – processo de gradiente de aplicação das edições.

Set Target App – define que aplicativo de edição de imagens 2D será usado.

Enable Perspective – habilita a perspectiva.

DROP NOW – converte para ser direcionado ao aplicativo de edição de imagens 2D.

CANCEL – cancela a ação.

HELP - abre o arquivo de ajuda do Plugin.

03 – Para este exemplo deixe marcado apenas Fade por enquanto.

04 – Edite o modelo conforme explicado anteriormente.

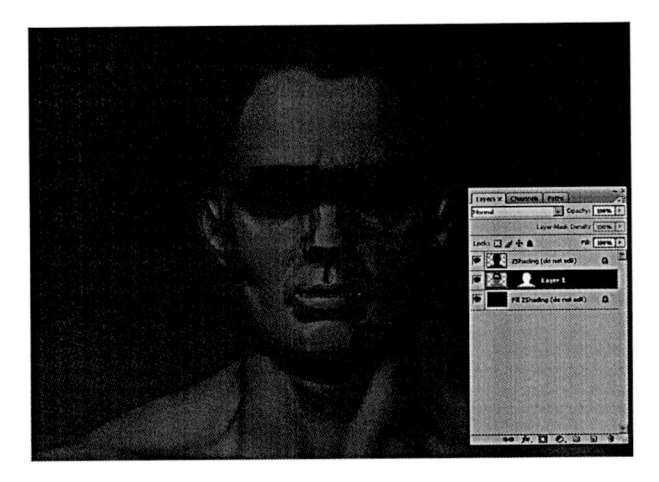

Figura 7.4.1.14

05 – Finalize o modelo da mesma forma, nas partes em que forem necessárias edições.

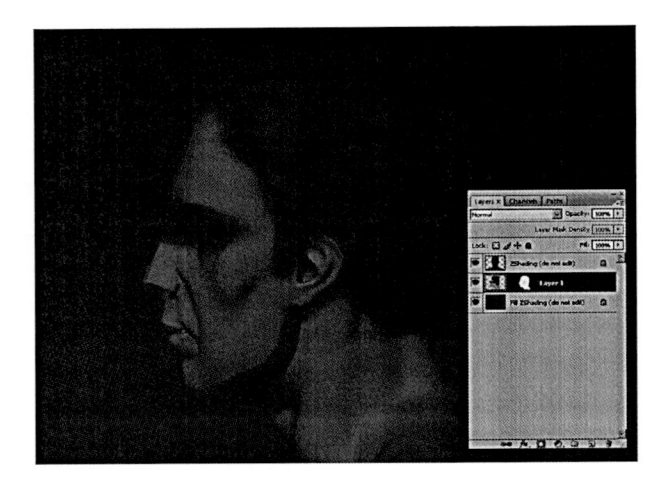

Figura 7.4.1.15

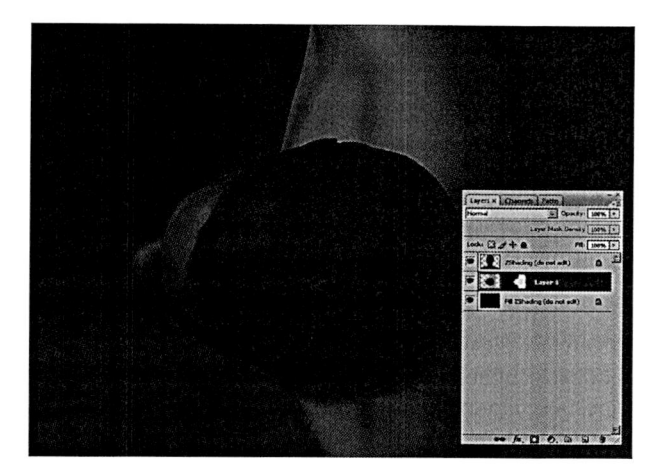

Figura 7.4.1.16

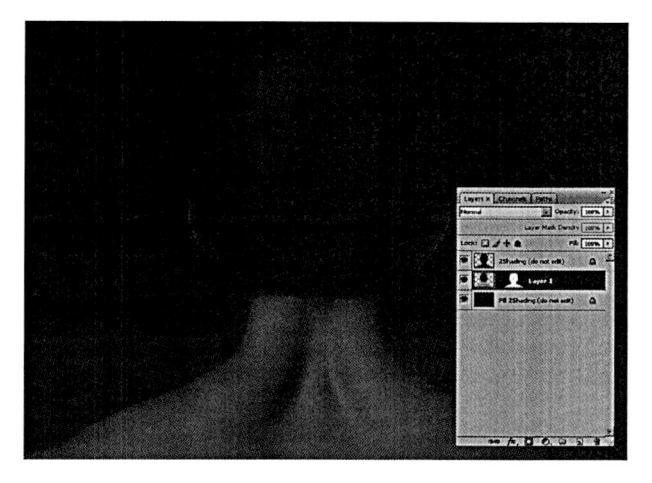

Figura 7.4.1.17

06 – O processo explicado até aqui foi feito com base apenas em adições de cores. A próxima etapa se refere à aplicação de texturas como forma de compor texturas complexas dos objetos pelo método de ZAppLink.

7.4.2 Conceitos avançados

Nesta seção serão feitas edições na textura de um modelo usando fotocomposição como forma de ilustrar mais possibilidades com este impressionante Plugin.

As fotos são obtidas através do site www.3d.sk, onde por um valor mínimo pode-se baixar várias imagens de referência. Recomenda-se que o leitor providencie uma conta para poder baixar seus arquivos sob forma de uso legalizado pelo site. Ou ainda que o leitor procure obter imagens de referências produzidas por si mesmo, com a ajuda de uma boa máquina fotográfica e uma pessoa que ceda seus direitos de imagem, servindo de modelo ao trabalho.

No material que acompanha este livro, constam algumas amostras de imagens para se trabalhar nesta seção, cedidas para este fim pelo site www.3d.sk.

01 – Inicie uma nova sessão no ZBrush. Clique em DefaultZScript, selecione "DemoHead" como exemplo ou carregue algum modelo de sua preferência (não é necessário que este possua mapeamento predefinido ainda).

02 – Faça com que o modelo fique com seu nível mínimo de subdivisão através da Subpalette Geometry, na Paleta Tool, pois será gerado um mapeamento automático para ele.

03 – Na Subpalette Texture da Paleta Tool, desmarque Colorize e clique em AUVTiles, gerando um mapeamento automático. Evidentemente, se o modelo já estiver mapeado, este passo não será necessário.

04 – Feito isto, deixe o modelo com seu nível máximo de subdivisão, pois o seu mapeamento já foi construído.

05 – Mude o material para FastShader.

06 – Mude a cor do objeto para R190 G180 B155. Crie uma textura nova com dimensões de 2048x2048 de Width e Height no Menu Texture.

07 – Enquadre o objeto no Canvas de modo a obter a melhor posição para uma pintura.

08 – É possível trabalhar dentro ou fora da projeção de Projection Master. Aqui se sugere trabalhar com ele. Uma vez enquadrado o objeto no Canvas, acione Projection Master somente com a opção Colors ativa e, em seguida, o ZAppLink, sendo direcionado ao software 2D.

Pintura e texturização | 437

09 – Serão necessárias apenas duas imagens para realizar esta edição: uma de frente absoluta e outra de lado absoluta.

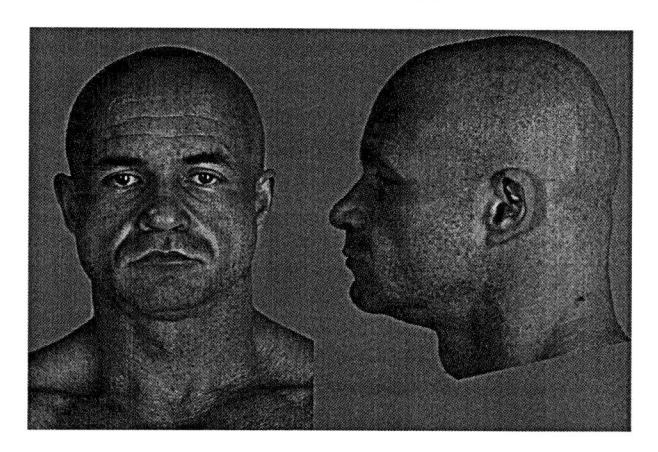

Figura 7.4.2.1

10 – Abra a figura de frente absoluta e faça uma seleção em todo o rosto e parte de pescoço. Copie e cole esta seleção no arquivo de edição que o ZBrush enviou ao seu software de edição de imagens 2D, mantendo esta nova camada acima de Layer 1 e abaixo de ZShading (do not Edit).

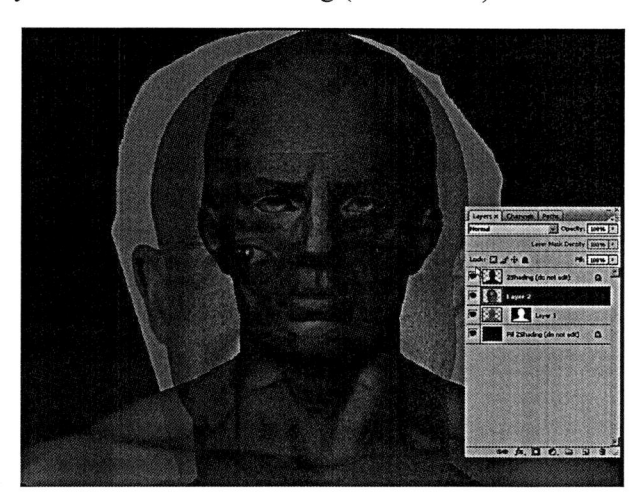

Figura 7.4.2.2

11 – Através de comandos de redução de imagem como CTRL + T no Photoshop, reduza o tamanho da imagem de forma que sua estrutura coincida com a estrutura do objeto em edição.

12 – Desative a camada de sombreamento por enquanto. Acompanhe na figura a seguir: utilize recursos para criar máscara (1) do Photoshop ou o seu programa de edição de imagens na camada selecionada. Pinte (2) com um Brush na cor preta e intensidade em 100% uma máscara para criar um recorte mais adequado à edição, baseado em opacidade.

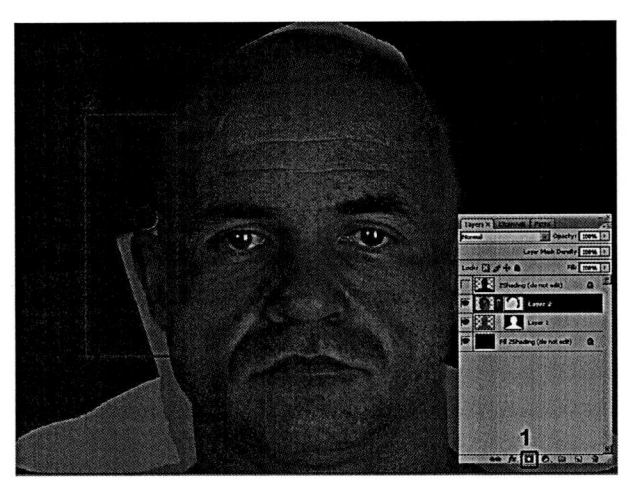

Figura 7.4.2.3

13 – Refine mais o ajuste de proporção, tente deixar o mais próximo possível do modelo 3D. Faça uso de comandos de redução de imagem como CTRL + T no Photoshop, reduza o tamanho da imagem de forma que sua estrutura coincida com a estrutura do objeto em edição.

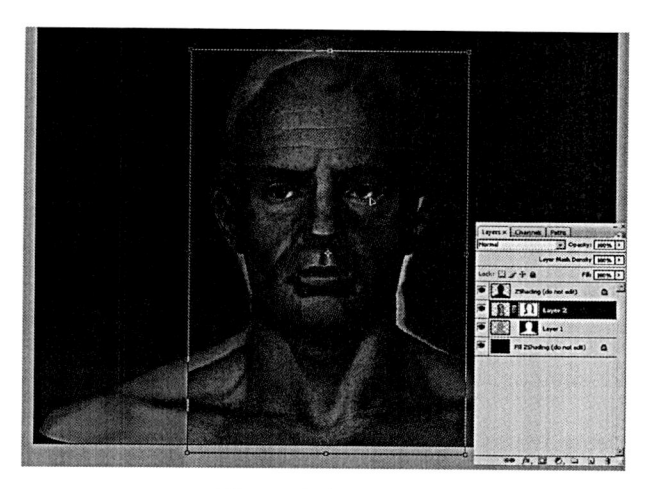

Figura 7.4.2.4

14 – Uma vez finalizadas as edições, deve-se ser reduzida as camadas editadas para apenas as três originais. A camada que foi acrescentada, que recebeu o nome de Layer 2, deve ser mesclada juntamente com a camada Layer 1, mantendo seu canal de máscara de opacidade. Para tanto, clique com o botão direito em cima da camada de nome Layer 2, escolhendo Merge Down. Isto faz com que a camada seja mesclada com a camada imediatamente abaixo.

15 – Surgirá a seguinte caixa de diálogo no caso do Photoshop:

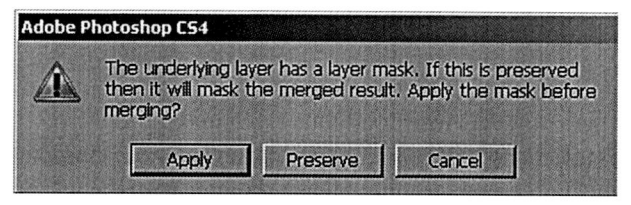

Figura 7.4.2.5

16 – Esta caixa de diálogo se refere a um questionamento que o programa realiza para saber se o usuário deseja manter ou não a máscara de opacidade da camada inferior. Escolhendo Preserve preserva-se esta máscara, que é opção adequada. Escolha Preserve.

17 – Salve o arquivo e retorne à sessão do ZBrush. Na caixa de diálogo exibida, escolha Re-enter ZBrush para voltar ao ZBrush. A seguir, escolha Accept All Edits para aceitar todas as edições.

18 – Saia da projeção de Projection Master e reposicione o modelo, verificando os resultados.

Figura 7.4.2.6

19 – Com exceção de algumas partes defeituosas, muito do modelo foi revestido com a textura de forma adequada e quase precisa, agilizando seu processo de texturização. Geralmente as partes menores precisam de uma melhor edição nesta técnica, como é o caso da boca, olhos, nariz e orelhas.

20 – Posicione o modelo de forma a obter o melhor "close" da boca. Acione o ZAppLink, copie a região da boca do modelo da imagem de referência, colando no arquivo de edição que o ZBrush enviou ao Photoshop. Prossiga com as edições como feito anteriormente.

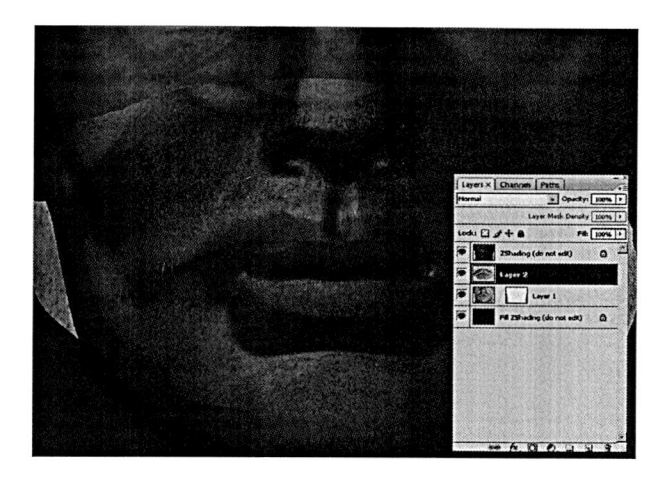

Figura 7.4.2.7

21 – Utilize a distorção do tipo Warp para melhores adequações (CTRL + T, depois clique com o botão direito em cima da camada) e escolha Warp.

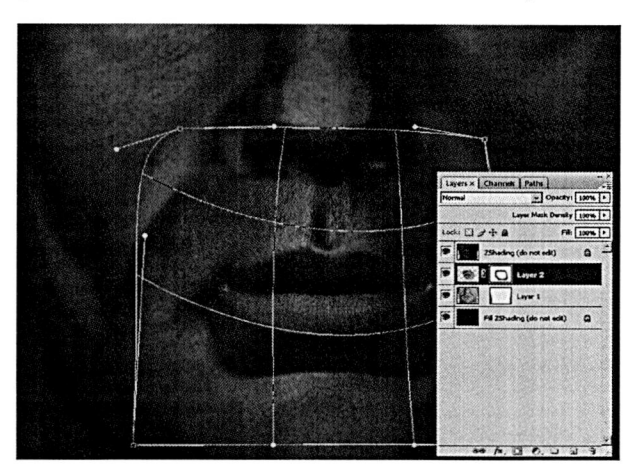

Figura 7.4.2.8

22 – Salve o arquivo de Photoshop, retorne ao ZBrush e aceite as edições feitas. Mude de posição o modelo e edite o nariz.

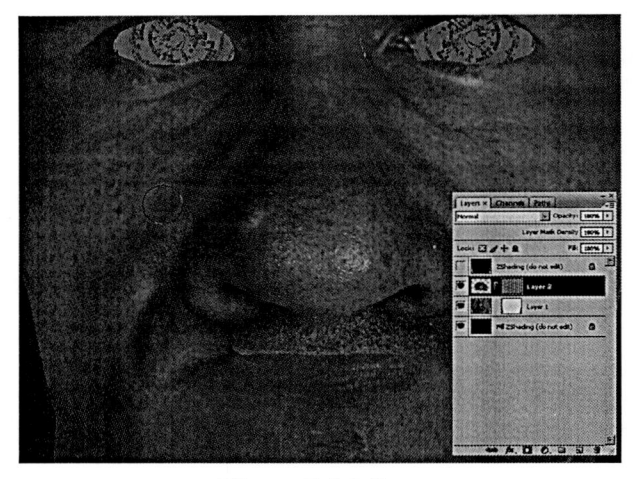

Figura 7.4.2.9

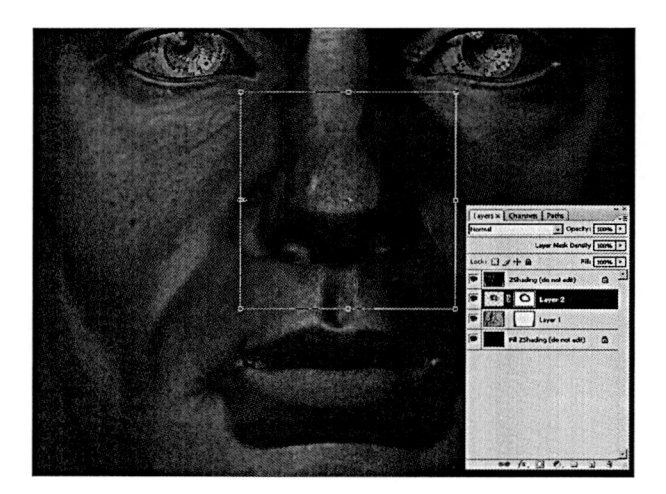

Figura 7.4.2.10

23 – Algumas áreas podem ser editadas com Clone Stamp.

Pintura e texturização | 443

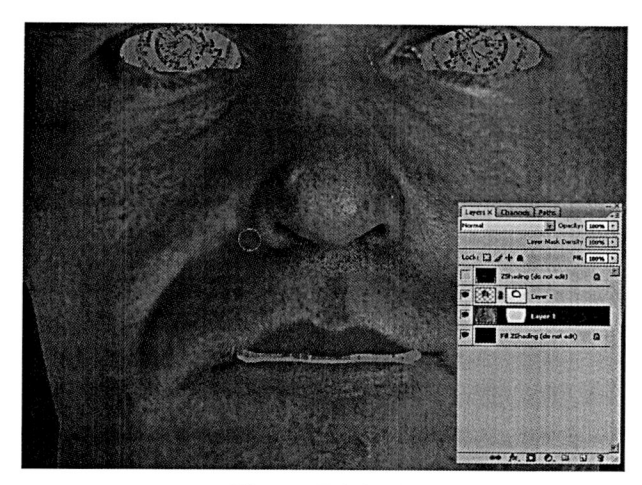

Figura 7.4.2.11

24 – Mescle as camadas adicionais preservando a máscara de opacidade de Layer 1. Salve o arquivo e retorne ao ZBrush, aceitando todos os ajustes feitos.

25 – Enquadre o modelo de modo a editar seus olhos, realizando os mesmos processos para ajustá-los.

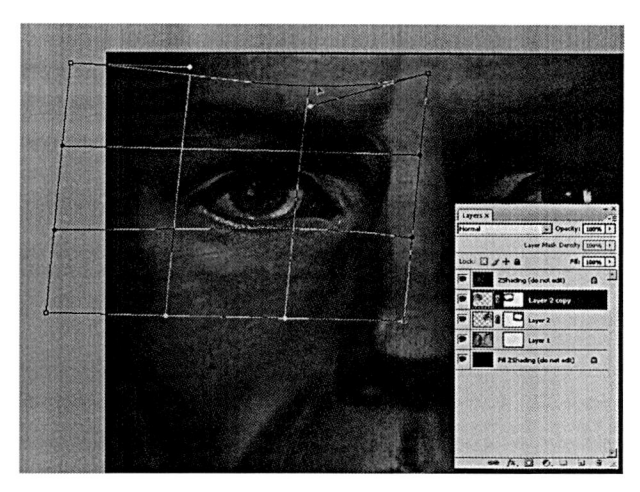

Figura 7.4.2.12

26 – Enquadre o modelo lateralmente e, da mesma forma, trabalhe agora com a imagem de referência lateral para compor a textura. Evidentemente, a orelha precisará de um ajuste mais refinado. Na figura a seguir: o resultado já aplicado ao modelo 3D. Para agilizar o processo de texturização, talvez seja necessário habilitar as opções Double Sided para que ambos os lados recebam a mesma edição, caso o modelo seja simétrico.

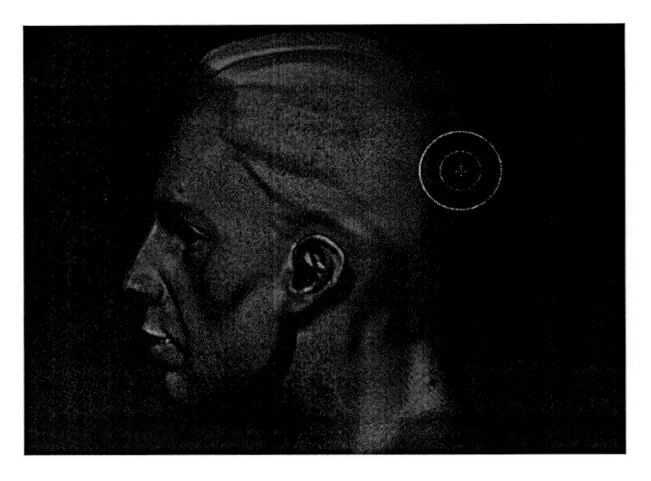

Figura 7.4.2.13

27 – Caso não deseje que o modelo seja simétrico, não é necessário trabalhar com Double Sided. Crie, neste caso, uma textura com dois lados distintos.

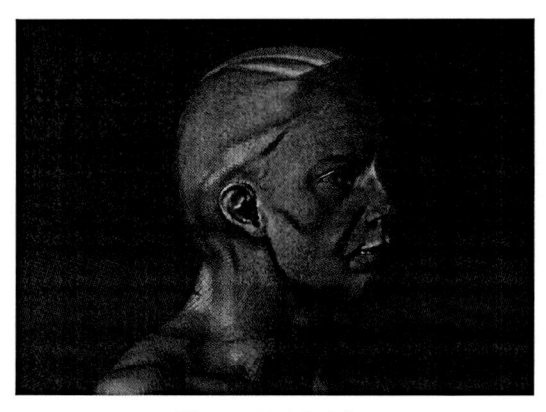

Figura 7.4.2.14

28 – A parte superior pode ser resolvida com um simples Clone Stamp.

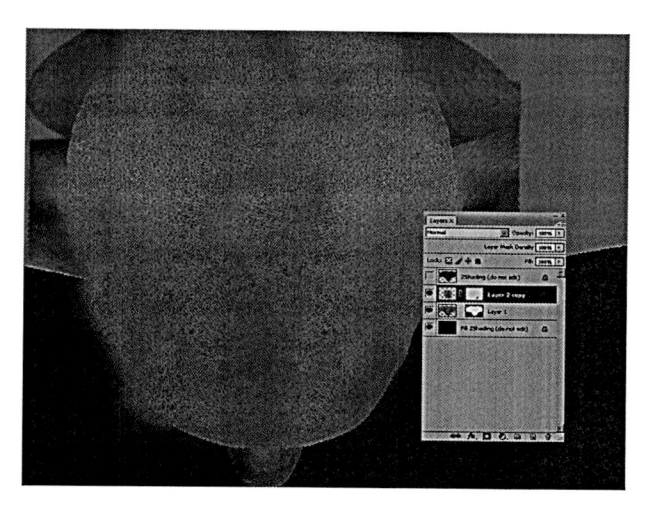

Figura 7.4.2.15

29 - A parte de trás também pode ser resolvida do mesmo modo.

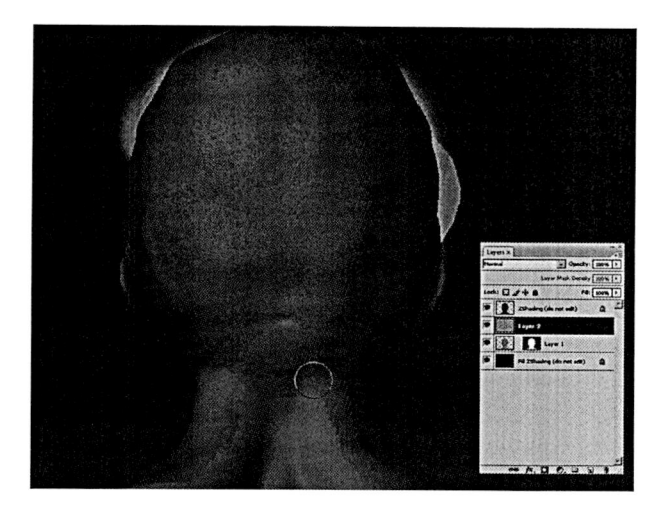

Figura 7.4.2.16

30 – Na figura a seguir: o modelo finalizado. Evidentemente mais refinos seriam necessários para que se consiga uma textura devidamente aplicada ao modelo, sem falhas, que a prática levará à perfeição. Neste exemplo foram usadas fotos de referência de uma pessoa sem cabelos e o modelo possui modelagem para cabelos. Como exemplo didático da técnica de texturizar usando ZAppLink, ambos os recursos funcionam, mas em uma situação profissional, modelo e textura devem corresponder.

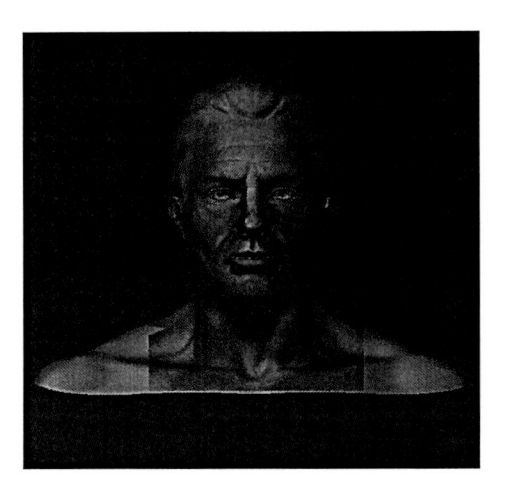

Figura 7.4.2.17

7.4.3 ZAppLink na prática

Nesta seção serão aplicados os conceitos de trabalho com ZAppLink para a finalização do personagem de exemplo do livro.

01 – Carregue "Monster.ztl", deixando ativos no Canvas do ZBrush apenas os chifres. Posicione de forma confortável o modelo para a edição de sua textura. Será adicionado um pouco de "ruído".

02 – Uma vez posicionado o modelo, acione o ZAppLink. Edite, copie ou cole imagens para produzir o efeito de "ruído", bem como faça ajustes de cor, saturação ou contraste.

Pintura e texturização | 447

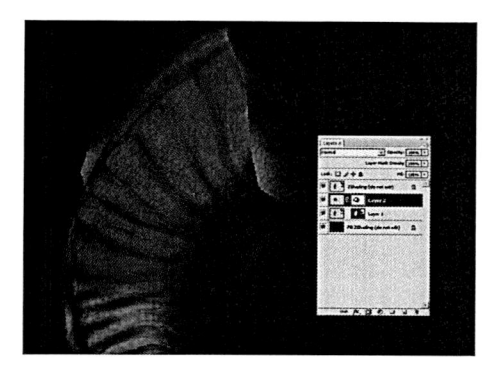

Figura 7.4.3.1

03 – Por fim, deixe a camada e todas as outras para este objeto, com estas características rugosas e de "ruído", em modo de mistura como Color Dodge e 50% de opacidade para a camada

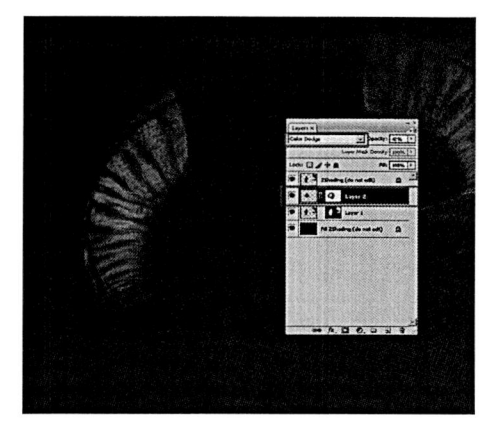

Figura 7.4.3.2

04 – Mescle a camada adicionada com a de baixo, mantendo a máscara de transparência. Salve o arquivo e volte ao ZBrush para atualizar o modelo com as novas edições na textura. Posicione o modelo em uma nova vista confortável para uma outra edição. Faça este processo ao longo dos chifres.

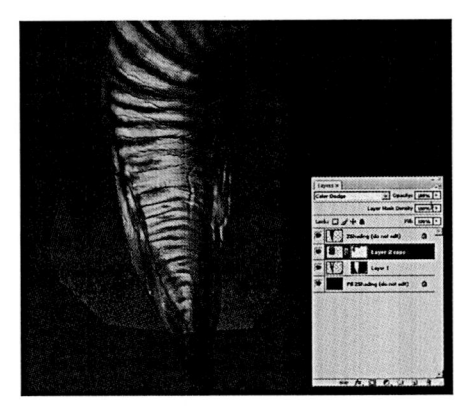

Figura 7.4.3.3

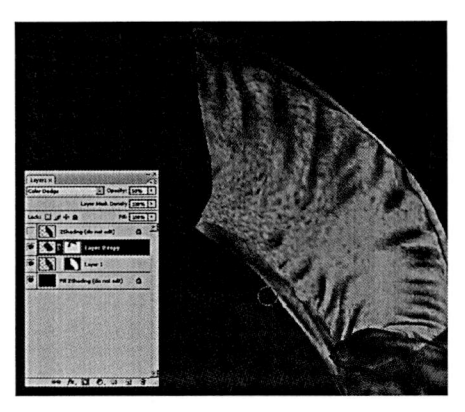

Figura 7.4.3.4

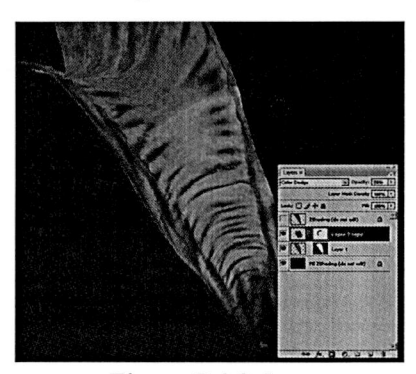

Figura 7.4.3.5

05 – Salve seu modelo e exporte o mapa difuso dos chifres por meio do menu Fly-Out Texture, opção Export ou menu Texture, opção Export.

06 – Habilite o corpo agora. Tão somente serão editados seus olhos para dar um destaque na sua coloração. Deixe-os com uma cor escura, com uma simples pintura.

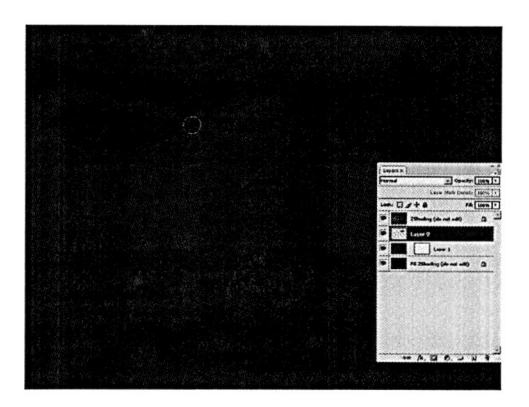

Figura 7.4.3.6

07 – Ou aplicando alguma textura de reforço.

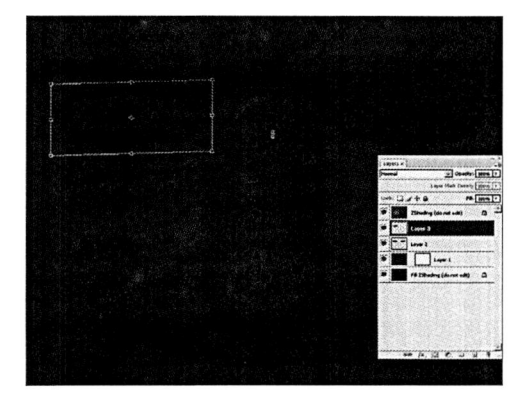

Figura 7.4.3.7

08– Salve seu modelo e exporte o mapa difuso doo corpo por meio do menu Fly-Out Texture, opção Export ou menu Texture, opção Export. Na figura a seguir, o modelo de corpo finalizado com sua textura devidamente aplicada.

Figura 7.4.3.8

09 – Na figura seguinte, seus dois mapas finalizados e compostos.

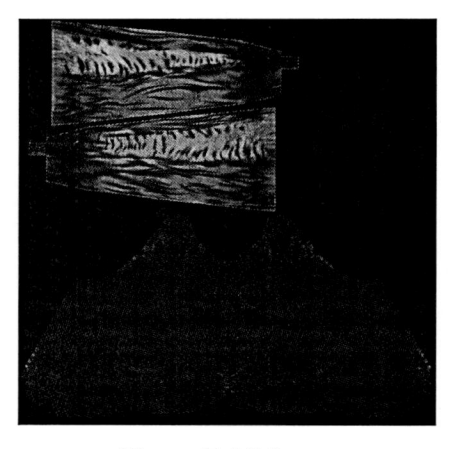

Figura 7.4.3.9

7.5 Como finalizar a textura

Nesta seção, deve-se unir cada parte que compõe uma textura, pelo simples fato de que o modelo foi trabalhado em partes separadas, mas sempre compartilhando o mesmo mapeamento para as texturas. Serão trabalhadas as texturas Difusa, Normal e Cavidade, já devidamente extraídas.

7.5.1 Como finalizar a textura do modelo

01 – Trabalhando com uma de cada vez, abra as duas texturas difusas (corpo e chifres) geradas anteriormente e una-as através de seu software de edição de imagens 2D, como o Photoshop ou Gimp, por exemplo.

02 – Na Figura 7.5.1.1 tem-se a textura para o Mapa Difuso (Difuse Map).

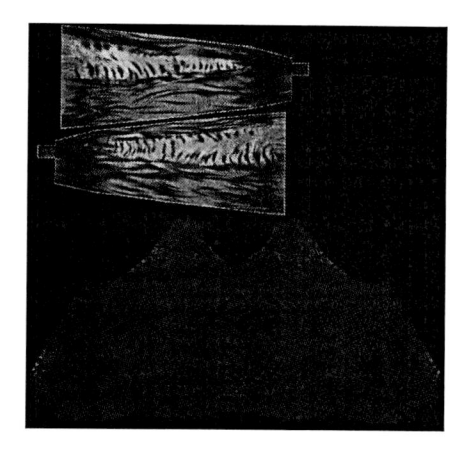

Figura 7.5.1.1

03 – Na Figura 7.5.1.2 tem-se a textura para Normal Mapping (Normal Map).

Figura 7.5.1.2

04 – Na Figura 7.5.1.3 tem-se a textura para Mapa de Cavidade (Cavity Map).

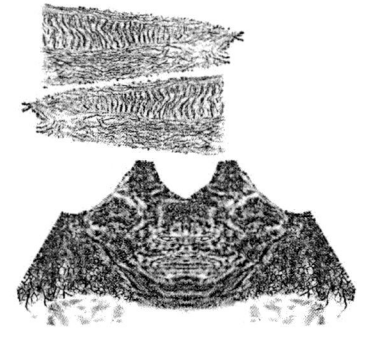

Figura 7.5.1.3

05 – E, por fim, o mapa composto Difuse + Cavity, que é o Mapa de Cavidade composto com modo de mistura definido em Multiply, levemente avermelhado e com 100% de opacidade sobre o Mapa Difuso.

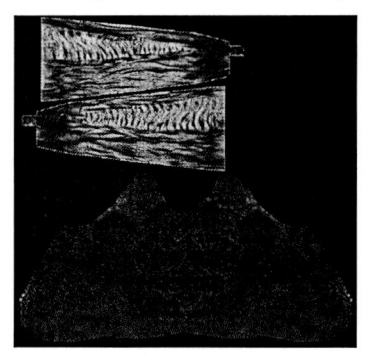

Figura 7.5.1.4

7.5.2 Como aplicar a textura ao modelo

01 – Por fim, resta apenas aplicar as texturas ao modelo finalizado.

02 – Abra uma nova sessão do ZBrush e carregue o modelo "Monster.ztl" com o qual já está trabalhando ao longo deste livro.

Figura 7.5.2.1

03 – Defina seu material como MatCap Clay.

04 – No menu Fly-Out Texture ou no menu Texture, clique em Import e importe para dentro do ZBrush o arquivo de textura Difuso da personagem.

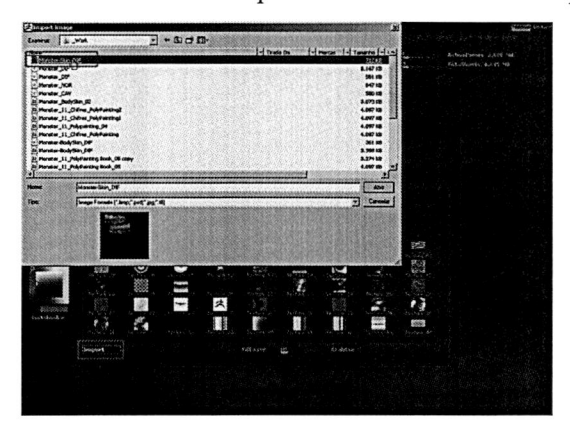

Figura 7.5.2.2

05 – No momento que a textura for atribuída ao modelo, certamente ela irá ser exibida invertida com relação à sua orientação no espaço UV. No momento de importação e exportação, geralmente o ZBrush inverte para que ele possa interpretar corretamente os UVs vindos de outras aplicações 3D.

Figura 7.5.2.3

06 – Para corrigir isto vá ao menu Texture (ou clique com a tecla ALT pressionada em cima do ícone de textura à esquerda, forçado a aparição da paleta Texture na Right Tray) e procure por Flip V para corrigir a orientação do mapeamento no sentido vertical ou Flip H no sentido horizontal. Neste caso, utilize Flip V, fazendo com que a orientação de mapeamento seja corrigida automaticamente.

Figura 7.5.2.4

07 – Na figura a seguir, uma apresentação do modelo finalizado, com sua textura difusa e render definido em qualidade melhor (Best).

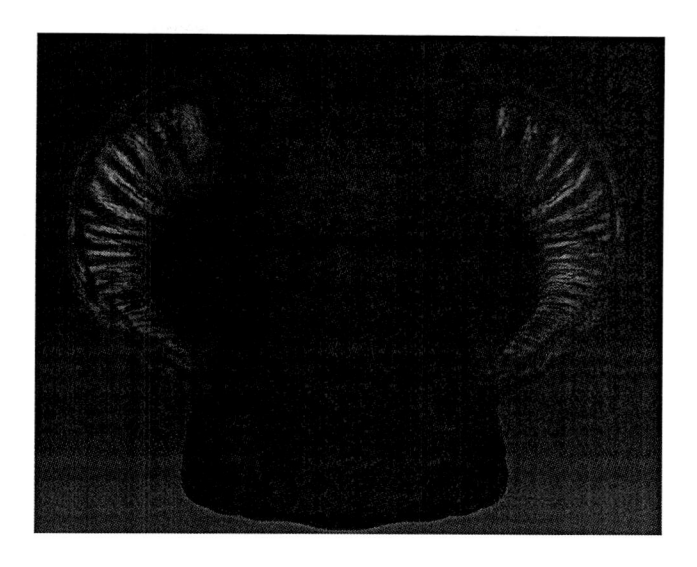

Figura 7.5.2.5

08 – No próximo capítulo serão abordados assuntos relacionados aos materiais, luzes e render do ZBrush.

CAPÍTULO 8: MATERIAIS, LUZES E RENDER

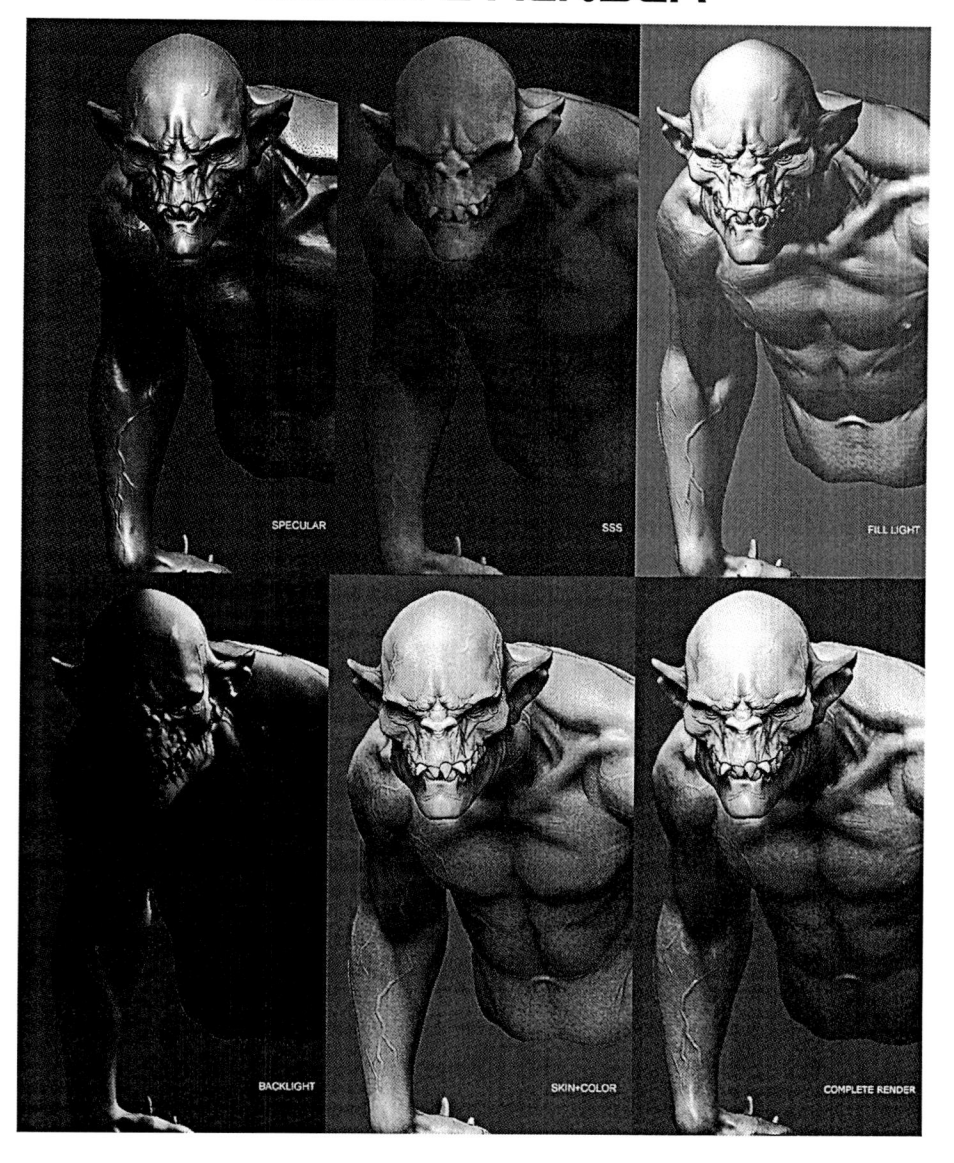

CAPÍTULO 8

Materiais, luzes e render

8.1 Materiais

Materiais são formas com as quais se pode representar superfícies digitalmente. São sistemas que descrevem como uma superfície deve se comportar em termos de recepção e emissão de luz, cor, saturação, desgaste, polidez ou aspereza.

Geralmente simulam comportamento digital baseado-se em materiais existentes na natureza. Um objeto feito em madeira difere em sua forma compositiva de um material feito em metal, logo suas propriedades são diferentes, conferindo-lhe características únicas como polidez afiada ou grossa aspereza.

Em ZBrush 3.1, cinco são os materiais disponíveis e outros são derivados deles. Com os menus de configuração de cada material, podem ser feitas variações aumentando a gama de possibilidades.

8.1.2 Tipos de materiais

Os materiais fornecidos com o ZBrush 3.1 são listados, explicados e exemplificados a seguir, conforme a descrição disponível na ajuda on-line (fonte www.zbrush.info).

Flat Color Material

Este material apenas mostra a cor ou textura aplicada ao objeto em exibição no Canvas do ZBrush, isento de influências de luzes ou sombras. Em termos práticos, simula um efeito de "autoiluminação" do objeto. Na figura a seguir, um exemplo deste material no menu Fly-Out Material e uma aplicação no Canvas do ZBrush.

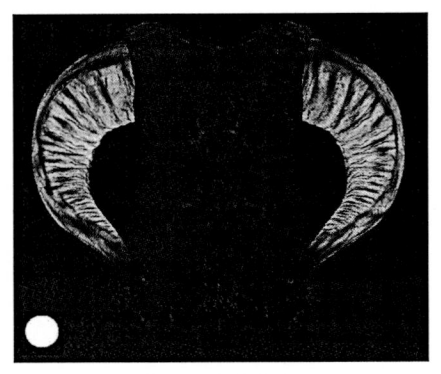

Figura 8.1.2.1

FastShader Material

Este material é um pouco mais complexo que o anterior, mas ainda assim simples. Conta com atributos para ambiente e difusão. Essencialmente é um material muito utilizado para modelagens simples. Na próxima figura, um exemplo deste material no menu Fly-Out Material e uma aplicação no Canvas do ZBrush.

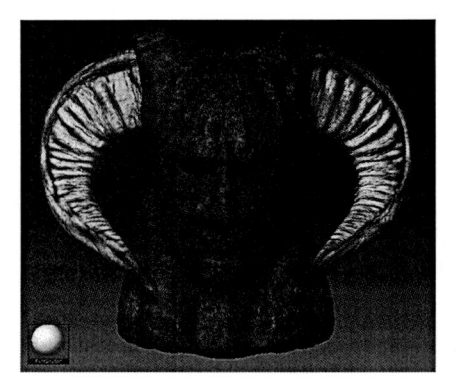

Figura 8.1.2.2

BasicMaterial

Este compõe-se de tal maneira que fornece base para materiais padronizados, que incluem os tipos Toy Plastic, Double Shader Material,

TriShader Materials e QuadShader Materials. Na figura seguinte, um exemplo deste material no menu Fly-Out Material e uma aplicação no Canvas do ZBrush.

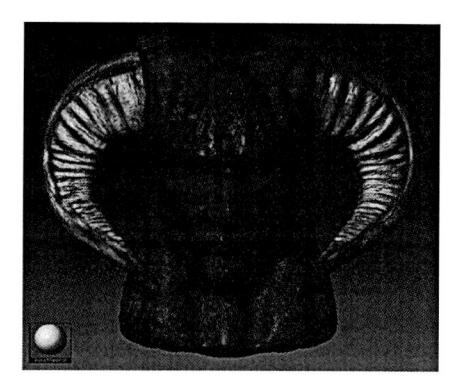

Figura 8.1.2.3

Perceba que este já é um pouco mais apurado, contando inclusive com informações de brilhos especulares.

A seguir, exemplos de:

Toy Plastic – Perceba que seu brilho especular é ainda mais agudo.

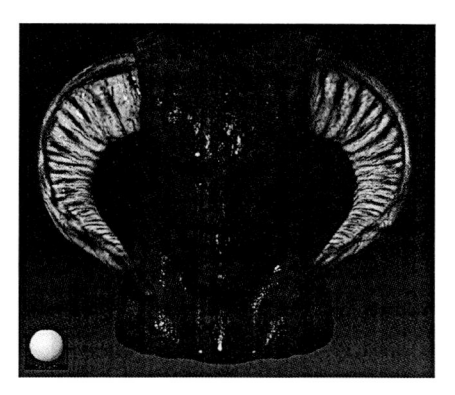

Figura 8.1.2.4

Double Shader Material - Perceba o brilho intenso, reforçado pelo Shader duplo.

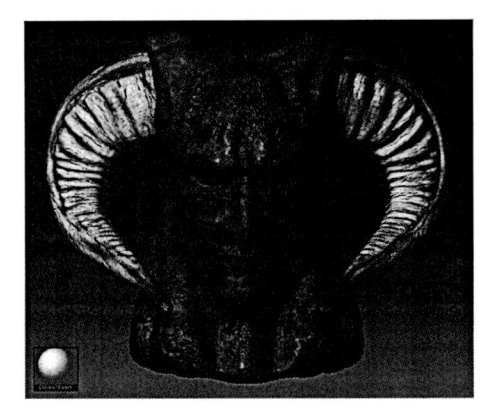

Figura 8.1.2.5

TriShader Marials – Perceba o brilho intenso, reforçado pelo Shader triplo.

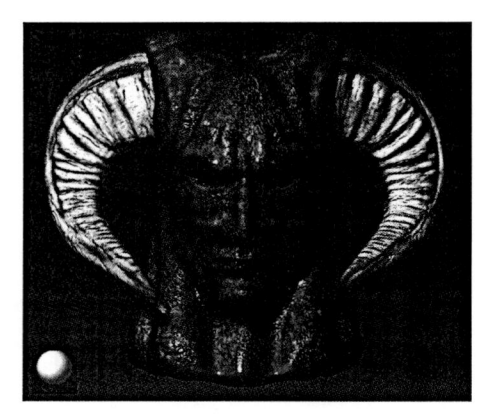

Figura 8.1.2.6

QuadShader Materials - Perceba o brilho intenso, reforçado pelo Shader quádruplo.

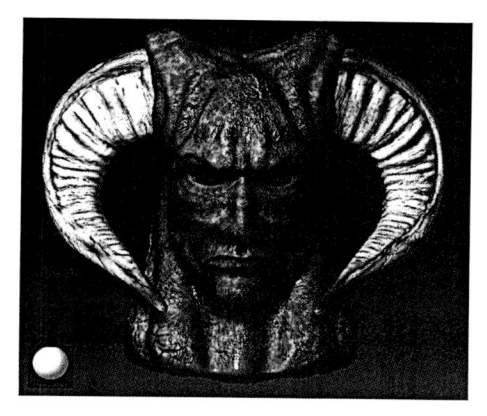

Figura 8.1.2.7

Fiber Material

Este material adiciona simulações de cabelos em 3D. Por padrão, os cabelos são desenhos a partir da direção normal das superfícies. Alguns materiais como este podem ser vistos apenas quando em modo de apresentação (render) em Best, que será visto mais adiante neste capítulo. Na figura a seguir, um exemplo deste material no menu Fly-Out Material e uma aplicação no Canvas do ZBrush.

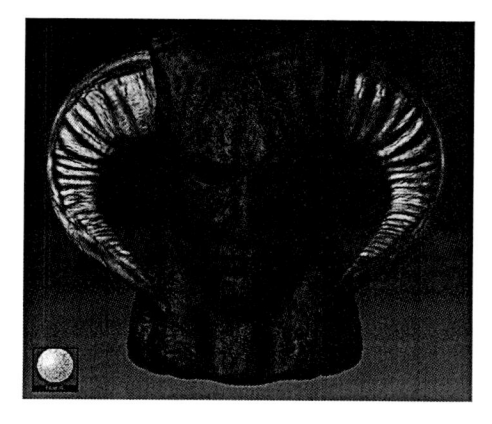

Figura 8.1.2.8

MatCap Materials

Este material foi incluído nas últimas versões do ZBrush e é um material muito especial, pois, com ele, é possível capturar características de objetos oriundos de fotos. Seu princípio de funcionamento é simular os efeitos de luz em diferentes tipos de superfícies. Na figura seguinte, um exemplo deste material no menu Fly-Out Material e uma aplicação no Canvas do ZBrush.

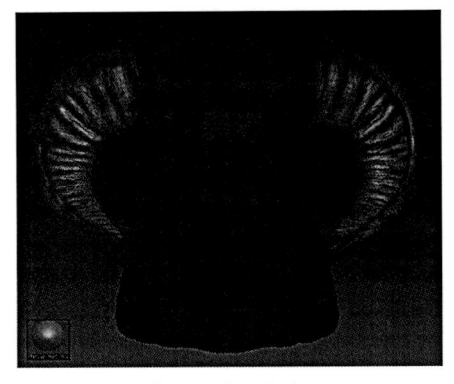

Figura 8.1.2.9

8.1.3 Como aplicar materiais

O processo de aplicar algum material a uma superfície é bastante simples:

A – Seleciona-se o objeto ao qual se deseja atribuir algum material;

B – No menu Material ou no menu Fly-Out Material, escolher qual material melhor representa a superfície a qual o objeto que receber tal material deve representar;

C – Modificar suas propriedades quando necessário, concomitante aos parâmetros de luz e render;

D – Se a mesma superfície necessitar de mais de um material aplicado a ela, deve-se pintar através da projeção com o Plugin Projection Master;

E – Em caso de mais de uma SubTool compondo um objeto, é possível ainda definir um material para cada uma por meio do Plugin SubTool Master.

8.1.4 Como modificar e salvar materiais

Cada material possui suas próprias características, logo cada um tem seus próprios parâmetros que podem ser definidos conforme a necessidade do artista. Evidentemente, alguns controles são comuns aos materiais.

Na figura a seguir, o exemplo do material FastShader com seu painel de atributos, comum aos materiais. Verifique também que, acima deste, existe uma Subpalette chamada Modifiers, onde estão todos os parâmetros particulares de cada material.

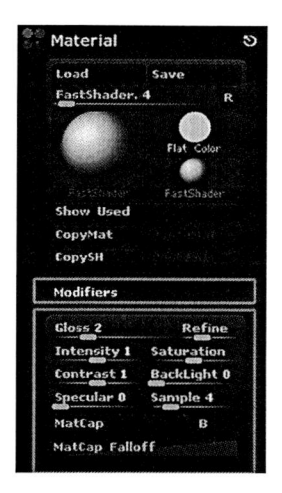

Figura 8.1.4.1

A experimentação prática é o melhor modo de descobrir como os parâmetros podem influenciar o objeto que está sendo editado atualmente. Incentiva-se aqui, ao leitor, realizar alguns experimentos com cada material antes de prosseguir com seus estudos ou definir algum material de acabamento final em seus trabalhos.

Verifique, a seguir, a Subpalette Modifiers para o material FastShader. Verifique a existência de poucos parâmetros. Os materiais em ZBrush são compostos de canais, e estes podem ser combinados em até quatro, sendo identificados por S1, S2, S3 e S4. Nem todos os materiais terão todos os quatro canais ativos. É possível definir materiais muito complexos com esta forma de junção de canais.

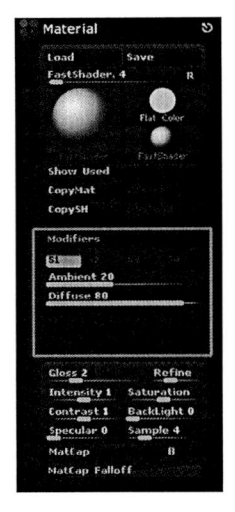

Figura 8.1.4.2

Verifique agora outro material como exemplo e compare seus parâmetros. Utilize o material MatCap GreenClay.

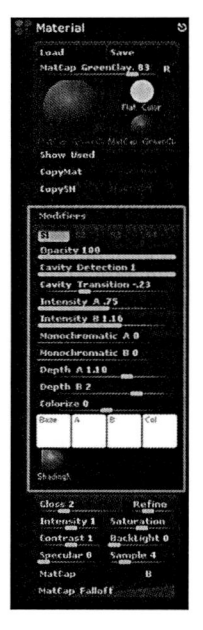

Figura 8.1.4.3
Observe agora a Subpalette Modifiers para o material DoubleShade1.

Verifique que ele possui mais de um canal (S1 e S2). Clique em um e outro, veja as diferenças.

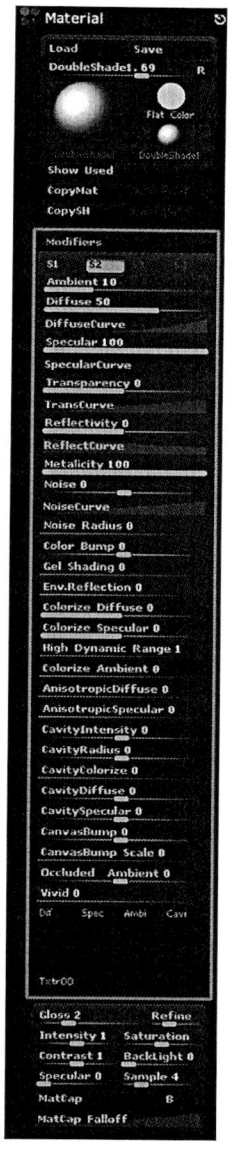

Figura 8.1.4.4

Teste quantos materiais desejar, verifique suas propriedades comuns e particulares; após algumas experimentações, já estará apto a definir qual o melhor material a ser usado em determinadas situações.

Para alterar um material siga os passos:

01 - Inicie uma sessão nova do ZBrush, entre os objetos padronizados que o ZBrush oferece, escolha "DemoHead" para testar alguma modificação de materiais. Uma vez desenhado o objeto no Canvas, acesse os materiais e escolha o material BasicMaterial.

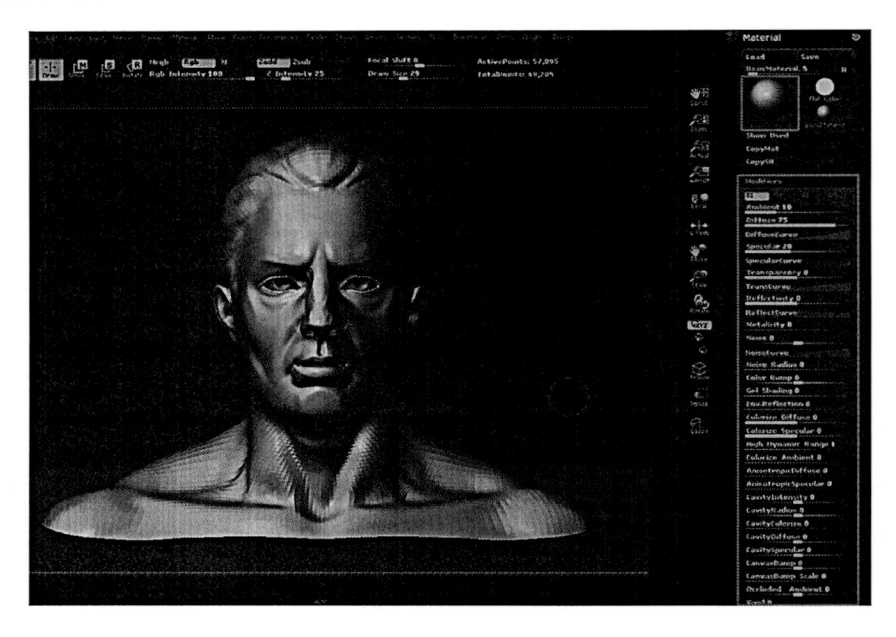

Figura 8.1.4.5

02 – Modifique os parâmetros de Ambient, Diffuse, Specular e High Dynamic Range conforme julgar adequado. O importante neste momento é entender como as opções alteradas se refletem imediatamente no objeto no Canvas, lembrando que, para uma melhor visualização, a apresentação em modo Best oferece os melhores resultados, porém em tempos de apresentação mais elevados.

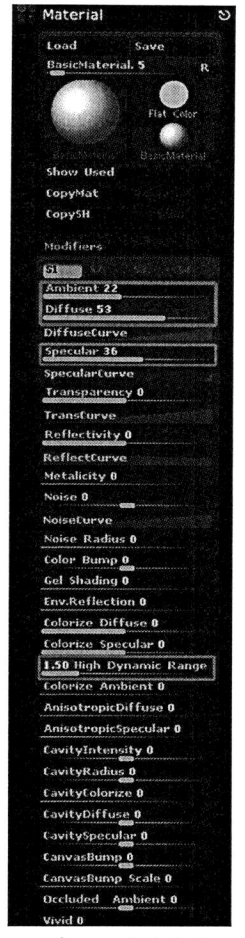

Figura 8.1.4.6

03 – O próximo passo agora é salvar esta alteração de material para que seja reutilizada em outra sessão do ZBrush.

04 – No alto da paleta Material, existem duas opções: Load e Save. Logicamente uma carrega algum material e a outra salva.

05 – Para que o material recém-editado seja carregado com as mesmas

configurações em outra sessão do ZBrush, ele deve ser salvo, geralmente no seguinte endereço a partir da raiz de pastas da instalação do ZBrush: "\\ Pixologic\ZBrush3\ZData\Materials". Como dica deve-se fazer uma cópia do material editado e salvo em outro lugar no computador, para garantir que não seja sobrescrito pelo material editado.

06 – Clique em Save e procure pela pasta Materials no endereço "\\ Pixologic\ZBrush3\ZData\Materials". Salve como seu nome e o nome do Material editado como forma de melhor identificá-lo posteriormente (neste exemplo, o material ficou sendo "AlessandroLima_BasicMaterial.ZMT"

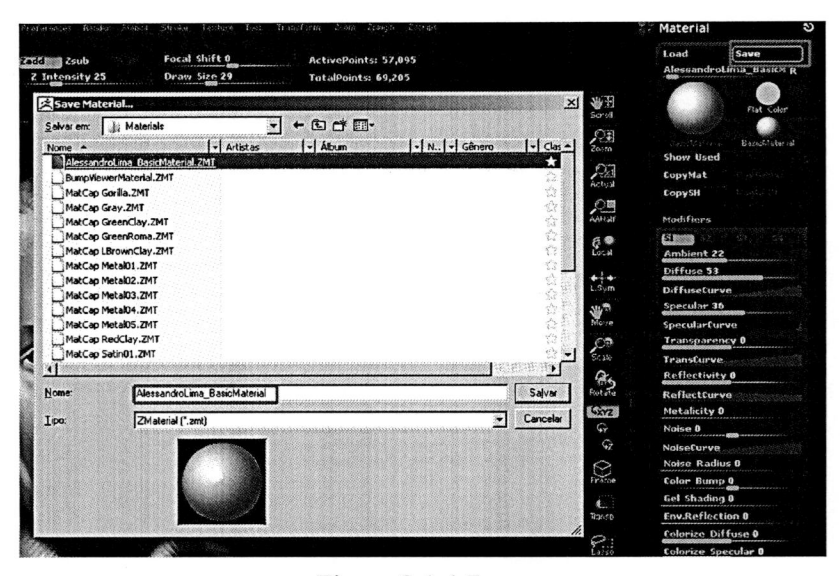

Figura 8.1.4.7

07 – Na próxima vez que iniciar o ZBrush, o material estará disponível na paleta Material, juntamente com os demais materiais.

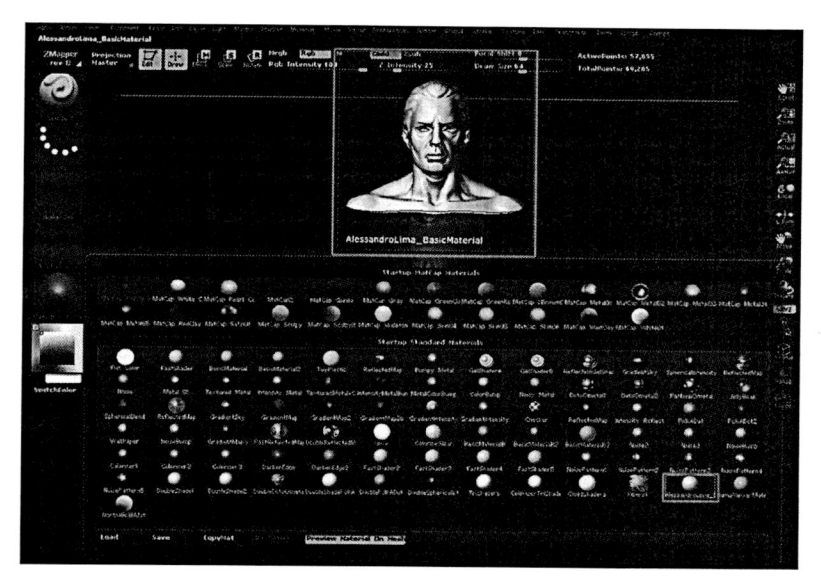

Figura 8.1.4.8

08 – A opção Load é usada para carregar qualquer tipo de material. Evidentemente, se carregado pela opção Load, não for salvo no endereço mostrado anteriormente, a cada nova sessão de ZBrush, o material deverá ser carregado (Load).

8.1.5 SubTool Master 1.2G

Esta ferramenta foi introduzida no ZBrush 3.1 e facilita a edição avançada de Subtools, desde sua edição como cópias espelhadas ou visibilidade, assim como a coloração e diferenciação em materiais. A seguir, uma breve descrição das ferramentas deste Plugin, que já foram mencionadas anteriormente neste livro na seção "3.10.6 – SubTool Master 1.2G".

SubTool Master – aciona o Menu Pop-Up do SubTool Master no Canvas. Caso o usuário não queria trabalhar com a interface do tipo "Pop-Up", basta clicar no último botão com o nome da versão do SubTool Master (neste caso, "rev 1.2G"), fazendo com que todas as opções deste menu Pop-Up sejam disponibilizadas logo abaixo dos botões SubTool Master e Save ZTool, no Menu Zplugin, Subpalette SubTool Master.

Save ZTool – salva a Tool em edição.

Ao se pressionar o botão SubTool Master, do Menu Zplugin na Subpalette SubTool Master, tem-se seu Menu "Pop-Up", onde as ferramentas disponíveis para ele são listadas e explicadas a seguir.

Multi Append – com este recurso é possível inserir outros objetos (novas SubTools) no objeto atualmente em edição. É possível adicionar novas SubTools pelos formatos de arquivo "*.ztl" e "*.obj".

Duplicate – esta opção duplica o SubTool selecionado, dentro de uma Tool em edição, aplicando, à frente de seu nome, o prefixo "Dup#", como forma de identificar as cópias.

Mirror – esta opção realiza cópias espelhadas de SubTools.

Merge – esta opção une duas SubTools diferentes, criando uma nova e única SubTool.

Fill – esta opção define a visibilidade das SubTools com cor, material ou ambos. É possível pintar cada uma com cor e material diferentes de forma intuitiva.

Export – exporta as SubTools em formatos "*.obj" ou "*.dxf".

Delete Invisible – apaga todas s SubTools ocultas.

Hi Res All – ajusta todas as SubTools para o mais alto nível de subdivisão.

Low Res All – ajusta todas as SubTools para o mais baixo nível de subdivisão.

Layers SubTools – esta opção possibilita a cópia de transformações armazenadas nas Layers 3D do menu Tools, opção Layers, para as SubTools da Tool atualmente em edição.

Shift Up – cria grupos de SubTools.

Show/Hide All – alterna a visibilidade entre as SubTools visíveis e todas as outras.

Invert Visibility – inverte a visibilidade de SubTools no Canvas.

Assign Hotkeys - clicar no último botão com o nome da versão do SubTool Master (neste caso, "rev. 1.2G") faz com que todas as opções do menu "Pop-Up" sejam disponibilizadas logo abaixo dos botões SubTool Master e Save ZTool, no Menu Zplugin, Subpalette SubTool Master.

Neste capítulo, será explorada a capacidade de diferenciação de materiais que este recurso oferece, deixando que o leitor o explore para verificar que outras possibilidades mais ele pode oferecer ao trabalho dentro do ZBrush. Proceda da seguinte forma para atribuir diferentes materiais ao objeto ou personagem. Para seu funcionamento eficaz, na definição de materiais diferentes para um objeto composto de várias SubTools, uma de cada vez deve ser exibida no Canvas enquanto se define cada material de cada parte.

01 – Inicie uma nova sessão nova do ZBrush, e escolha agora o modelo "DemoSoldier" que acompanha a instalação do ZBrush.

02 – Acione o Plugin através do menu Zplugin, opção SubTool Master. Para deixar suspenso este menu em alguma Tray, clique em seu círculo esquerdo superior e arraste para onde desejar. O ZBrush automaticamente forçará para que ele se disponha em alguma Tray, conforme a direção do arraste.

03 – Clique no botão de nome SubTool Master, abrindo seu "Pop-Up".

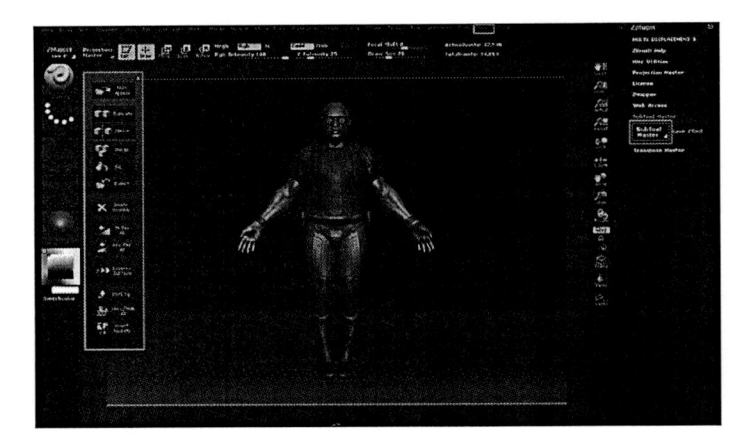

Figura 8.1.5.1

04 – Feche este "Pop-Up". Com ele aberto, a interface restante do ZBrush fica inacessível. Na paleta Tool, Subpalette SubTool, deixe visível apenas a primeira Subtool, que corresponde ao corpo deste modelo de exemplo. Desative a visibilidade do restante das SubTools, bastando para isto clicar no ícone Eye de cada uma.

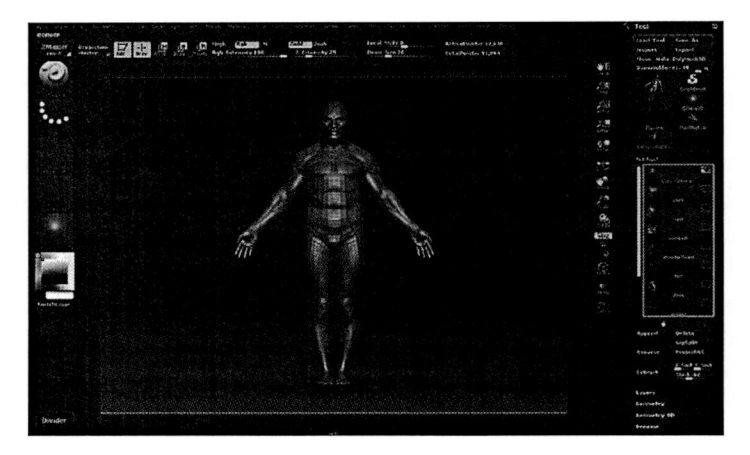

Figura 8.1.5.2

05 – Escolha algum material apropriado para o corpo diferente das demais

SubTools, talvez o material MatCap Skin04.

06 – É interessante dispor de um atalho para este Plugin diretamente na Interface do sistema. Acompanhe pela Figura 8.1.5.3, clique no menu Preferences (1), opção Custom UI e habilite Enable Customize (2). Como explicado anteriormente na customização de recursos de interface, pressione e mantenha pressionada a tecla CTRL enquanto arrasta algum recurso para algum lugar na interface do ZBrush. Neste caso, clique no Menu ZPlugin (3), buscando o botão SubTool Master (4) e arraste para algum lugar de sua preferência (5).

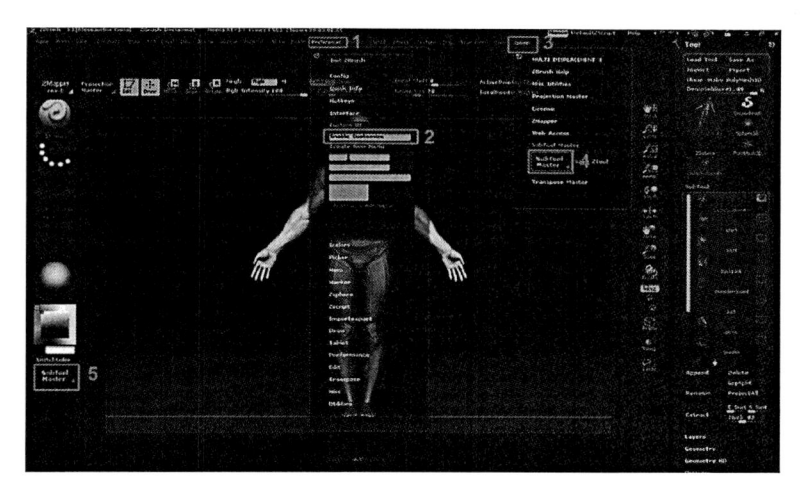

Figura 8.1.5.3

07 – Agora ative novamente o menu "Pop-Up" de SubTool Master como explicado anteriormente. Clique em Fill. Será aberta a caixa de diálogo referente à escolha de trabalhar com a cor, o material ou ambos. Escolha apenas Material e clique em OK..

Figura 8.1.5.4

08 – Verifique se as outras SubTools permanecem com o material anterior.

Repita o processo para as outras.

09 – Deixe visível agora apenas a camiseta deste modelo. Repita o processo descrito anteriormente para troca de material.

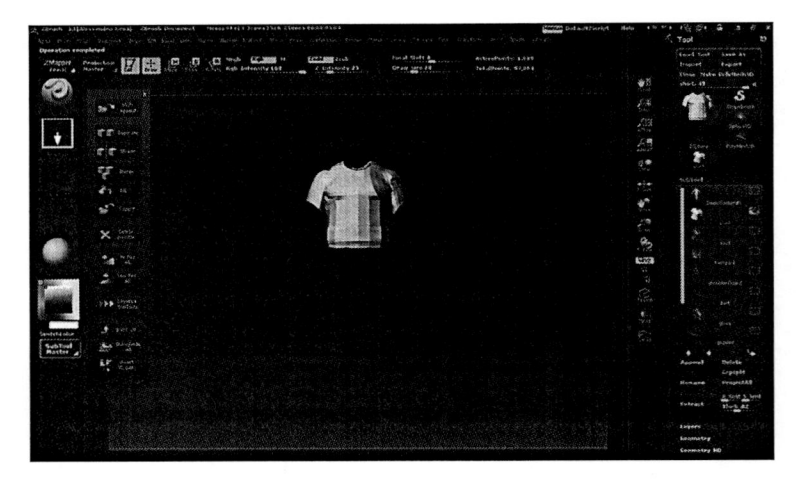

Figura 8.1.5.5

10 – E realize o mesmo processo para todas as SubTools que compõem este modelo de exemplo.

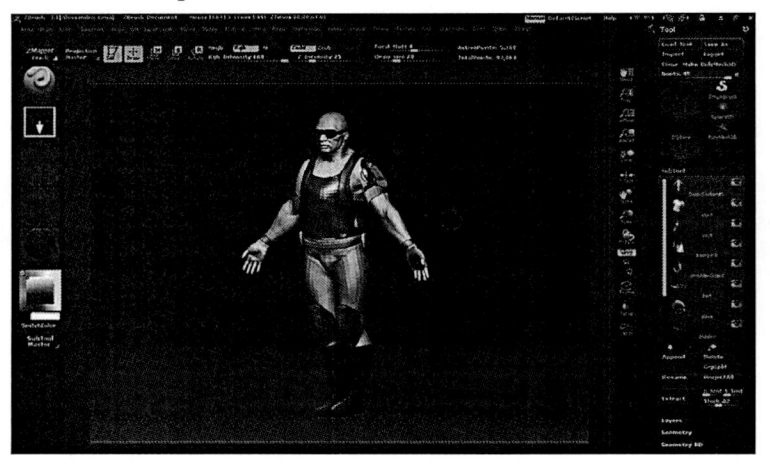

Figura 8.1.5.6

11 – O processo é muito simples e eficaz. A correta aplicação e a definição

de materiais permitirão um realismo surpreendente aos modelos quando apresentados dentro do ZBrush.

8.1.6 Mat Cap Material

Este tipo de material é muito especial, pois trabalha em função da captura de luminosidade de amostras de imagens. Com ele, é possível simular diversas superfícies de forma muito realista e "divertida", pois ele oferece um resultado impressionante e rápido para o que se deseja aplicar a determinadas superfícies.

8.1.6.1 Como modificar Materiais MatCap

Modificar um material do tipo MatCap corresponde ao processo descrito na seção "8.1.4 Como modificar e salvar materiais" deste capítulo, assim como seu salvamento ou carregamento. Na figura a seguir, uma amostra do painel de modificadores do material MatCap Red Wax e do painel de modificações comum aos materiais.

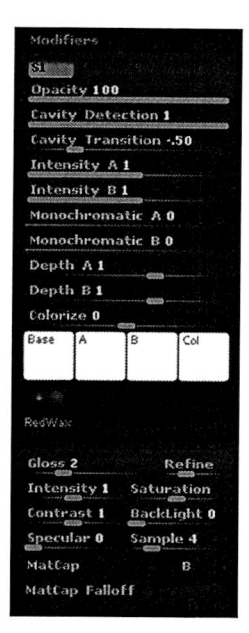

Figura 8.1.6.1.1

Carregar ou salvar um material deste tipo também obedece aos procedimentos descritos anteriormente em "8.1.4 Como modificar e salvar materiais" deste capítulo.

8.1.6.2 Como criar um material MatCap

Primeiramente, deve-se ter uma imagem que gere o material desejado. Como se está trabalhando em um personagem que foi elaborado com imagens de referência de animais de pele "grotesca", como a do elefante e rinoceronte, serão usadas essas mesmas imagens na confecção deste material. O leitor pode decidir utilizar outras imagens para executar o próximo exercício se desejar. As imagens usadas nesta seção são fornecidas pelo site www.3d.sk sob contrato de uso e direitos autorais, sendo seu uso exclusivo dos contratantes.

O material que acompanha este livro disponibiliza algumas amostras para a confecção deste material MatCap. Estas amostras são imagens de alguns animais, as quais foram cedidas para a confecção deste livro através da www.3d.sk. Aconselha-se o leitor a contratar os serviços deste site, para ter acesso a mais material com que trabalhar.

01 – A ferramenta de MatCap captura e calibra o material para agir de acordo com as informações de luminosidade das imagens das quais se estão extraindo as informações. A imagem pode ter mais de um ponto de luz, bem como mais de uma orientação.

02 – Utilize uma foto como a da Figura 8.1.6.2.1, por exemplo, a qual no material que acompanha este livro, é disponibilizado algumas amostras.

Figura 8.1.6.2.1

03 – Inicie uma nova sessão do ZBrush.

04 – Carregue a imagem da Figura 8.1.6.2.1 na paleta Texture. Selecione o material Flat Color. Novamente na paleta Texture, clique em CropAndFill.

Automaticamente a figura se apresentará no Canvas do ZBrush, alterando suas dimensões para as da imagem carregada. Com a ferramenta de Zoom é possível aumentar ou diminuir a visibilidade e com Scroll movimentar-se pela imagem.

Figura 8.1.6.2.2

04 – Selecione o Brush MatCap na paleta Tool, alterando o tipo de material para algum do tipo MatCap, como o MatCap White, por exemplo. Se esta troca não for feita, o ZBrush não capturará as informações de luminosidade da imagem.

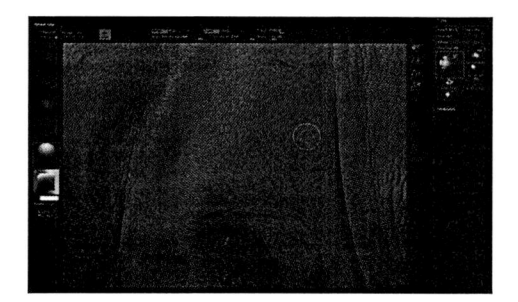

Figura 8.1.6.2.3

05 – Clique em alguma área da imagem no Canvas para iniciar o processo de captura de luminosidade. Clique em algum ponto na imagem e mova o cursor para alguma direção para definir a direção normal deste primeiro ponto de luz. Isto informará ao sistema qual o ângulo da região escolhida da fotografia será usado para definir a primeira amostra de luminosidade.

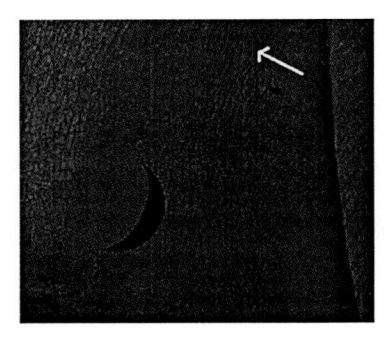

Figura 8.1.6.2.4

06 – Faça este processo algumas vezes até que tenha produzido um material bem definido. Em média, quatro a oito amostras de ângulos de luminosidade são o suficiente, mas quanto mais informações coletar da imagem, mais refinado será seu material. O material estará finalizado quando ele não mais apresentar a cor de fundo preta como pode ser visto na esfera de amostra na Figura a 8.1.6.2.4.

07 – Na figura a seguir, o material com cinco amostras coletadas, aproximadamente.

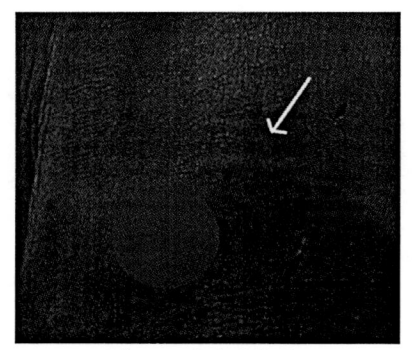

Figura 8.1.6.2.5

08 – O material com aproximadamente oito a dez amostras pode ser visto na figura a seguir.

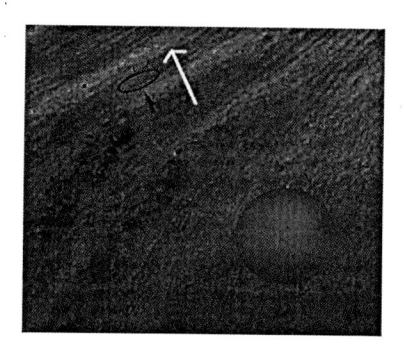

Figura 8.1.6.2.6

09 – O círculo e flecha vermelhos permitem que o usuário veja a amostra e sua direção, que definem a direção normal que a luz terá na confecção do material.

10 – Até agora apenas se trabalhou nas informações difusas, sendo o momento de se definirem, também, as informações de brilho especular.

11 – Para tanto, no momento em que estiver obtendo outra amostra de cor, utilize a tecla CTRL para obter as informações especulares.

12 – Pressione a tecla CTRL, clique em algum ponto da imagem no Canvas para capturar o brilho especular, movimente o cursor, verificando que um tipo de "corda" o siga e o brilho da esfera de amostra mude conforme a sua direção varie. Quando estiver satisfeito com o brilho conseguido neste processo, libere o cursor e automaticamente a informação será atribuída ao material.

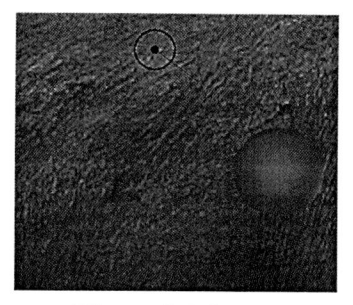

Figura 8.1.6.2.7

13 – Salve seu material para posterior uso (aqui está sendo usado o nome

de "AlessandroLima_MatCap White Cavity.ZMT". Lembrando que, para que seja sempre carregado na inicialização do ZBrush, ele deve estar salvo juntamente com os demais materiais no endereço de instalação do programa "\\Pixologic\ZBrush3\ZData\Materials".

14 – Um melhor refino ainda pode ser feito por meio do painel de modificações pertinente a cada material.

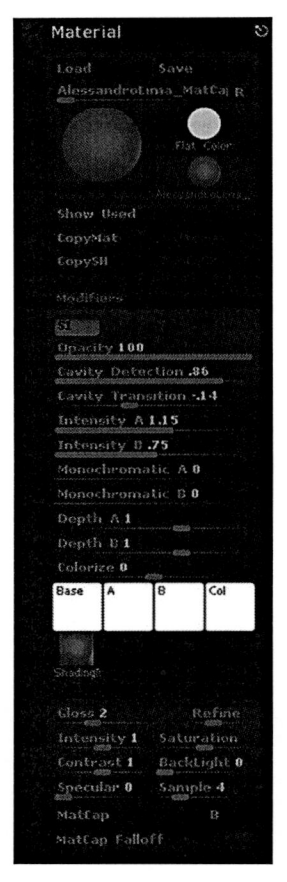

Figura 8.1.6.2.8

15 – A seguir, o material criado será usado e configurado no modelo de

exemplo do livro, lembrando que o leitor tem liberdade para continuar com o exercício caso o material criado aqui não satisfaça sua intenção. Ele se encontra disponível no material que acompanha este livro.

8.1.7 Materiais da personagem de exemplo

Nesta sessão, será aplicado e configurado o material criado anteriormente.

01 – Inicie uma nova sessão no ZBrush.

02 – Carregue o modelo de exemplo "Monster.ztl" usado ao longo deste livro.

03 – Desenhe-o no Canvas. Perceba que ele possui aplicado o material padrão do ZBrush (MatCap Red Wax).

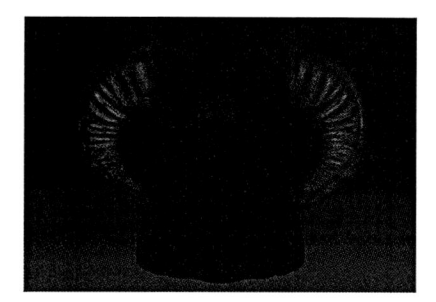

Figura 8.1.7.1

04 – Modifique o material para o material criado anteriormente (neste livro, é chamado de "AlessandroLima_MatCap White Cavity.ZMT". Ele se encontrará na seção Startup MatCap Materials no menu Fly-Out Material.

05 – Verifique que ele altera as características de superfície do objeto.

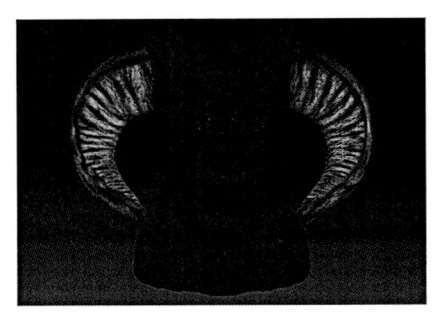

Figura 8.1.7.2

06 – Modifique seus parâmetros conforme a figura seguinte mostra.

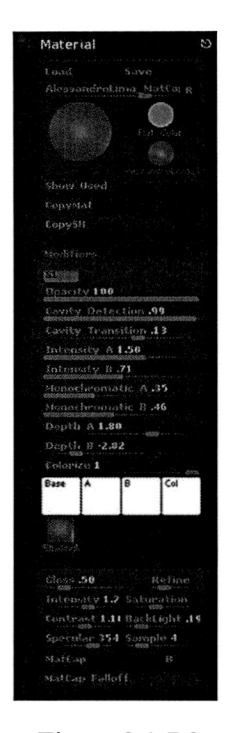

Figura 8.1.7.3

07 – Na figura a seguir tem-se o resultado final aplicado. Salve este material com o nome de "AlessandroLima_MatCap White Cavity Monster.ZMT" para fazer distinção do seu original. Não é necessário salvar na pasta

onde o ZBrush carrega todos os materiais na inicialização, pois ele é tão somente uma variação. Porém, pode-se salvar em algum lugar no computador para futuro uso. Ele se encontra disponível no material que acompanha este livro.

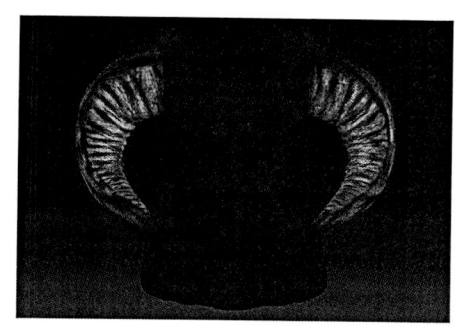

Figura 8.1.7.4

08 – Salve seu modelo. Um maior ajuste não é necessário, visto que os materiais são dependentes das configurações de iluminação na cena. Outros refinos serão feitos posteriormente, ainda neste capítulo.

8.2 Luzes

Luzes são pontos que emitem luminosidade que torna os objetos visíveis na escuridão. Seu impacto mais imediato em um trabalho se refere a seu uso na qualidade da imagem ou vídeo final, em que são usadas. Elas influenciam drasticamente o comportamento de materiais da cena, sendo sempre necessários ajustes de refino antes de se iniciar algum render de apresentação (entenda-se aqui, como Final Render)

8.2.1 Luzes e materiais

A relação entre luzes e materiais está associada ao fenômeno conhecido como Radiosidade. Esta descreve a ação dos raios de luz, refletir em si as cores dos materiais onde a reflexão da luz alcança. Quanto mais materiais distintos uma cena contiver, mais elementos a luz terá para trabalhar e traçar o padrão de iluminação. Em cenas arquitetônicas este fenômeno é mais bem visto.
Por exemplo, imagine uma sala com paredes e teto brancos e assoalho na cor madeira do tipo mogno. Imagine uma única janela que dá passagem à luz de uma típica manhã de primavera. Imagine, agora, que o sol invada esta

sala através da abertura, ele toca o chão e, em sentido inverso, o assoalho reflete a luminância que adentra o recinto. Lembre-se de que, neste ato, a cor do assoalho acompanha a luz, que agora toca na parede mais próxima, a qual, também, reflete para o forro esta luz, com menos intensidade. E, assim, em um ciclo determinado de vezes, esta ação acontece até a cor se dissipar.

Este, de modo prático e resumido, é o efeito de Radiosidade, comumente observado na natureza. Atualmente muitos softwares 3D são capazes de gerir tal efeito em suas Engines de Render.

Evidentemente mais detalhes existem por trás do funcionamento das luzes dentro de um ambiente virtual, mas, para o artista, seu conceito é o cerne que guiará seu bom gosto, e este deve se valer de ensinamentos sólidos para poder obter os melhores efeitos que um sistema virtual oferece, não se limitando apenas ao uso da ferramenta. Portanto, procure entender como o fenômeno ocorre na natureza e sua representação digital se tornará mais fluída.

8.2.2 Tipos de luzes

Dentro da terminologia do ZBrush, existem quatro tipos de luzes.

Luz tipo Sun

Esta simula o efeito do sol, sendo, para isto, refletidos raios paralelos nos quais a intensidade oscila conforme a distância. Na próxima figura, sem sombras, um exemplo de luz tipo Sun, com seu posicionamento, à esquerda, em uma cena, e, à direita, seu resultado visto de cima.

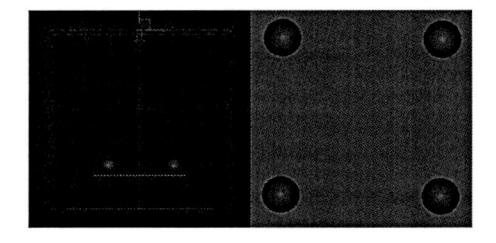

Figura 8.2.2.1

Luz tipo Spot

Ilumina do mesmo modo que Sun, porém seus raios de luz obedecem a uma direção angular e não paralela tal como sua homóloga. Na figura a seguir, sem sombras, um exemplo de luz tipo Spot, com seu posicionamento, à esquerda, em uma cena, e, à direita, seu resultado visto de cima.

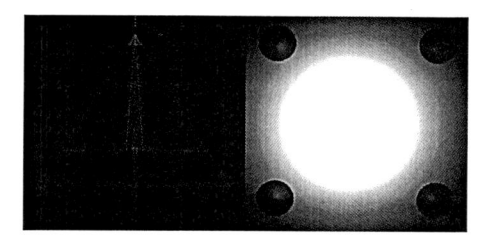

Figura 8.2.2.2

Luz tipo Point

Este tipo de luz ilumina a partir de um ponto central, que vai se espalhando em todas as direções, até se dissipar. Na figura a seguir, sem sombras, um exemplo de luz tipo Point, com seu posicionamento, à esquerda, em uma cena, e à direita, seu resultado visto de cima.

Figura 8.2.2.3

Luz tipo Glow

Este tipo de luz ilumina todos os objetos, independentemente da direção normal de suas faces. Na figura a seguir, sem sombras, um exemplo de luz tipo Glow, com seu posicionamento, à esquerda, em uma cena, e, à direita, seu resultado visto de cima.

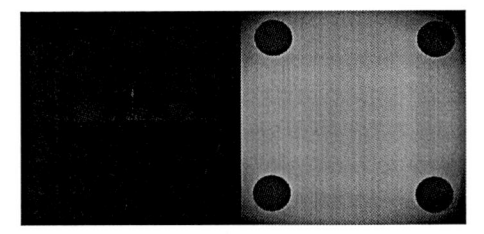

Figura 8.2.2.4

Luz tipo Radial

A luz tipo Radial ilumina por trás da superfície, dando um efeito de "melhor balanceamento". Ela atua juntamente com a luz Main (Luz Principal). Na figura a seguir, sem sombras, um exemplo de luz tipo Radial, com seu posicionamento, à esquerda, em uma cena, e, à direita, seu resultado visto de cima.

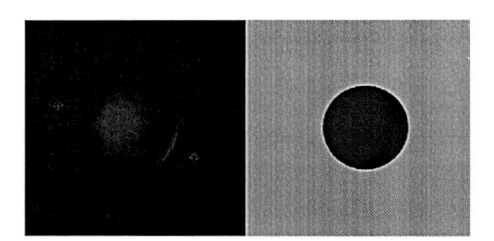

Figura 8.2.2.5

8.2.3 A paleta Light

Para criar uma luz no ZBrush, proceda da seguinte maneira, mas esteja atento ao modo render em Fast, pois geralmente os materiais são sensíveis à troca de configuração de luz, neste modo de apresentação.

01 – Em um arquivo limpo do ZBrush, carregue o modelo de exemplo que acompanha a instalação, chamado "DemoHead".

02 – Mude seu material para MatCap White Cavity por exemplo.

03 –Ponha a paleta Light na Right Tray para melhor acesso aos recursos das luzes.

Materiais, luzes e render | 489

04 – Observe, no alto da paleta, um ícone de esfera com um quadrado laranja. Este é o Light Placement, através dele é possível posicionar um ponto de luz. Ou, na Subpalette Placement desta paleta, definir, de forma numérica, uma posição para a luz.

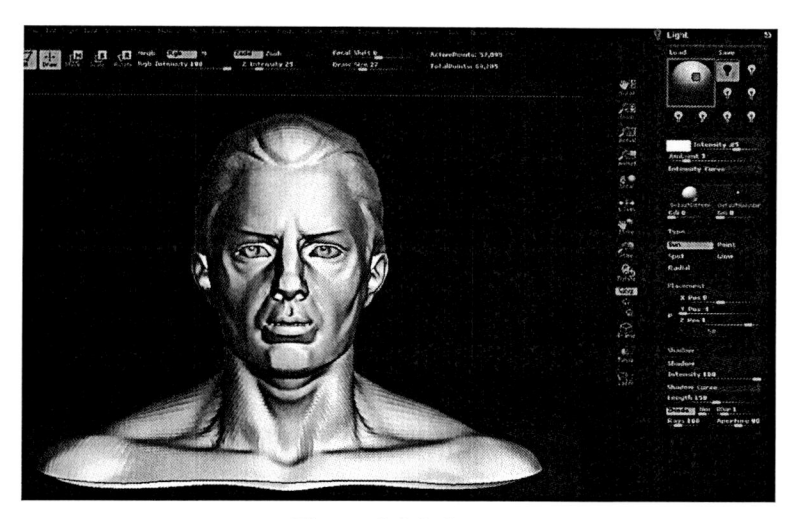

Figura 8.2.3.1

05 – Experimente posicionar o ponto de luz em outra parte ou criar novos, clicando apenas no ícone de "lâmpada" na parte superior desta paleta. Conforme clicar em cada uma, uma nova luz se "acenderá" na cena, podendo ser manipulada conforme a necessidade.

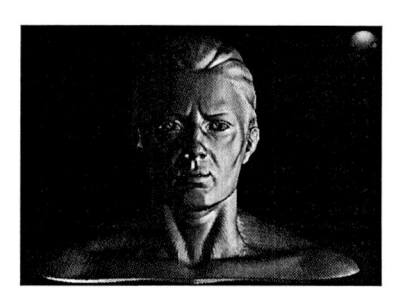

Figura 8.2.3.2

06 – A seguir, uma breve descrição dos recursos desta paleta.

07 – Nesta Subpalette, define-se a posição ou a quantidade de pontos de luz. Pode-se também carregar (Load) ou salvar (Save) alguma configuração de luz.

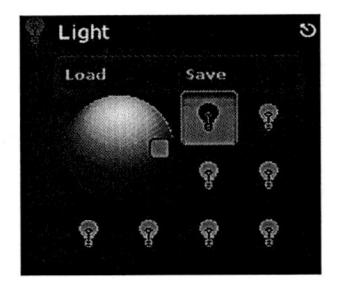

Figura 8.2.3.3

08 – Nesta Subpalette, configura-se a intensidade e cor da luz. Pode-se modificar através de gráfico de curvas como mostra a Figura 8.2.3.4.

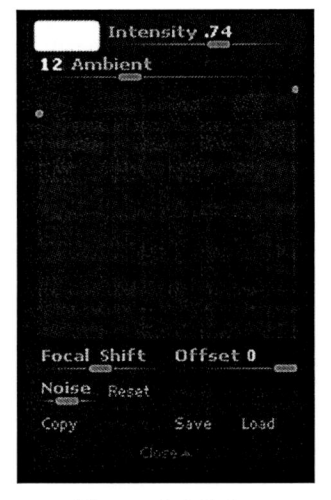

Figura 8.2.3.4

09 – Na Subpalette seguinte, Global Light Mapping é uma das maneiras mais eficientes, dentro da terminologia do ZBrush, de iluminar uma cena. Uma

luz desta natureza, Global, pode valer por vários pontos de luz em uma cena. Define-se uma textura como forma de iluminar tanto a informação difusa, como a de especular, bastando clicar no ícone de esfera desta Subpalette, e atribuir alguma textura. Apenas um detalhe a ser observado, as luzes com Global Light Mapping habilitado não produzem efeito nos materiais do tipo MatCap.

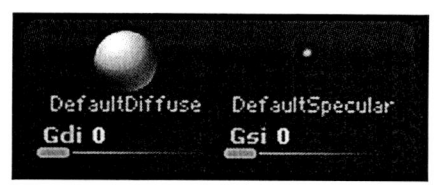

Figura 8.2.3.5

10 – Na Subpalette Type define-se o tipo de luminosidade que se deseja atribuir ao ponto de luz. A seguir, amostras dos tipos Sun, Point, Spot, Glow e Radial, respectivamente.

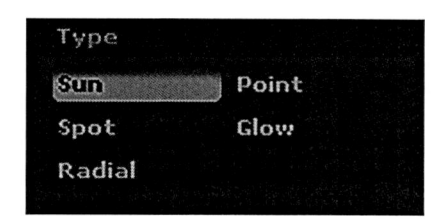

Figura 8.2.3.6

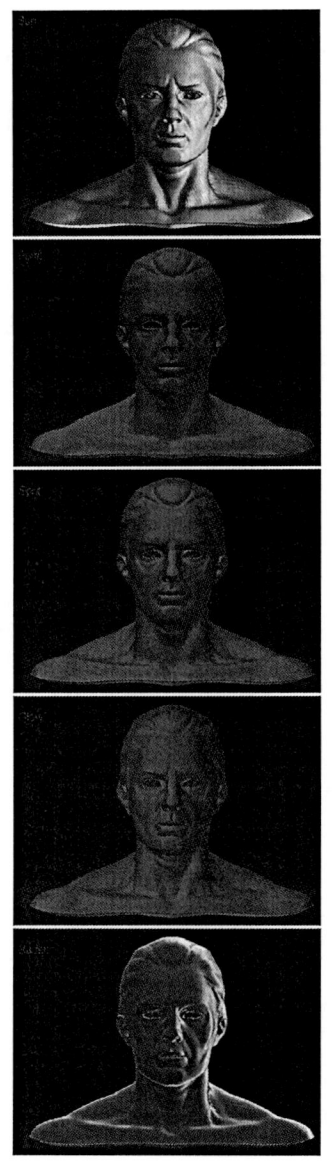

Figura 8.2.3.7

11 – Na Subpalette Placement, como visto anteriormente, pode-se numericamente determinar a posição de um ponto de luz.

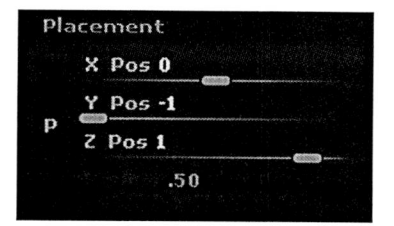

Figura 8.2.3.8

12 – Na Subpalette Shadow definem-se os parâmetros de sombra da luz selecionada. Uma experimentação se torna eficaz em entender como a mudança de valores pode afetar o modelo.

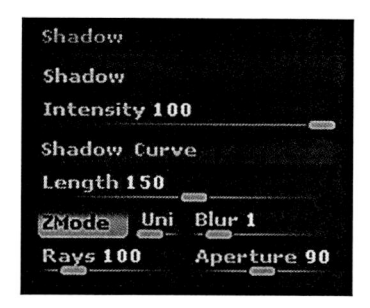

Figura 8.2.3.9

13 – Aconselha-se o leitor a estudar cada um destes itens para que compreenda seu funcionamento na prática, visto que isto se acrescentará ao que está por vir ainda neste livro.

8.2.4 Como salvar e carregar luzes

Salvar ou carregar luzes é muito fácil. Basta que se defina um tipo de configuração de luz, salvando-se esta configuração pelo botão Save. Sendo posteriormente carregado pelo artista em outra ocasião, se necessário. No material que acompanha este livro, consta um arquivo de luz de exemplo chamado "AlessandroLima_ZLights1.ZLI" para que o leitor possa carregar e verificar as mudanças que provoca na cena.

8.2.5 Iluminação básica para uma cena

Neste exercício, tão somente exercite os conceitos já adquiridos neste capítulo. Inicie uma nova sessão do ZBrush, carregue o modelo "DemoHead", subdividindo-o conforme seu hardware permitir. Atribua o material confeccionado anteriormente ("AlessandroLima_MatCap White Cavity. ZMT". Posicione a paleta Light à direita da interface do programa. Modifique os parâmetros indicados na figura a seguir.

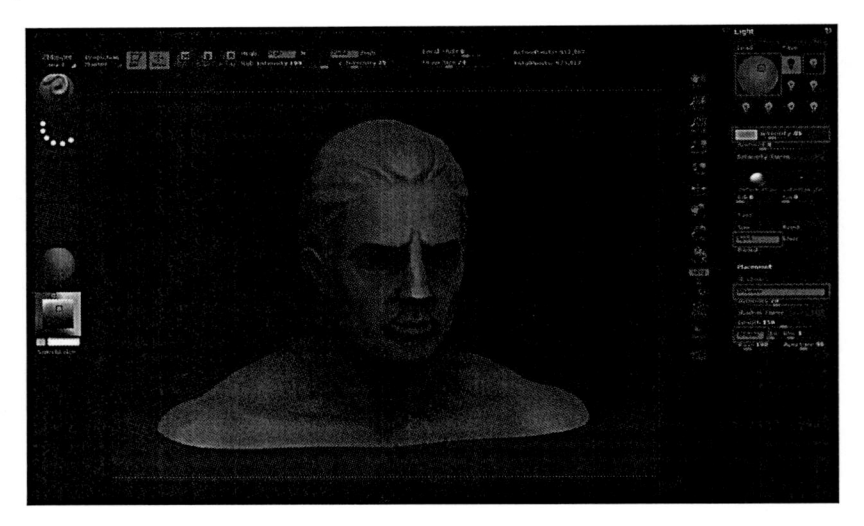

Figura 8.2.5.1

Defina um ponto de luz, na cor R218 G182 B128 com Intensity em .06. O tipo de luz deve ser alterado para Spot.

Para a sombra habilite Shadow da Paleta Light, disponível na Subpalette Shadow, mudando para o modo ZMode.

O resultado é uma apresentação básica que ilustra o tipo de resultado final que o ZBrush oferece em termos de apresentação e composição de imagens.

8.3 Render

O Render é uma etapa em que todo o processo de construção dos modelos 3D, bem como sua texturização e criação de materiais são unidos em uma apresentação bidimensional. Uma vez que os modelos trabalhados dentro do ZBrush apenas podem ser vistos por este software, é preciso ter meios de externar o que esta ferramenta é capaz de produzir. O Render, ou "Apresentação", em uma tradução mais literal, se refere ao ato de gerar conteúdo que possa ser visto externamente ao ZBrush, seja por meio de vídeo, ou imagens estáticas.

Evidentemente, existe uma paleta de nome Render dentro da interface do ZBrush. Nela se concentram todos os recursos de configuração destas apresentações. Eventualmente, existem mais parâmetros sobre esta seção em outras paletas e eles serão comentados quando necessário.

8.3.1 A paleta Render

A paleta de Render pode ser disposta na esquerda, ou em qualquer lugar da interface do programa. Ela é composta das seguintes Subpalette, especificamente:

Render Mode

Nesta Subpalette, define-se o tipo de render como Best (usado para uma apresentação finalizada), Preview (é o método padrão do software de apresentar os objetos, muito usado nas etapas de escultura ou texturização), Fast (este método não considera os materiais aplicados aos objetos, somente o sombreamento básico) ou Flat (apenas mostra as cores e texturas aplicadas aos objetos, desconsiderando luzes ou sombreamentos existentes na cena), além de comandos para apresentar imediatamente (Render).

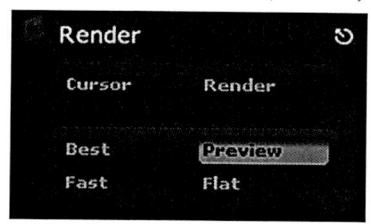

Figura 8.3.1.1

Effects

Dispõe de recursos como Fog, Shadows e Depth Cue para serem aplicados às cenas, entre outros.

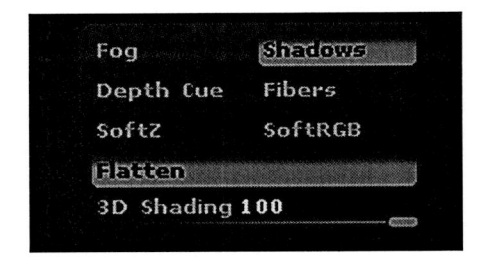

Figura 8.3.1.2

Antialiasing

O efeito de Antialiasing é aquele em que ocorre suavização nas bordas das imagens, evitando distorções de passagens entre cores nos pixels destas. Uma experimentação já é o suficiente para entender como esta Subpalette funciona.

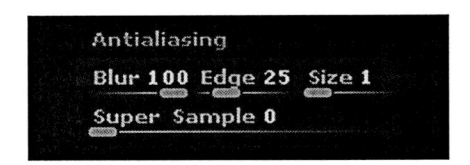

Figura 8.3.1.3

Depth Cue

Este recurso é disponibilizado apenas no modo Best Render, sendo que ele causa, na imagem a ser apresentada, diferentes níveis de borrados nas diversas profundidades de campo que esta tenha.

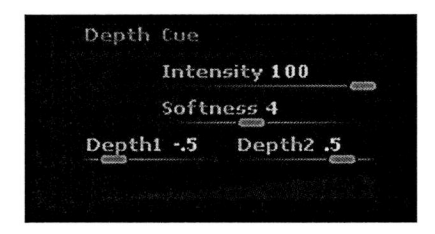

Figura 8.3.1.4

Intensity define a força com a qual este borrado atua na imagem a ser apresentada. Softness é o número de pixols que são produzidas neste borrado. Depth1 e Depth2 respondem pelos campos próximos e afastados do efeito de Depth Cue, respectivamente. Depth Curve também pode ter a edição de sua intensidade controlada por meio de um gráfico.

Fog

Este efeito é tão somente aquele em que é aplicado um tipo de neblina a uma cena, dando mais dramaticidade a ela.

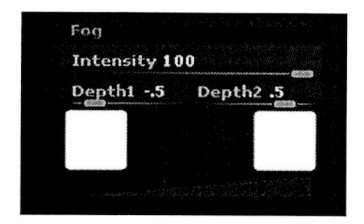

Figura 8.3.1.5

Fast Render

Esta opção é usada somente com a opção de render Fast e determina o quanto a informação Ambiente e Diffuse interage com os objetos da cena.

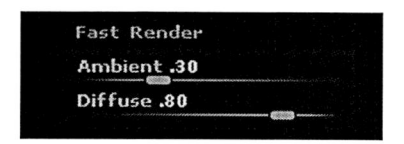

Figura 8.3.1.6

Preview Shadows

Esta Subpalette define os parâmetros de configuração para as sombras de forma global, ou seja, afeta a cena toda.

Figura 8.3.1.7

ObjShadow controla a intensidade das sombras dos modelos em tempo real.

BackShadow determina o quanto de sombra é projetado no Canvas pelos modelos.

Lenght aumenta as distâncias da projeção das sombras.

Slope controla a posição das sombras em seu deslocamento no eixo Y, pois, no ZBrush, as sombras são projetas em ângulos de 45 graus.

Depth aumenta ou diminui a profundidade das sombras.

Environment

Esta Subpalette define de forma global que uma imagem ou cor deverá dar a direção de reflexos das superfícies. Para que esta opção atue na apresentação, deve-se deixar o campo Off desmarcado, indicando que ele estará On (Ligado).

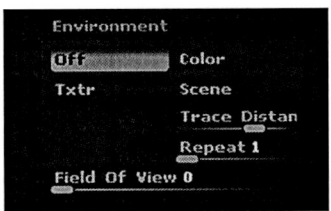

Figura 8.3.1.8

Adjustments

Esta Subpalette possibilita ajustes que podem ser feitos nas imagens apresentadas como, por exemplo, contraste, brilho ou correção de cores (uso do recurso de Curve Editor).

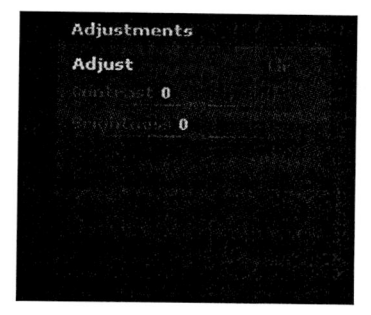

Figura 8.3.1.9

8.3.2 Modos de render

Nesta seção, é importante apenas perceber a diferença de qualidade nos modos de render. A figura a seguir, ilustra os quatro principais tipos (Flat, Preview, Fast e Best).

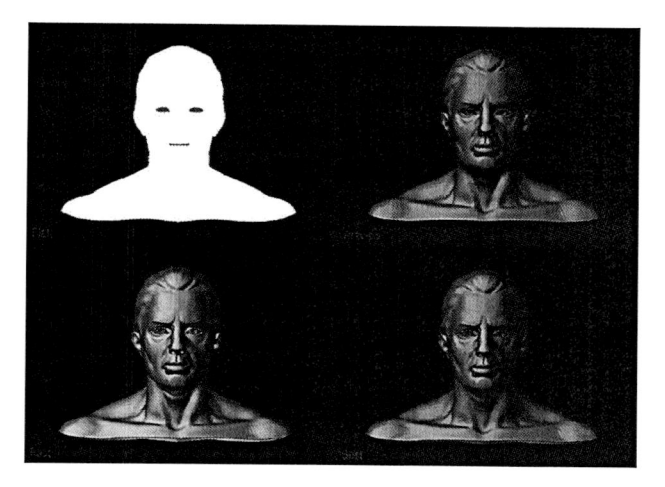

Figura 8.3.2.1

O modelo usado é o "DemoHead" com material tipo FastShader na cor branca (sem textura), com um único ponto de luz padrão na cena.

8.3.3 Ajuste de render com o personagem de exemplo

Nesta etapa do trabalho, é feito um estudo com a personagem de exemplo deste livro, a qual poderão ser usados todos os recursos de Luz, Material e Render apresentados neste capítulo.

Pode ser feita uma apresentação em passes, ou seja, uma apresentação dividida em várias camadas de imagens, cada uma com uma informação diferente para facilitar a composição final. Este processo pode ser muito útil quando se deseja trabalhar a sombra individualmente ou quando se deseja configurar corretamente a cor da personagem sem afetar seu brilho, reflexo ou sombra. Para este exercício, um render padrão simples já atinge o objetivo.

01 – Inicie uma sessão nova do ZBrush, carregue a personagem Monster de exemplo usado neste livro.

02 – Antes de desenhá-lo no Canvas, vá ao menu Document e clique em Double (o valor dobrado deverá ficar em torno de 1920 em Width e 1440 em Height, variando conforme a resolução que sua placa de vídeo suportar). A seguir, clique no botão AAHalf à direita da interface do ZBrush. Aumenta-se em o dobro a resolução do Canvas, pois este é quem define o tamanho do render a ser feito. Com AAHalf aplica-se um efeito de Antialiasing ao render que será produzido a seguir.

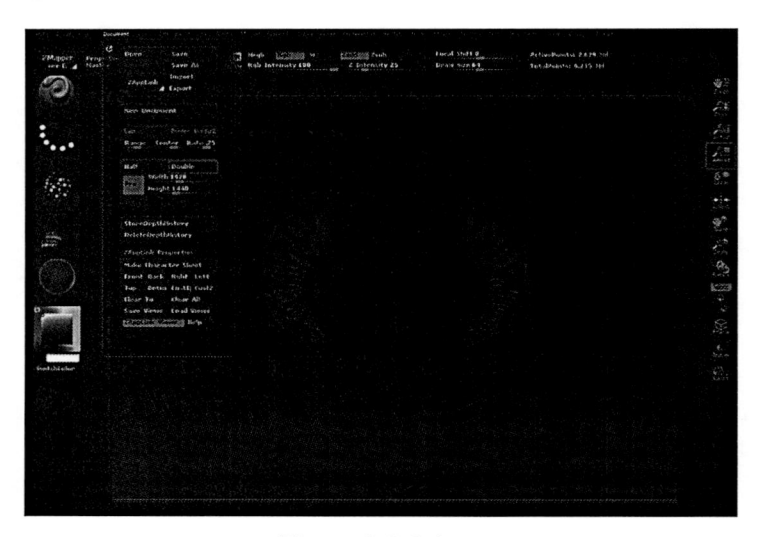

Figura 8.3.3.1

Materiais, luzes e render | 501

03 – Feito isto, em SwitchColor alterne para que a cor principal seja preto puro. No menu Document, clique em Back, fazendo com que o gradiente do Canvas varie a partir do preto, em Range e Center defina como 0, retirando o gradiente, ficando apenas um fundo preto.

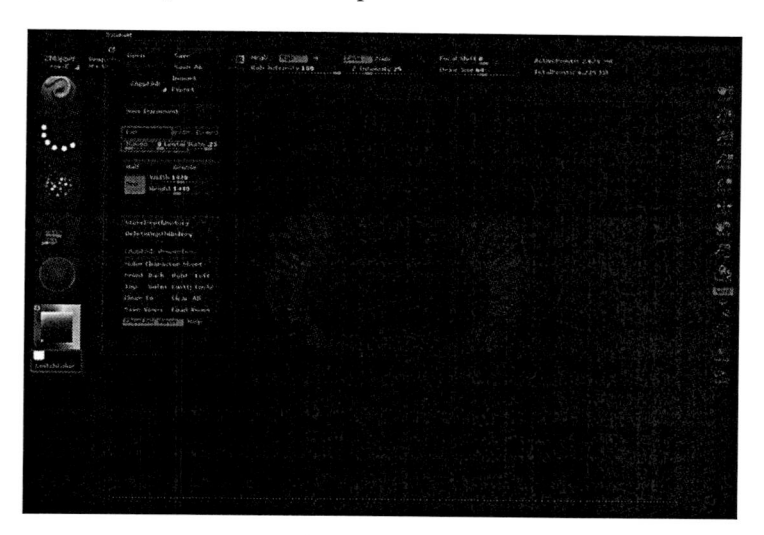

Figura 8.3.3.2

04 – Pressione P no teclado para ativar o modo perspectiva no Canvas ou vá ao menu Draw e clique em Persp. Defina FocalLength em 50. Posicione o modelo no Canvas de modo a obter a melhor pose possível.

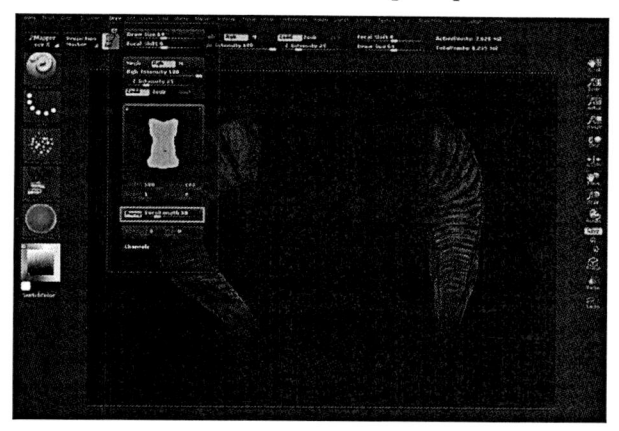

Figura 8.3.3.3

05 – Pode-se criar uma camada para este objeto e convertê-lo (Drop) no Canvas. Salvando o documento como um todo para posterior edição. Clique no menu Document, clique em Salve As, na caixa de diálogo que surge a seguir, escolha Save The Document para salvar o documento todo.

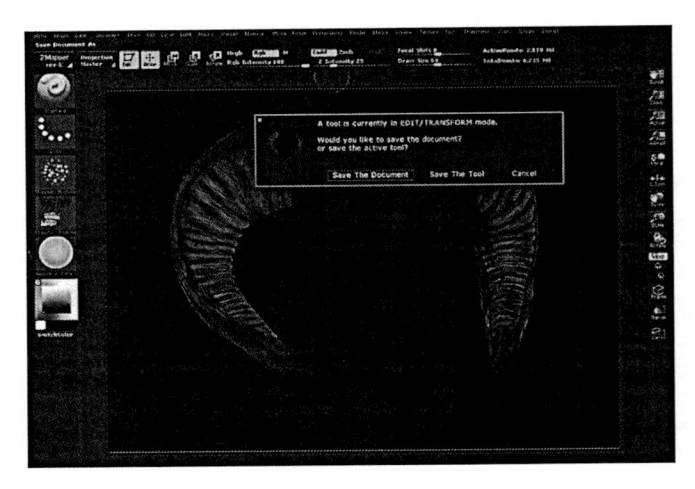

Figura 8.3.3.4

06 – No menu Lights, configure uma iluminação a seu gosto, ou carregue o arquivo de luz criado ainda neste capítulo, disponível no material que acompanha este livro. Neste exemplo, foi carregado o arquivo de luz disponibilizado para o leitor.

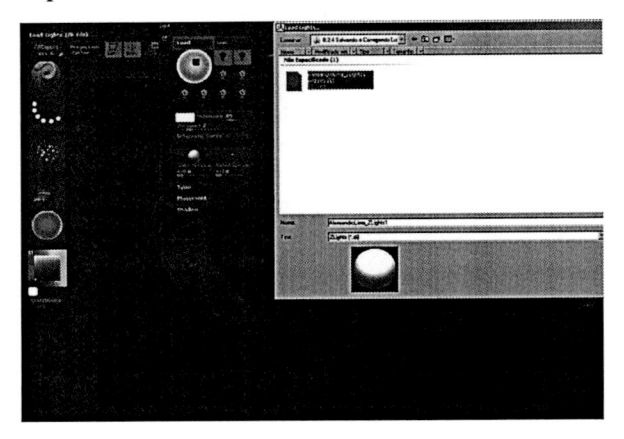

Figura 8.3.3.5

Materiais, luzes e render | 503

07 – Feito isto, vá ao menu Render e modifique o modo para Best. Automaticamente o ZBrush começará a apresentar (renderizar) o modelo no Canvas para posterior exportação. Ao término, ele exibe o tempo transcorrido para efetuar o render.

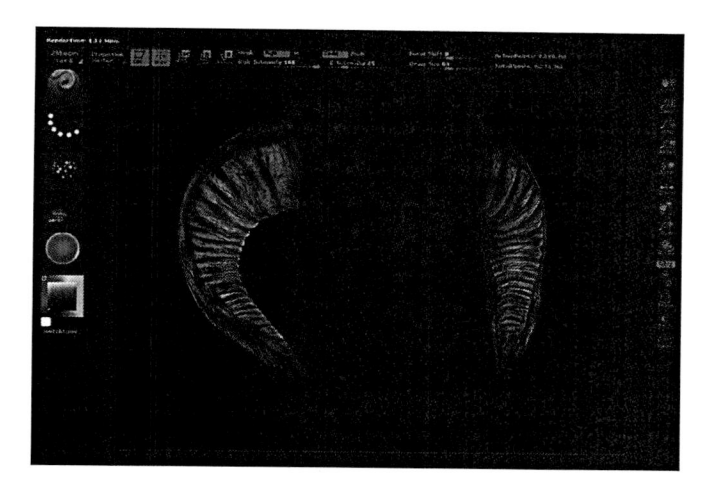

Figura 8.3.3.6

08 – Depois vá ao menu Document e clique em Export. Salve um arquivo em formato PSD com nome "Monster_Render.PSD".

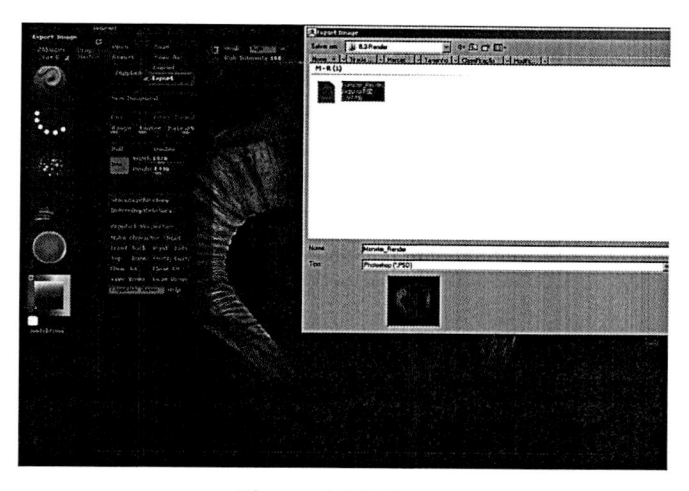

Figura 8.3.3.7

09 – Como resultados finais deste processo tem-se a imagem a seguir.

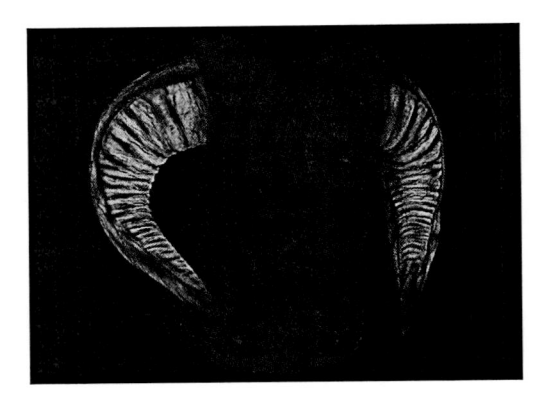

Figura 8.3.3.8

10 – É o momento de criar arquivos de transparência para trabalhar em uma composição mais apurada, mais adiante no processo. Defina a textura do modelo como Off, mude seu material para Flat Color e sua cor para branco puro. Apresente (Renderize) mais uma vez e veja o resultado.

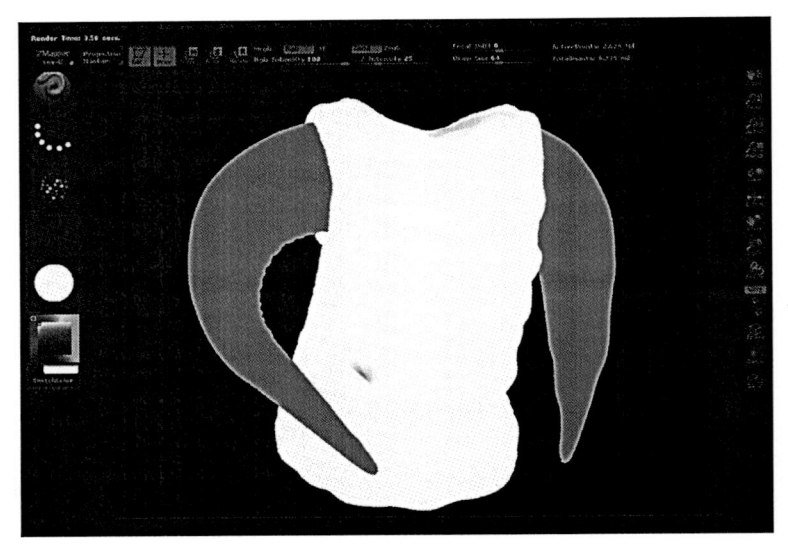

Figura 8.3.3.9

11 – Exporte por fim este render, tal como feito anteriormente, salvando com o nome de "Monster_Alpha.PSD".

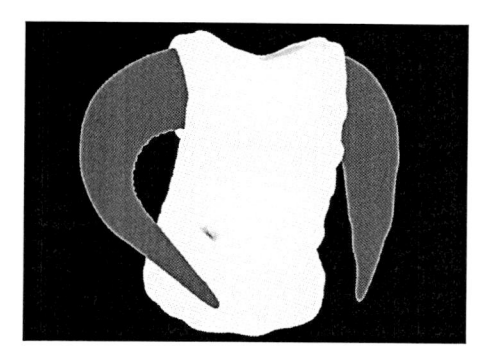

Figura 8.3.3.10

12 – Faça ainda mais um render, agora extraindo um Sub Surface Scatering (SSS) com o material MatCap Skin05, sem textura aplicada ao modelo (Texture em Off).

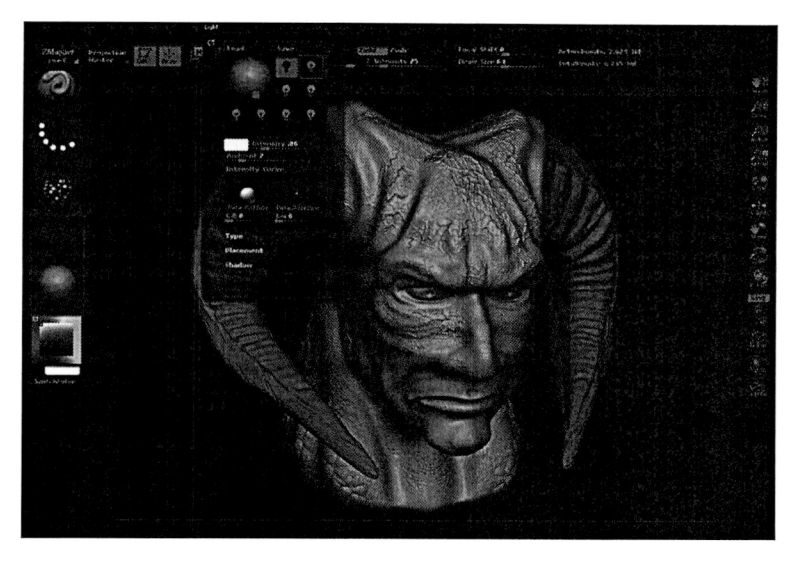

Figura 8.3.3.11

13 - Exporte por fim este render, tal como feito anteriormente, salvando com o nome de "Monster_SSS.PSD".

Figura 8.3.3.12

14 – Reaplique o material e textura pertinente ao modelo salvando o seu trabalho através do menu Document, opção Save As. Esta opção salva o documento, logo o objeto não poderá ser editado novamente neste arquivo, a menos que seja salvo como uma Tool.

15 – Maneiras mais complexas de se obter este resultado poderão ser usadas. Evidentemente, dependendo da complexidade do modelo ou projeto, esta técnica pode ser ou não adequada. É preciso que o artista esteja atento ao que realmente ele precisa e procurar desenvolver seu trabalho com isto em foco.

16 – Uma pós-produção na imagem recém-apresentada é oportuna, mas, para fins didáticos, esta etapa será discutida no próximo capítulo.

CAPÍTULO 9: ZBRUSH E SUA INTEGRAÇÃO COM OUTROS SOFTWARES

Capítulo 9

ZBrush e sua integração com outros softwares

9.1 ZBrush e outros softwares

Todo software pode ser utilizado concomitante com outros, observando algumas restrições que por ventura possam existir, dificultando o processo de integração, mas não o impedindo.

Devido ao fato do ZBrush possuir seu próprio formato de arquivo, "*.ZTL", todos seus arquivos podem ser acessados apenas por ele, mas graças ao seu sistema de importação e exportação é possível utilizar o formato "*.OBJ", amplamente utilizado na indústria de computação gráfica. Evidentemente, fala-se aqui na comunicação entre modelos usados por diferentes razões em diversas plataformas 3D.

Outro ponto forte do ZBrush é sua comunicação com ferramentas 2D, as quais ele trabalha de maneira eficiente na questão de revestir modelos, assim como produzir mapas de texturas que podem ser utilizados facilmente em outros softwares.

Vários softwares podem ser utilizados com o ZBrush, dentre eles destacam-se o 3ds Max, Maya, Blender, Lightwave, Softimage XSI, Modo e Cinema 4D como representantes dos softwares 3D. Photoshop e Gimp podem ser usados também, mas como representantes da plataforma 2D.

Fluxo de trabalho básico com ZBrush para imagens

Observe a próxima figura, ela representa um fluxo de trabalho com ZBrush, com o intuito de produzir imagens estáticas para apresentações. Por fluxo de trabalho entende-se aqui, segundo a Wikipédia, como "a sequência de passos necessários para que se possa atingir a automação de processos de negócio, de acordo com um conjunto de regras definidas, envolvendo a noção de processos, permitindo que estes possam ser transmitidos de uma pessoa para outra de acordo com algumas regras" (fonte: www.wikipedia.org), ou seja, é um processo que gerencia etapas dentro de uma ferramenta sistêmica.

```
Fluxo de Trabalho Básico
com Zbrush para Imagens

         Conceito
            ↓
   Modelo Básico no Zbrush
            ↓
 Mapeamento com Softwares 3D
         Convencionais
            ↓
   Detalhamento com Zbrush
            ↓
      Mapas de Saliência
            ↓
         Texturização
            ↓
 Esportação de Mapas Difuso,
  Saliência, Brilho e Normal
            ↓
      Apresentação com
           Zbrush
            ↓
 Composição e Pós-Produção em
         Softwares 2D
```

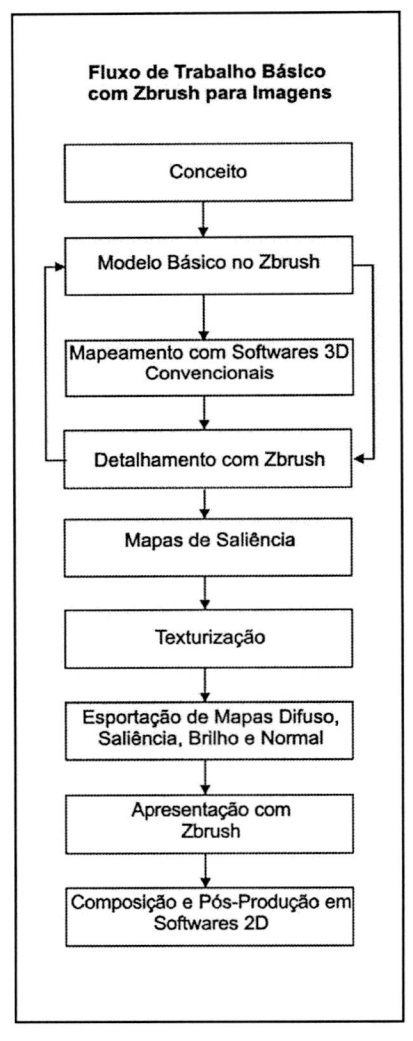

Figura 9.1.1

Observe que o processo é descrito desde a etapa de Conceito, passando em seguida a um Modelo Básico dentro do ZBrush. Este processo faz uso único e exclusivo de um modelo na questão de construção 3D. A seguir, faz-se o mapeamento do mesmo e posterior detalhamento com ZBrush. Como o fluxograma mostra, o processo pode passar para a etapa de mapeamento ou ir direto a etapa de detalhamento, conforme a necessidade de projeto. Até a publicação deste material, ainda não foi criado um módulo no ZBrush que possibilite a edição de UVs interno; infelizmente, o uso de alguma ferramenta de apoio, como o 3ds Max para mapeamento, se faz necessário na etapa de Mapeamento.

Após isto, retorna-se ao ZBrush para Detalhar o modelo, pois ele já tem seu mapeamento definido e apto a receber os detalhes. Eventualmente, conforme o propósito do projeto, o mapeamento pode ou não ser dispensado, podendo-se ir direto a etapa de detalhamento.

Uma vez terminado o detalhamento, faz-se necessária a criação dos mapas que irão constituir o modelo, como o Mapa de Saliência, por exemplo, para os detalhes aplicáveis ao 3D quando apresentado.

A Texturização se dá a seguir, culminando com a exportação dos mapas de Difuso, Saliência, Brilho e Normal. Evidentemente, nem sempre todos estarão presentes no modelo, pois a necessidade varia conforme o modelo em questão.

Por fim, a Apresentação (Render) é requerida para o modelo no ZBrush e sua posterior Composição e Pós-Produção em softwares 2D encerra o fluxo de trabalho.

Pipeline básica com ZBrush e software 3D

Observe a próxima figura, ela representa uma Pipeline de trabalho básica com ZBrush, com o intuito de produzir modelos ou texturas para uso em softwares 3D ou qualquer ferramenta que faça uso destes mapas.

O termo Pipeline pode ser traduzido como "tubulação", podendo ser interpretado da seguinte forma: o radical "pipe" pode ser interpretado como "tubos", e o sufixo "line" interpretado como "linha", logo lê-se como "linha de tubos" ou "tubulação", em uma tradução mais literal. Analisando o termo com um contexto focado em computação gráfica, entende-se que se trata das conexões feitas entre "tubos digitais", criando uma rede que se comunica de várias formas, uma "conexão digital".

No contexto digital em que é apresentado e usado o termo neste livro, deve ser entendido como o processo que gerencia etapas dentro de um conjunto de ferramentas sistêmico, utilizando qualquer software ou ferramenta digital disponível como forma de alcançar um objetivo preestabelecido, dentro de uma rede de conexões.

```
Pipeline Básica
com Zbrush e Software 3D

         Conceito
            ↓
    Modelo Básico com
  Software 3D Convencional
            ↓
 Mapeamento com Softwares 3D
       Convencionais
            ↓
    Detalhamento com Zbrush
            ↓
      Mapas de Saliência
            ↓
         Texturização
            ↓
 Esportação de Mapas Difuso,
  Saliência, Brilho e Normal
            ↓
      Apresentação com
  Softwares 3D Convencionais
```

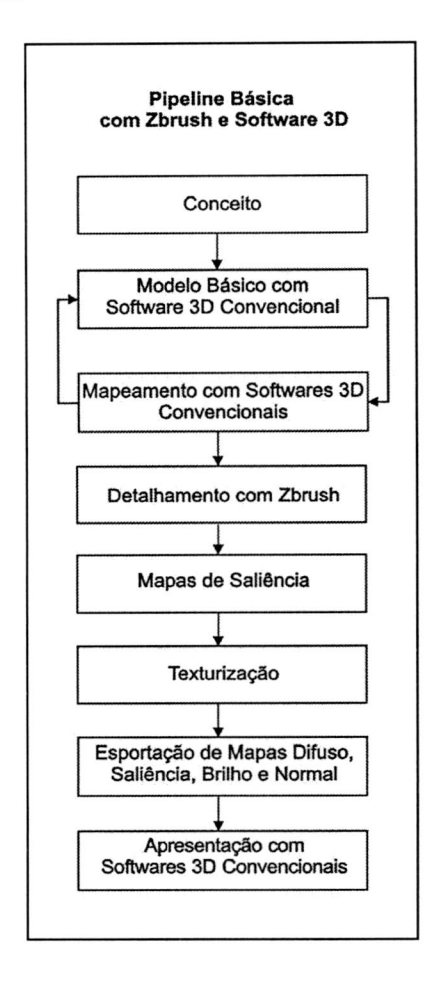

Figura 9.1.2

Observe que o processo é descrito desde a etapa de Conceito, passando em seguida a um Modelo Básico com algum software 3D convencional.

Neste ponto, o modelo é Mapeado ainda dentro deste software 3D convencional. Após isto, exporta-se o modelo para o ZBrush a fim de detalhá-lo, pois ele já tem seu mapeamento definido e apto a receber os detalhes.

Uma vez terminado o detalhamento, faz-se necessária a criação dos mapas que irão constituir o modelo como Mapa de Saliência para os detalhes aplicáveis ao 3D quando apresentado.

A Texturização se dá a seguir, culminando com a exportação dos mapas de Difuso, Saliência, Brilho e Normal. Evidentemente, nem sempre todos estes mapas estarão presentes no modelo, pois a necessidade varia conforme o modelo em questão.

Por fim, Apresentação (Render) é requerida para o modelo, feito de forma externa ao ZBrush, ou seja, tanto modelo como texturas são exportados para o software 3D convencional, para que nele sejam feitas as Apresentações (Render) com softwares 3D Convencionais necessárias.

Fluxo de trabalho básico com ZBrush para vídeos

Observe a figura a seguir, ela representa um fluxo de trabalho com ZBrush, com o intuito de produzir vídeos para apresentações. Por fluxo de trabalho, entende-se aqui o processo que gerencia etapas dentro de uma ferramenta sistêmica.

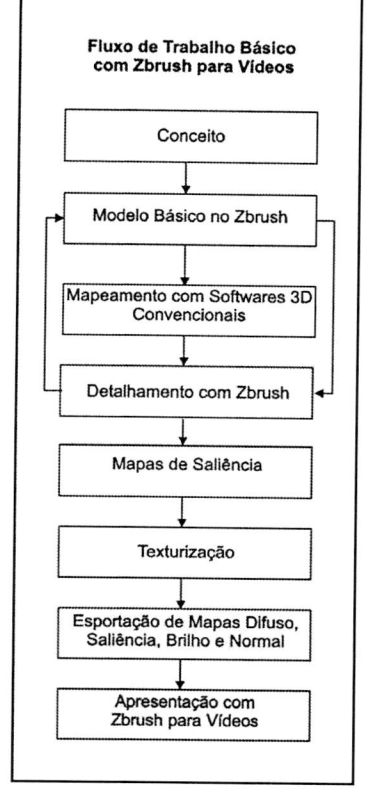

Figura 9.1.3

Observe que o processo é descrito desde a etapa de Conceito, passando em seguida a um Modelo Básico dentro do ZBrush. A seguir, faz-se o mapeamento do mesmo e posterior detalhamento com ZBrush. Como o fluxograma mostra, o processo pode passar para a etapa de mapeamento ou ir direto a etapa de detalhamento, conforme a necessidade de projeto.

Até a presente publicação deste material, ainda não foi criado um módulo no ZBrush que possibilite a edição de UVs internamente. Infelizmente, o uso de alguma ferramenta de apoio como o 3ds Max para mapeamento se faz necessário na etapa de Mapeamento.

Após isto, retorna-se ao ZBrush para Detalhar o modelo, pois ele já tem seu mapeamento definido e apto a receber os detalhes. Eventualmente, conforme o propósito do projeto, o mapeamento pode ou não ser dispensado, podendo-se ir direto a etapa de detalhamento.

Uma vez terminado o detalhamento, faz-se necessária a criação dos mapas que irão constituir o modelo como Mapa de Saliência para os detalhes aplicáveis ao 3D quando apresentado.

A Texturização se dá a seguir, culminando com a exportação dos mapas de Difuso, Saliência, Brilho e Normal. Evidentemente, nem sempre todos estes mapas estarão presentes no modelo, pois a necessidade varia conforme o modelo em questão.

Por fim, Apresentação (Render) com ZBrush para Vídeos é requerida e isto é feito de modo a se criarem arquivos de vídeo do tipo Turntable (vídeos com o objeto girando 360 graus para que possa ser analisado). Pode-se produzir ainda vídeos do tipo Timelapse (para que seja demonstrado o processo de desenvolvimento do objeto dentro do ZBrush), podendo ser exibidos posteriormente, em players de vídeo, como Quicktime por exemplo.

9.2 Softwares 2D

Nesta seção, explica-se uma simples composição em Photoshop. O foco não está em explicar este software, mas, sim, uma noção básica de como compor cenas de maneira simples, porém ainda assim complexas. Para um melhor aproveitamento deste conteúdo aconselha-se um estudo prévio deste programa 2D.

01 – Cria-se um arquivo novo com dimensões 960 em Width e 720 em Height, com 300 PDIs de resolução.

02 – Importe para este arquivo os renders "Render.jpg", "SSS.jpg" e "Alpha.jpg", criados anteriormente do personagem de exemplo do livro.

03 – Crie uma pasta para organizar estes três renders, dispondo na ordem, de baixo para cima: Render, SSS e Alpha.

04 – Na camada SSS defina seu modo de blending como Overlay e Opacity em 50%.

05 – Isto fará com que a camada se mescle com a que está imediatamente abaixo.

06 – Selecione a camada de Alpha. No menu Select, opção Color Range, pegue uma amostra de cor preta e eleve o slider todo para a direita. Clique em Ok. Isto cria uma seleção para a figura, facilitando a composição de fundo.

07 – Crie uma máscara de transparência diretamente na pasta com esta seleção. Eventualmente terá que acessar esta pasta e inverter as cores para que somente a personagem fique visível no Canvas do Photoshop.

08 – Esta pasta deve ser nomeada de "Group_Monster". Crie outra pasta, definindo seu nome como "Group_Background".

09 – Na pasta "Group_Background" crie uma camada de fundo escuro na cor R8 G5 B3. Acima desta crie outra com um gradiente que varie deste tom para o tom amarelado na cor R222 G212 B181. Deixe o valor Opacity em 30% para esta camada. Este procedimento cria um fundo com efeito na cena.

10 – Se o leitor não apagou a camada Alpha, não estará vendo estes resultados. Apague-a caso ainda não tenha feito isto, ela não mais é necessária.

11 – Deve-se aplicar um efeito de sombra a este personagem para que se componha melhor. Pressione, no topo da última camada ativa, ao mesmo tempo, as teclas CTRL + ALT + SHIFT + E para que seja criada uma cópia de todas as camadas ativas condensadas em uma única.

12 – Faça uma seleção no fundo utilizando a máscara de Alpha aplicada diretamente à pasta "Group_Monster" como apoio. Apague o fundo da camada recém-criada.

13 – Como efeito aplique um leve sombreado à figura.

14 – O resultado final pode ser visto na Figura 9.2.1.

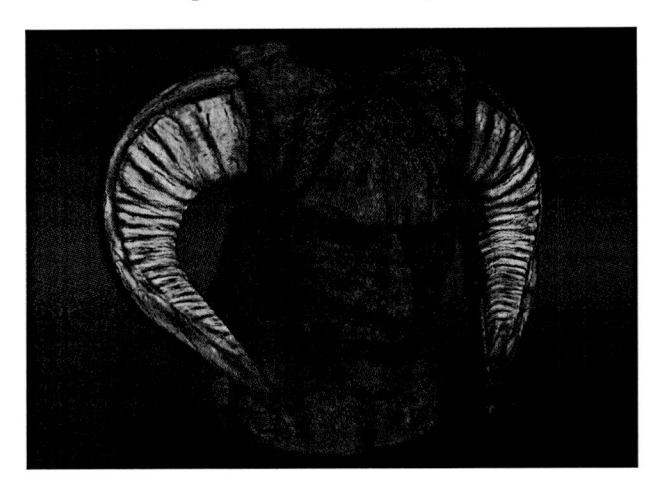

Figura 9.2.1

15 – O arquivo de PSD que originou esta figura está disponível no material que acompanha este livro, para que o leitor possa verificar como o arquivo é estruturado.

9.3 Softwares 3D

Nesta seção, explica-se uma simples apresentação com 3Ds Max. O foco não está em explicar este software, mas, sim, em uma noção básica de como os objetos e texturas oriundos do ZBrush podem ser usados em outros softwares. Para um melhor aproveitamento deste conteúdo aconselha-se um estudo prévio dele. O modelo usado nos próximos dois exercícios é o mesmo que foi enviado ao ZBrush para receber os detalhamentos. Evidentemente, poderia ser usado algum modelo exportado do ZBrush de uma das etapas de detalhamento feitas com ele para ser apresentado no 3ds Max.

9.3.1 Para Real Time

Neste ponto será explorada a capacidade de exibir em Real Time (Tempo Real), o modelo 3D com as texturas produzidas a partir do ZBrush na interface do software 3D. Como exemplo, será demonstrado com o 3ds Max, usando seu material DirecX Shader que exibe detalhes de modelos baseados em algoritmos de programação predefinidos, simulando comportamento de superfícies como aspereza, brilho, volume, pelo, fogo ou fumaça, que são amplamente aplicados a Engines de jogos. Por Engine entende-se aqui aquilo que move ou dá vida a um jogo de computador ou console. Como exemplo de Engines pode-se citar a "Unreal Engine" do jogo "Unreal Tournament" ou a recente Unity3D.

01- Para se produzir o efeito desejado serão utilizadas as quatro texturas vistas na Figura 9.3.1.1 [Difusa, Saliência, Brilho, Normal e Cavidade (esta última, eventualmente pode ser desnecessária)].

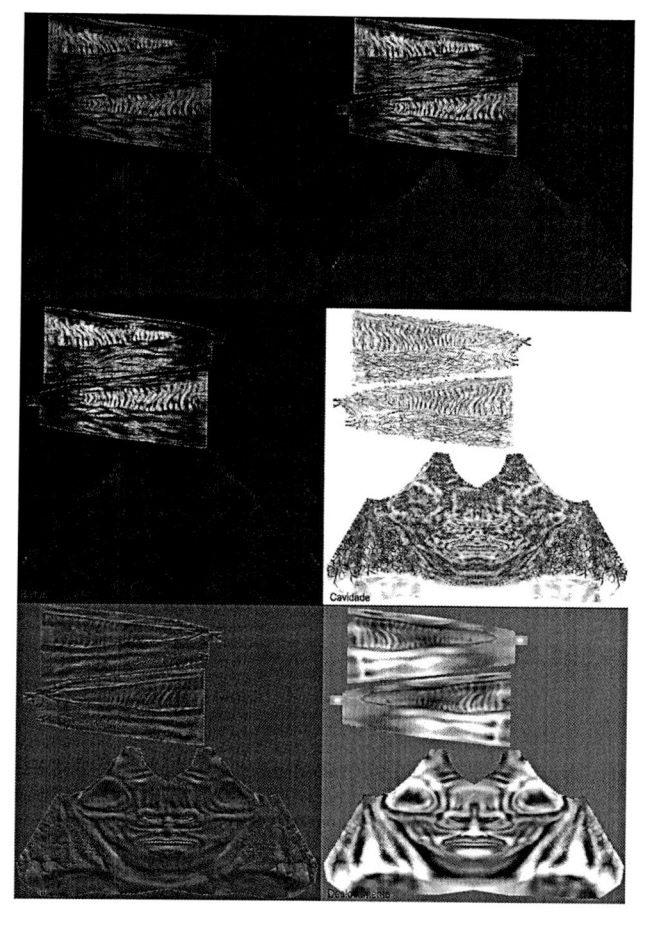

Figura 9.3.1.1

02 – Inicie uma sessão nova do 3Ds Max (Menu File - opção New), ponha

na cena o objeto "Monster_Body" e "Monster_Horn". Pode-se criar uma câmera para melhor enquadrar o modelo e manter sempre a mesma visão.

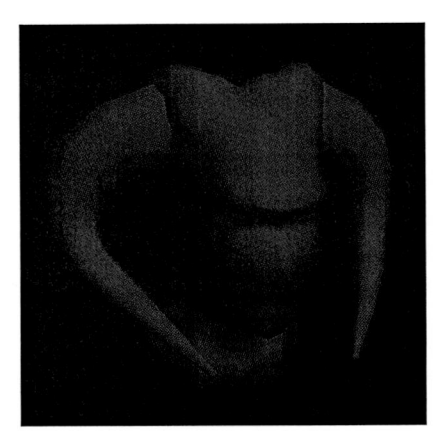

Figura 9.3.1.2

03 – No Material Editor, no canal difuso, atribua a textura "Monster_DIF.jpg". Veja que o modelo exibe a textura em seu corpo, devidamente mapeado e conforme o que foi produzido no ZBrush. Mas também verifique que ele não exibe todos os detalhes, pois este é o modelo básico.

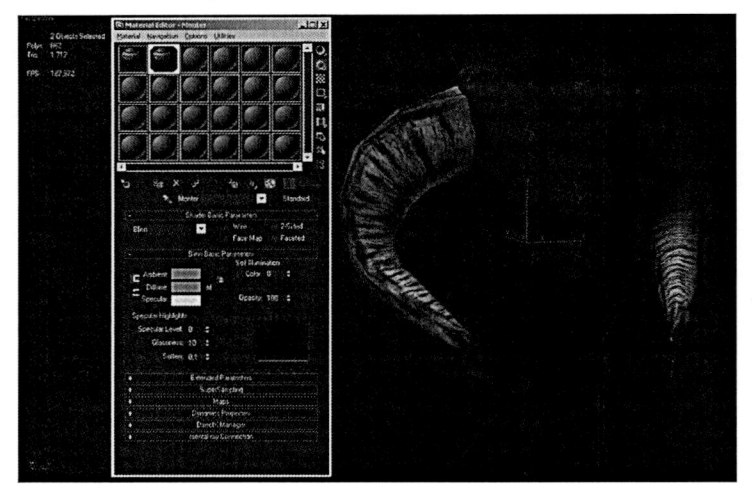

Figura 9.3.1.3

04 – Agora aplique um material mais elaborado que possibilite visualizar na Viewport o modelo com mais detalhes de textura.

05 – Em outro Slot do Material Editor, crie outro material, mas, desta vez, do tipo DirecX Shader (o recurso que será ilustrado neste exercício, pode não ser visualizado dependendo do modelo de placa de vídeo que possuir em seu computador. Evidentemente, os modelos de placa de vídeo mais recentes não têm este problema).

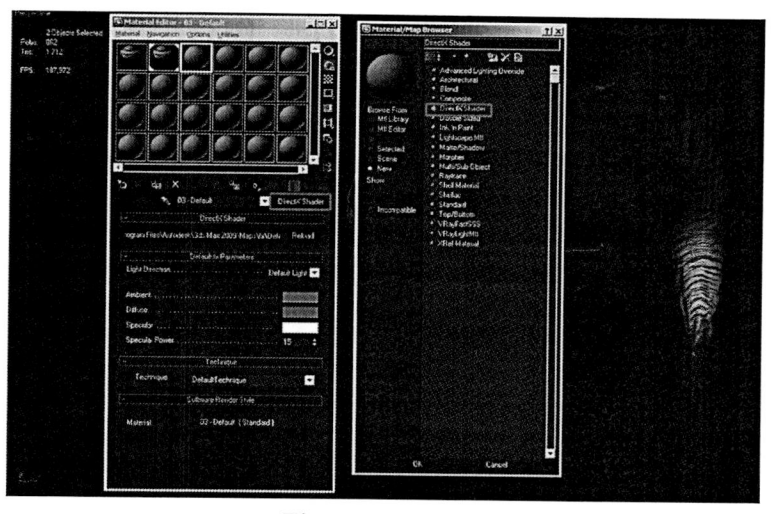

Figura 9.3.1.4

06 – Feito isto, mude o tipo para StandardFX carregando o arquivo de predefinições de mesmo nome.

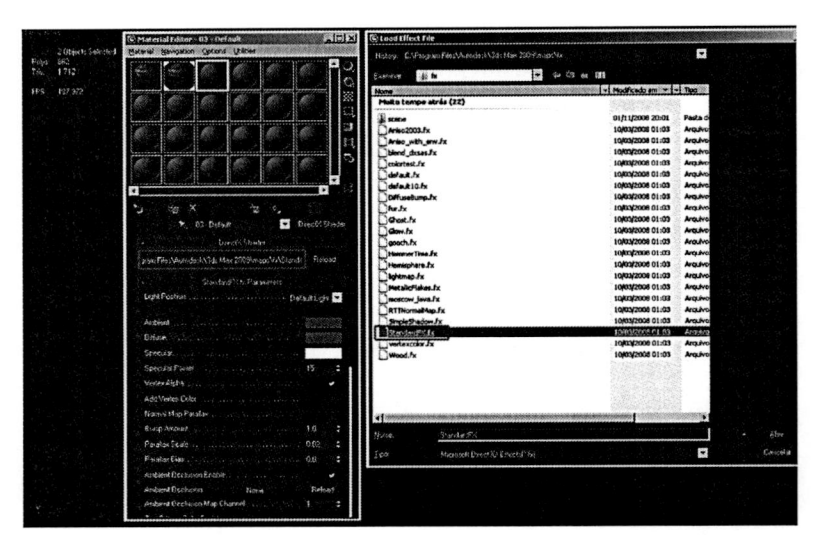

Figura 9.3.1.5

07 – Carregue os arquivos indicados na Figura 9.3.1.6 nos canais de textura indicados.

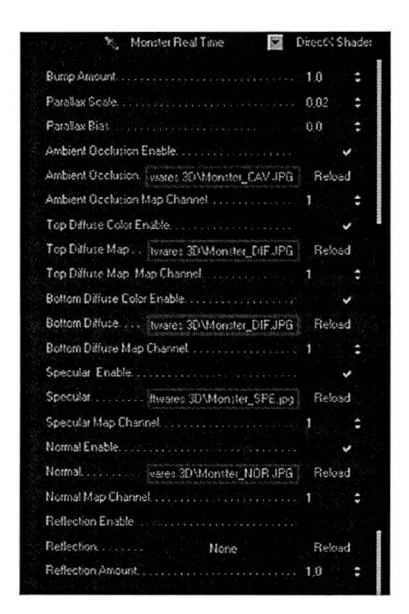

Figura 9.3.1.6

08 – Verifique que agora o modelo se apresenta mais detalhado. Isto por conta do mapa de Normal Map que acrescenta este incrível realismo, juntamente com os mapas de Difuso, Brilho, Saliência, Deslocamento (estes dois, neste caso, são substituído pelo mapa de Normal Map) e Cavidade.

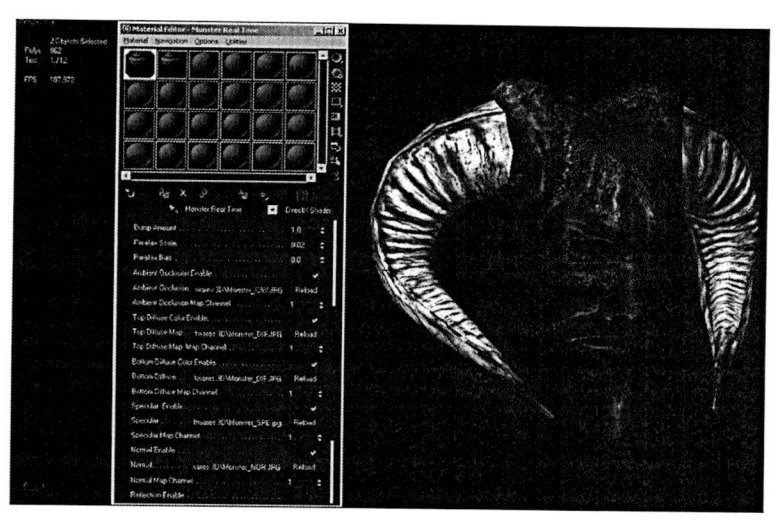

Figura 9.3.1.7

09 – Experimente criar uma luz e mova-a na Viewport para ver o modelo se iluminar dinamicamente, baseado em seu mapa de Normal Map (faça isto sempre pela vista Perspective e procure utilizar luzes do tipo Direct Light Standard). Na figura a seguir, o modelo em dois momentos distintos: um com a luz posicionada de um lado, outro com ela posicionada de outro lado.

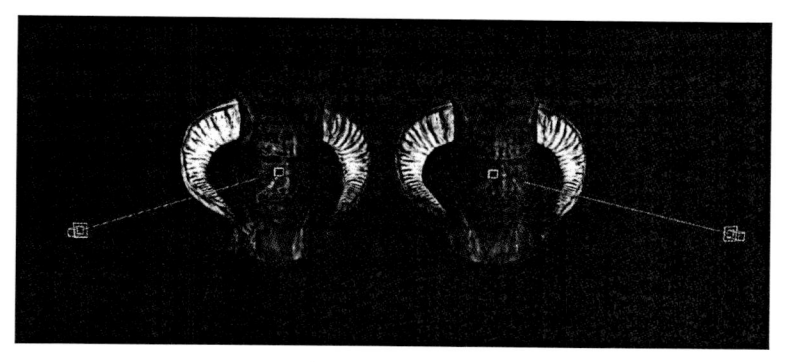

Figura 9.3.1.8

10 – Esta técnica é muito usada na indústria de jogos para produzir os modelos de baixa contagem poligonal e, depois, aplicar, a eles, texturas que os façam simular alta contagem poligonal, produzidas a partir de modelos altamente detalhados, tal como foi explicado ao longo deste livro.

11 – O arquivo que foi usado para ilustrar este exercício encontra-se disponível no material que acompanha este livro com o nome de "Monster Real Time.max".

9.3.2 Para apresentação de imagem ou vídeo

Este tópico mostra como aplicar as texturas a um modelo para apresentar imagens estáticas ou vídeos (uma vez que, para compor o vídeo, é aconselhável apresentar um conjunto sequencial de imagens composto posteriormente). É o método mais usado entre os que usam ferramentas 3D, portanto ele é muito próximo da maneira como é usado no item anterior, porém seus resultados são ainda mais realistas.

01 – Inicie uma sessão nova do 3Ds Max, ponha na cena o objeto "Monster_Body" e "Monster_Horn", caso já não estejam nesta, atribua para ambos o modificador TurboSmooth com Iterations definido em 2, com a opção Isoline Display ativada. Crie uma câmera e enquadre o modelo como na Figura 9.3.2.1. Utilize o recurso de Show Safe Frame (SHIFT + F) para exibir a área segura de Render.

Figura 9.3.2.1

02 – Abra o Material Editor e crie um material de nome "Monster Render". Configure-o conforme mostra a Figura 9.3.2.2. No canal Diffuse atribua a textura "Monster_DIF.jpg", no canal Specular Level atribua a textura "Monster_SPE.jpg", No canal Bump atribua a textura ao mapa procedural Normal Bump, dentro deste, atribua ao canal Normal a textura de "Monster_NOR.jpg" e, ao canal Additional Bump, atribua a textura "Monster_BUM.jpg". Defina uma cor levemente azulada em Specular e algum brilho em Specular Highlights.

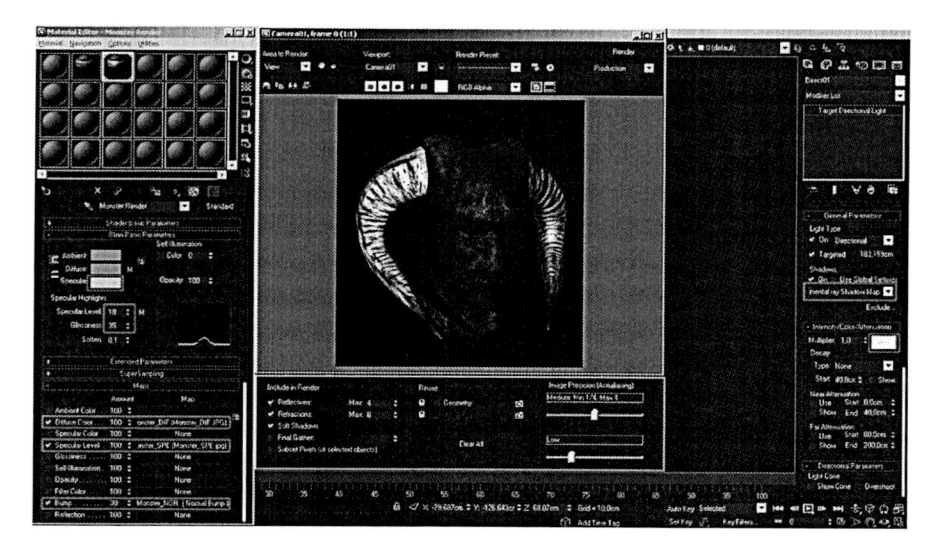

Figura 9.3.2.2

03 – Mude o tipo de render para Mental Ray Render caso este já não esteja definido. Crie uma luz do tipo Direct Light Standard, atribua uma cor um pouco amarelada e mude o tipo sombra desta luz para mental ray Shadow Map com uma cor levemente azulada, mas ainda escura. Apresente um quadro para ver os resultados.

04 – Verifique que o modelo ainda não apresenta todas as características de deformação que deve apresentar. Isto porque há mapas que controlam sua cor, brilho e rugosidade, para a deformidade falta um mapa, o de Deslocamento.

05 – Ao canal Displacement atribua o mapa "Monster_DIS.jpg". Apresente um quadro com os valores padrões. Note que se apresenta exageradamente "inflado". Isto porque este material está "forçando" a superfície a se deformar em direção normal com o mapa de textura. O deslocamento é orientado por este mapa em quanto (usando tons claros e escuros, onde tons escuros empurram a superfície para baixo e os tons claros empurram a superfície para cima) e onde (as regiões claras e escuras indicam onde deve ocorrer deslocamento) deve deslocar

06 – Para corrigir isto defina em Displacement o valor de 18. Apresente um quadro e veja a diferença.

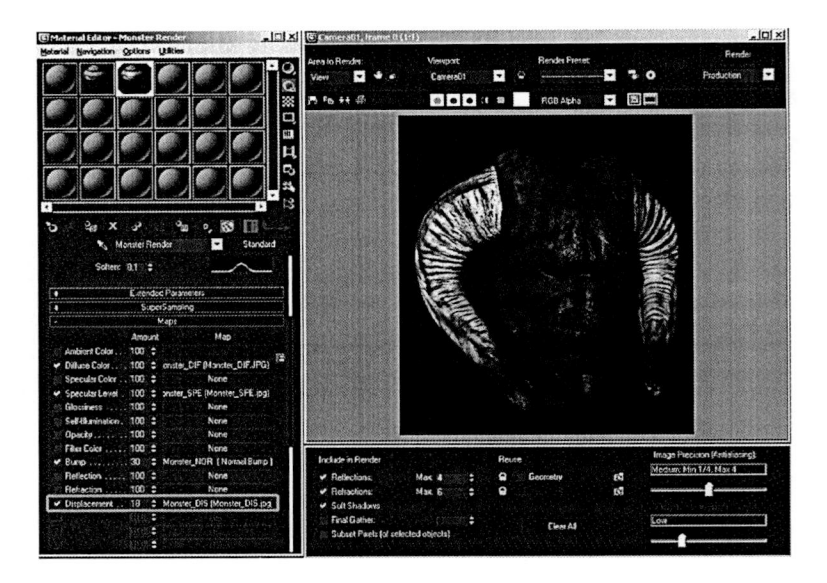

Figura 9.3.2.3

07 – Trabalhar com mapas de deslocamento requer prática e estudo, pois, dependendo da sua composição de material, os resultados podem não ser o esperado, visto sua complexidade.

08 – É possível utilizar ainda um Shader que simula Subsurface Scattering (SSS) com Mental Ray Render.

09 – Crie um novo material, utilizando agora o Shader tipo SSS Fast Skin Material+Displace (mi). Configure-o conforme a Figura 9.3.2.4 mostra.

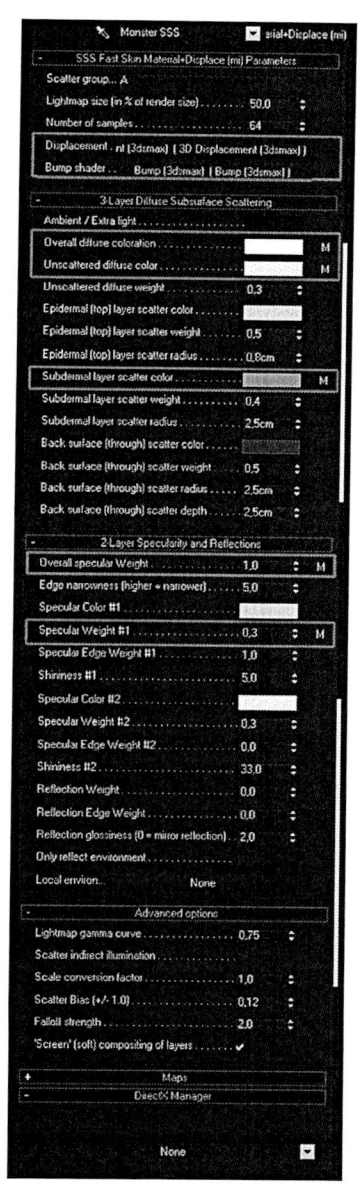

Figura 9.3.2.4

10 – Onde na seção SSS Fast Skin Material+Displace (mi) Parameters defina em Displacement o mapa 3D Displacement (3dsmax) Parameters com a textura "Monster_DIS.jp" aplicada a Extrusion Map e Direction Map. Em Bump shader defina o mapa Bump (3dsmax) Parameters com a textura "Monster_BUM.jpg" aplicada a Map.

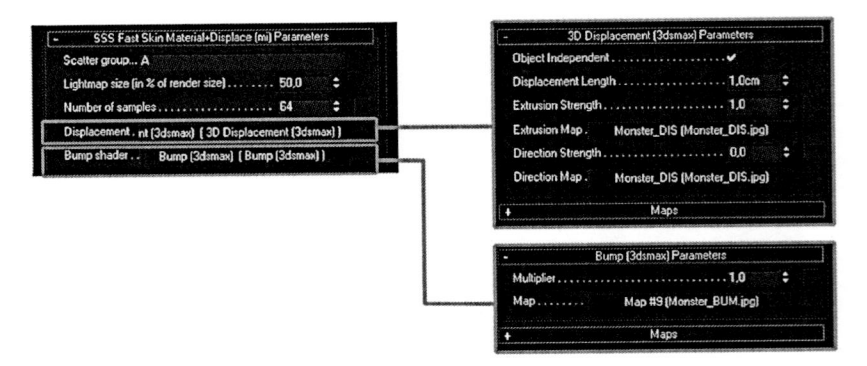

Figura 9.3.2.5

11 – Na seção 3-Layer Diffuse Suburface Scattering, aos campos Overall difuse coloration, Unscattered difuse color e Subdermal layers scatter color atribua a textura "Monster_DIF.jpg".

12 – Na seção 2-Layer Specularity and Reflections, aos campos Overal scpecular Weight e Specular Weight #1 atribua a textura "Monster_SPE.jpg".

13 – Salve seu arquivo. Ele se encontra disponível no material que acompanha este livro com o nome de "Monster Render.max". Apresente um quadro e veja os resultados.

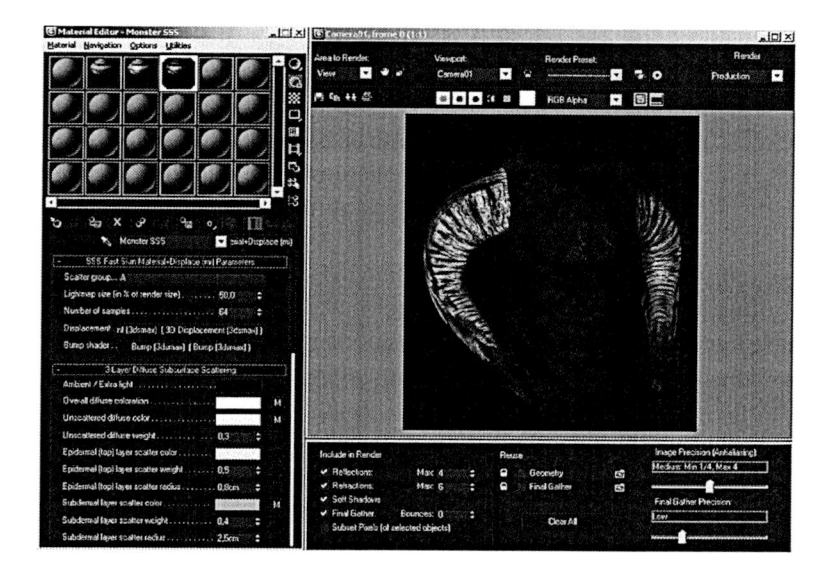

Figura 9.3.2.6

14 – Estes são os procedimentos básicos para se extrair uma apresentação para imagens estáticas ou para filmes com o 3ds Max. Experimente outras maneiras de configurar o material e veja os resultados, selecionando as melhores configurações para os renders.

9.4 Softwares de vídeo

Nesta seção será mostrado como gerar um vídeo a partir do ZBrush para que se possa visualizar seu resultado em algum player tal como o Quicktime, por exemplo.

01 – Inicie uma nova sessão no ZBrush, carregue o modelo "Monster. ZTL". Aplique o material "AlessandroLima_MatCap White Cavity2" disponível no material que acompanha este livro, ou o material que configurou antes ou ainda algum outro de sua preferência.

02 – O modelo já deve estar com sua textura difusa aplicada, pois o ZBrush armazena as texturas com os modelos depois de salvos.

03 – Acesse a paleta Movie. Inicialmente os botões de Play Movie ou Save As não estão ativos. Isto porque ou se carrega um arquivo de filme específico para o ZBrush (botão Load Movie), ou se cria um antes.

04 – Configure primeiramente a paleta Movie. Na Subpalette Modifiers, em Recording FPS e Playback FPS defina o valor 15, fazendo com que o vídeo seja gravado e exibido em 15 quadros por segundo (Frames per Second). Desligue a opção OnMouse, fazendo com que o cursor não seja captado neste filme. Em SpinFrames defina o valor de 100, que significa que o ZBrush irá gravar 100 quadros neste filme e, em Spin Cylcles, defina -2, para que ele gire duas vezes em seu próprio eixo (valores positivos fazem com que os modelos girem em sentido anti-horário, valores negativos fazem com que os modelos girem em sentido horário. Prefira o sentido horário sempre, pois o cérebro humano entende que o sentido horário é mais adequado para este tipo de movimento). Na seção Title Image define-se o tempo em que o logo e texto serão expostos, em FadeIn Time atribua o valor 2 e, em Text1 (clique nele), defina o nome "Monster Turntable" para que seja exibido durante o filme.

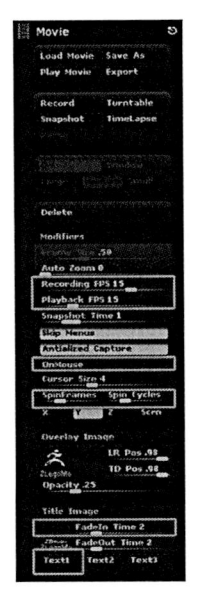

Figura 9.4.1

05 – Clique em Turntable agora e veja o ZBrush executar o movimento conforme as configurações feitas.

06 – Depois que o movimento é encerrado, deve-se salvar este arquivo, clique em Save As, pois agora ele já deve estar ativo. A cada movimento feito, salve em arquivos diferentes, pois salvar de forma a sobrescrever um arquivo para decidir qual fica melhor faz com que o sistema não sobreponha e, sim, salve cumulativamente, gerando vídeos não conforme o esperado. Sempre realize um movimento e salve o vídeo com nome distinto ao anterior. Este arquivo salvo pode ser lido a qualquer momento em qualquer sessão do ZBrush, bastando para isto, carregá-lo pelo botão Load Movie a qual ele será executado na interface do programa.

07 – Uma vez salvo o vídeo, clique em Export para exportar o vídeo, podendo ser acessado em um player de vídeo como o Quicktime. No exemplo deste capítulo, foi exportado o vídeo com Compression type defindo com o tipo H.264, com Frames per scond em 15 e com Quality em Best. Clique em OK e automaticamente no Canvas do ZBrush é exibido o movimento do objeto e, ao mesmo tempo, salvo em seu computador, em algum local definido pelo usuário, em formato "*.MOV"

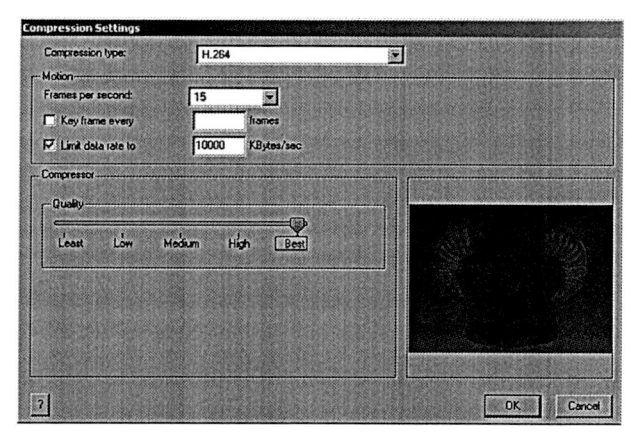

Figura 9.4.2

08 – No material que acompanha este livro pode ser visto o resultado desta seção. O codec utilizado para isto foi o H.264, que pode ser localizado diretamente de sites dedicados como o www.free-codecs.com. Com o material que acompanha este livro, é disponibilizado o mesmo juntamente com o Player Quicktime Free.

CAPÍTULO 10: CONCLUSÃO

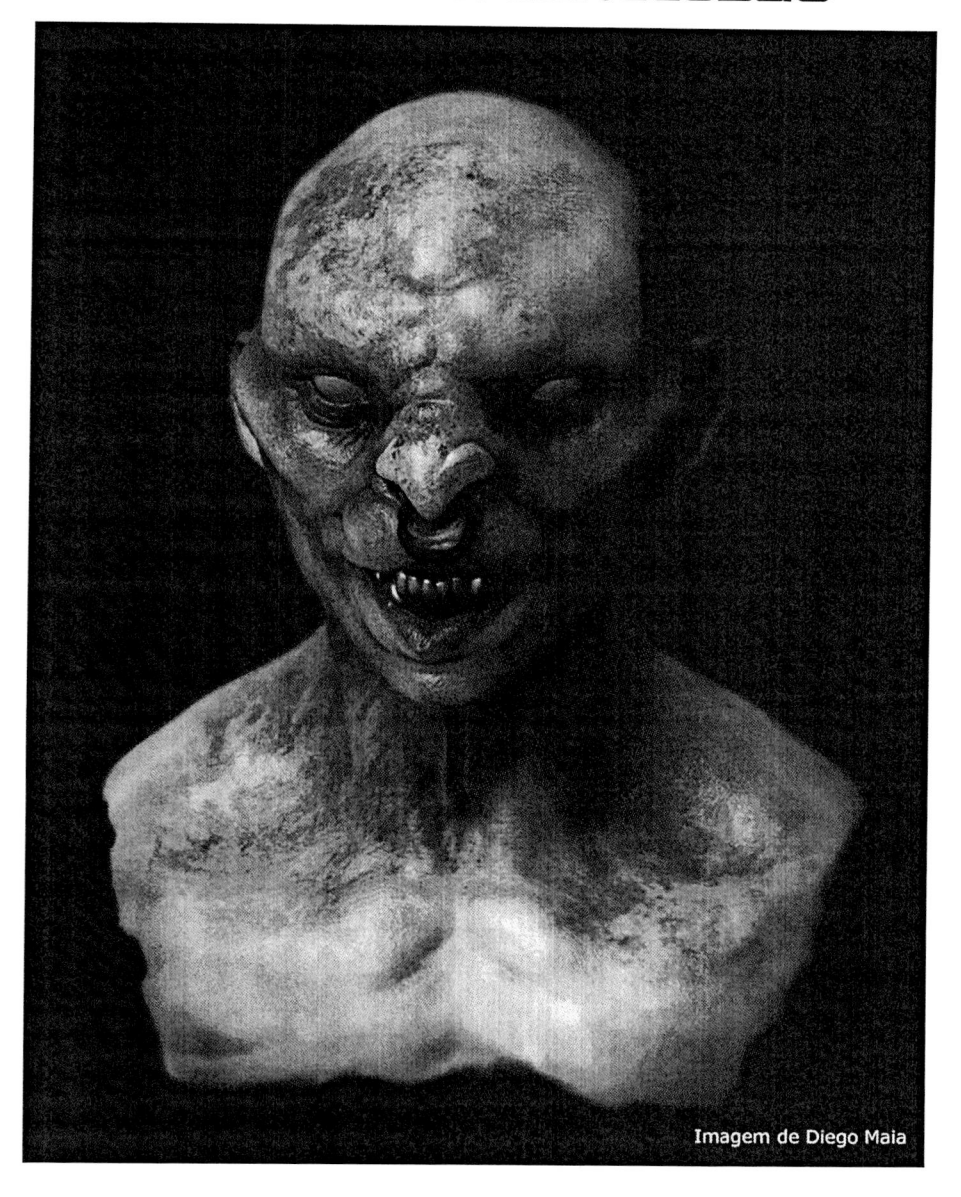

Imagem de Diego Maia

CAPÍTULO 10

Conclusão

Longos meses se passaram desde a ideia inicial que norteou este projeto de livro. No começo era apenas uma ideia que parecia adequada para um mercado onde pouco se encontra, em literatura portuguesa, conteúdo impresso sobre ZBrush. Hoje, após concluir este trabalho e disponibilizá-lo ao leitor, vejo que a responsabilidade acerca deste material é muito maior que o motivo que gerou todo este livro. Não foi apenas mostrar como a ferramenta deve ser usada, pois ela passou a ter uma importância maior que isto, a qual, popularizar e proporcionar conhecimento são apenas algumas destas importâncias.

O conhecimento mais uma vez impera em uma produção como a que se apresenta ao leitor. Inicialmente, pretendi apenas ilustrar como usar as ferramentas oferecidas pelo ZBrush, mas, aos poucos, percebi que existem muito mais coisas por trás delas, que apenas em um livro não seria capaz de expor e explicar ao leitor.

O começo deste material reside em outro livro que estou desenvolvendo de forma paralela, mais voltado ao desenvolvimento de personagens para jogos para os consoles da nova geração (Games Next-Generation). Percebi que o conteúdo de ZBrush, que eu estava desenvolvendo, era técnico demais para a proposta do livro de games, pois a proposta é "fazer Arte com Projeto". Entender as ferramentas é algo que serve de apoio, mas não é base para se trabalhar: é pré-requisito, mas não fator condicionante para se produzir arte. Com isto em mente, entendi que era viável a criação de um livro à parte para explicar toda a etapa técnica que eu não desejava incluir em um livro que versasse sobre "Projeto para Games", nascendo então o "ZBrush para Iniciantes.

Os livros de Erick Keller e Scot Spencer, além da ajuda Online www.zbrush.info e do fórum www.zbrushcentral.com, me foram de extrema valia para nortear a dissertação que apresento ao leitor neste livro. De posse de material impresso, pesquisas pelos meios digitais e um estudo aprofundado sobre as ferramentas do ZBrush, aliados a minha experiência anterior com o assunto, conversas com artistas e profissionais que já utilizam este software há mais tempo, foi possível conceber de forma didática o conteúdo apresentado neste livro.

O material em si não procura exigir do leitor mais do que ele possa produzir com o conhecimento adquirido na leitura dele, na verdade ele tenta mostrar, a maior parte do tempo, como utilizar tudo que o software oferece, de modo simples e prático.

O ZBrush, como todos sabem, está se tornando uma das ferramentas que deve constar no currículo de qualquer artista que deseja ingressar no mercado de trabalho de computação gráfica, seja de filmes ou jogos. Grandes produtoras já o têm usado em larga escala, como, por exemplo, o Estúdio Epic Games com seus jogos Unreal Tournament e Gears Of War, além de filmes como O Senhor dos Anéis, com seus efeitos visuais produzidos pela Weta Digital. Há alguns anos, quem dominasse o ZBrush, ou tivesse conhecimento dele, tinha apenas um aditivo ao currículo, mas, hoje, definitivamente, ele é tão importante como qualquer outra ferramenta 3D.

Em um mercado ávido por resultados rápidos e cada vez mais qualificados, o uso de ferramentas, como o ZBrush, é muito crescente. Escultura, ilustração, pintura, textura, ou simples ajustes em modelos, tudo isto ele cobre de maneira eficiente e profissional. Evidentemente, nenhuma empresa fecharia os olhos para isto.

O ZBrush é um software muito versátil, pois, com ele, como dito anteriormente, é possível desenvolver desde modelos esculpidos digitalmente, assim como ilustrações 2D, pinturas, texturas ou, ainda, se o artista desejar, pode simplesmente utilizar a ferramenta para alguns ajustes em texturas ou malhas. A sua interface que "trabalha de modo circular" favorece seu uso diversificado, pois mais de uma maneira é possível ser usada para determinadas situações.

As recompensas no aprendizado desta ferramenta não são sentidas apenas pelas empresas que contratam artistas capacitados para usá-la. Novos artistas também sentem os resultados quase que instantaneamente ao seu aprendizado mais básico. É muito intuitivo o manuseio desta ferramenta, pois, com alguns toques em superfícies relativamente simples, modelos complexos são produzidos, utilizando conceitos antigos de escultura tradicional. Com uma base de conhecimento sólida sobre escultura ou modelagem tradicional, muito se pode produzir com o ZBrush.

Com este livro, espero que o leitor tenha apreendido seu significado de uso e consequente relevância para o currículo de qualquer artista. Seu uso implica não apenas evolução profissional, mas também um aprimoramento pessoal, pois ele nos força a ir a fundo com modelos digitais, extraindo o máximo de realismo possível. Agradeço a atenção do leitor até a presente linha de texto e espero que este material tenha cumprido seu papel com o leitor e preenchido todas as expectativas.

Caso o leitor deseje entrar em contato comigo para comentários sobre o livro, ou sobre alguma dúvida que surgir, por favor, utilize meu webiste, disponível em www.alessandrolima.com ou através do meu e-mail alessandrolima@alessandrolima.com.

CAPÍTULO 11: GALERIA DE ARTISTAS

CAPÍTULO 11

Galeria de artistas

Esta seção mostra o que artistas conhecidos conseguem produzir com o ZBrush, bem como mostrar a qualidade que se consegue extrair de modelos com esta ferramenta.

As Figuras 11.1 a 11.7 são de autoria de Diego Maia.

Figura 11.1

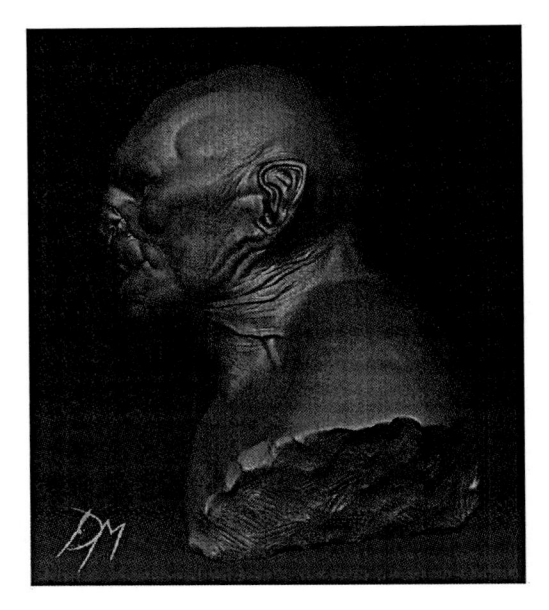

Figura 11.2

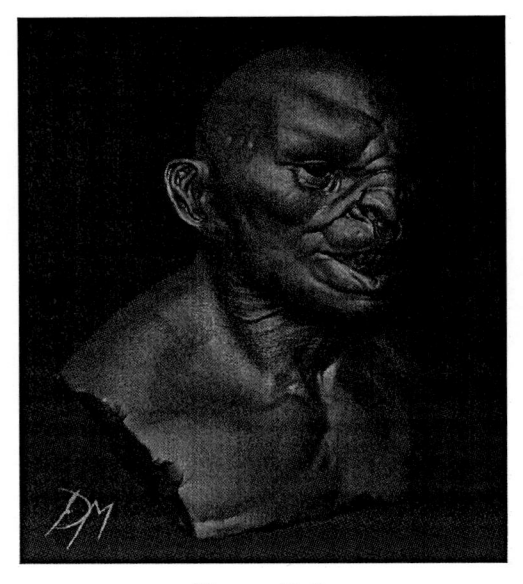

Figura 11.3

Galeria de artistas | 541

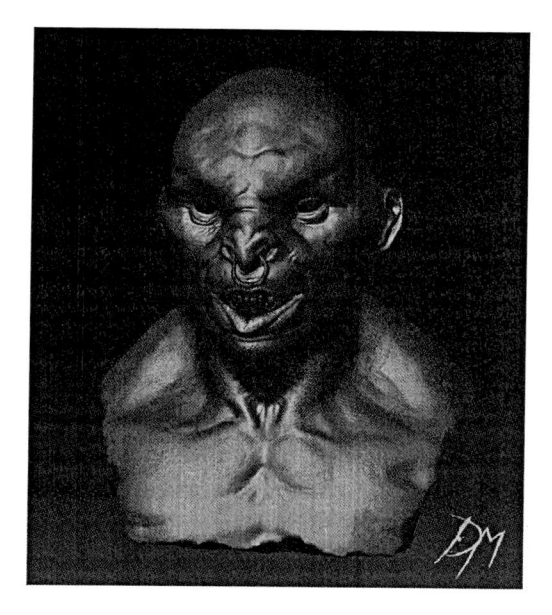

Figura 11.4

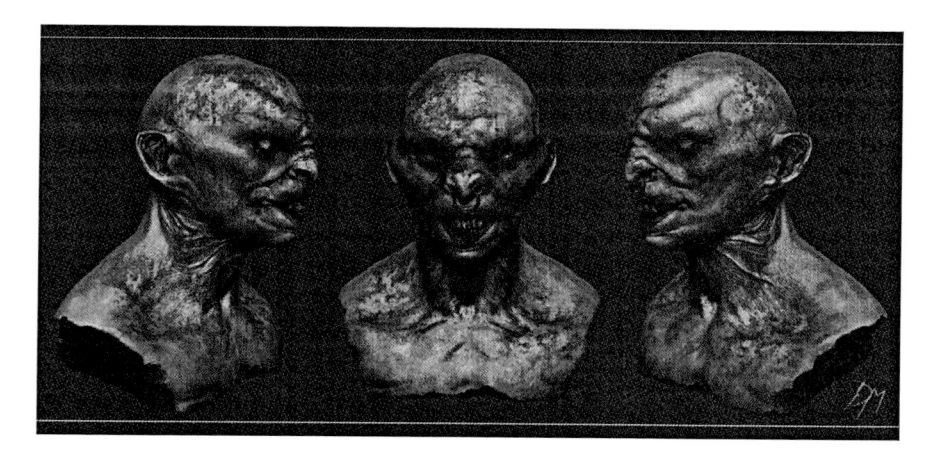

Figura 11.5

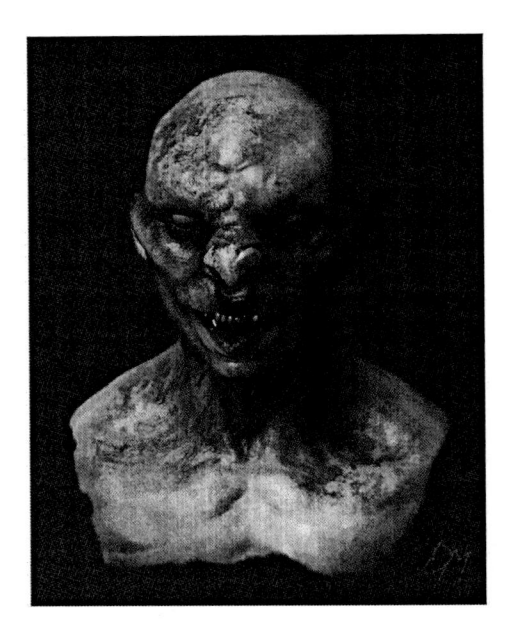

Figura 11.6

Figura 11.7

A Figura 11.7 mostra um render feito em um programa 3D externo ao ZBrush, usando modelos trabalhados neste.

A Figura 11.8 é de autoria de Alessandro Lima

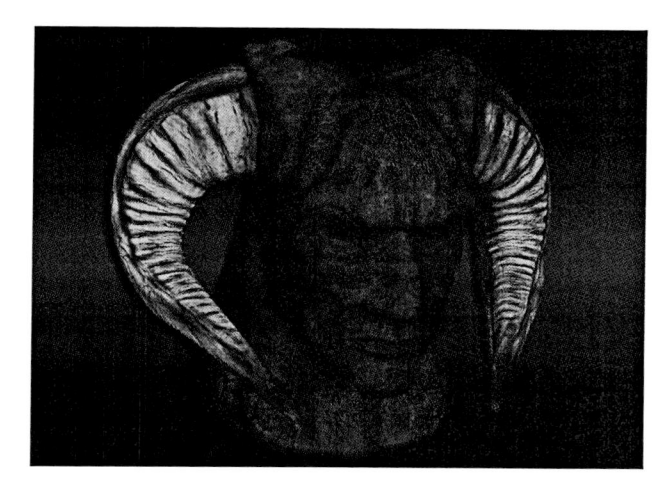

Figura 11.8

As Figuras 11.9 a 11.14 são de autoria de Rafael Grassetti, bem como a figura de abertura do capítulo ("Capítulo 8: Materiais, Luzes e render") da página 457.

Figura 11.9

Figura 11.10

Figura 11.11

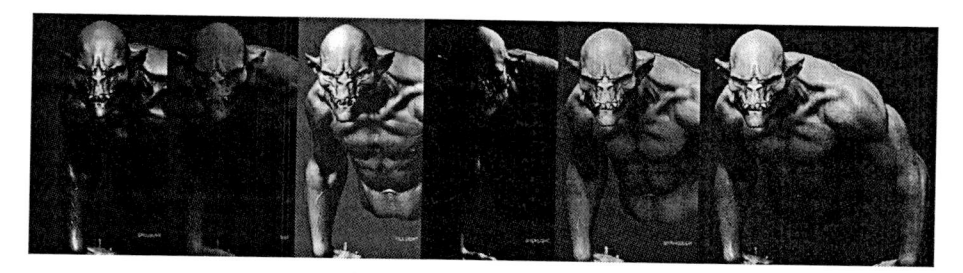

Figura 11.12

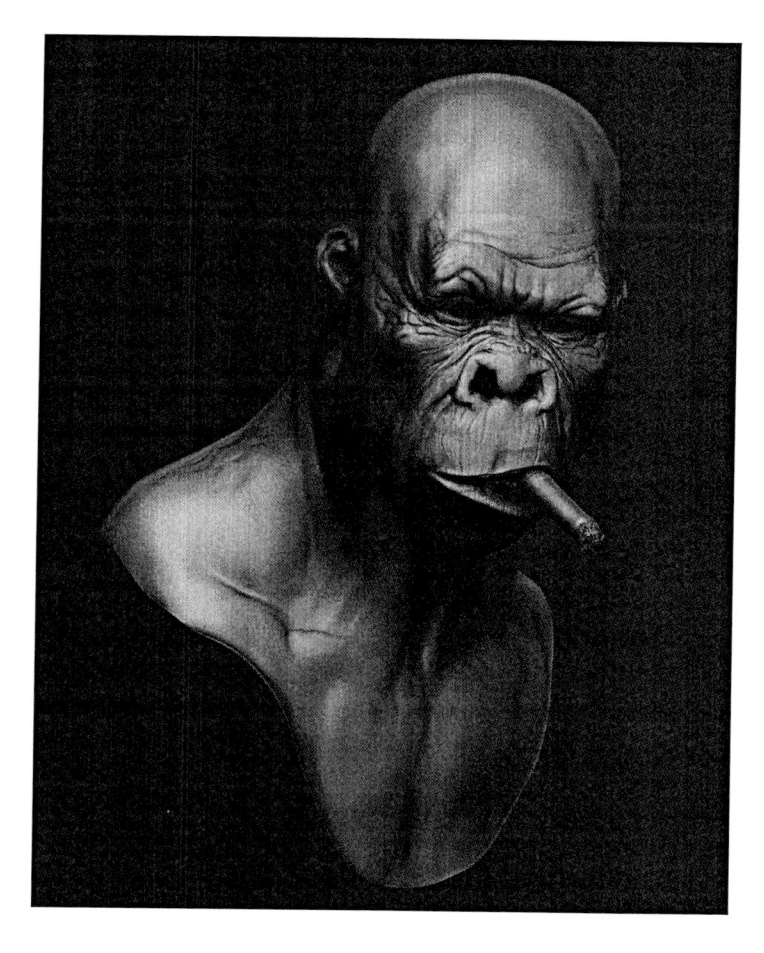

Figura 11.13

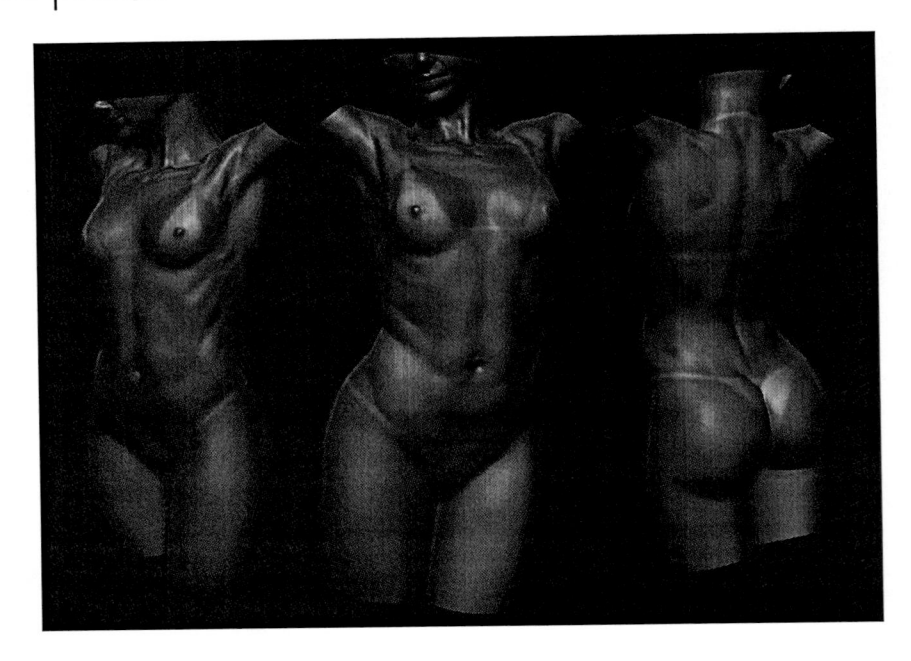

Figura 11.14

A Figura 11.11 mostra um render composto com camadas (passes) de render compostos em um programa de imagens 2D. As camadas de render são a Specular, SSS, Fill Light, Back Light e Skin + Color, conforme podem ser vistas na Figura 11.12

CAPÍTULO 12

Bibliografia

AZEVEDO, Eduardo. Computação Gráfica – Teoria e Prática. Rio de Janeiro: Elsevier, 203.

BACELLAR, Laura. Escreva seu Livro: Guia Prático de Edição e Publicação. São Paulo: Mercuryo, 2001.

BELLOTO, Sonia. Você Já Pensou em Escrever um Livro? São Paulo: Ediouro, 2008.

DELAVIER, Frédéric. Guia Dos Movimentos De Musculação. Abordagem Anatômica. São Paulo: Manoele, 2000.

FLEMING, Bil. 3D Texture Workshop: Painting Hollywood Creature Textures. Califórnia: Komodo, 2002.

KELLER, Eric. Introducing ZBrush. Indianapolis: Sybex, 2008.

LIMA, Alessandro. Desenvolvendo Personagens em 3D com 3Ds Max. Rio de Janeiro: Ciência Moderna, 2007.

LUFT, Celso Pedro. Minidicionário Luft. São Paulo: Ática, 2000.

MEYER, Stephenie. Crepúsculo. Rio de Janeiro: Intrínseca, 2003.

ROBSON, Wayne. Essential ZBrush. Texas: Wordware Publishing, Inc., 2008.

SPENCER, Scott. ZBrush Character Creation: Advanced Digital Sculpting. Indianapolis: Sybex, 2008.

Gnomon DVD de Treinamento por Ian Joyner:
DVD 1 - Character Modeling Techniques: Material and texturing techniques with Ian Joyner, 2006.

DVD 2 - Character Texturing Techniques: Material and texturing techniques with Ian Joyner, 2006.

Site www.alessandrolima.com acessado em 10 de abril de 2008.

Site http://area.autodesk.com/ acessado em 8 fevereiro de 2009.

Site http://dorothyballarini.cgsociety.org/gallery/ acessado em 01 de maio de 2009.

Site www.gersonklein.com acessado em 01 de julho de 2009.

Site www.gersonklein.wordpress.com acessado em janeiro de 2009.

Site www.google.com acessado em 06 de junho de 2008.

Site www.grassetti.wordpress.com acessado em 1 de fevereiro de 2009.

Site www.maia3d.blogspot.com acessado em 9 de março de 2009

Site www.paultosca.com acessado em 20 de maio de 2008.

Site www.pixologic.com acessado em 18 de julho de 2008.

Site www.thefreedictionary.com acessado em 31 de janeiro de 2009.

Site www.wikipedia.org acessado em 16 de junho de 2008.

Site www.zbrushcentral.com acessado em 10 de maio de 2008.

Site www.zbrush.info acessado em 20 de julho de 2008.

Site http://www.pixologic.com/docs/index.php/Main_Page acessado em 03 de julho de 2009.

Site www.3d4all.org acessado em 9 de junho de 2008.

Impressão e acabamento
Gráfica da Editora Ciência Moderna Ltda.
Tel: (21) 2201-6662